ESPAGNOL
LES VERBES

Francis Mateo
Antonio José Rojo Sastre

HATIER

@

Cet ouvrage de la collection Bescherelle
est associé à des **compléments numériques** :
un ensemble d'exercices interactifs
sur les principales difficultés
des verbes espagnols.
Pour y accéder, connectez-vous au site
www.bescherelle.com.
Inscrivez-vous en sélectionnant
le titre de l'ouvrage.
Il vous suffira ensuite d'indiquer
un mot clé issu de l'ouvrage
pour afficher le sommaire des exercices.

Vous pourrez également utiliser librement
les ressources liées aux autres ouvrages
de la collection Bescherelle en espagnol.

Coordination éditoriale : Claire Dupuis, **assistée de** Bénédicte Jacamon
Édition : Doriane Giuili
Correction : Vicky Santolaria Malo
Conception graphique : Marie-Astrid Bailly-Maître, Sterenn Heudiard, Sandrine Albanel & Nicolas Taffin
Mise en page : Sterenn Heudiard

Typographie : cet ouvrage est composé principalement avec les polices de caractères Cicéro (créée par Thierry Puyfoulhoux), Scala sans (créée par Martin Majoor) et Sassoon (créée par Adrian Williams).

© **HATIER – Paris – juin 2008** – ISSN 0990 3771 – ISBN 978-2-218-92617-4

→ **Ouvrage de référence** destiné à un large public –lycéens, étudiants, adultes –, les *Verbes espagnols Bescherelle* décrit l'emploi des verbes de la langue espagnole contemporaine.

→ Il propose à l'utilisateur les **Tableaux de conjugaison** des verbes modèles et en présente les spécificités dans une **Grammaire du verbe** : réguliers, irréguliers, auxiliaires…
Le **Guide des verbes prépositionnels** est illustré par des exemples clairs et pratiques pour le bon usage des prépositions. Le **Dictionnaire des verbes**, qui rassemble 7 000 verbes, sert d'outil complémentaire à la construction des verbes et à leur utilisation.

→ Dans cette **nouvelle édition, entièrement revue**, chaque partie est associée à une couleur différente et les contenus sont structurés en **paragraphes numérotés**. Cette organisation facilite une circulation rapide et efficace à l'intérieur des parties ; elle permet une lecture en continu aussi bien qu'une consultation ponctuelle, à partir des sommaires et des renvois internes.

→ L'objectif final est bien de fournir à l'utilisateur tous les moyens d'une réelle **maîtrise de la conjugaison et de la construction des verbes espagnols**.

N.B. L'ordre alphabétique adopté est conforme aux normes universelles. En accord avec les décisions prises en avril 1994 par le xe Congrès de l'Association des Académies de la langue espagnole, le **ch** et **ll** sont intégrés, respectivement, dans les lettres **c** et **l**, tandis que le **ñ** garde sa place habituelle, après le **n**.

Sommaire

Les numéros renvoient aux paragraphes.

Tableaux
et listes

Besc
ner
elle
ESPAGNOl

Les numéros renvoient aux paragraphes.

Liste des verbes types

Modes et temps

Nous présentons ici les temps verbaux sous leurs deux appellations recon-nues : la *Real Academia Española* (2005) en rouge et la terminologie sud-américaine de Andrés Bello en bleu.

FORMES PERSONNELLES

INDICATIF (INDICATIVO)

PRÉSENT	PASSÉ COMPOSÉ
presente	pretérito perfecto
presente	compuesto
	antepresente

IMPARFAIT	PLUS-QUE-PARFAIT
pretérito	pretérito
imperfecto	pluscuamperfecto
copretérito	antecopretérito

PASSÉ SIMPLE	PASSÉ ANTÉRIEUR
pretérito perfecto	pretérito anterior
simple	antepretérito
pretérito	

FUTUR SIMPLE	FUTUR ANTÉRIEUR
futuro simple	futuro compuesto
futuro	antefuturo

SUBJONCTIF (SUBJUNTIVO)

PRÉSENT	PASSÉ
presente	pretérito perfecto
presente	compuesto
	antepresente

IMPARFAIT	PLUS-QUE-PARFAIT
pretérito	pretérito
imperfecto	pluscuamperfecto
pretérito	antepretérito

FUTUR SIMPLE	FUTUR ANTÉRIEUR
futuro simple	futuro compuesto
futuro	antefuturo

CONDITIONNEL PRÉSENT	CONDITIONNEL PASSÉ
condicional simple	condicional compuesto
pospretérito	antepospretérito

IMPÉRATIF (IMPERATIVO)

FORMES IMPERSONNELLES

	INFINITIF	GÉRONDIF	PARTICIPE
FORME SIMPLE	infinitivo	gerundio	participio
FORME COMPOSÉE	infinitivo compuesto	gerundio compuesto	

Verbe auxiliaire

1 | **ser** être

		INDICATIF		SUBJONCTIF	
		PRÉSENT	**PASSÉ COMPOSÉ**	**PRÉSENT**	**PASSÉ**
sing.	1ʳᵉ	soy	he sido	sea	haya sido
	2ᵉ	eres	has sido	seas	hayas sido
	3ᵉ	es	ha sido	sea	haya sido
plur.	1ʳᵉ	somos	hemos sido	seamos	hayamos sido
	2ᵉ	sois	habéis sido	seáis	hayáis sido
	3ᵉ	son	han sido	sean	hayan sido
		IMPARFAIT	**PLUS-QUE-PARFAIT**	**IMPARFAIT**	**PLUS-QUE-PARFAIT**
sing.	1ʳᵉ	era	había sido	fuera	hubiera sido
	2ᵉ	eras	habías sido	fueras	hubieras sido
	3ᵉ	era	había sido	fuera	hubiera sido
plur.	1ʳᵉ	éramos	habíamos sido	fuéramos	hubiéramos sido
	2ᵉ	erais	habíais sido	fuerais	hubierais sido
	3ᵉ	eran	habían sido	fueran	hubieran sido
		PASSÉ SIMPLE	**PASSÉ ANTÉRIEUR**	*ou*	*ou*
sing.	1ʳᵉ	fui	hube sido	fuese	hubiese sido
	2ᵉ	fuiste	hubiste sido	fueses	hubieses sido
	3ᵉ	fue	hubo sido	fuese	hubiese sido
plur.	1ʳᵉ	fuimos	hubimos sido	fuésemos	hubiésemos sido
	2ᵉ	fuisteis	hubisteis sido	fueseis	hubieseis sido
	3ᵉ	fueron	hubieron sido	fuesen	hubiesen sido
		FUTUR SIMPLE	**FUTUR ANTÉRIEUR**	**FUTUR SIMPLE**	**FUTUR ANTÉRIEUR**
sing.	1ʳᵉ	seré	habré sido	fuere	hubiere sido
	2ᵉ	serás	habrás sido	fueres	hubieres sido
	3ᵉ	será	habrá sido	fuere	hubiere sido
plur.	1ʳᵉ	seremos	habremos sido	fuéremos	hubiéremos sido
	2ᵉ	seréis	habréis sido	fuereis	hubiereis sido
	3ᵉ	serán	habrán sido	fueren	hubieren sido

		CONDITIONNEL PRÉSENT	CONDITIONNEL PASSÉ			IMPÉRATIF
sing.	1ʳᵉ	sería	habría sido			
	2ᵉ	serías	habrías sido	sing.	2ᵉ	sé
	3ᵉ	sería	habría sido		3ᵉ	sea
plur.	1ʳᵉ	seríamos	habríamos sido	plur.	1ʳᵉ	seamos
	2ᵉ	seríais	habríais sido		2ᵉ	sed
	3ᵉ	serían	habrían sido		3ᵉ	sean

	INFINITIF	GÉRONDIF	PARTICIPE
FORME SIMPLE	ser	siendo	sido
FORME COMPOSÉE	haber sido	habiendo sido	

- Ce verbe présente de nombreuses formes communes avec le verbe **ir** (➔ conjugaison **46**). **Ser** est le verbe auxiliaire employé pour exprimer la forme passive (➔ sens et divers emplois **125-129**). Le **y** *(yod)* couvre le **o** de la désinence comme 2ᵉ élément de diphtongue, **soy** à la 1ʳᵉ pers. de l'indicatif présent. Le radical de l'indicatif imparfait est irrégulier ainsi que le participe passé. Le prétérit fort altère le radical et ajoute **fui** au passé simple et à ses temps dérivés (➔ **110**).

2 | **estar** _être_

		INDICATIF		SUBJONCTIF	
		PRÉSENT	**PASSÉ COMPOSÉ**	**PRÉSENT**	**PASSÉ**
sing.	1ʳᵉ	estoy	he estado	esté	haya estado
	2ᵉ	estás	has estado	estés	hayas estado
	3ᵉ	está	ha estado	esté	haya estado
plur.	1ʳᵉ	estamos	hemos estado	estemos	hayamos estado
	2ᵉ	estáis	habéis estado	estéis	hayáis estado
	3ᵉ	están	han estado	estén	hayan estado
		IMPARFAIT	**PLUS-QUE-PARFAIT**	**IMPARFAIT**	**PLUS-QUE-PARFAIT**
sing.	1ʳᵉ	estaba	había estado	estuviera	hubiera estado
	2ᵉ	estabas	habías estado	estuvieras	hubieras estado
	3ᵉ	estaba	había estado	estuviera	hubiera estado
plur.	1ʳᵉ	estábamos	habíamos estado	estuviéramos	hubiéramos estado
	2ᵉ	estabais	habíais estado	estuvierais	hubierais estado
	3ᵉ	estaban	habían estado	estuvieran	hubieran estado
		PASSÉ SIMPLE	**PASSÉ ANTÉRIEUR**	_ou_	_ou_
sing.	1ʳᵉ	estuve	hube estado	estuviese	hubiese estado
	2ᵉ	estuviste	hubiste estado	estuvieses	hubieses estado
	3ᵉ	estuvo	hubo estado	estuviese	hubiese estado
plur.	1ʳᵉ	estuvimos	hubimos estado	estuviésemos	hubiésemos estado
	2ᵉ	estuvisteis	hubisteis estado	estuvieseis	hubieseis estado
	3ᵉ	estuvieron	hubieron estado	estuviesen	hubiesen estado
		FUTUR SIMPLE	**FUTUR ANTÉRIEUR**	**FUTUR SIMPLE**	**FUTUR ANTÉRIEUR**
sing.	1ʳᵉ	estaré	habré estado	estuviere	hubiere estado
	2ᵉ	estarás	habrás estado	estuvieres	hubieres estado
	3ᵉ	estará	habrá estado	estuviere	hubiere estado
plur.	1ʳᵉ	estaremos	habremos estado	estuviéremos	hubiéremos estado
	2ᵉ	estaréis	habréis estado	estuviereis	hubiereis estado
	3ᵉ	estarán	habrán estado	estuvieren	hubieren estado
		CONDITIONNEL PRÉSENT	**CONDITIONNEL PASSÉ**		
sing.	1ʳᵉ	estaría	habría estado		
	2ᵉ	estarías	habrías estado		IMPÉRATIF
	3ᵉ	estaría	habría estado	sing. 2ᵉ	está
plur.	1ʳᵉ	estaríamos	habríamos estado	3ᵉ	esté
	2ᵉ	estaríais	habríais estado	plur. 1ʳᵉ	estemos
	3ᵉ	estarían	habrían estado	2ᵉ	estad
				3ᵉ	estén

	INFINITIF	GÉRONDIF	PARTICIPE
FORME SIMPLE	estar	estando	estado
FORME COMPOSÉE	haber estado	habiendo estado	

- Le prétérit fort altère le radical et ajoute **uv** au passé simple et à ses temps dérivés (→ 110). Le **y** _(yod)_ couvre le **o** de la désinence comme 2ᵉ élément de diphtongue, **estoy** à la 1ʳᵉ pers. de l'indicatif présent. → Sens et divers emplois de estar **125-129**

3 haber *avoir*

		INDICATIF		SUBJONCTIF	
		PRÉSENT	**PASSÉ COMPOSÉ**	**PRÉSENT**	**PASSÉ**
sing.	1re	he	he habido	haya	haya habido
	2e	has	has habido	hayas	hayas habido
	3e	ha/hay	ha habido	haya	haya habido
plur.	1re	hemos	hemos habido	hayamos	hayamos habido
	2e	habéis	habéis habido	hayáis	hayáis habido
	3e	han	han habido	hayan	hayan habido
		IMPARFAIT	**PLUS-QUE-PARFAIT**	**IMPARFAIT**	**PLUS-QUE-PARFAIT**
sing.	1re	había	había habido	hubiera	hubiera habido
	2e	habías	habías habido	hubieras	hubieras habido
	3e	había	había habido	hubiera	hubiera habido
plur.	1re	habíamos	habíamos habido	hubiéramos	hubiéramos habido
	2e	habíais	habíais habido	hubierais	hubierais habido
	3e	habían	habían habido	hubieran	hubieran habido
		PASSÉ SIMPLE	**PASSÉ ANTÉRIEUR**	*ou*	*ou*
sing.	1re	hube	hube habido	hubiese	hubiese habido
	2e	hubiste	hubiste habido	hubieses	hubieses habido
	3e	hubo	hubo habido	hubiese	hubiese habido
plur.	1re	hubimos	hubimos habido	hubiésemos	hubiésemos habido
	2e	hubisteis	hubisteis habido	hubieseis	hubieseis habido
	3e	hubieron	hubieron habido	hubiesen	hubiesen habido
		FUTUR SIMPLE	**FUTUR ANTÉRIEUR**	**FUTUR SIMPLE**	**FUTUR ANTÉRIEUR**
sing.	1re	habré	habré habido	hubiere	hubiere habido
	2e	habrás	habrás habido	hubieres	hubieres habido
	3e	habrá	habrá habido	hubiere	hubiere habido
plur.	1re	habremos	habremos habido	hubiéremos	hubiéremos habido
	2e	habréis	habréis habido	hubiereis	hubiereis habido
	3e	habrán	habrán habido	hubieren	hubieren habido
		CONDITIONNEL PRÉSENT	**CONDITIONNEL PASSÉ**		
sing.	1re	habría	habría habido		IMPÉRATIF
	2e	habrías	habrías habido	sing. 2e	–
	3e	habría	habría habido	3e	–
plur.	1re	habríamos	habríamos habido	plur. 1re	–
	2e	habríais	habríais habido	2e	–
	3e	habrían	habrían habido	3e	–

	INFINITIF	GÉRONDIF	PARTICIPE
FORME SIMPLE	haber	habiendo	habido
FORME COMPOSÉE	haber habido	habiendo habido	

- **Haber** est le verbe auxiliaire qui sert à former les temps composés de tous les verbes. La voyelle du radical **a** devient **u** au passé simple et à ses temps dérivés (→ 110). Chute de la voyelle thématique **e** à l'indicatif futur et au conditionnel. Introduction de **y** *(yod)* à la forme impersonnelle de l'indicatif présent et au subjonctif présent. L'impératif n'est pas utilisé.

4 | tener *avoir*

		INDICATIF		SUBJONCTIF	
		PRÉSENT	**PASSÉ COMPOSÉ**	**PRÉSENT**	**PASSÉ**
sing.	1ʳᵉ	tengo	he tenido	tenga	haya tenido
	2ᵉ	tienes	has tenido	tengas	hayas tenido
	3ᵉ	tiene	ha tenido	tenga	haya tenido
plur.	1ʳᵉ	tenemos	hemos tenido	tengamos	hayamos tenido
	2ᵉ	tenéis	habéis tenido	tengáis	hayáis tenido
	3ᵉ	tienen	han tenido	tengan	hayan tenido
		IMPARFAIT	**PLUS-QUE-PARFAIT**	**IMPARFAIT**	**PLUS-QUE-PARFAIT**
sing.	1ʳᵉ	tenía	había tenido	tuviera	hubiera tenido
	2ᵉ	tenías	habías tenido	tuvieras	hubieras tenido
	3ᵉ	tenía	había tenido	tuviera	hubiera tenido
plur.	1ʳᵉ	teníamos	habíamos tenido	tuviéramos	hubiéramos tenido
	2ᵉ	teníais	habíais tenido	tuvierais	hubierais tenido
	3ᵉ	tenían	habían tenido	tuvieran	hubieran tenido
		PASSÉ SIMPLE	**PASSÉ ANTÉRIEUR**	*ou*	*ou*
sing.	1ʳᵉ	tuve	hube tenido	tuviese	hubiese tenido
	2ᵉ	tuviste	hubiste tenido	tuvieses	hubieses tenido
	3ᵉ	tuvo	hubo tenido	tuviese	hubiese tenido
plur.	1ʳᵉ	tuvimos	hubimos tenido	tuviésemos	hubiésemos tenido
	2ᵉ	tuvisteis	hubisteis tenido	tuvieseis	hubieseis tenido
	3ᵉ	tuvieron	hubieron tenido	tuviesen	hubiesen tenido
		FUTUR SIMPLE	**FUTUR ANTÉRIEUR**	**FUTUR SIMPLE**	**FUTUR ANTÉRIEUR**
sing.	1ʳᵉ	tendré	habré tenido	tuviere	hubiere tenido
	2ᵉ	tendrás	habrás tenido	tuvieres	hubieres tenido
	3ᵉ	tendrá	habrá tenido	tuviere	hubiere tenido
plur.	1ʳᵉ	tendremos	habremos tenido	tuviéremos	hubiéremos tenido
	2ᵉ	tendréis	habréis tenido	tuviereis	hubiereis tenido
	3ᵉ	tendrán	habrán tenido	tuvieren	hubieren tenido
		CONDITIONNEL PRÉSENT	**CONDITIONNEL PASSÉ**		
sing.	1ʳᵉ	tendría	habría tenido		
	2ᵉ	tendrías	habrías tenido		
	3ᵉ	tendría	habría tenido		
plur.	1ʳᵉ	tendríamos	habríamos tenido		
	2ᵉ	tendríais	habríais tenido		
	3ᵉ	tendrían	habrían tenido		

	IMPÉRATIF	
sing.	2ᵉ	ten
	3ᵉ	tenga
plur.	1ʳᵉ	tengamos
	2ᵉ	tened
	3ᵉ	tengan

	INFINITIF	GÉRONDIF	PARTICIPE
FORME SIMPLE	tener	teniendo	tenido
FORME COMPOSÉE	haber tenido	habiendo tenido	

- Modèle pour **abstener, atenerse, contener, detener, entretener, mantener, obtener, retener, sostener**.
- Introduction de **uv** au passé simple et à ses temps dérivés (→ 110). Introduction de **g** devant **o** ou **a** à la 1ʳᵉ pers. sing. de l'indicatif présent, au subjonctif présent et aux formes dérivées de l'impératif. Diphtongaison de **e** qui devient **ie** aux 2ᵉ et 3ᵉ pers. sing. et à la 3ᵉ pers. plur. de l'indicatif présent. Remplacement de la voyelle thématique **e** par la consonne **d** à l'indicatif futur et au conditionnel.

5 cortar *couper*

		INDICATIF		SUBJONCTIF	
		PRÉSENT	**PASSÉ COMPOSÉ**	**PRÉSENT**	**PASSÉ**
sing.	1re	corto	he cortado	corte	haya cortado
	2^e	cortas	has cortado	cortes	hayas cortado
	3^e	corta	ha cortado	corte	haya cortado
plur.	1re	cortamos	hemos cortado	cortemos	hayamos cortado
	2^e	cortáis	habéis cortado	cortéis	hayáis cortado
	3^e	cortan	han cortado	corten	hayan cortado
		IMPARFAIT	**PLUS-QUE-PARFAIT**	**IMPARFAIT**	**PLUS-QUE-PARFAIT**
sing.	1re	cortaba	había cortado	cortara	hubiera cortado
	2^e	cortabas	habías cortado	cortaras	hubieras cortado
	3^e	cortaba	había cortado	cortara	hubiera cortado
plur.	1re	cortábamos	habíamos cortado	cortáramos	hubiéramos cortado
	2^e	cortabais	habíais cortado	cortarais	hubierais cortado
	3^e	cortaban	habían cortado	cortaran	hubieran cortado
		PASSÉ SIMPLE	**PASSÉ ANTÉRIEUR**	*ou*	*ou*
sing.	1re	corté	hube cortado	cortase	hubiese cortado
	2^e	cortaste	hubiste cortado	cortases	hubieses cortado
	3^e	cortó	hubo cortado	cortase	hubiese cortado
plur.	1re	cortamos	hubimos cortado	cortásemos	hubiésemos cortado
	2^e	cortasteis	hubisteis cortado	cortaseis	hubieseis cortado
	3^e	cortaron	hubieron cortado	cortasen	hubiesen cortado
		FUTUR SIMPLE	**FUTUR ANTÉRIEUR**	**FUTUR SIMPLE**	**FUTUR ANTÉRIEUR**
sing.	1re	cortaré	habré cortado	cortare	hubiere cortado
	2^e	cortarás	habrás cortado	cortares	hubieres cortado
	3^e	cortará	habrá cortado	cortare	hubiere cortado
plur.	1re	cortaremos	habremos cortado	cortáremos	hubiéremos cortado
	2^e	cortaréis	habréis cortado	cortareis	hubiereis cortado
	3^e	cortarán	habrán cortado	cortaren	hubieren cortado

		CONDITIONNEL PRÉSENT	CONDITIONNEL PASSÉ	IMPÉRATIF	
sing.	1re	cortaría	habría cortado		
	2^e	cortarías	habrías cortado	sing. 2^e	corta
	3^e	cortaría	habría cortado	3^e	corte
plur.	1re	cortaríamos	habríamos cortado	plur. 1re	cortemos
	2^e	cortaríais	habríais cortado	2^e	cortad
	3^e	cortarían	habrían cortado	3^e	corten

	INFINITIF	GÉRONDIF	PARTICIPE
FORME SIMPLE	cortar	cortando	cortado
FORME COMPOSÉE	haber cortado	habiendo cortado	

- Modèle pour **apedrear, centellar, chispear, clarear, descampar, diluviar, escarchar, gotear, incoar, loar, lloviznar, molliznar, obstar, pasar, relampaguear, resultar, rumorar, ventear**... qui sont employés comme verbes impersonnels (→ 130) et **circuncidar, expresar, fijar, hartar, injertar, insertar, juntar, marchitar, pasar, salvar, sepultar, sujetar** qui ont un double participe passé (→ 133).

6 | **deber** *devoir*

	INDICATIF		SUBJONCTIF	
	PRÉSENT	**PASSÉ COMPOSÉ**	**PRÉSENT**	**PASSÉ**
sing. 1ʳᵉ	debo	he debido	deba	haya debido
2ᵉ	debes	has debido	debas	hayas debido
3ᵉ	debe	ha debido	deba	haya debido
plur. 1ʳᵉ	debemos	hemos debido	debamos	hayamos debido
2ᵉ	debéis	habéis debido	debáis	hayáis debido
3ᵉ	deben	han debido	deban	hayan debido
	IMPARFAIT	**PLUS-QUE-PARFAIT**	**IMPARFAIT**	**PLUS-QUE-PARFAIT**
sing. 1ʳᵉ	debía	había debido	debiera	hubiera debido
2ᵉ	debías	habías debido	debieras	hubieras debido
3ᵉ	debía	había debido	debiera	hubiera debido
plur. 1ʳᵉ	debíamos	habíamos debido	debiéramos	hubiéramos debido
2ᵉ	debíais	habíais debido	debierais	hubierais debido
3ᵉ	debían	habían debido	debieran	hubieran debido
	PASSÉ SIMPLE	**PASSÉ ANTÉRIEUR**	*ou*	*ou*
sing. 1ʳᵉ	debí	hube debido	debiese	hubiese debido
2ᵉ	debiste	hubiste debido	debieses	hubieses debido
3ᵉ	debió	hubo debido	debiese	hubiese debido
plur. 1ʳᵉ	debimos	hubimos debido	debiésemos	hubiésemos debido
2ᵉ	debisteis	hubisteis debido	debieseis	hubieseis debido
3ᵉ	debieron	hubieron debido	debiesen	hubiesen debido
	FUTUR SIMPLE	**FUTUR ANTÉRIEUR**	**FUTUR SIMPLE**	**FUTUR ANTÉRIEUR**
sing. 1ʳᵉ	deberé	habré debido	debiere	hubiere debido
2ᵉ	deberás	habrás debido	debieres	hubieres debido
3ᵉ	deberá	habrá debido	debiere	hubiere debido
plur. 1ʳᵉ	deberemos	habremos debido	debiéremos	hubiéremos debido
2ᵉ	deberéis	habréis debido	debiereis	hubiereis debido
3ᵉ	deberán	habrán debido	debieren	hubieren debido

	CONDITIONNEL PRÉSENT	CONDITIONNEL PASSÉ		
sing. 1ʳᵉ	debería	habría debido		**IMPÉRATIF**
2ᵉ	deberías	habrías debido	sing. 2ᵉ	debe
3ᵉ	debería	habría debido	3ᵉ	deba
plur. 1ʳᵉ	deberíamos	habríamos debido	plur. 1ʳᵉ	debamos
2ᵉ	deberíais	habríais debido	2ᵉ	debed
3ᵉ	deberían	habrían debido	3ᵉ	deban

	INFINITIF	GÉRONDIF	PARTICIPE
FORME SIMPLE	deber	debiendo	debido
FORME COMPOSÉE	haber debido	habiendo debido	

- Modèle pour **romper** qui a un participe passé irrégulier (→ 132) et **absorber, compeler, comprender, corromper, expeler, prender, pretender, suspender** qui ont un double participe passé (→ 133). **Suceder** est employé comme verbe impersonnel (→ 130).

3e conjugaison, verbe régulier en ir

7 **vivir** *vivre*

		INDICATIF		SUBJONCTIF	
		PRÉSENT	**PASSÉ COMPOSÉ**	**PRÉSENT**	**PASSÉ**
sing.	1ʳᵉ	vivo	he vivido	viva	haya vivido
	2ᵉ	vives	has vivido	vivas	hayas vivido
	3ᵉ	vive	ha vivido	viva	haya vivido
plur.	1ʳᵉ	vivimos	hemos vivido	vivamos	hayamos vivido
	2ᵉ	vivís	habéis vivido	viváis	hayáis vivido
	3ᵉ	viven	han vivido	vivan	hayan vivido
		IMPARFAIT	**PLUS-QUE-PARFAIT**	**IMPARFAIT**	**PLUS-QUE-PARFAIT**
sing.	1ʳᵉ	vivía	había vivido	viviera	hubiera vivido
	2ᵉ	vivías	habías vivido	vivieras	hubieras vivido
	3ᵉ	vivía	había vivido	viviera	hubiera vivido
plur.	1ʳᵉ	vivíamos	habíamos vivido	viviéramos	hubiéramos vivido
	2ᵉ	vivíais	habíais vivido	vivierais	hubierais vivido
	3ᵉ	vivían	habían vivido	vivieran	hubieran vivido
		PASSÉ SIMPLE	**PASSÉ ANTÉRIEUR**	*ou*	*ou*
sing.	1ʳᵉ	viví	hube vivido	viviese	hubiese vivido
	2ᵉ	viviste	hubiste vivido	vivieses	hubieses vivido
	3ᵉ	vivió	hubo vivido	viviese	hubiese vivido
plur.	1ʳᵉ	vivimos	hubimos vivido	viviésemos	hubiésemos vivido
	2ᵉ	vivisteis	hubisteis vivido	vivieseis	hubieseis vivido
	3ᵉ	vivieron	hubieron vivido	viviesen	hubiesen vivido
		FUTUR SIMPLE	**FUTUR ANTÉRIEUR**	**FUTUR SIMPLE**	**FUTUR ANTÉRIEUR**
sing.	1ʳᵉ	viviré	habré vivido	viviere	hubiere vivido
	2ᵉ	vivirás	habrás vivido	vivieres	hubieres vivido
	3ᵉ	vivirá	habrá vivido	viviere	hubiere vivido
plur.	1ʳᵉ	viviremos	habremos vivido	viviéremos	hubiéremos vivido
	2ᵉ	viviréis	habréis vivido	viviereis	hubiereis vivido
	3ᵉ	vivirán	habrán vivido	vivieren	hubieren vivido
		CONDITIONNEL PRÉSENT	**CONDITIONNEL PASSÉ**		
sing.	1ʳᵉ	viviría	habría vivido		

IMPÉRATIF

		CONDITIONNEL				IMPÉRATIF
	2ᵉ	vivirías	habrías vivido	sing.	2ᵉ	vive
	3ᵉ	viviría	habría vivido		3ᵉ	viva
plur.	1ʳᵉ	viviríamos	habríamos vivido	plur.	1ʳᵉ	vivamos
	2ᵉ	viviríais	habríais vivido		2ᵉ	vivid
	3ᵉ	vivirían	habrían vivido		3ᵉ	vivan

	INFINITIF	GÉRONDIF	PARTICIPE
FORME SIMPLE	vivir	viviendo	vivido
FORME COMPOSÉE	haber vivido	habiendo vivido	

- Modèle pour **abrir, adscribir, circunscribir, describir, descubrir, encubrir, entreabrir, escribir, inscribir, prescribir, proscribir, reabrir, subscribir, suscribir, transcribir** qui ont un participe passé irrégulier (➔ 132) et **comprimir, confundir, consumir, contundir, difundir, dividir, eximir, imprimir, incurrir, infundir, manumitir, omitir, oprimir, presumir, reimprimir, suprimir** qui ont un double participe passé (➔ 133). **Descolorir** est un verbe défectif (➔ 131).

8 | abolir *abolir*

		INDICATIF		SUBJONCTIF	
		PRÉSENT	PASSÉ COMPOSÉ	PRÉSENT	PASSÉ
sing.	1re	–	he abolido	–	haya abolido
	2e	–	has abolido	–	hayas abolido
	3e	–	ha abolido	–	haya abolido
plur.	1re	abolimos	hemos abolido	–	hayamos abolido
	2e	abolís	habéis abolido	–	hayáis abolido
	3e	–	han abolido	–	hayan abolido
		IMPARFAIT	PLUS-QUE-PARFAIT	IMPARFAIT	PLUS-QUE-PARFAIT
sing.	1re	abolía	había abolido	aboliera	hubiera abolido
	2e	abolías	habías abolido	abolieras	hubieras abolido
	3e	abolía	había abolido	aboliera	hubiera abolido
plur.	1re	abolíamos	habíamos abolido	aboliéramos	hubiéramos abolido
	2e	abolíais	habíais abolido	abolierais	hubierais abolido
	3e	abolían	habían abolido	abolieran	hubieran abolido
		PASSÉ SIMPLE	PASSÉ ANTÉRIEUR	*ou*	*ou*
sing.	1re	abolí	hube abolido	aboliese	hubiese abolido
	2e	aboliste	hubiste abolido	abolieses	hubieses abolido
	3e	abolió	hubo abolido	aboliese	hubiese abolido
plur.	1re	abolimos	hubimos abolido	aboliésemos	hubiésemos abolido
	2e	abolisteis	hubisteis abolido	abolieseis	hubieseis abolido
	3e	abolieron	hubieron abolido	aboliesen	hubiesen abolido
		FUTUR SIMPLE	FUTUR ANTÉRIEUR	FUTUR SIMPLE	FUTUR ANTÉRIEUR
sing.	1re	aboliré	habré abolido	aboliere	hubiere abolido
	2e	abolirás	habrás abolido	abolieres	hubieres abolido
	3e	abolirá	habrá abolido	aboliere	hubiere abolido
plur.	1re	aboliremos	habremos abolido	aboliéremos	hubiéremos abolido
	2e	aboliréis	habréis abolido	aboliereis	hubiereis abolido
	3e	abolirán	habrán abolido	abolieren	hubieren abolido

		CONDITIONNEL PRÉSENT	CONDITIONNEL PASSÉ		
sing.	1re	aboliría	habría abolido		IMPÉRATIF
	2e	abolirías	habrías abolido	sing. 2e	–
	3e	aboliría	habría abolido	3e	–
plur.	1re	aboliríamos	habríamos abolido	plur. 1re	–
	2e	aboliríais	habríais abolido	2e	abolid
	3e	abolirían	habrían abolido	3e	–

	INFINITIF	GÉRONDIF	PARTICIPE
FORME SIMPLE	abolir	aboliendo	abolido
FORME COMPOSÉE	haber abolido	habiendo abolido	

- Modèle pour **agredir, aguerrir, aterir, balbucir, blandir, colorir, despavorir, empedernir, garantir, manir, transgredir** qui sont défectifs (→ 131). Seules sont employées les formes dont la désinence commence par **i**. **Balbucir**, verbe défectif, n'est pas employé à la 1re pers. de l'indicatif et du subjonctif présents. Ces formes sont remplacées par les formes équivalentes du verbe **balbucear**.

9 | actuar _agir_

		INDICATIF		SUBJONCTIF	
		PRÉSENT	**PASSÉ COMPOSÉ**	**PRÉSENT**	**PASSÉ**
sing.	1ʳᵉ	actúo	he actuado	actúe	haya actuado
	2ᵉ	actúas	has actuado	actúes	hayas actuado
	3ᵉ	actúa	ha actuado	actúe	haya actuado
plur.	1ʳᵉ	actuamos	hemos actuado	actuemos	hayamos actuado
	2ᵉ	actuáis	habéis actuado	actuéis	hayáis actuado
	3ᵉ	actúan	han actuado	actúen	hayan actuado
		IMPARFAIT	**PLUS-QUE-PARFAIT**	**IMPARFAIT**	**PLUS-QUE-PARFAIT**
sing.	1ʳᵉ	actuaba	había actuado	actuara	hubiera actuado
	2ᵉ	actuabas	habías actuado	actuaras	hubieras actuado
	3ᵉ	actuaba	había actuado	actuara	hubiera actuado
plur.	1ʳᵉ	actuábamos	habíamos actuado	actuáramos	hubiéramos actuado
	2ᵉ	actuabais	habíais actuado	actuarais	hubierais actuado
	3ᵉ	actuaban	habían actuado	actuaran	hubieran actuado
		PASSÉ SIMPLE	**PASSÉ ANTÉRIEUR**	_ou_	_ou_
sing.	1ʳᵉ	actué	hube actuado	actuase	hubiese actuado
	2ᵉ	actuaste	hubiste actuado	actuases	hubieses actuado
	3ᵉ	actuó	hubo actuado	actuase	hubiese actuado
plur.	1ʳᵉ	actuamos	hubimos actuado	actuásemos	hubiésemos actuado
	2ᵉ	actuasteis	hubisteis actuado	actuaseis	hubieseis actuado
	3ᵉ	actuaron	hubieron actuado	actuasen	hubiesen actuado
		FUTUR SIMPLE	**FUTUR ANTÉRIEUR**	**FUTUR SIMPLE**	**FUTUR ANTÉRIEUR**
sing.	1ʳᵉ	actuaré	habré actuado	actuare	hubiere actuado
	2ᵉ	actuarás	habrás actuado	actuares	hubieres actuado
	3ᵉ	actuará	habrá actuado	actuare	hubiere actuado
plur.	1ʳᵉ	actuaremos	habremos actuado	actuáremos	hubiéremos actuado
	2ᵉ	actuaréis	habréis actuado	actuareis	hubiereis actuado
	3ᵉ	actuarán	habrán actuado	actuaren	hubieren actuado
		CONDITIONNEL PRÉSENT	**CONDITIONNEL PASSÉ**		
sing.	1ʳᵉ	actuaría	habría actuado		**IMPÉRATIF**
	2ᵉ	actuarías	habrías actuado	sing. 2ᵉ	actúa
	3ᵉ	actuaría	habría actuado	3ᵉ	actúe
plur.	1ʳᵉ	actuaríamos	habríamos actuado	plur. 1ʳᵉ	actuemos
	2ᵉ	actuaríais	habríais actuado	2ᵉ	actuad
	3ᵉ	actuarían	habrían actuado	3ᵉ	actúen

	INFINITIF	GÉRONDIF	PARTICIPE
FORME SIMPLE	actuar	actuando	actuado
FORME COMPOSÉE	haber actuado	habiendo actuado	

- Modèle pour la plupart des verbes se terminant par **uar**, sauf ceux qui se terminent en **guar** qui suivent le modèle de **averiguar** (→ conjugaison 17). **Garuar** est employé comme verbe impersonnel (→ 130).
- Verbe régulier de la 1ʳᵉ conjugaison, accentué sur la voyelle du radical, **u** qui devient **ú** au sing. et à la 3ᵉ pers. plur. de l'indicatif et du subjonctif présents, ainsi qu'aux formes dérivées de l'impératif.

10 adquirir *acquérir*

		INDICATIF		SUBJONCTIF	
		PRÉSENT	PASSÉ COMPOSÉ	PRÉSENT	PASSÉ
sing.	1ʳᵉ	adquiero	he adquirido	adquiera	haya adquirido
	2ᵉ	adquieres	has adquirido	adquieras	hayas adquirido
	3ᵉ	adquiere	ha adquirido	adquiera	haya adquirido
plur.	1ʳᵉ	adquirimos	hemos adquirido	adquiramos	hayamos adquirido
	2ᵉ	adquirís	habéis adquirido	adquiráis	hayáis adquirido
	3ᵉ	adquieren	han adquirido	adquieran	hayan adquirido
		IMPARFAIT	PLUS-QUE-PARFAIT	IMPARFAIT	PLUS-QUE-PARFAIT
sing.	1ʳᵉ	adquiría	había adquirido	adquiriera	hubiera adquirido
	2ᵉ	adquirías	habías adquirido	adquirieras	hubieras adquirido
	3ᵉ	adquiría	había adquirido	adquiriera	hubiera adquirido
plur.	1ʳᵉ	adquiríamos	habíamos adquirido	adquiriéramos	hubiéramos adquirido
	2ᵉ	adquiríais	habíais adquirido	adquirierais	hubierais adquirido
	3ᵉ	adquirían	habían adquirido	adquirieran	hubieran adquirido
		PASSÉ SIMPLE	PASSÉ ANTÉRIEUR	*ou*	*ou*
sing.	1ʳᵉ	adquirí	hube adquirido	adquiriese	hubiese adquirido
	2ᵉ	adquiriste	hubiste adquirido	adquirieses	hubieses adquirido
	3ᵉ	adquirió	hubo adquirido	adquiriese	hubiese adquirido
plur.	1ʳᵉ	adquirimos	hubimos adquirido	adquiriésemos	hubiésemos adquirido
	2ᵉ	adquiristeis	hubisteis adquirido	adquirieseis	hubieseis adquirido
	3ᵉ	adquirieron	hubieron adquirido	adquiriesen	hubiesen adquirido
		FUTUR SIMPLE	FUTUR ANTÉRIEUR	FUTUR SIMPLE	FUTUR ANTÉRIEUR
sing.	1ʳᵉ	adquiriré	habré adquirido	adquiriere	hubiere adquirido
	2ᵉ	adquirirás	habrás adquirido	adquirieres	hubieres adquirido
	3ᵉ	adquirirá	habrá adquirido	adquiriere	hubiere adquirido
plur.	1ʳᵉ	adquiriremos	habremos adquirido	adquiriéremos	hubiéremos adquirido
	2ᵉ	adquiriréis	habréis adquirido	adquiriereis	hubiereis adquirido
	3ᵉ	adquirirán	habrán adquirido	adquirieren	hubieren adquirido

		CONDITIONNEL PRÉSENT	CONDITIONNEL PASSÉ	IMPÉRATIF	
sing.	1ʳᵉ	adquiriría	habría adquirido		
	2ᵉ	adquirirías	habrías adquirido	sing. 2ᵉ	adquiere
	3ᵉ	adquiriría	habría adquirido	3ᵉ	adquiera
plur.	1ʳᵉ	adquiriríamos	habríamos adquirido	plur. 1ʳᵉ	adquiramos
	2ᵉ	adquiriríais	habríais adquirido	2ᵉ	adquirid
	3ᵉ	adquirirían	habrían adquirido	3ᵉ	adquieran

	INFINITIF	GÉRONDIF	PARTICIPE
FORME SIMPLE	adquirir	adquiriendo	adquirido
FORME COMPOSÉE	haber adquirido	habiendo adquirido	

- Modèle pour **inquirir**.
- Diphtongaison de **i** qui devient **ie** au sing. et à la 3ᵉ pers. plur. de l'indicatif et du subjonctif présents, ainsi qu'aux formes dérivées de l'impératif.

11 ahincar *s'acharner*

		INDICATIF		SUBJONCTIF	
		PRÉSENT	PASSÉ COMPOSÉ	PRÉSENT	PASSÉ
sing.	1ʳᵉ	ahínco	he ahincado	ahínque	haya ahincado
	2ᵉ	ahíncas	has ahincado	ahínques	hayas ahincado
	3ᵉ	ahínca	ha ahincado	ahínque	haya ahincado
plur.	1ʳᵉ	ahincamos	hemos ahincado	ahinquemos	hayamos ahincado
	2ᵉ	ahincáis	habéis ahincado	ahinquéis	hayáis ahincado
	3ᵉ	ahíncan	han ahincado	ahínquen	hayan ahincado
		IMPARFAIT	PLUS-QUE-PARFAIT	IMPARFAIT	PLUS-QUE-PARFAIT
sing.	1ʳᵉ	ahincaba	había ahincado	ahincara	hubiera ahincado
	2ᵉ	ahincabas	habías ahincado	ahincaras	hubieras ahincado
	3ᵉ	ahincaba	había ahincado	ahincara	hubiera ahincado
plur.	1ʳᵉ	ahincábamos	habíamos ahincado	ahincáramos	hubiéramos ahincado
	2ᵉ	ahincabais	habíais ahincado	ahincarais	hubierais ahincado
	3ᵉ	ahincaban	habían ahincado	ahincaran	hubieran ahincado
		PASSÉ SIMPLE	PASSÉ ANTÉRIEUR	*ou*	*ou*
sing.	1ʳᵉ	ahinqué	hube ahincado	ahincase	hubiese ahincado
	2ᵉ	ahincaste	hubiste ahincado	ahincases	hubieses ahincado
	3ᵉ	ahincó	hubo ahincado	ahincase	hubiese ahincado
plur.	1ʳᵉ	ahincamos	hubimos ahincado	ahincásemos	hubiésemos ahincado
	2ᵉ	ahincasteis	hubisteis ahincado	ahincaseis	hubieseis ahincado
	3ᵉ	ahincaron	hubieron ahincado	ahincasen	hubiesen ahincado
		FUTUR SIMPLE	FUTUR ANTÉRIEUR	FUTUR SIMPLE	FUTUR ANTÉRIEUR
sing.	1ʳᵉ	ahincaré	habré ahincado	ahincare	hubiere ahincado
	2ᵉ	ahincarás	habrás ahincado	ahincares	hubieres ahincado
	3ᵉ	ahincará	habrá ahincado	ahincare	hubiere ahincado
plur.	1ʳᵉ	ahincaremos	habremos ahincado	ahincáremos	hubiéremos ahincado
	2ᵉ	ahincaréis	habréis ahincado	ahincareis	hubiereis ahincado
	3ᵉ	ahincarán	habrán ahincado	ahincaren	hubieren ahincado

		CONDITIONNEL PRÉSENT	CONDITIONNEL PASSÉ	IMPÉRATIF	
sing.	1ʳᵉ	ahincaría	habría ahincado		
	2ᵉ	ahincarías	habrías ahincado	sing. 2ᵉ	ahínca
	3ᵉ	ahincaría	habría ahincado	3ᵉ	ahínque
plur.	1ʳᵉ	ahincaríamos	habríamos ahincado	plur. 1ʳᵉ	ahinquemos
	2ᵉ	ahincaríais	habríais ahincado	2ᵉ	ahincad
	3ᵉ	ahincarían	habrían ahincado	3ᵉ	ahínquen

	INFINITIF	GÉRONDIF	PARTICIPE
FORME SIMPLE	ahincar	ahincando	ahincado
FORME COMPOSÉE	haber ahincado	habiendo ahincado	

• Verbe régulier de la 1ʳᵉ conjugaison, accentué sur la voyelle du radical, i qui devient í au sing. et à la 3ᵉ pers. plur. de l'indicatif et du subjonctif présents. Pour conserver la prononciation, c devient qu devant e à la 1ʳᵉ pers. sing. du passé simple, au subjonctif présent et aux formes dérivées de l'impératif.

12 airar *fâcher, irriter*

		INDICATIF		SUBJONCTIF	
		PRÉSENT	PASSÉ COMPOSÉ	PRÉSENT	PASSÉ
sing.	1ʳᵉ	aíro	he airado	aíre	haya airado
	2ᵉ	aíras	has airado	aíres	hayas airado
	3ᵉ	aíra	ha airado	aíre	haya airado
plur.	1ʳᵉ	airamos	hemos airado	airemos	hayamos airado
	2ᵉ	airáis	habéis airado	airéis	hayáis airado
	3ᵉ	aíran	han airado	aíren	hayan airado
		IMPARFAIT	PLUS-QUE-PARFAIT	IMPARFAIT	PLUS-QUE-PARFAIT
sing.	1ʳᵉ	airaba	había airado	airara	hubiera airado
	2ᵉ	airabas	habías airado	airaras	hubieras airado
	3ᵉ	airaba	había airado	airara	hubiera airado
plur.	1ʳᵉ	airábamos	habíamos airado	airáramos	hubiéramos airado
	2ᵉ	airabais	habíais airado	airarais	hubierais airado
	3ᵉ	airaban	habían airado	airaran	hubieran airado
		PASSÉ SIMPLE	PASSÉ ANTÉRIEUR	*ou*	*ou*
sing.	1ʳᵉ	airé	hube airado	airase	hubiese airado
	2ᵉ	airaste	hubiste airado	airases	hubieses airado
	3ᵉ	airó	hubo airado	airase	hubiese airado
plur.	1ʳᵉ	airamos	hubimos airado	airásemos	hubiésemos airado
	2ᵉ	airasteis	hubisteis airado	airaseis	hubieseis airado
	3ᵉ	airaron	hubieron airado	airasen	hubiesen airado
		FUTUR SIMPLE	FUTUR ANTÉRIEUR	FUTUR SIMPLE	FUTUR ANTÉRIEUR
sing.	1ʳᵉ	airaré	habré airado	airare	hubiere airado
	2ᵉ	airarás	habrás airado	airares	hubieres airado
	3ᵉ	airará	habrá airado	airare	hubiere airado
plur.	1ʳᵉ	airaremos	habremos airado	airáremos	hubiéremos airado
	2ᵉ	airaréis	habréis airado	airareis	hubiereis airado
	3ᵉ	airarán	habrán airado	airaren	hubieren airado
		CONDITIONNEL PRÉSENT	CONDITIONNEL PASSÉ		
sing.	1ʳᵉ	airaría	habría airado		

		CONDITIONNEL PRÉSENT	CONDITIONNEL PASSÉ		IMPÉRATIF
sing.	1ʳᵉ	airaría	habría airado		
	2ᵉ	airarías	habrías airado	sing. 2ᵉ	aíra
	3ᵉ	airaría	habría airado	3ᵉ	aíre
plur.	1ʳᵉ	airaríamos	habríamos airado	plur. 1ʳᵉ	airemos
	2ᵉ	airaríais	habríais airado	2ᵉ	airad
	3ᵉ	airarían	habrían airado	3ᵉ	aíren

	INFINITIF	GÉRONDIF	PARTICIPE
FORME SIMPLE	airar	airando	airado
FORME COMPOSÉE	haber airado	habiendo airado	

- Modèle pour **ahijar, ahilar, ahitar, aislar, amohinar, atraillar, desahijar, desairar, descafeinar, prohijar, rehilar, sainar, sobrehilar. Ahitar** a un double participe passé (→ 133).
- Verbe régulier de la 1ʳᵉ conjugaison, accentué sur la voyelle du radical, **i** qui devient **í** au sing. et à la 3ᵉ pers. plur. de l'indicatif et du subjonctif présents, ainsi qu'aux formes dérivées de l'impératif.

13 | andar *marcher*

		INDICATIF		SUBJONCTIF	
		PRÉSENT	PASSÉ COMPOSÉ	PRÉSENT	PASSÉ
sing.	1re	ando	he andado	ande	haya andado
	2e	andas	has andado	andes	hayas andado
	3e	anda	ha andado	ande	haya andado
plur.	1re	andamos	hemos andado	andemos	hayamos andado
	2e	andáis	habéis andado	andéis	hayáis andado
	3e	andan	han andado	anden	hayan andado
		IMPARFAIT	PLUS-QUE-PARFAIT	IMPARFAIT	PLUS-QUE-PARFAIT
sing.	1re	andaba	había andado	anduviera	hubiera andado
	2e	andabas	habías andado	anduvieras	hubieras andado
	3e	andaba	había andado	anduviera	hubiera andado
plur.	1re	andábamos	habíamos andado	anduviéramos	hubiéramos andado
	2e	andabais	habíais andado	anduvierais	hubierais andado
	3e	andaban	habían andado	anduvieran	hubieran andado
		PASSÉ SIMPLE	PASSÉ ANTÉRIEUR	*ou*	*ou*
sing.	1re	anduve	hube andado	anduviese	hubiese andado
	2e	anduviste	hubiste andado	anduvieses	hubieses andado
	3e	anduvo	hubo andado	anduviese	hubiese andado
plur.	1re	anduvimos	hubimos andado	anduviésemos	hubiésemos andado
	2e	anduvisteis	hubisteis andado	anduvieseis	hubieseis andado
	3e	anduvieron	hubieron andado	anduviesen	hubiesen andado
		FUTUR SIMPLE	FUTUR ANTÉRIEUR	FUTUR SIMPLE	FUTUR ANTÉRIEUR
sing.	1re	andaré	habré andado	anduviere	hubiere andado
	2e	andarás	habrás andado	anduvieres	hubieres andado
	3e	andará	habrá andado	anduviere	hubiere andado
plur.	1re	andaremos	habremos andado	anduviéremos	hubiéremos andado
	2e	andaréis	habréis andado	anduviereis	hubiereis andado
	3e	andarán	habrán andado	anduvieren	hubieren andado
		CONDITIONNEL PRÉSENT	CONDITIONNEL PASSÉ		

		CONDITIONNEL PRÉSENT	CONDITIONNEL PASSÉ	IMPÉRATIF	
sing.	1re	andaría	habría andado		
	2e	andarías	habrías andado	sing. 2e	anda
	3e	andaría	habría andado	3e	ande
plur.	1re	andaríamos	habríamos andado	plur. 1re	andemos
	2e	andaríais	habríais andado	2e	andad
	3e	andarían	habrían andado	3e	anden

	INFINITIF	GÉRONDIF	PARTICIPE
FORME SIMPLE	andar	andando	andado
FORME COMPOSÉE	haber andado	habiendo andado	

- Modèle pour **desandar**.
- Le prétérit fort altère le radical et ajoute **uv** au passé simple et à ses temps dérivés (➜ 110).

14 | asir *saisir, prendre*

	INDICATIF		SUBJONCTIF	
	PRÉSENT	PASSÉ COMPOSÉ	PRÉSENT	PASSÉ
sing. 1re	asgo	he asido	asga	haya asido
2e	ases	has asido	asgas	hayas asido
3e	ase	ha asido	asga	haya asido
plur. 1re	asimos	hemos asido	asgamos	hayamos asido
2e	asís	habéis asido	asgáis	hayáis asido
3e	asen	han asido	asgan	hayan asido
	IMPARFAIT	PLUS-QUE-PARFAIT	IMPARFAIT	PLUS-QUE-PARFAIT
sing. 1re	asía	había asido	asiera	hubiera asido
2e	asías	habías asido	asieras	hubieras asido
3e	asía	había asido	asiera	hubiera asido
plur. 1re	asíamos	habíamos asido	asiéramos	hubiéramos asido
2e	asíais	habíais asido	asierais	hubierais asido
3e	asían	habían asido	asieran	hubieran asido
	PASSÉ SIMPLE	PASSÉ ANTÉRIEUR	*ou*	*ou*
sing. 1re	así	hube asido	asiese	hubiese asido
2e	asiste	hubiste asido	asieses	hubieses asido
3e	asió	hubo asido	asiese	hubiese asido
plur. 1re	asimos	hubimos asido	asiésemos	hubiésemos asido
2e	asisteis	hubisteis asido	asieseis	hubieseis asido
3e	asieron	hubieron asido	asiesen	hubiesen asido
	FUTUR SIMPLE	FUTUR ANTÉRIEUR	FUTUR SIMPLE	FUTUR ANTÉRIEUR
sing. 1re	asiré	habré asido	asiere	hubiere asido
2e	asirás	habrás asido	asieres	hubieres asido
3e	asirá	habrá asido	asiere	hubiere asido
plur. 1re	asiremos	habremos asido	asiéremos	hubiéremos asido
2e	asiréis	habréis asido	asiereis	hubiereis asido
3e	asirán	habrán asido	asieren	hubieren asido
	CONDITIONNEL PRÉSENT	CONDITIONNEL PASSÉ		
sing. 1re	asiría	habría asido		

	CONDITIONNEL	IMPÉRATIF	
sing. 1re	asiría	habría asido	
2e	asirías	habrías asido	sing. 2e	ase
3e	asiría	habría asido	3e	asga
plur. 1re	asiríamos	habríamos asido	plur. 1re	asgamos
2e	asiríais	habríais asido	2e	asid
3e	asirían	habrían asido	3e	asgan

	INFINITIF	GÉRONDIF	PARTICIPE
FORME SIMPLE	asir	asiendo	asido
FORME COMPOSÉE	haber asido	habiendo asido	

- Modèle pour **desasir**.
- Introduction de **g** devant **o** ou **a** à la 1re pers. sing. de l'indicatif présent, au subjonctif présent et aux formes dérivées de l'impératif. Les formes irrégulières sont inusitées. Toutes les formes régulières sont d'usage courant.

15 | aullar *hurler*

		INDICATIF		SUBJONCTIF	
		PRÉSENT	**PASSÉ COMPOSÉ**	**PRÉSENT**	**PASSÉ**
sing.	1re	aúllo	he aullado	aúlle	haya aullado
	2^e	aúllas	has aullado	aúlles	hayas aullado
	3^e	aúlla	ha aullado	aúlle	haya aullado
plur.	1re	aullamos	hemos aullado	aullemos	hayamos aullado
	2^e	aulláis	habéis aullado	aulléis	hayáis aullado
	3^e	aúllan	han aullado	aúllen	hayan aullado
		IMPARFAIT	**PLUS-QUE-PARFAIT**	**IMPARFAIT**	**PLUS-QUE-PARFAIT**
sing.	1re	aullaba	había aullado	aullara	hubiera aullado
	2^e	aullabas	habías aullado	aullaras	hubieras aullado
	3^e	aullaba	había aullado	aullara	hubiera aullado
plur.	1re	aullábamos	habíamos aullado	aulláramos	hubiéramos aullado
	2^e	aullabais	habíais aullado	aullarais	hubierais aullado
	3^e	aullaban	habían aullado	aullaran	hubieran aullado
		PASSÉ SIMPLE	**PASSÉ ANTÉRIEUR**	*ou*	*ou*
sing.	1re	aullé	hube aullado	aullase	hubiese aullado
	2^e	aullaste	hubiste aullado	aullases	hubieses aullado
	3^e	aulló	hubo aullado	aullase	hubiese aullado
plur.	1re	aullamos	hubimos aullado	aullásemos	hubiésemos aullado
	2^e	aullasteis	hubisteis aullado	aullaseis	hubieseis aullado
	3^e	aullaron	hubieron aullado	aullasen	hubiesen aullado
		FUTUR SIMPLE	**FUTUR ANTÉRIEUR**	**FUTUR SIMPLE**	**FUTUR ANTÉRIEUR**
sing.	1re	aullaré	habré aullado	aullare	hubiere aullado
	2^e	aullarás	habrás aullado	aullares	hubieres aullado
	3^e	aullará	habrá aullado	aullare	hubiere aullado
plur.	1re	aullaremos	habremos aullado	aulláremos	hubiéremos aullado
	2^e	aullaréis	habréis aullado	aullareis	hubiereis aullado
	3^e	aullarán	habrán aullado	aullaren	hubieren aullado

		CONDITIONNEL PRÉSENT	CONDITIONNEL PASSÉ		IMPÉRATIF
sing.	1re	aullaría	habría aullado		
	2^e	aullarías	habrías aullado	sing. 2^e	aúlla
	3^e	aullaría	habría aullado	3^e	aúlle
plur.	1re	aullaríamos	habríamos aullado	plur. 1re	aullemos
	2^e	aullaríais	habríais aullado	2^e	aullad
	3^e	aullarían	habrían aullado	3^e	aúllen

	INFINITIF	GÉRONDIF	PARTICIPE
FORME SIMPLE	aullar	aullando	aullado
FORME COMPOSÉE	haber aullado	habiendo aullado	

* Modèle pour **adecuar, ahuchar, ahumar, ahusar, aunar, aupar, embaular, maullar, rehusar, sahumar**.
* Verbe régulier de la 1re conjugaison, accentué sur la voyelle du radical, **u** qui devient **ú** au sing. et à la 3e pers. plur. de l'indicatif et du subjonctif présents, ainsi qu'aux formes dérivées de l'impératif.

16 | **avergonzar** *faire honte*

	INDICATIF		SUBJONCTIF	
	PRÉSENT	**PASSÉ COMPOSÉ**	**PRÉSENT**	**PASSÉ**
sing. 1ʳᵉ	avergüenzo	he avergonzado	avergüence	haya avergonzado
2ᵉ	avergüenzas	has avergonzado	avergüences	hayas avergonzado
3ᵉ	avergüenza	ha avergonzado	avergüence	haya avergonzado
plur. 1ʳᵉ	avergonzamos	hemos avergonzado	avergoncemos	hayamos avergonzado
2ᵉ	avergonzáis	habéis avergonzado	avergoncéis	hayáis avergonzado
3ᵉ	avergüenzan	han avergonzado	avergüencen	hayan avergonzado
	IMPARFAIT	**PLUS-QUE-PARFAIT**	**IMPARFAIT**	**PLUS-QUE-PARFAIT**
sing. 1ʳᵉ	avergonzaba	había avergonzado	avergonzara	hubiera avergonzado
2ᵉ	avergonzabas	habías avergonzado	avergonzaras	hubieras avergonzado
3ᵉ	avergonzaba	había avergonzado	avergonzara	hubiera avergonzado
plur. 1ʳᵉ	avergonzábamos	habíamos avergonzado	avergonzáramos	hubiéramos avergonzado
2ᵉ	avergonzabais	habíais avergonzado	avergonzarais	hubierais avergonzado
3ᵉ	avergonzaban	habían avergonzado	avergonzaran	hubieran avergonzado
	PASSÉ SIMPLE	**PASSÉ ANTÉRIEUR**	*ou*	*ou*
sing. 1ʳᵉ	avergoncé	hube avergonzado	avergonzase	hubiese avergonzado
2ᵉ	avergonzaste	hubiste avergonzado	avergonzases	hubieses avergonzado
3ᵉ	avergonzó	hubo avergonzado	avergonzase	hubiese avergonzado
plur. 1ʳᵉ	avergonzamos	hubimos avergonzado	avergonzásemos	hubiésemos avergonzado
2ᵉ	avergonzasteis	hubisteis avergonzado	avergonzaseis	hubieseis avergonzado
3ᵉ	avergonzaron	hubieron avergonzado	avergonzasen	hubiesen avergonzado
	FUTUR SIMPLE	**FUTUR ANTÉRIEUR**	**FUTUR SIMPLE**	**FUTUR ANTÉRIEUR**
sing. 1ʳᵉ	avergonzaré	habré avergonzado	avergonzare	hubiere avergonzado
2ᵉ	avergonzarás	habrás avergonzado	avergonzares	hubieres avergonzado
3ᵉ	avergonzará	habrá avergonzado	avergonzare	hubiere avergonzado
plur. 1ʳᵉ	avergonzaremos	habremos avergonzado	avergonzáremos	hubiéremos avergonzado
2ᵉ	avergonzaréis	habréis avergonzado	avergonzareis	hubiereis avergonzado
3ᵉ	avergonzarán	habrán avergonzado	avergonzaren	hubieren avergonzado
	CONDITIONNEL PRÉSENT	**CONDITIONNEL PASSÉ**		
sing. 1ʳᵉ	avergonzaría	habría avergonzado		**IMPÉRATIF**
2ᵉ	avergonzarías	habrías avergonzado	sing. 2ᵉ	avergüenza
3ᵉ	avergonzaría	habría avergonzado	3ᵉ	avergüence
plur. 1ʳᵉ	avergonzaríamos	habríamos avergonzado	plur. 1ʳᵉ	avergoncemos
2ᵉ	avergonzaríais	habríais avergonzado	2ᵉ	avergonzad
3ᵉ	avergonzarían	habrían avergonzado	3ᵉ	avergüencen

	INFINITIF	GÉRONDIF	PARTICIPE
FORME SIMPLE	avergonzar	avergonzando	avergonzado
FORME COMPOSÉE	haber avergonzado	habiendo avergonzado	

* Diphtongaison de **o** qui devient **ue** et **gu** devient **gü** au sing. et à la 3ᵉ pers. plur. de l'indicatif et du subjonctif présents, ainsi qu'aux formes dérivées de l'impératif. **Z** devient **c** devant **e** à la 1ʳᵉ pers. sing. du passé simple, au subjonctif présent et aux formes dérivées de l'impératif.

17 averiguar vérifier

INDICATIF		SUBJONCTIF	
PRÉSENT	**PASSÉ COMPOSÉ**	**PRÉSENT**	**PASSÉ**
sing. 1ʳᵉ averiguo	he averiguado	averigüe	haya averiguado
2ᵉ averiguas	has averiguado	averigües	hayas averiguado
3ᵉ averigua	ha averiguado	averigüe	haya averiguado
plur. 1ʳᵉ averiguamos	hemos averiguado	averigüemos	hayamos averiguado
2ᵉ averiguáis	habéis averiguado	averigüéis	hayáis averiguado
3ᵉ averiguan	han averiguado	averigüen	hayan averiguado
IMPARFAIT	**PLUS-QUE-PARFAIT**	**IMPARFAIT**	**PLUS-QUE-PARFAIT**
sing. 1ʳᵉ averiguaba	había averiguado	averiguara	hubiera averiguado
2ᵉ averiguabas	habías averiguado	averiguaras	hubieras averiguado
3ᵉ averiguaba	había averiguado	averiguara	hubiera averiguado
plur. 1ʳᵉ averiguábamos	habíamos averiguado	averiguáramos	hubiéramos averiguado
2ᵉ averiguabais	habíais averiguado	averiguarais	hubierais averiguado
3ᵉ averiguaban	habían averiguado	averiguaran	hubieran averiguado
PASSÉ SIMPLE	**PASSÉ ANTÉRIEUR**	*ou*	*ou*
sing. 1ʳᵉ averigüé	hube averiguado	averiguase	hubiese averiguado
2ᵉ averiguaste	hubiste averiguado	averiguases	hubieses averiguado
3ᵉ averiguó	hubo averiguado	averiguase	hubiese averiguado
plur. 1ʳᵉ averiguamos	hubimos averiguado	averiguásemos	hubiésemos averiguado
2ᵉ averiguasteis	hubisteis averiguado	averiguaseis	hubieseis averiguado
3ᵉ averiguaron	hubieron averiguado	averiguasen	hubiesen averiguado
FUTUR SIMPLE	**FUTUR ANTÉRIEUR**	**FUTUR SIMPLE**	**FUTUR ANTÉRIEUR**
sing. 1ʳᵉ averiguaré	habré averiguado	averiguare	hubiere averiguado
2ᵉ averiguarás	habrás averiguado	averiguares	hubieres averiguado
3ᵉ averiguará	habrá averiguado	averiguare	hubiere averiguado
plur. 1ʳᵉ averiguaremos	habremos averiguado	averiguáremos	hubiéremos averiguado
2ᵉ averiguaréis	habréis averiguado	averiguareis	hubiereis averiguado
3ᵉ averiguarán	habrán averiguado	averiguaren	hubieren averiguado
CONDITIONNEL PRÉSENT	**CONDITIONNEL PASSÉ**		
sing. 1ʳᵉ averiguaría	habría averiguado		
2ᵉ averiguarías	habrías averiguado		
3ᵉ averiguaría	habría averiguado		
plur. 1ʳᵉ averiguaríamos	habríamos averiguado		
2ᵉ averiguaríais	habríais averiguado		
3ᵉ averiguarían	habrían averiguado		

IMPÉRATIF	
sing. 2ᵉ	averigua
3ᵉ	averigüe
plur. 1ʳᵉ	averigüemos
2ᵉ	averiguad
3ᵉ	averigüen

INFINITIF	GÉRONDIF	PARTICIPE
FORME SIMPLE averiguar	averiguando	averiguado
FORME COMPOSÉE haber averiguado	habiendo averiguado	

- Modèle pour tous les verbes se terminant par **guar** : **amortiguar, apaciguar, atestiguar, desaguar, fraguar, menguar, santiguar**...
- Verbe régulier de la 1ʳᵉ conjugaison. Pour conserver la prononciation, **gu** devient **gü** devant **e** à la 1ʳᵉ pers. sing. du passé simple, au subjonctif présent et aux formes dérivées de l'impératif.

18 | bruñir *polir, lustrer*

INDICATIF		SUBJONCTIF	
PRÉSENT	**PASSÉ COMPOSÉ**	**PRÉSENT**	**PASSÉ**
sing. 1ʳᵉ bruño	he bruñido	bruña	haya bruñido
2ᵉ bruñes	has bruñido	bruñas	hayas bruñido
3ᵉ bruñe	ha bruñido	bruña	haya bruñido
plur. 1ʳᵉ bruñimos	hemos bruñido	bruñamos	hayamos bruñido
2ᵉ bruñís	habéis bruñido	bruñáis	hayáis bruñido
3ᵉ bruñen	han bruñido	bruñan	hayan bruñido
IMPARFAIT	**PLUS-QUE-PARFAIT**	**IMPARFAIT**	**PLUS-QUE-PARFAIT**
sing. 1ʳᵉ bruñía	había bruñido	bruñera	hubiera bruñido
2ᵉ bruñías	habías bruñido	bruñeras	hubieras bruñido
3ᵉ bruñía	había bruñido	bruñera	hubiera bruñido
plur. 1ʳᵉ bruñíamos	habíamos bruñido	bruñéramos	hubiéramos bruñido
2ᵉ bruñíais	habíais bruñido	bruñerais	hubierais bruñido
3ᵉ bruñían	habían bruñido	bruñeran	hubieran bruñido
PASSÉ SIMPLE	**PASSÉ ANTÉRIEUR**	*ou*	*ou*
sing. 1ʳᵉ bruñí	hube bruñido	bruñese	hubiese bruñido
2ᵉ bruñiste	hubiste bruñido	bruñeses	hubieses bruñido
3ᵉ bruñó	hubo bruñido	bruñese	hubiese bruñido
plur. 1ʳᵉ bruñimos	hubimos bruñido	bruñésemos	hubiésemos bruñido
2ᵉ bruñisteis	hubisteis bruñido	bruñeseis	hubieseis bruñido
3ᵉ bruñeron	hubieron bruñido	bruñesen	hubiesen bruñido
FUTUR SIMPLE	**FUTUR ANTÉRIEUR**	**FUTUR SIMPLE**	**FUTUR ANTÉRIEUR**
sing. 1ʳᵉ bruñiré	habré bruñido	bruñere	hubiere bruñido
2ᵉ bruñirás	habrás bruñido	bruñeres	hubieres bruñido
3ᵉ bruñirá	habrá bruñido	bruñere	hubiere bruñido
plur. 1ʳᵉ bruñiremos	habremos bruñido	bruñéremos	hubiéremos bruñido
2ᵉ bruñiréis	habréis bruñido	bruñereis	hubiereis bruñido
3ᵉ bruñirán	habrán bruñido	bruñeren	hubieren bruñido
CONDITIONNEL PRÉSENT	**CONDITIONNEL PASSÉ**		
sing. 1ʳᵉ bruñiría	habría bruñido		
2ᵉ bruñirías	habrías bruñido	**IMPÉRATIF**	
3ᵉ bruñiría	habría bruñido	sing. 2ᵉ bruñe	
plur. 1ʳᵉ bruñiríamos	habríamos bruñido	3ᵉ bruña	
2ᵉ bruñiríais	habríais bruñido	plur. 1ʳᵉ bruñamos	
3ᵉ bruñirían	habrían bruñido	2ᵉ bruñid	
		3ᵉ bruñan	

INFINITIF	GÉRONDIF	PARTICIPE
FORME SIMPLE bruñir	bruñendo	bruñido
FORME COMPOSÉE haber bruñido	habiendo bruñido	

- Modèle pour **bullir, descabullirse, engullir, gañir, gruñir, mullir, plañir, rebullir, restriñir, tullir, zambullir.**
- Modification orthographique : le **i** atone de la désinence disparaît entre les consonnes **ll** ou **ñ** et les voyelles **e** ou **o**, aux 3ᵉ pers. sing. et plur. du passé simple et à ses temps dérivés (subjonctif imparfait et futur) (→ 110), ainsi qu'au gérondif.

Verbe irrégulier

| **caber** *tenir, entrer*

		INDICATIF		SUBJONCTIF	
		PRÉSENT	PASSÉ COMPOSÉ	PRÉSENT	PASSÉ
sing.	1ʳᵉ	quepo	he cabido	quepa	haya cabido
	2ᵉ	cabes	has cabido	quepas	hayas cabido
	3ᵉ	cabe	ha cabido	quepa	haya cabido
plur.	1ʳᵉ	cabemos	hemos cabido	quepamos	hayamos cabido
	2ᵉ	cabéis	habéis cabido	quepáis	hayáis cabido
	3ᵉ	caben	han cabido	quepan	hayan cabido
		IMPARFAIT	PLUS-QUE-PARFAIT	IMPARFAIT	PLUS-QUE-PARFAIT
sing.	1ʳᵉ	cabía	había cabido	cupiera	hubiera cabido
	2ᵉ	cabías	habías cabido	cupieras	hubieras cabido
	3ᵉ	cabía	había cabido	cupiera	hubiera cabido
plur.	1ʳᵉ	cabíamos	habíamos cabido	cupiéramos	hubiéramos cabido
	2ᵉ	cabíais	habíais cabido	cupierais	hubierais cabido
	3ᵉ	cabían	habían cabido	cupieran	hubieran cabido
		PASSÉ SIMPLE	PASSÉ ANTÉRIEUR	*ou*	*ou*
sing.	1ʳᵉ	cupe	hube cabido	cupiese	hubiese cabido
	2ᵉ	cupiste	hubiste cabido	cupieses	hubieses cabido
	3ᵉ	cupo	hubo cabido	cupiese	hubiese cabido
plur.	1ʳᵉ	cupimos	hubimos cabido	cupiésemos	hubiésemos cabido
	2ᵉ	cupisteis	hubisteis cabido	cupieseis	hubieseis cabido
	3ᵉ	cupieron	hubieron cabido	cupiesen	hubiesen cabido
		FUTUR SIMPLE	FUTUR ANTÉRIEUR	FUTUR SIMPLE	FUTUR ANTÉRIEUR
sing.	1ʳᵉ	cabré	habré cabido	cupiere	hubiere cabido
	2ᵉ	cabrás	habrás cabido	cupieres	hubieres cabido
	3ᵉ	cabrá	habrá cabido	cupiere	hubiere cabido
plur.	1ʳᵉ	cabremos	habremos cabido	cupiéremos	hubiéremos cabido
	2ᵉ	cabréis	habréis cabido	cupiereis	hubiereis cabido
	3ᵉ	cabrán	habrán cabido	cupieren	hubieren cabido

		CONDITIONNEL PRÉSENT	CONDITIONNEL PASSÉ			IMPÉRATIF
sing.	1ʳᵉ	cabría	habría cabido			
	2ᵉ	cabrías	habrías cabido	sing.	2ᵉ	cabe
	3ᵉ	cabría	habría cabido		3ᵉ	quepa
plur.	1ʳᵉ	cabríamos	habríamos cabido	plur.	1ʳᵉ	quepamos
	2ᵉ	cabríais	habríais cabido		2ᵉ	cabed
	3ᵉ	cabrían	habrían cabido		3ᵉ	quepan

	INFINITIF	GÉRONDIF	PARTICIPE
FORME SIMPLE	caber	cabiendo	cabido
FORME COMPOSÉE	haber cabido	habiendo cabido	

- Le prétérit fort altère le radical : **ab** devient **up** au passé simple et à ses temps dérivés (→ 110). Modification de la voyelle du radical : **a** devient **e** à la 1ʳᵉ pers. sing. de l'indicatif présent, au subjonctif présent et aux formes dérivées de l'impératif. Pour conserver la prononciation, **c** devient **qu** devant **e**. Modification de la dernière consonne du radical, **b** qui devient **p** devant **o** ou **a** à la 1ʳᵉ pers. sing. de l'indicatif présent, au subjonctif présent et aux formes dérivées de l'impératif. Chute de la voyelle thématique **e** à l'indicatif futur et au conditionnel.

20 caer tomber

INDICATIF		SUBJONCTIF	

	PRÉSENT	PASSÉ COMPOSÉ	PRÉSENT	PASSÉ
sing. 1ʳᵉ	caigo	he caído	caiga	haya caído
2ᵉ	caes	has caído	caigas	hayas caído
3ᵉ	cae	ha caído	caiga	haya caído
plur. 1ʳᵉ	caemos	hemos caído	caigamos	hayamos caído
2ᵉ	caéis	habéis caído	caigáis	hayáis caído
3ᵉ	caen	han caído	caigan	hayan caído

	IMPARFAIT	PLUS-QUE-PARFAIT	IMPARFAIT	PLUS-QUE-PARFAIT
sing. 1ʳᵉ	caía	había caído	cayera	hubiera caído
2ᵉ	caías	habías caído	cayeras	hubieras caído
3ᵉ	caía	había caído	cayera	hubiera caído
plur. 1ʳᵉ	caíamos	habíamos caído	cayéramos	hubiéramos caído
2ᵉ	caíais	habíais caído	cayerais	hubierais caído
3ᵉ	caían	habían caído	cayeran	hubieran caído

	PASSÉ SIMPLE	PASSÉ ANTÉRIEUR	*ou*	*ou*
sing. 1ʳᵉ	caí	hube caído	cayese	hubiese caído
2ᵉ	caíste	hubiste caído	cayeses	hubieses caído
3ᵉ	cayó	hubo caído	cayese	hubiese caído
plur. 1ʳᵉ	caímos	hubimos caído	cayésemos	hubiésemos caído
2ᵉ	caísteis	hubisteis caído	cayeseis	hubieseis caído
3ᵉ	cayeron	hubieron caído	cayesen	hubiesen caído

	FUTUR SIMPLE	FUTUR ANTÉRIEUR	FUTUR SIMPLE	FUTUR ANTÉRIEUR
sing. 1ʳᵉ	caeré	habré caído	cayere	hubiere caído
2ᵉ	caerás	habrás caído	cayeres	hubieres caído
3ᵉ	caerá	habrá caído	cayere	hubiere caído
plur. 1ʳᵉ	caeremos	habremos caído	cayéremos	hubiéremos caído
2ᵉ	caeréis	habréis caído	cayereis	hubiereis caído
3ᵉ	caerán	habrán caído	cayeren	hubieren caído

	CONDITIONNEL PRÉSENT	CONDITIONNEL PASSÉ		
sing. 1ʳᵉ	caería	habría caído		

IMPÉRATIF	

	CONDITIONNEL PRÉSENT	CONDITIONNEL PASSÉ		IMPÉRATIF
2ᵉ	caerías	habrías caído	sing. 2ᵉ	cae
3ᵉ	caería	habría caído	3ᵉ	caiga
plur. 1ʳᵉ	caeríamos	habríamos caído	plur. 1ʳᵉ	caigamos
2ᵉ	caeríais	habríais caído	2ᵉ	caed
3ᵉ	caerían	habrían caído	3ᵉ	caigan

INFINITIF		GÉRONDIF	PARTICIPE
FORME SIMPLE	caer	cayendo	caído
FORME COMPOSÉE	haber caído	habiendo caído	

- Introduction de **ig** après le radical **ca** à la 1ʳᵉ pers. sing. de l'indicatif présent, au subjonctif présent et aux formes dérivées de l'impératif. La voyelle atone **i** devient **y** devant **e** ou **o** aux 3ᵉ pers. sing. et plur. du passé simple et à ses temps dérivés (→ 110), ainsi qu'au gérondif. Terminaisons irrégulières : 2ᵉ pers. sing., 1ʳᵉ et 2ᵉ pers. plur. du passé simple (**íste, ímos, ísteis**) et participe passé (**ído**).

21 | cazar *chasser*

		INDICATIF		SUBJONCTIF	
		PRÉSENT	**PASSÉ COMPOSÉ**	**PRÉSENT**	**PASSÉ**
sing.	1re	cazo	he cazado	cace	haya cazado
	2^e	cazas	has cazado	caces	hayas cazado
	3^e	caza	ha cazado	cace	haya cazado
plur.	1re	cazamos	hemos cazado	cacemos	hayamos cazado
	2^e	cazáis	habéis cazado	cacéis	hayáis cazado
	3^e	cazan	han cazado	cacen	hayan cazado
		IMPARFAIT	**PLUS-QUE-PARFAIT**	**IMPARFAIT**	**PLUS-QUE-PARFAIT**
sing.	1re	cazaba	había cazado	cazara	hubiera cazado
	2^e	cazabas	habías cazado	cazaras	hubieras cazado
	3^e	cazaba	había cazado	cazara	hubiera cazado
plur.	1re	cazábamos	habíamos cazado	cazáramos	hubiéramos cazado
	2^e	cazabais	habíais cazado	cazarais	hubierais cazado
	3^e	cazaban	habían cazado	cazaran	hubieran cazado
		PASSÉ SIMPLE	**PASSÉ ANTÉRIEUR**	*ou*	*ou*
sing.	1re	cacé	hube cazado	cazase	hubiese cazado
	2^e	cazaste	hubiste cazado	cazases	hubieses cazado
	3^e	cazó	hubo cazado	cazase	hubiese cazado
plur.	1re	cazamos	hubimos cazado	cazásemos	hubiésemos cazado
	2^e	cazasteis	hubisteis cazado	cazaseis	hubieseis cazado
	3^e	cazaron	hubieron cazado	cazasen	hubiesen cazado
		FUTUR SIMPLE	**FUTUR ANTÉRIEUR**	**FUTUR SIMPLE**	**FUTUR ANTÉRIEUR**
sing.	1re	cazaré	habré cazado	cazare	hubiere cazado
	2^e	cazarás	habrás cazado	cazares	hubieres cazado
	3^e	cazará	habrá cazado	cazare	hubiere cazado
plur.	1re	cazaremos	habremos cazado	cazáremos	hubiéremos cazado
	2^e	cazaréis	habréis cazado	cazareis	hubiereis cazado
	3^e	cazarán	habrán cazado	cazaren	hubieren cazado
		CONDITIONNEL PRÉSENT	**CONDITIONNEL PASSÉ**		
sing.	1re	cazaría	habría cazado		**IMPÉRATIF**
	2^e	cazarías	habrías cazado	sing. 2^e	caza
	3^e	cazaría	habría cazado	3^e	cace
plur.	1re	cazaríamos	habríamos cazado	plur. 1re	cacemos
	2^e	cazaríais	habríais cazado	2^e	cazad
	3^e	cazarían	habrían cazado	3^e	cacen

	INFINITIF	GÉRONDIF	PARTICIPE
FORME SIMPLE	cazar	cazando	cazado
FORME COMPOSÉE	haber cazado	habiendo cazado	

- Modèle pour la plupart des verbes se terminant par **zar**, sauf ceux qui suivent les modèles de **avergonzar** (➜ conjugaison 16), **empezar** (➜ conjugaison 37), **enraizar** (➜ conjugaison 39), **forzar** (➜ conjugaison 42). **Granizar** est employé comme verbe impersonnel (➜ 130).
- **Z** devient **c** devant **e** à la 1re pers. sing. du passé simple, au subjonctif présent et aux formes dérivées de l'impératif.

22 **cocer** cuire

		INDICATIF		SUBJONCTIF	
		PRÉSENT	PASSÉ COMPOSÉ	PRÉSENT	PASSÉ
sing.	1re	cuezo	he cocido	cueza	haya cocido
	2^e	cueces	has cocido	cuezas	hayas cocido
	3^e	cuece	ha cocido	cueza	haya cocido
plur.	1re	cocemos	hemos cocido	cozamos	hayamos cocido
	2^e	cocéis	habéis cocido	cozáis	hayáis cocido
	3^e	cuecen	han cocido	cuezan	hayan cocido
		IMPARFAIT	PLUS-QUE-PARFAIT	IMPARFAIT	PLUS-QUE-PARFAIT
sing.	1re	cocía	había cocido	cociera	hubiera cocido
	2^e	cocías	habías cocido	cocieras	hubieras cocido
	3^e	cocía	había cocido	cociera	hubiera cocido
plur.	1re	cocíamos	habíamos cocido	cociéramos	hubiéramos cocido
	2^e	cocíais	habíais cocido	cocierais	hubierais cocido
	3^e	cocían	habían cocido	cocieran	hubieran cocido
		PASSÉ SIMPLE	PASSÉ ANTÉRIEUR	*ou*	*ou*
sing.	1re	cocí	hube cocido	cociese	hubiese cocido
	2^e	cociste	hubiste cocido	cocieses	hubieses cocido
	3^e	coció	hubo cocido	cociese	hubiese cocido
plur.	1re	cocimos	hubimos cocido	cociésemos	hubiésemos cocido
	2^e	cocisteis	hubisteis cocido	cocieseis	hubieseis cocido
	3^e	cocieron	hubieron cocido	cociesen	hubiesen cocido
		FUTUR SIMPLE	FUTUR ANTÉRIEUR	FUTUR SIMPLE	FUTUR ANTÉRIEUR
sing.	1re	coceré	habré cocido	cociere	hubiere cocido
	2^e	cocerás	habrás cocido	cocieres	hubieres cocido
	3^e	cocerá	habrá cocido	cociere	hubiere cocido
plur.	1re	coceremos	habremos cocido	cociéremos	hubiéremos cocido
	2^e	coceréis	habréis cocido	cociereis	hubiereis cocido
	3^e	cocerán	habrán cocido	cocieren	hubieren cocido
		CONDITIONNEL PRÉSENT	CONDITIONNEL PASSÉ		
sing.	1re	cocería	habría cocido		IMPÉRATIF
	2^e	cocerías	habrías cocido	sing. 2^e	cuece
	3^e	cocería	habría cocido	3^e	cueza
plur.	1re	coceríamos	habríamos cocido	plur. 1re	cozamos
	2^e	coceríais	habríais cocido	2^e	coced
	3^e	cocerían	habrían cocido	3^e	cuezan

	INFINITIF	GÉRONDIF	PARTICIPE
FORME SIMPLE	cocer	cociendo	cocido
FORME COMPOSÉE	haber cocido	habiendo cocido	

- Modèle pour **contorcerse, destorcer, escocer, recocer, retorcer, torcer**. **Retorcer** et **torcer** ont un double participe passé (→ 133).
- Diphtongaison de **o** qui devient **ue** au sing. et à la 3e pers. plur. de l'indicatif et du subjonctif présents, ainsi qu'aux formes dérivées de l'impératif. Pour conserver la prononciation, **c** devient **z** devant **o** ou **a** à la 1re pers. sing. de l'indicatif présent, au subjonctif présent et aux formes dérivées de l'impératif.

23 | **coger** prendre

		INDICATIF		SUBJONCTIF	
		PRÉSENT	**PASSÉ COMPOSÉ**	**PRÉSENT**	**PASSÉ**
sing.	1ʳᵉ	cojo	he cogido	coja	haya cogido
	2ᵉ	coges	has cogido	cojas	hayas cogido
	3ᵈ	coge	ha cogido	coja	haya cogido
plur.	1ʳᵉ	cogemos	hemos cogido	cojamos	hayamos cogido
	2ᵉ	cogéis	habéis cogido	cojáis	hayáis cogido
	3ᵉ	cogen	han cogido	cojan	hayan cogido
		IMPARFAIT	**PLUS-QUE-PARFAIT**	**IMPARFAIT**	**PLUS-QUE-PARFAIT**
sing.	1ʳᵈ	cogía	había cogido	cogiera	hubiera cogido
	2ᵉ	cogías	habías cogido	cogieras	hubieras cogido
	3ᵉ	cogía	había cogido	cogiera	hubiera cogido
plur.	1ʳᵉ	cogíamos	habíamos cogido	cogiéramos	hubiéramos cogido
	2ᵉ	cogíais	habíais cogido	cogierais	hubierais cogido
	3ᵉ	cogían	habían cogido	cogieran	hubieran cogido
		PASSÉ SIMPLE	**PASSÉ ANTÉRIEUR**	*ou*	*ou*
sing.	1ʳᵉ	cogí	hube cogido	cogiese	hubiese cogido
	2ᵉ	cogiste	hubiste cogido	cogieses	hubieses cogido
	3ᵉ	cogió	hubo cogido	cogiese	hubiese cogido
plur.	1ʳᵉ	cogimos	hubimos cogido	cogiésemos	hubiésemos cogido
	2ᵉ	cogisteis	hubisteis cogido	cogieseis	hubieseis cogido
	3ᵉ	cogieron	hubieron cogido	cogiesen	hubiesen cogido
		FUTUR SIMPLE	**FUTUR ANTÉRIEUR**	**FUTUR SIMPLE**	**FUTUR ANTÉRIEUR**
sing.	1ʳᵉ	cogeré	habré cogido	cogiere	hubiere cogido
	2ᵉ	cogerás	habrás cogido	cogieres	hubieres cogido
	3ᵉ	cogerá	habrá cogido	cogiere	hubiere cogido
plur.	1ʳᵉ	cogeremos	habremos cogido	cogiéremos	hubiéremos cogido
	2ᵉ	cogeréis	habréis cogido	cogiereis	hubiereis cogido
	3ᵉ	cogerán	habrán cogido	cogieren	hubieren cogido
		CONDITIONNEL PRÉSENT	**CONDITIONNEL PASSÉ**		
sing.	1ʳᵉ	cogería	habría cogido		
	2ᵉ	cogerías	habrías cogido		
	3ᵉ	cogería	habría cogido		
plur.	1ʳᵉ	cogeríamos	habríamos cogido		
	2ᵉ	cogeríais	habríais cogido		
	3ᵉ	cogerían	habrían cogido		

		IMPÉRATIF
sing.	2ᵉ	coge
	3ᵉ	coja
plur.	1ʳᵉ	cojamos
	2ᵉ	coged
	3ᵉ	cojan

	INFINITIF	GÉRONDIF	PARTICIPE
FORME SIMPLE	coger	cogiendo	cogido
FORME COMPOSÉE	haber cogido	habiendo cogido	

- Modèle pour **acoger, converger, desencoger, emerger, encoger, entrecoger, escoger, proteger, recoger, sobrecoger**.
- Pour conserver la prononciation, **g** devient **j** devant **o** ou **a** à la 1ʳᵉ pers. sing. de l'indicatif présent, au subjonctif présent et aux formes dérivées de l'impératif.

24 colgar *pendre, suspendre*

		INDICATIF		SUBJONCTIF	
		PRÉSENT	PASSÉ COMPOSÉ	PRÉSENT	PASSÉ
sing.	1re	cuelgo	he colgado	cuelgue	haya colgado
	2e	cuelgas	has colgado	cuelgues	hayas colgado
	3e	cuelga	ha colgado	cuelgue	haya colgado
plur.	1re	colgamos	hemos colgado	colguemos	hayamos colgado
	2e	colgáis	habéis colgado	colguéis	hayáis colgado
	3e	cuelgan	han colgado	cuelguen	hayan colgado
		IMPARFAIT	PLUS-QUE-PARFAIT	IMPARFAIT	PLUS-QUE-PARFAIT
sing.	1re	colgaba	había colgado	colgara	hubiera colgado
	2e	colgabas	habías colgado	colgaras	hubieras colgado
	3e	colgaba	había colgado	colgara	hubiera colgado
plur.	1re	colgábamos	habíamos colgado	colgáramos	hubiéramos colgado
	2e	colgabais	habíais colgado	colgarais	hubierais colgado
	3e	colgaban	habían colgado	colgaran	hubieran colgado
		PASSÉ SIMPLE	PASSÉ ANTÉRIEUR	*ou*	*ou*
sing.	1re	colgué	hube colgado	colgase	hubiese colgado
	2e	colgaste	hubiste colgado	colgases	hubieses colgado
	3e	colgó	hubo colgado	colgase	hubiese colgado
plur.	1re	colgamos	hubimos colgado	colgásemos	hubiésemos colgado
	2e	colgasteis	hubisteis colgado	colgaseis	hubieseis colgado
	3e	colgaron	hubieron colgado	colgasen	hubiesen colgado
		FUTUR SIMPLE	FUTUR ANTÉRIEUR	FUTUR SIMPLE	FUTUR ANTÉRIEUR
sing.	1re	colgaré	habré colgado	colgare	hubiere colgado
	2e	colgarás	habrás colgado	colgares	hubieres colgado
	3e	colgará	habrá colgado	colgare	hubiere colgado
plur.	1re	colgaremos	habremos colgado	colgáremos	hubiéremos colgado
	2e	colgaréis	habréis colgado	colgareis	hubiereis colgado
	3e	colgarán	habrán colgado	colgaren	hubieren colgado
		CONDITIONNEL PRÉSENT	CONDITIONNEL PASSÉ		
sing.	1re	colgaría	habría colgado		IMPÉRATIF
	2e	colgarías	habrías colgado	sing. 2e	cuelga
	3e	colgaría	habría colgado	3e	cuelgue
plur.	1re	colgaríamos	habríamos colgado	plur. 1re	colguemos
	2e	colgaríais	habríais colgado	2e	colgad
	3e	colgarían	habrían colgado	3e	cuelguen

	INFINITIF	GÉRONDIF	PARTICIPE
FORME SIMPLE	colgar	colgando	colgado
FORME COMPOSÉE	haber colgado	habiendo colgado	

- Modèle pour **descolgar, holgar, rogar**.
- Diphtongaison de **o** qui devient **ue** au sing. et à la 3e pers. plur. de l'indicatif et du subjonctif présents, et aux formes dérivées de l'impératif. Pour conserver la prononciation, **g** devient **gu** devant **e** à la 1re pers. sing. du passé simple, au subjonctif présent, ainsi qu'aux formes dérivées de l'impératif.

25 | **conocer** _connaître_

	INDICATIF		SUBJONCTIF	
	PRÉSENT	**PASSÉ COMPOSÉ**	**PRÉSENT**	**PASSÉ**
sing. 1re	conozco	he conocido	conozca	haya conocido
2^e	conoces	has conocido	conozcas	hayas conocido
3^e	conoce	ha conocido	conozca	haya conocido
plur. 1re	conocemos	hemos conocido	conozcamos	hayamos conocido
2^e	conocéis	habéis conocido	conozcáis	hayáis conocido
3^e	conocen	han conocido	conozcan	hayan conocido
	IMPARFAIT	**PLUS-QUE-PARFAIT**	**IMPARFAIT**	**PLUS-QUE-PARFAIT**
sing. 1re	conocía	había conocido	conociera	hubiera conocido
2^e	conocías	habías conocido	conocieras	hubieras conocido
3^e	conocía	había conocido	conociera	hubiera conocido
plur. 1re	conocíamos	habíamos conocido	conociéramos	hubiéramos conocido
2^e	conocíais	habíais conocido	conocierais	hubierais conocido
3^e	conocían	habían conocido	conocieran	hubieran conocido
	PASSÉ SIMPLE	**PASSÉ ANTÉRIEUR**	_ou_	_ou_
sing. 1re	conocí	hube conocido	conociese	hubiese conocido
2^e	conociste	hubiste conocido	conocieses	hubieses conocido
3^e	conoció	hubo conocido	conociese	hubiese conocido
plur. 1re	conocimos	hubimos conocido	conociésemos	hubiésemos conocido
2^e	conocisteis	hubisteis conocido	conocieseis	hubieseis conocido
3^e	conocieron	hubieron conocido	conociesen	hubiesen conocido
	FUTUR SIMPLE	**FUTUR ANTÉRIEUR**	**FUTUR SIMPLE**	**FUTUR ANTÉRIEUR**
sing. 1re	conoceré	habré conocido	conociere	hubiere conocido
2^e	conocerás	habrás conocido	conocieres	hubieres conocido
3^e	conocerá	habrá conocido	conociere	hubiere conocido
plur. 1re	conoceremos	habremos conocido	conociéremos	hubiéremos conocido
2^e	conoceréis	habréis conocido	conociereis	hubiereis conocido
3^e	conocerán	habrán conocido	conocieren	hubieren conocido

	CONDITIONNEL PRÉSENT	**CONDITIONNEL PASSÉ**		**IMPÉRATIF**
sing. 1re	conocería	habría conocido		
2^e	conocerías	habrías conocido	sing. 2^e	conoce
3^e	conocería	habría conocido	3^e	conozca
plur. 1re	conoceríamos	habríamos conocido	plur. 1re	conozcamos
2^e	conoceríais	habríais conocido	2^e	conoced
3^e	conocerían	habrían conocido	3^e	conozcan

	INFINITIF	GÉRONDIF	PARTICIPE
FORME SIMPLE	conocer	conociendo	conocido
FORME COMPOSÉE	haber conocido	habiendo conocido	

- Modèle pour **desconocer, preconocer, reconocer.**
- Introduction d'une consonne, **c** devient **zc** devant **o** ou **a** à la 1re pers. sing. de l'indicatif présent, au subjonctif présent et aux formes dérivées de l'impératif.

26 **creer** croire

		INDICATIF		SUBJONCTIF	
		PRÉSENT	PASSÉ COMPOSÉ	PRÉSENT	PASSÉ
sing.	1re	creo	he creído	crea	haya creído
	2e	crees	has creído	creas	hayas creído
	3e	cree	ha creído	crea	haya creído
plur.	1re	creemos	hemos creído	creamos	hayamos creído
	2e	creéis	habéis creído	creáis	hayáis creído
	3e	creen	han creído	crean	hayan creído
		IMPARFAIT	PLUS-QUE-PARFAIT	IMPARFAIT	PLUS-QUE-PARFAIT
sing.	1re	creía	había creído	creyera	hubiera creído
	2e	creías	habías creído	creyeras	hubieras creído
	3e	creía	había creído	creyera	hubiera creído
plur.	1re	creíamos	habíamos creído	creyéramos	hubiéramos creído
	2e	creíais	habíais creído	creyerais	hubierais creído
	3e	creían	habían creído	creyeran	hubieran creído
		PASSÉ SIMPLE	PASSÉ ANTÉRIEUR	*ou*	*ou*
sing.	1re	creí	hube creído	creyese	hubiese creído
	2e	creíste	hubiste creído	creyeses	hubieses creído
	3e	creyó	hubo creído	creyese	hubiese creído
plur.	1re	creímos	hubimos creído	creyésemos	hubiésemos creído
	2e	creísteis	hubisteis creído	creyeseis	hubieseis creído
	3e	creyeron	hubieron creído	creyesen	hubiesen creído
		FUTUR SIMPLE	FUTUR ANTÉRIEUR	FUTUR SIMPLE	FUTUR ANTÉRIEUR
sing.	1re	creeré	habré creído	creyere	hubiere creído
	2e	creerás	habrás creído	creyeres	hubieres creído
	3e	creerá	habrá creído	creyere	hubiere creído
plur.	1re	creeremos	habremos creído	creyéremos	hubiéremos creído
	2e	creeréis	habréis creído	creyereis	hubiereis creído
	3e	creerán	habrán creído	creyeren	hubieren creído

		CONDITIONNEL PRÉSENT	CONDITIONNEL PASSÉ		IMPÉRATIF	
sing.	1re	creería	habría creído			
	2e	creerías	habrías creído	sing.	2e	cree
	3e	creería	habría creído		3e	crea
plur.	1re	creeríamos	habríamos creído	plur.	1re	creamos
	2e	creeríais	habríais creído		2e	creed
	3e	creerían	habrían creído		3e	crean

	INFINITIF	GÉRONDIF	PARTICIPE
FORME SIMPLE	creer	creyendo	creído
FORME COMPOSÉE	haber creído	habiendo creído	

- Modèle pour **descreer, desposeer, desproveer, leer, poseer, proveer, releer. Desproveer, poseer, proveer** ont un double participe passé (→ 133).
- La voyelle atone i devient y *(yod)* devant les voyelles e ou o aux 3e pers. sing. et plur. du passé simple et à ses temps dérivés (→ 110), ainsi qu'au gérondif. Terminaisons irrégulières : 2e pers. sing., 1re et 2e pers. plur. du passé simple (**íste, ímos, ísteis**) et participe passé (**ído**).

Verbe irrégulier + y

27 **dar** donner

		INDICATIF		SUBJONCTIF	
		PRÉSENT	**PASSÉ COMPOSÉ**	**PRÉSENT**	**PASSÉ**
sing.	1ʳᵉ	doy	he dado	dé	haya dado
	2ᵉ	das	has dado	des	hayas dado
	3ᵉ	da	ha dado	dé	haya dado
plur.	1ʳᵉ	damos	hemos dado	demos	hayamos dado
	2ᵉ	dais	habéis dado	deis	hayáis dado
	3ᵉ	dan	han dado	den	hayan dado
		IMPARFAIT	**PLUS-QUE-PARFAIT**	**IMPARFAIT**	**PLUS-QUE-PARFAIT**
sing.	1ʳᵉ	daba	había dado	diera	hubiera dado
	2ᵉ	dabas	habías dado	dieras	hubieras dado
	3ᵉ	daba	había dado	diera	hubiera dado
plur.	1ʳᵉ	dábamos	habíamos dado	diéramos	hubiéramos dado
	2ᵉ	dabais	habíais dado	dierais	hubierais dado
	3ᵉ	daban	habían dado	dieran	hubieran dado
		PASSÉ SIMPLE	**PASSÉ ANTÉRIEUR**	*ou*	*ou*
sing.	1ʳᵉ	di	hube dado	diese	hubiese dado
	2ᵉ	diste	hubiste dado	dieses	hubieses dado
	3ᵉ	dio	hubo dado	diese	hubiese dado
plur.	1ʳᵉ	dimos	hubimos dado	diésemos	hubiésemos dado
	2ᵉ	disteis	hubisteis dado	dieseis	hubieseis dado
	3ᵉ	dieron	hubieron dado	diesen	hubiesen dado
		FUTUR SIMPLE	**FUTUR ANTÉRIEUR**	**FUTUR SIMPLE**	**FUTUR ANTÉRIEUR**
sing.	1ʳᵉ	daré	habré dado	diere	hubiere dado
	2ᵉ	darás	habrás dado	dieres	hubieres dado
	3ᵉ	dará	habrá dado	diere	hubiere dado
plur.	1ʳᵉ	daremos	habremos dado	diéremos	hubiéremos dado
	2ᵉ	daréis	habréis dado	diereis	hubiereis dado
	3ᵉ	darán	habrán dado	dieren	hubieren dado
		CONDITIONNEL PRÉSENT	**CONDITIONNEL PASSÉ**		
					IMPÉRATIF
sing.	1ʳᵉ	daría	habría dado		
	2ᵉ	darías	habrías dado	sing. 2ᵉ	da
	3ᵉ	daría	habría dado	3ᵉ	dé
plur.	1ʳᵉ	daríamos	habríamos dado	plur. 1ʳᵉ	demos
	2ᵉ	daríais	habríais dado	2ᵉ	dad
	3ᵉ	darían	habrían dado	3ᵉ	den

	INFINITIF	GÉRONDIF	PARTICIPE
FORME SIMPLE	dar	dando	dado
FORME COMPOSÉE	haber dado	habiendo dado	

- Ajout de **y** *(yod)* pour couvrir le **o** de la désinence à la 1ʳᵉ pers. sing. de l'indicatif présent. Ce verbe de la 1ʳᵉ conjugaison se conjugue au passé simple comme un verbe de la 2ᵉ conjugaison (**di**) pour éviter la confusion avec le subjonctif présent et l'impératif (**dé**). Cette irrégularité du passé simple se transmet à ses temps dérivés (→ 110). La forme **di**, de la 1ʳᵉ pers. sing. du passé simple, est la même que celle de la 2ᵉ pers. sing. de l'impératif de **decir** (→ conjugaison **28**).

28 **decir** *dire*

		INDICATIF		SUBJONCTIF	
		PRÉSENT	**PASSÉ COMPOSÉ**	**PRÉSENT**	**PASSÉ**
sing.	1ʳᵉ	digo	he dicho	diga	haya dicho
	2ᵉ	dices	has dicho	digas	hayas dicho
	3ᵉ	dice	ha dicho	diga	haya dicho
plur.	1ʳᵉ	decimos	hemos dicho	digamos	hayamos dicho
	2ᵉ	decís	habéis dicho	digáis	hayáis dicho
	3ᵉ	dicen	han dicho	digan	hayan dicho
		IMPARFAIT	**PLUS-QUE-PARFAIT**	**IMPARFAIT**	**PLUS-QUE-PARFAIT**
sing.	1ʳᵉ	decía	había dicho	dijera	hubiera dicho
	2ᵉ	decías	habías dicho	dijeras	hubieras dicho
	3ᵉ	decía	había dicho	dijera	hubiera dicho
plur.	1ʳᵉ	decíamos	habíamos dicho	dijéramos	hubiéramos dicho
	2ᵉ	decíais	habíais dicho	dijerais	hubierais dicho
	3ᵉ	decían	habían dicho	dijeran	hubieran dicho
		PASSÉ SIMPLE	**PASSÉ ANTÉRIEUR**	*ou*	*ou*
sing.	1ʳᵉ	dije	hube dicho	dijese	hubiese dicho
	2ᵉ	dijiste	hubiste dicho	dijeses	hubieses dicho
	3ᵉ	dijo	hubo dicho	dijese	hubiese dicho
plur.	1ʳᵉ	dijimos	hubimos dicho	dijésemos	hubiésemos dicho
	2ᵉ	dijisteis	hubisteis dicho	dijeseis	hubieseis dicho
	3ᵉ	dijeron	hubieron dicho	dijesen	hubiesen dicho
		FUTUR SIMPLE	**FUTUR ANTÉRIEUR**	**FUTUR SIMPLE**	**FUTUR ANTÉRIEUR**
sing.	1ʳᵉ	diré	habré dicho	dijere	hubiere dicho
	2ᵉ	dirás	habrás dicho	dijeres	hubieres dicho
	3ᵉ	dirá	habrá dicho	dijere	hubiere dicho
plur.	1ʳᵉ	diremos	habremos dicho	dijéremos	hubiéremos dicho
	2ᵉ	diréis	habréis dicho	dijereis	hubiereis dicho
	3ᵉ	dirán	habrán dicho	dijeren	hubieren dicho
		CONDITIONNEL PRÉSENT	**CONDITIONNEL PASSÉ**		
sing.	1ʳᵉ	diría	habría dicho		**IMPÉRATIF**
	2ᵉ	dirías	habrías dicho	sing. 2ᵉ	di
	3ᵉ	diría	habría dicho	3ᵉ	diga
plur.	1ʳᵉ	diríamos	habríamos dicho	plur. 1ʳᵉ	digamos
	2ᵉ	diríais	habríais dicho	2ᵉ	decid
	3ᵉ	dirían	habrían dicho	3ᵉ	digan

	INFINITIF	GÉRONDIF	PARTICIPE
FORME SIMPLE	decir	diciendo	dicho
FORME COMPOSÉE	haber dicho	habiendo dicho	

• La voyelle du radical **e** devient **i** au sing. et à la 3ᵉ pers. plur. de l'indicatif présent, au subjonctif présent et aux formes dérivées de l'impératif, au gérondif et au participe passé. **C** devient **g** devant **o** ou **a** à la 1ʳᵉ pers. sing. de l'indicatif présent, au subjonctif présent et aux formes dérivées de l'impératif. Introduction de **j** au passé simple et à ses temps dérivés (→ 110). Contraction de l'infinitif à l'indicatif futur et au conditionnel. Participe passé irrégulier. La 2ᵉ pers. sing. de l'impératif (**di**) est semblable à la 1ʳᵉ pers. sing. du passé simple de **dar** (→ conjugaison 27).

29 **defender** défendre

		INDICATIF		SUBJONCTIF	
		PRÉSENT	**PASSÉ COMPOSÉ**	**PRÉSENT**	**PASSÉ**
sing.	1re	defiendo	he defendido	defienda	haya defendido
	2e	defiendes	has defendido	defiendas	hayas defendido
	3e	defiende	ha defendido	defienda	haya defendido
plur.	1re	defendemos	hemos defendido	defendamos	hayamos defendido
	2e	defendéis	habéis defendido	defendáis	hayáis defendido
	3e	defienden	han defendido	defiendan	hayan defendido
		IMPARFAIT	**PLUS-QUE-PARFAIT**	**IMPARFAIT**	**PLUS-QUE-PARFAIT**
sing.	1re	defendía	había defendido	defendiera	hubiera defendido
	2e	defendías	habías defendido	defendieras	hubieras defendido
	3e	defendía	había defendido	defendiera	hubiera defendido
plur.	1re	defendíamos	habíamos defendido	defendiéramos	hubiéramos defendido
	2e	defendíais	habíais defendido	defendierais	hubierais defendido
	3e	defendían	habían defendido	defendieran	hubieran defendido
		PASSÉ SIMPLE	**PASSÉ ANTÉRIEUR**	*ou*	*ou*
sing.	1re	defendí	hube defendido	defendiese	hubiese defendido
	2e	defendiste	hubiste defendido	defendieses	hubieses defendido
	3e	defendió	hubo defendido	defendiese	hubiese defendido
plur.	1re	defendimos	hubimos defendido	defendiésemos	hubiésemos defendido
	2e	defendisteis	hubisteis defendido	defendieseis	hubieseis defendido
	3e	defendieron	hubieron defendido	defendiesen	hubiesen defendido
		FUTUR SIMPLE	**FUTUR ANTÉRIEUR**	**FUTUR SIMPLE**	**FUTUR ANTÉRIEUR**
sing.	1re	defenderé	habré defendido	defendiere	hubiere defendido
	2e	defenderás	habrás defendido	defendieres	hubieres defendido
	3e	defenderá	habrá defendido	defendiere	hubiere defendido
plur.	1re	defenderemos	habremos defendido	defendiéremos	hubiéremos defendido
	2e	defenderéis	habréis defendido	defendiereis	hubiereis defendido
	3e	defenderán	habrán defendido	defendieren	hubieren defendido

		CONDITIONNEL PRÉSENT	CONDITIONNEL PASSÉ		IMPÉRATIF	
sing.	1re	defendería	habría defendido			
	2e	defenderías	habrías defendido	sing.	2e	defiende
	3e	defendería	habría defendido		3e	defienda
plur.	1re	defenderíamos	habríamos defendido	plur.	1re	defendamos
	2e	defenderíais	habríais defendido		2e	defended
	3e	defenderían	habrían defendido		3e	defiendan

	INFINITIF	GÉRONDIF	PARTICIPE
FORME SIMPLE	defender	defendiendo	defendido
FORME COMPOSÉE	haber defendido	habiendo defendido	

- Modèle pour **ascender, atender, cerner, coextenderse, condescender, contender, desatender, descender, desentenderse, distender, encender, entender, extender, heder, hender, perder, reverter, sobreentender, sobrentender, subentender, tender, transcender, trascender, trasverter, verter.** **Atender** et **extender** ont un double participe passé (→ 133).
- Diphtongaison de **e** qui devient **ie** au sing. et à la 3e pers. plur. de l'indicatif et du subjonctif présents, ainsi qu'aux formes dérivées de l'impératif.

30 delinquir commettre un délit

		INDICATIF		SUBJONCTIF	
		PRÉSENT	**PASSÉ COMPOSÉ**	**PRÉSENT**	**PASSÉ**
sing.	1re	delinco	he delinquido	delinca	haya delinquido
	2^e	delinques	has delinquido	delincas	hayas delinquido
	3^e	delinque	ha delinquido	delinca	haya delinquido
plur.	1re	delinquimos	hemos delinquido	delincamos	hayamos delinquido
	2^e	delinquís	habéis delinquido	delincáis	hayáis delinquido
	3^e	delinquen	han delinquido	delincan	hayan delinquido
		IMPARFAIT	**PLUS-QUE-PARFAIT**	**IMPARFAIT**	**PLUS-QUE-PARFAIT**
sing.	1re	delinquía	había delinquido	delinquiera	hubiera delinquido
	2^e	delinquías	habías delinquido	delinquieras	hubieras delinquido
	3^e	delinquía	había delinquido	delinquiera	hubiera delinquido
plur.	1re	delinquíamos	habíamos delinquido	delinquiéramos	hubiéramos delinquido
	2^e	delinquíais	habíais delinquido	delinquierais	hubierais delinquido
	3^e	delinquían	habían delinquido	delinquieran	hubieran delinquido
		PASSÉ SIMPLE	**PASSÉ ANTÉRIEUR**	*ou*	*ou*
sing.	1re	delinquí	hube delinquido	delinquiese	hubiese delinquido
	2^e	delinquiste	hubiste delinquido	delinquieses	hubieses delinquido
	3^e	delinquió	hubo delinquido	delinquiese	hubiese delinquido
plur.	1re	delinquimos	hubimos delinquido	delinquiésemos	hubiésemos delinquido
	2^e	delinquisteis	hubisteis delinquido	delinquieseis	hubieseis delinquido
	3^e	delinquieron	hubieron delinquido	delinquiesen	hubiesen delinquido
		FUTUR SIMPLE	**FUTUR ANTÉRIEUR**	**FUTUR SIMPLE**	**FUTUR ANTÉRIEUR**
sing.	1re	delinquiré	habré delinquido	delinquiere	hubiere delinquido
	2^e	delinquirás	habrás delinquido	delinquieres	hubieres delinquido
	3^e	delinquirá	habrá delinquido	delinquiere	hubiere delinquido
plur.	1re	delinquiremos	habremos delinquido	delinquiéremos	hubiéremos delinquido
	2^e	delinquiréis	habréis delinquido	delinquiereis	hubiereis delinquido
	3^e	delinquirán	habrán delinquido	delinquieren	hubieren delinquido
		CONDITIONNEL PRÉSENT	**CONDITIONNEL PASSÉ**		
sing.	1re	delinquiría	habría delinquido		**IMPÉRATIF**
	2^e	delinquirías	habrías delinquido	sing. 2^e	delinque
	3^e	delinquiría	habría delinquido	3^e	delinca
plur.	1re	delinquiríamos	habríamos delinquido	plur. 1re	delincamos
	2^e	delinquiríais	habríais delinquido	2^e	delinquid
	3^e	delinquirían	habrían delinquido	3^e	delincan

	INFINITIF	GÉRONDIF	PARTICIPE
FORME SIMPLE	delinquir	delinquiendo	delinquido
FORME COMPOSÉE	haber delinquido	habiendo delinquido	

- Verbe régulier de la 3e conjugaison. **Qu** devient **c** devant **o** ou **a** à la 1re pers. sing. de l'indicatif présent, au subjonctif présent et aux formes dérivées de l'impératif.

Verbe irrégulier o → ue

desosar *désosser*

INDICATIF		SUBJONCTIF	
PRÉSENT	**PASSÉ COMPOSÉ**	**PRÉSENT**	**PASSÉ**
sing. 1ʳᵉ deshueso	he desosado	deshuese	haya desosado
2ᵉ deshuesas	has desosado	deshueses	hayas desosado
3ᵉ deshuesa	ha desosado	deshuese	haya desosado
plur. 1ʳᵉ desosamos	hemos desosado	desosemos	hayamos desosado
2ᵉ desosáis	habéis desosado	desoséis	hayáis desosado
3ᵉ deshuesan	han desosado	deshuesen	hayan desosado
IMPARFAIT	**PLUS-QUE-PARFAIT**	**IMPARFAIT**	**PLUS-QUE-PARFAIT**
sing. 1ʳᵉ desosaba	había desosado	desosara	hubiera desosado
2ᵉ desosabas	habías desosado	desosaras	hubieras desosado
3ᵉ desosaba	había desosado	desosara	hubiera desosado
plur. 1ʳᵉ desosábamos	habíamos desosado	desosáramos	hubiéramos desosado
2ᵉ desosabais	habíais desosado	desosarais	hubierais desosado
3ᵉ desosaban	habían desosado	desosaran	hubieran desosado
PASSÉ SIMPLE	**PASSÉ ANTÉRIEUR**	*ou*	*ou*
sing. 1ʳᵉ desosé	hube desosado	desosase	hubiese desosado
2ᵉ desosaste	hubiste desosado	desosases	hubieses desosado
3ᵉ desosó	hubo desosado	desosase	hubiese desosado
plur. 1ʳᵉ desosamos	hubimos desosado	desosásemos	hubiésemos desosado
2ᵉ desosasteis	hubisteis desosado	desosaseis	hubieseis desosado
3ᵉ desosaron	hubieron desosado	desosasen	hubiesen desosado
FUTUR SIMPLE	**FUTUR ANTÉRIEUR**	**FUTUR SIMPLE**	**FUTUR ANTÉRIEUR**
sing. 1ʳᵉ desosaré	habré desosado	desosare	hubiere desosado
2ᵉ desosarás	habrás desosado	desosares	hubieres desosado
3ᵉ desosará	habrá desosado	desosare	hubiere desosado
plur. 1ʳᵉ desosaremos	habremos desosado	desosáremos	hubiéremos desosado
2ᵉ desosaréis	habréis desosado	desosareis	hubiereis desosado
3ᵉ desosarán	habrán desosado	desosaren	hubieren desosado
CONDITIONNEL PRÉSENT	**CONDITIONNEL PASSÉ**		
sing. 1ʳᵉ desosaría	habría desosado		**IMPÉRATIF**
2ᵉ desosarías	habrías desosado	sing. 2ᵉ	deshuesa
3ᵉ desosaría	habría desosado	3ᵉ	deshuese
plur. 1ʳᵉ desosaríamos	habríamos desosado	plur. 1ʳᵉ	desosemos
2ᵉ desosaríais	habríais desosado	2ᵉ	desosad
3ᵉ desosarían	habrían desosado	3ᵉ	deshuesen

	INFINITIF	GÉRONDIF	PARTICIPE
FORME SIMPLE	desosar	desosando	desosado
FORME COMPOSÉE	haber desosado	habiendo desosado	

- Diphtongaison de **o** qui devient **ue** et introduction de **h**, simple signe graphique, pour conserver le son vocalique devant **ue**, au sing. et à la 3ᵉ pers. plur. de l'indicatif et du subjonctif présents, ainsi qu'aux formes dérivées de l'impératif.

32 **dirigir** diriger

		INDICATIF		SUBJONCTIF	
		PRÉSENT	PASSÉ COMPOSÉ	PRÉSENT	PASSÉ
sing.	1re	dirijo	he dirigido	dirija	haya dirigido
	2e	diriges	has dirigido	dirijas	hayas dirigido
	3e	dirige	ha dirigido	dirija	haya dirigido
plur.	1re	dirigimos	hemos dirigido	dirijamos	hayamos dirigido
	2e	dirigís	habéis dirigido	dirijáis	hayáis dirigido
	3e	dirigen	han dirigido	dirijan	hayan dirigido
		IMPARFAIT	PLUS-QUE-PARFAIT	IMPARFAIT	PLUS-QUE-PARFAIT
sing.	1re	dirigía	había dirigido	dirigiera	hubiera dirigido
	2e	dirigías	habías dirigido	dirigieras	hubieras dirigido
	3e	dirigía	había dirigido	dirigiera	hubiera dirigido
plur.	1re	dirigíamos	habíamos dirigido	dirigiéramos	hubiéramos dirigido
	2e	dirigíais	habíais dirigido	dirigierais	hubierais dirigido
	3e	dirigían	habían dirigido	dirigieran	hubieran dirigido
		PASSÉ SIMPLE	PASSÉ ANTÉRIEUR	ou	ou
sing.	1re	dirigí	hube dirigido	dirigiese	hubiese dirigido
	2e	dirigiste	hubiste dirigido	dirigieses	hubieses dirigido
	3e	dirigió	hubo dirigido	dirigiese	hubiese dirigido
plur.	1re	dirigimos	hubimos dirigido	dirigiésemos	hubiésemos dirigido
	2e	dirigisteis	hubisteis dirigido	dirigieseis	hubieseis dirigido
	3e	dirigieron	hubieron dirigido	dirigiesen	hubiesen dirigido
		FUTUR SIMPLE	FUTUR ANTÉRIEUR	FUTUR SIMPLE	FUTUR ANTÉRIEUR
sing.	1re	dirigiré	habré dirigido	dirigiere	hubiere dirigido
	2e	dirigirás	habrás dirigido	dirigieres	hubieres dirigido
	3e	dirigirá	habrá dirigido	dirigiere	hubiere dirigido
plur.	1re	dirigiremos	habremos dirigido	dirigiéremos	hubiéremos dirigido
	2e	dirigiréis	habréis dirigido	dirigiereis	hubiereis dirigido
	3e	dirigirán	habrán dirigido	dirigieren	hubieren dirigido
		CONDITIONNEL PRÉSENT	CONDITIONNEL PASSÉ		
sing.	1re	dirigiría	habría dirigido		IMPÉRATIF
	2e	dirigirías	habrías dirigido	sing. 2e	dirige
	3e	dirigiría	habría dirigido	3e	dirija
plur.	1re	dirigiríamos	habríamos dirigido	plur. 1re	dirijamos
	2e	dirigiríais	habríais dirigido	2e	dirigid
	3e	dirigirían	habrían dirigido	3e	dirijan

	INFINITIF	GÉRONDIF	PARTICIPE
FORME SIMPLE	dirigir	dirigiendo	dirigido
FORME COMPOSÉE	haber dirigido	habiendo dirigido	

- Modèle pour **afligir, astringir, compungir, convergir, divergir, exigir, fingir, fulgir, fungir, infligir, infringir, inmergir, mugir, pungir, restringir, resurgir, rugir, sumergir, surgir, teledirigir, transigir, ungir, urgir. Rugir** et **urgir** sont aussi employés comme verbes impersonnels (→ 130).
- Verbe régulier de la 3e conjugaison. Pour conserver la prononciation, **g** devient **j** devant **o** ou **a** à la 1re pers. sing. de l'indicatif présent, au subjonctif présent et aux formes dérivées de l'impératif.

33 | discernir discerner

INDICATIF		SUBJONCTIF	
PRÉSENT	**PASSÉ COMPOSÉ**	**PRÉSENT**	**PASSÉ**
sing. 1ʳᵉ discierno	he discernido	discierna	haya discernido
2ᵉ disciernes	has discernido	disciernas	hayas discernido
3ᵉ discierne	ha discernido	discierna	haya discernido
plur. 1ʳᵉ discernimos	hemos discernido	discernamos	hayamos discernido
2ᵉ discernís	habéis discernido	discernáis	hayáis discernido
3ᵉ disciernen	han discernido	disciernan	hayan discernido
IMPARFAIT	**PLUS-QUE-PARFAIT**	**IMPARFAIT**	**PLUS-QUE-PARFAIT**
sing. 1ʳᵉ discernía	había discernido	discerniera	hubiera discernido
2ᵉ discernías	habías discernido	discernieras	hubieras discernido
3ᵉ discernía	había discernido	discerniera	hubiera discernido
plur. 1ʳᵉ discerníamos	habíamos discernido	discerniéramos	hubiéramos discernido
2ᵉ discerníais	habíais discernido	discernierais	hubierais discernido
3ᵉ discernían	habían discernido	discernieran	hubieran discernido
PASSÉ SIMPLE	**PASSÉ ANTÉRIEUR**	*ou*	*ou*
sing. 1ʳᵉ discerní	hube discernido	discerniese	hubiese discernido
2ᵉ discerniste	hubiste discernido	discernieses	hubieses discernido
3ᵉ discernió	hubo discernido	discerniese	hubiese discernido
plur. 1ʳᵉ discernimos	hubimos discernido	discerniésemos	hubiésemos discernido
2ᵉ discernisteis	hubisteis discernido	discernieseis	hubieseis discernido
3ᵉ discernieron	hubieron discernido	discerniesen	hubiesen discernido
FUTUR SIMPLE	**FUTUR ANTÉRIEUR**	**FUTUR SIMPLE**	**FUTUR ANTÉRIEUR**
sing. 1ʳᵉ discerniré	habré discernido	discerniere	hubiere discernido
2ᵉ discernirás	habrás discernido	discernieres	hubieres discernido
3ᵉ discernirá	habrá discernido	discerniere	hubiere discernido
plur. 1ʳᵉ discerniremos	habremos discernido	discerniéremos	hubiéremos discernido
2ᵉ discerniréis	habréis discernido	discerniereis	hubiereis discernido
3ᵉ discernirán	habrán discernido	discernieren	hubieren discernido

CONDITIONNEL PRÉSENT	CONDITIONNEL PASSÉ	IMPÉRATIF	
sing. 1ʳᵉ discerniría	habría discernido		
2ᵉ discernirías	habrías discernido	sing. 2ᵉ	discierne
3ᵉ discerniría	habría discernido	3ᵉ	discierna
plur. 1ʳᵉ discerniríamos	habríamos discernido	plur. 1ʳᵉ	discernamos
2ᵉ discerniríais	habríais discernido	2ᵉ	discernid
3ᵉ discernirían	habrían discernido	3ᵉ	disciernan

	INFINITIF	GÉRONDIF	PARTICIPE
FORME SIMPLE	discernir	discerniendo	discernido
FORME COMPOSÉE	haber discernido	habiendo discernido	

- Modèle pour **cernir, concernir, hendir. Cernir** et **concernir** sont des verbes défectifs (→ 131).
- Diphtongaison de **e** qui devient **ie** au sing. et à la 3ᵉ pers. plur. de l'indicatif et du subjonctif présents, ainsi qu'aux formes dérivées de l'impératif.

34 distinguir *distinguer*

	INDICATIF		SUBJONCTIF	
	PRÉSENT	**PASSÉ COMPOSÉ**	**PRÉSENT**	**PASSÉ**
sing. 1re	distingo	he distinguido	distinga	haya distinguido
2^e	distingues	has distinguido	distingas	hayas distinguido
3^e	distingue	ha distinguido	distinga	haya distinguido
plur. 1re	distinguimos	hemos distinguido	distingamos	hayamos distinguido
2^e	distinguís	habéis distinguido	distingáis	hayáis distinguido
3^e	distinguen	han distinguido	distingan	hayan distinguido
	IMPARFAIT	**PLUS-QUE-PARFAIT**	**IMPARFAIT**	**PLUS-QUE-PARFAIT**
sing. 1re	distinguía	había distinguido	distinguiera	hubiera distinguido
2^e	distinguías	habías distinguido	distinguieras	hubieras distinguido
3^e	distinguía	había distinguido	distinguiera	hubiera distinguido
plur. 1re	distinguíamos	habíamos distinguido	distinguiéramos	hubiéramos distinguido
2^e	distinguíais	habíais distinguido	distinguierais	hubierais distinguido
3^e	distinguían	habían distinguido	distinguieran	hubieran distinguido
			ou	*ou*
	PASSÉ SIMPLE	**PASSÉ ANTÉRIEUR**	distinguiese	hubiese distinguido
sing. 1re	distinguí	hube distinguido	distinguieses	hubieses distinguido
2^e	distinguiste	hubiste distinguido	distinguiese	hubiese distinguido
3^e	distinguió	hubo distinguido	distinguiésemos	hubiésemos distinguido
plur. 1re	distinguimos	hubimos distinguido	distinguieseis	hubieseis distinguido
2^e	distinguisteis	hubisteis distinguido	distinguiesen	hubiesen distinguido
3^e	distinguieron	hubieron distinguido		
	FUTUR SIMPLE	**FUTUR ANTÉRIEUR**	**FUTUR SIMPLE**	**FUTUR ANTÉRIEUR**
sing. 1re	distinguiré	habré distinguido	distinguiere	hubiere distinguido
2^e	distinguirás	habrás distinguido	distinguieres	hubieres distinguido
3^e	distinguirá	habrá distinguido	distinguiere	hubiere distinguido
plur. 1re	distinguiremos	habremos distinguido	distinguiéremos	hubiéremos distinguido
2^e	distinguiréis	habréis distinguido	distinguiereis	hubiereis distinguido
3^e	distinguirán	habrán distinguido	distinguieren	hubieren distinguido
	CONDITIONNEL PRÉSENT	**CONDITIONNEL PASSÉ**		IMPÉRATIF
sing. 1re	distinguiría	habría distinguido		
2^e	distinguirías	habrías distinguido	sing. 2^e	distingue
3^e	distinguiría	habría distinguido	3^e	distinga
plur. 1re	distinguiríamos	habríamos distinguido	plur. 1re	distingamos
2^e	distinguiríais	habríais distinguido	2^e	distinguid
3^e	distinguirían	habrían distinguido	3^e	distingan

	INFINITIF	GÉRONDIF	PARTICIPE
FORME SIMPLE	distinguir	distinguiendo	distinguido
FORME COMPOSÉE	haber distinguido	habiendo distinguido	

- Modèle pour **extinguir** qui a un double participe passé (→ 133).
- Verbe régulier de la 3e conjugaison. **Gu** devient **g** devant **o** ou **a** à la 1re pers. sing. de l'indicatif présent, au subjonctif présent et aux formes dérivées de l'impératif.

Verbe irrégulier o → ue/u

35 **dormir** dormir

		INDICATIF		SUBJONCTIF	
		PRÉSENT	PASSÉ COMPOSÉ	PRÉSENT	PASSÉ
sing.	1ʳᵉ	duermo	he dormido	duerma	haya dormido
	2ᵉ	duermes	has dormido	duermas	hayas dormido
	3ᵉ	duerme	ha dormido	duerma	haya dormido
plur.	1ʳᵉ	dormimos	hemos dormido	durmamos	hayamos dormido
	2ᵉ	dormís	habéis dormido	durmáis	hayáis dormido
	3ᵉ	duermen	han dormido	duerman	hayan dormido
		IMPARFAIT	PLUS-QUE-PARFAIT	IMPARFAIT	PLUS-QUE-PARFAIT
sing.	1ʳᵉ	dormía	había dormido	durmiera	hubiera dormido
	2ᵉ	dormías	habías dormido	durmieras	hubieras dormido
	3ᵉ	dormía	había dormido	durmiera	hubiera dormido
plur.	1ʳᵉ	dormíamos	habíamos dormido	durmiéramos	hubiéramos dormido
	2ᵉ	dormíais	habíais dormido	durmierais	hubierais dormido
	3ᵉ	dormían	habían dormido	durmieran	hubieran dormido
		PASSÉ SIMPLE	PASSÉ ANTÉRIEUR	*ou*	*ou*
sing.	1ʳᵉ	dormí	hube dormido	durmiese	hubiese dormido
	2ᵉ	dormiste	hubiste dormido	durmieses	hubieses dormido
	3ᵉ	durmió	hubo dormido	durmiese	hubiese dormido
plur.	1ʳᵉ	dormimos	hubimos dormido	durmiésemos	hubiésemos dormido
	2ᵉ	dormisteis	hubisteis dormido	durmieseis	hubieseis dormido
	3ᵉ	durmieron	hubieron dormido	durmiesen	hubiesen dormido
		FUTUR SIMPLE	FUTUR ANTÉRIEUR	FUTUR SIMPLE	FUTUR ANTÉRIEUR
sing.	1ʳᵉ	dormiré	habré dormido	durmiere	hubiere dormido
	2ᵉ	dormirás	habrás dormido	durmieres	hubieres dormido
	3ᵉ	dormirá	habrá dormido	durmiere	hubiere dormido
plur.	1ʳᵉ	dormiremos	habremos dormido	durmiéremos	hubiéremos dormido
	2ᵉ	dormiréis	habréis dormido	durmiereis	hubiereis dormido
	3ᵉ	dormirán	habrán dormido	durmieren	hubieren dormido
		CONDITIONNEL PRÉSENT	CONDITIONNEL PASSÉ		
sing.	1ʳᵉ	dormiría	habría dormido		IMPÉRATIF
	2ᵉ	dormirías	habrías dormido	sing. 2ᵉ	duerme
	3ᵉ	dormiría	habría dormido	3ᵉ	duerma
plur.	1ʳᵉ	dormiríamos	habríamos dormido	plur. 1ʳᵉ	durmamos
	2ᵉ	dormiríais	habríais dormido	2ᵉ	dormid
	3ᵉ	dormirían	habrían dormido	3ᵉ	duerman

	INFINITIF	GÉRONDIF	PARTICIPE
FORME SIMPLE	dormir	durmiendo	dormido
FORME COMPOSÉE	haber dormido	habiendo dormido	

- Modèle pour **morir, premorir**. Ces verbes ont un participe passé irrégulier (**muerto** et **premuerto**).
- Diphtongaison de **o** qui devient **ue** au sing. et à la 3ᵉ pers. plur. de l'indicatif et du subjonctif présents, ainsi qu'aux formes dérivées de l'impératif. Affaiblissement de la voyelle du radical : **o** devient **u** aux 1ʳᵉ et 2ᵉ pers. plur. du subjonctif présent, aux 3ᵉ pers. sing. et plur. du passé simple, à ses temps dérivés (→ 110), ainsi qu'au gérondif.

36 **elegir** élire

		INDICATIF		SUBJONCTIF	
		PRÉSENT	PASSÉ COMPOSÉ	PRÉSENT	PASSÉ
sing.	1re	elijo	he elegido	elija	haya elegido
	2e	eliges	has elegido	elijas	hayas elegido
	3e	elige	ha elegido	elija	haya elegido
plur.	1re	elegimos	hemos elegido	elijamos	hayamos elegido
	2e	elegís	habéis elegido	elijáis	hayáis elegido
	3e	eligen	han elegido	elijan	hayan elegido
		IMPARFAIT	PLUS-QUE-PARFAIT	IMPARFAIT	PLUS-QUE-PARFAIT
sing.	1re	elegía	había elegido	eligiera	hubiera elegido
	2e	elegías	habías elegido	eligieras	hubieras elegido
	3e	elegía	había elegido	eligiera	hubiera elegido
plur.	1re	elegíamos	habíamos elegido	eligiéramos	hubiéramos elegido
	2e	elegíais	habíais elegido	eligierais	hubierais elegido
	3e	elegían	habían elegido	eligieran	hubieran elegido
		PASSÉ SIMPLE	PASSÉ ANTÉRIEUR	*ou*	*ou*
sing.	1re	elegí	hube elegido	eligiese	hubiese elegido
	2e	elegiste	hubiste elegido	eligieses	hubieses elegido
	3e	eligió	hubo elegido	eligiese	hubiese elegido
plur.	1re	elegimos	hubimos elegido	eligiésemos	hubiésemos elegido
	2e	elegisteis	hubisteis elegido	eligieseis	hubieseis elegido
	3e	eligieron	hubieron elegido	eligiesen	hubiesen elegido
		FUTUR SIMPLE	FUTUR ANTÉRIEUR	FUTUR SIMPLE	FUTUR ANTÉRIEUR
sing.	1re	elegiré	habré elegido	eligiere	hubiere elegido
	2e	elegirás	habrás elegido	eligieres	hubieres elegido
	3e	elegirá	habrá elegido	eligiere	hubiere elegido
plur.	1re	elegiremos	habremos elegido	eligiéremos	hubiéremos elegido
	2e	elegiréis	habréis elegido	eligiereis	hubiereis elegido
	3e	elegirán	habrán elegido	eligieren	hubieren elegido
		CONDITIONNEL PRÉSENT	CONDITIONNEL PASSÉ		
sing.	1re	elegiría	habría elegido		IMPÉRATIF
	2e	elegirías	habrías elegido	sing. 2e	elige
	3e	elegiría	habría elegido	3e	elija
plur.	1re	elegiríamos	habríamos elegido	plur. 1re	elijamos
	2e	elegiríais	habríais elegido	2e	elegid
	3e	elegirían	habrían elegido	3e	elijan

	INFINITIF	GÉRONDIF	PARTICIPE
FORME SIMPLE	elegir	eligiendo	elegido/electo
FORME COMPOSÉE	haber elegido	habiendo elegido	

- Modèle pour **colegir, corregir, reelegir, regir. Corregir, elegir, reelegir** ont un double participe passé (→ 133).
- Affaiblissement de la voyelle du radical : **e** devient **i** au sing. et à la 3e pers. plur. de l'indicatif présent, aux 3e pers. sing. et plur. du passé simple, à ses temps dérivés (→ 110), au gérondif, au subjonctif présent, ainsi qu'aux formes dérivées de l'impératif. Pour conserver la prononciation, **g** devient **j** devant **o** ou **a** à la 1re pers. sing. de l'indicatif présent, au subjonctif présent et aux formes dérivées de l'impératif.

Verbe irrégulier e → ie

empezar commencer

		INDICATIF		SUBJONCTIF	
		PRÉSENT	**PASSÉ COMPOSÉ**	**PRÉSENT**	**PASSÉ**
sing.	1ʳᵉ	empiezo	he empezado	empiece	haya empezado
	2ᵉ	empiezas	has empezado	empieces	hayas empezado
	3ᵉ	empieza	ha empezado	empiece	haya empezado
plur.	1ʳᵉ	empezamos	hemos empezado	empecemos	hayamos empezado
	2ᵉ	empezáis	habéis empezado	empecéis	hayáis empezado
	3ᵉ	empiezan	han empezado	empiecen	hayan empezado
		IMPARFAIT	**PLUS-QUE-PARFAIT**	**IMPARFAIT**	**PLUS-QUE-PARFAIT**
sing.	1ʳᵉ	empezaba	había empezado	empezara	hubiera empezado
	2ᵉ	empezabas	habías empezado	empezaras	hubieras empezado
	3ᵉ	empezaba	había empezado	empezara	hubiera empezado
plur.	1ʳᵉ	empezábamos	habíamos empezado	empezáramos	hubiéramos empezado
	2ᵉ	empezabais	habíais empezado	empezarais	hubierais empezado
	3ᵉ	empezaban	habían empezado	empezaran	hubieran empezado
		PASSÉ SIMPLE	**PASSÉ ANTÉRIEUR**	*ou*	*ou*
sing.	1ʳᵉ	empecé	hube empezado	empezase	hubiese empezado
	2ᵉ	empezaste	hubiste empezado	empezases	hubieses empezado
	3ᵉ	empezó	hubo empezado	empezase	hubiese empezado
plur.	1ʳᵉ	empezamos	hubimos empezado	empezásemos	hubiésemos empezado
	2ᵉ	empezasteis	hubisteis empezado	empezaseis	hubieseis empezado
	3ᵉ	empezaron	hubieron empezado	empezasen	hubiesen empezado
		FUTUR SIMPLE	**FUTUR ANTÉRIEUR**	**FUTUR SIMPLE**	**FUTUR ANTÉRIEUR**
sing.	1ʳᵉ	empezaré	habré empezado	empezare	hubiere empezado
	2ᵉ	empezarás	habrás empezado	empezares	hubieres empezado
	3ᵉ	empezará	habrá empezado	empezare	hubiere empezado
plur.	1ʳᵉ	empezaremos	habremos empezado	empezáremos	hubiéremos empezado
	2ᵉ	empezaréis	habréis empezado	empezareis	hubiereis empezado
	3ᵉ	empezarán	habrán empezado	empezaren	hubieren empezado
		CONDITIONNEL PRÉSENT	**CONDITIONNEL PASSÉ**		
sing.	1ʳᵉ	empezaría	habría empezado		

		CONDITIONNEL PRÉSENT	CONDITIONNEL PASSÉ		IMPÉRATIF
sing.	1ʳᵉ	empezaría	habría empezado		
	2ᵉ	empezarías	habrías empezado	sing. 2ᵉ	empieza
	3ᵉ	empezaría	habría empezado	3ᵉ	empiece
plur.	1ʳᵉ	empezaríamos	habríamos empezado	plur. 1ʳᵉ	empecemos
	2ᵉ	empezaríais	habríais empezado	2ᵉ	empezad
	3ᵉ	empezarían	habrían empezado	3ᵉ	empiecen

	INFINITIF	GÉRONDIF	PARTICIPE
FORME SIMPLE	empezar	empezando	empezado
FORME COMPOSÉE	haber empezado	habiendo empezado	

- Modèle pour **comenzar, tropezar**.
- Diphtongaison de **i** qui devient **ie** au sing. et à la 3ᵉ pers. plur. de l'indicatif et du subjonctif présents, ainsi qu'aux formes dérivées de l'impératif. **Z** devient **c** devant **e** à la 1ʳᵉ pers. sing. du passé simple, au subjonctif présent et aux formes dérivées de l'impératif.

38 **encontrar** trouver

		INDICATIF		SUBJONCTIF	
		PRÉSENT	**PASSÉ COMPOSÉ**	**PRÉSENT**	**PASSÉ**
sing.	1ʳᵉ	encuentro	he encontrado	encuentre	haya encontrado
	2ᵉ	encuentras	has encontrado	encuentres	hayas encontrado
	3ᵉ	encuentra	ha encontrado	encuentre	haya encontrado
plur.	1ʳᵉ	encontramos	hemos encontrado	encontremos	hayamos encontrado
	2ᵉ	encontráis	habéis encontrado	encontréis	hayáis encontrado
	3ᵉ	encuentran	han encontrado	encuentren	hayan encontrado
		IMPARFAIT	**PLUS-QUE-PARFAIT**	**IMPARFAIT**	**PLUS-QUE-PARFAIT**
sing.	1ʳᵉ	encontraba	había encontrado	encontrara	hubiera encontrado
	2ᵉ	encontrabas	habías encontrado	encontraras	hubieras encontrado
	3ᵉ	encontraba	había encontrado	encontrara	hubiera encontrado
plur.	1ʳᵉ	encontrábamos	habíamos encontrado	encontráramos	hubiéramos encontrado
	2ᵉ	encontrabais	habíais encontrado	encontrarais	hubierais encontrado
	3ᵉ	encontraban	habían encontrado	encontraran	hubieran encontrado
		PASSÉ SIMPLE	**PASSÉ ANTÉRIEUR**	*ou*	*ou*
sing.	1ʳᵉ	encontré	hube encontrado	encontrase	hubiese encontrado
	2ᵉ	encontraste	hubiste encontrado	encontrases	hubieses encontrado
	3ᵉ	encontró	hubo encontrado	encontrase	hubiese encontrado
plur.	1ʳᵉ	encontramos	hubimos encontrado	encontrásemos	hubiésemos encontrado
	2ᵉ	encontrasteis	hubisteis encontrado	encontraseis	hubieseis encontrado
	3ᵉ	encontraron	hubieron encontrado	encontrasen	hubiesen encontrado
		FUTUR SIMPLE	**FUTUR ANTÉRIEUR**	**FUTUR SIMPLE**	**FUTUR ANTÉRIEUR**
sing.	1ʳᵉ	encontraré	habré encontrado	encontrare	hubiere encontrado
	2ᵉ	encontrarás	habrás encontrado	encontrares	hubieres encontrado
	3ᵉ	encontrará	habrá encontrado	encontrare	hubiere encontrado
plur.	1ʳᵉ	encontraremos	habremos encontrado	encontráremos	hubiéremos encontrado
	2ᵉ	encontraréis	habréis encontrado	encontrareis	hubiereis encontrado
	3ᵉ	encontrarán	habrán encontrado	encontraren	hubieren encontrado
		CONDITIONNEL PRÉSENT	**CONDITIONNEL PASSÉ**		
sing.	1ʳᵉ	encontraría	habría encontrado		**IMPÉRATIF**
	2ᵉ	encontrarías	habrías encontrado	sing. 2ᵉ	encuentra
	3ᵉ	encontraría	habría encontrado	3ᵉ	encuentre
plur.	1ʳᵉ	encontraríamos	habríamos encontrado	plur. 1ʳᵉ	encontremos
	2ᵉ	encontraríais	habríais encontrado	2ᵉ	encontrad
	3ᵉ	encontrarían	habrían encontrado	3ᵉ	encuentren

	INFINITIF	GÉRONDIF	PARTICIPE
FORME SIMPLE	encontrar	encontrando	encontrado
FORME COMPOSÉE	haber encontrado	habiendo encontrado	

- Modèle pour **acordar, acostar, apostar, aprobar, asolar, colar, comprobar, concordar, consolar, contar, costar, demostrar, desaprobar, descontar, despoblar, discordar, disonar, mancornar, moblar, mostrar, poblar, probar, recordar, renovar, rodar, solar, soldar, sonar, soñar, tostar, volar...** Soltar a un double participe passé (→ 133). **Atronar** et **tronar** sont employés comme verbes impersonnels (→ 130).
- Diphtongaison de **o** qui devient **ue** au sing. et à la 3ᵉ plur. de l'indicatif et du subjonctif présents, ainsi qu'aux formes dérivées de l'impératif.

39 enraizar *s'enraciner*

		INDICATIF		SUBJONCTIF	
		PRÉSENT	**PASSÉ COMPOSÉ**	**PRÉSENT**	**PASSÉ**
sing.	1ʳᵉ	enraízo	he enraizado	enraíce	haya enraizado
	2ᵉ	enraízas	has enraizado	enraíces	hayas enraizado
	3ᵉ	enraíza	ha enraizado	enraíce	haya enraizado
plur.	1ʳᵉ	enraizamos	hemos enraizado	enraicemos	hayamos enraizado
	2ᵉ	enraizáis	habéis enraizado	enraicéis	hayáis enraizado
	3ᵉ	enraízan	han enraizado	enraícen	hayan enraizado
		IMPARFAIT	**PLUS-QUE-PARFAIT**	**IMPARFAIT**	**PLUS-QUE-PARFAIT**
sing.	1ʳᵉ	enraizaba	había enraizado	enraizara	hubiera enraizado
	2ᵉ	enraizabas	habías enraizado	enraizaras	hubieras enraizado
	3ᵉ	enraizaba	había enraizado	enraizara	hubiera enraizado
plur.	1ʳᵉ	enraizábamos	habíamos enraizado	enraizáramos	hubiéramos enraizado
	2ᵉ	enraizabais	habíais enraizado	enraizarais	hubierais enraizado
	3ᵉ	enraizaban	habían enraizado	enraizaran	hubieran enraizado
		PASSÉ SIMPLE	**PASSÉ ANTÉRIEUR**	*ou*	*ou*
sing.	1ʳᵉ	enraicé	hube enraizado	enraizase	hubiese enraizado
	2ᵉ	enraizaste	hubiste enraizado	enraizases	hubieses enraizado
	3ᵉ	enraizó	hubo enraizado	enraizase	hubiese enraizado
plur.	1ʳᵉ	enraizamos	hubimos enraizado	enraizásemos	hubiésemos enraizado
	2ᵉ	enraizasteis	hubisteis enraizado	enraizaseis	hubieseis enraizado
	3ᵉ	enraizaron	hubieron enraizado	enraizasen	hubiesen enraizado
		FUTUR SIMPLE	**FUTUR ANTÉRIEUR**	**FUTUR SIMPLE**	**FUTUR ANTÉRIEUR**
sing.	1ʳᵉ	enraizaré	habré enraizado	enraizare	hubiere enraizado
	2ᵉ	enraizarás	habrás enraizado	enraizares	hubieres enraizado
	3ᵉ	enraizará	habrá enraizado	enraizare	hubiere enraizado
plur.	1ʳᵉ	enraizaremos	habremos enraizado	enraizáremos	hubiéremos enraizado
	2ᵉ	enraizaréis	habréis enraizado	enraizareis	hubiereis enraizado
	3ᵉ	enraizarán	habrán enraizado	enraizaren	hubieren enraizado

		CONDITIONNEL PRÉSENT	CONDITIONNEL PASSÉ			IMPÉRATIF
sing.	1ʳᵉ	enraizaría	habría enraizado			
	2ᵉ	enraizarías	habrías enraizado	sing.	2ᵉ	enraíza
	3ᵉ	enraizaría	habría enraizado		3ᵉ	enraíce
plur.	1ʳᵉ	enraizaríamos	habríamos enraizado	plur.	1ʳᵉ	enraicemos
	2ᵉ	enraizaríais	habríais enraizado		2ᵉ	enraizad
	3ᵉ	enraizarían	habrían enraizado		3ᵉ	enraícen

	INFINITIF	GÉRONDIF	PARTICIPE
FORME SIMPLE	enraizar	enraizando	enraizado
FORME COMPOSÉE	haber enraizado	habiendo enraizado	

- Modèle pour **arcaizar, desraizar, europeizar, judaizar**.
- Verbe régulier de la 1ʳᵉ conjugaison, accentué sur la voyelle du radical, i qui devient í au sing. et à la 3ᵉ pers. plur. de l'indicatif et du subjonctif présents, ainsi qu'aux formes dérivées de l'impératif. **Z** devient **c** devant **e** à la 1ʳᵉ pers. sing. du passé simple, au subjonctif présent et aux formes dérivées de l'impératif.

40 **erguir** dresser, lever

	INDICATIF		SUBJONCTIF	
	PRÉSENT	PASSÉ COMPOSÉ	PRÉSENT	PASSÉ
sing. 1re	yergo	he erguido	yerga	haya erguido
2e	yergues	has erguido	yergas	hayas erguido
3e	yergue	ha erguido	yerga	haya erguido
plur. 1re	erguimos	hemos erguido	irgamos	hayamos erguido
2e	erguís	habéis erguido	irgáis	hayáis erguido
3e	yerguen	han erguido	yergan	hayan erguido
	IMPARFAIT	PLUS-QUE-PARFAIT	IMPARFAIT	PLUS-QUE-PARFAIT
sing. 1re	erguía	había erguido	irguiera	hubiera erguido
2e	erguías	habías erguido	irguieras	hubieras erguido
3e	erguía	había erguido	irguiera	hubiera erguido
plur. 1re	erguíamos	habíamos erguido	irguiéramos	hubiéramos erguido
2e	erguíais	habíais erguido	irguierais	hubierais erguido
3e	erguían	habían erguido	irguieran	hubieran erguido
	PASSÉ SIMPLE	PASSÉ ANTÉRIEUR	ou	ou
sing. 1re	erguí	hube erguido	irguiese	hubiese erguido
2e	erguiste	hubiste erguido	irguieses	hubieses erguido
3e	irguió	hubo erguido	irguiese	hubiese erguido
plur. 1re	erguimos	hubimos erguido	irguiésemos	hubiésemos erguido
2e	erguisteis	hubisteis erguido	irguieseis	hubieseis erguido
3e	irguieron	hubieron erguido	irguiesen	hubiesen erguido
	FUTUR SIMPLE	FUTUR ANTÉRIEUR	FUTUR SIMPLE	FUTUR ANTÉRIEUR
sing. 1re	erguiré	habré erguido	irguiere	hubiere erguido
2e	erguirás	habrás erguido	irguieres	hubieres erguido
3e	erguirá	habrá erguido	irguiere	hubiere erguido
plur. 1re	erguiremos	habremos erguido	irguiéremos	hubiéremos erguido
2e	erguiréis	habréis erguido	irguiereis	hubiereis erguido
3e	erguirán	habrán erguido	irguieren	hubieren erguido
	CONDITIONNEL PRÉSENT	CONDITIONNEL PASSÉ		
sing. 1re	erguiría	habría erguido		IMPÉRATIF
2e	erguirías	habrías erguido	sing. 2e	yergue
3e	erguiría	habría erguido	3e	yerga
plur. 1re	erguiríamos	habríamos erguido	plur. 1re	irgamos
2e	erguiríais	habríais erguido	2e	erguid
3e	erguirían	habrían erguido	3e	yergan

	INFINITIF	GÉRONDIF	PARTICIPE
FORME SIMPLE	erguir	irguiendo	erguido
FORME COMPOSÉE	haber erguido	habiendo erguido	

- Diphtongaison de **e** qui devient **ie** et la voyelle atone **i** qui devient **y** devant **e** au sing. et à la 3e pers. plur. de l'indicatif et du subjonctif présents, ainsi qu'aux formes dérivées de l'impératif. Affaiblissement de la voyelle du radical : **e** devient **i** aux 1re et 2e pers. plur. du subjonctif présent et à sa forme dérivée de l'impératif, à la 3e pers. sing. et plur. du passé simple et à ses temps dérivés (→ 110), ainsi qu'au gérondif. **Gu** devient **g** devant **a** et **o** à la 1re pers. sing. de l'indicatif présent et au subjonctif présent, ainsi qu'aux formes dérivées de l'impératif.

41 | **errar** rater, errer

		INDICATIF		SUBJONCTIF	
		PRÉSENT	PASSÉ COMPOSÉ	PRÉSENT	PASSÉ
sing.	1re	yerro	he errado	yerre	haya errado
	2e	yerras	has errado	yerres	hayas errado
	3e	yerra	ha errado	yerre	haya errado
plur.	1re	erramos	hemos errado	erremos	hayamos errado
	2e	erráis	habéis errado	erréis	hayáis errado
	3e	yerran	han errado	yerren	hayan errado
		IMPARFAIT	PLUS-QUE-PARFAIT	IMPARFAIT	PLUS-QUE-PARFAIT
sing.	1re	erraba	había errado	errara	hubiera errado
	2e	errabas	habías errado	erraras	hubieras errado
	3e	erraba	había errado	errara	hubiera errado
plur.	1re	errábamos	habíamos errado	erráramos	hubiéramos errado
	2e	errabais	habíais errado	errarais	hubierais errado
	3e	erraban	habían errado	erraran	hubieran errado
		PASSÉ SIMPLE	PASSÉ ANTÉRIEUR	ou	ou
sing.	1re	erré	hube errado	errase	hubiese errado
	2e	erraste	hubiste errado	errases	hubieses errado
	3e	erró	hubo errado	errase	hubiese errado
plur.	1re	erramos	hubimos errado	errásemos	hubiésemos errado
	2e	errasteis	hubisteis errado	erraseis	hubieseis errado
	3e	erraron	hubieron errado	errasen	hubiesen errado
		FUTUR SIMPLE	FUTUR ANTÉRIEUR	FUTUR SIMPLE	FUTUR ANTÉRIEUR
sing.	1re	erraré	habré errado	errare	hubiere errado
	2e	errarás	habrás errado	errares	hubieres errado
	3e	errará	habrá errado	errare	hubiere errado
plur.	1re	erraremos	habremos errado	erráremos	hubiéremos errado
	2e	erraréis	habréis errado	errareis	hubiereis errado
	3e	errarán	habrán errado	erraren	hubieren errado

		CONDITIONNEL PRÉSENT	CONDITIONNEL PASSÉ		IMPÉRATIF	
sing.	1re	erraría	habría errado			
	2e	errarías	habrías errado	sing.	2e	yerra
	3e	erraría	habría errado		3e	yerre
plur.	1re	erraríamos	habríamos errado	plur.	1re	erremos
	2e	erraríais	habríais errado		2e	errad
	3e	errarían	habrían errado		3e	yerren

	INFINITIF	GÉRONDIF	PARTICIPE
FORME SIMPLE	errar	errando	errado
FORME COMPOSÉE	haber errado	habiendo errado	

- Diphtongaison de **e** qui devient **ie** et la voyelle atone **i** qui devient **y**, en position de diphtongue, au sing. et à la 3e pers. plur. de l'indicatif et du subjonctif présents, ainsi qu'aux formes dérivées de l'impératif. Cette irrégularité ne concerne que ce verbe.

42 **forzar** *forcer*

	INDICATIF		SUBJONCTIF	
	PRÉSENT	PASSÉ COMPOSÉ	PRÉSENT	PASSÉ
sing. 1re	fuerzo	he forzado	fuerce	haya forzado
2e	fuerzas	has forzado	fuerces	hayas forzado
3e	fuerza	ha forzado	fuerce	haya forzado
plur. 1re	forzamos	hemos forzado	forcemos	hayamos forzado
2e	forzáis	habéis forzado	forcéis	hayáis forzado
3e	fuerzan	han forzado	fuercen	hayan forzado
	IMPARFAIT	PLUS-QUE-PARFAIT	IMPARFAIT	PLUS-QUE-PARFAIT
sing. 1re	forzaba	había forzado	forzara	hubiera forzado
2e	forzabas	habías forzado	forzaras	hubieras forzado
3e	forzaba	había forzado	forzara	hubiera forzado
plur. 1re	forzábamos	habíamos forzado	forzáramos	hubiéramos forzado
2e	forzabais	habíais forzado	forzarais	hubierais forzado
3e	forzaban	habían forzado	forzaran	hubieran forzado
	PASSÉ SIMPLE	PASSÉ ANTÉRIEUR	ou	ou
sing. 1re	forcé	hube forzado	forzase	hubiese forzado
2e	forzaste	hubiste forzado	forzases	hubieses forzado
3e	forzó	hubo forzado	forzase	hubiese forzado
plur. 1re	forzamos	hubimos forzado	forzásemos	hubiésemos forzado
2e	forzasteis	hubisteis forzado	forzaseis	hubieseis forzado
3e	forzaron	hubieron forzado	forzasen	hubiesen forzado
	FUTUR SIMPLE	FUTUR ANTÉRIEUR	FUTUR SIMPLE	FUTUR ANTÉRIEUR
sing. 1re	forzaré	habré forzado	forzare	hubiere forzado
2e	forzarás	habrás forzado	forzares	hubieres forzado
3e	forzará	habrá forzado	forzare	hubiere forzado
plur. 1re	forzaremos	habremos forzado	forzáremos	hubiéremos forzado
2e	forzaréis	habréis forzado	forzareis	hubiereis forzado
3e	forzarán	habrán forzado	forzaren	hubieren forzado
	CONDITIONNEL PRÉSENT	CONDITIONNEL PASSÉ		
sing. 1re	forzaría	habría forzado		IMPÉRATIF
2e	forzarías	habrías forzado	sing. 2e	fuerza
3e	forzaría	habría forzado	3e	fuerce
plur. 1re	forzaríamos	habríamos forzado	plur. 1re	forcemos
2e	forzaríais	habríais forzado	2e	forzad
3e	forzarían	habrían forzado	3e	fuercen

	INFINITIF	GÉRONDIF	PARTICIPE
FORME SIMPLE	forzar	forzando	forzado
FORME COMPOSÉE	haber forzado	habiendo forzado	

- Modèle pour **almorzar, esforzar, reforzar**.
- Diphtongaison de **o** qui devient **ue** au sing. et à la 3e pers. plur. de l'indicatif et du subjonctif présents, ainsi qu'aux formes dérivées de l'impératif. **Z** devient **c** devant **e** à la 1re pers. sing. du passé simple, au subjonctif présent et aux formes dérivées de l'impératif.

43 | **guiar** *guider*

INDICATIF		SUBJONCTIF	
PRÉSENT	**PASSÉ COMPOSÉ**	**PRÉSENT**	**PASSÉ**
sing. 1ʳᵉ guío	he guiado	guíe	haya guiado
2ᵉ guías	has guiado	guíes	hayas guiado
3ᵉ guía	ha guiado	guíe	haya guiado
plur. 1ʳᵉ guiamos	hemos guiado	guiemos	hayamos guiado
2ᵉ guiáis	habéis guiado	guiéis	hayáis guiado
3ᵉ guían	han guiado	guíen	hayan guiado
IMPARFAIT	**PLUS-QUE-PARFAIT**	**IMPARFAIT**	**PLUS-QUE-PARFAIT**
sing. 1ʳᵉ guiaba	había guiado	guiara	hubiera guiado
2ᵉ guiabas	habías guiado	guiaras	hubieras guiado
3ᵉ guiaba	había guiado	guiara	hubiera guiado
plur. 1ʳᵉ guiábamos	habíamos guiado	guiáramos	hubiéramos guiado
2ᵉ guiabais	habíais guiado	guiarais	hubierais guiado
3ᵉ guiaban	habían guiado	guiaran	hubieran guiado
PASSÉ SIMPLE	**PASSÉ ANTÉRIEUR**	*ou*	*ou*
sing. 1ʳᵉ guié	hube guiado	guiase	hubiese guiado
2ᵉ guiaste	hubiste guiado	guiases	hubieses guiado
3ᵉ guió	hubo guiado	guiase	hubiese guiado
plur. 1ʳᵉ guiamos	hubimos guiado	guiásemos	hubiésemos guiado
2ᵉ guiasteis	hubisteis guiado	guiaseis	hubieseis guiado
3ᵉ guiaron	hubieron guiado	guiasen	hubiesen guiado
FUTUR SIMPLE	**FUTUR ANTÉRIEUR**	**FUTUR SIMPLE**	**FUTUR ANTÉRIEUR**
sing. 1ʳᵉ guiaré	habré guiado	guiare	hubiere guiado
2ᵉ guiarás	habrás guiado	guiares	hubieres guiado
3ᵉ guiará	habrá guiado	guiare	hubiere guiado
plur. 1ʳᵉ guiaremos	habremos guiado	guiáremos	hubiéremos guiado
2ᵉ guiaréis	habréis guiado	guiareis	hubiereis guiado
3ᵉ guiarán	habrán guiado	guiaren	hubieren guiado

CONDITIONNEL PRÉSENT	CONDITIONNEL PASSÉ	IMPÉRATIF	
sing. 1ʳᵉ guiaría	habría guiado		
2ᵉ guiarías	habrías guiado	sing. 2ᵉ	guía
3ᵉ guiaría	habría guiado	3ᵉ	guíe
plur. 1ʳᵉ guiaríamos	habríamos guiado	plur. 1ʳᵉ	guiemos
2ᵉ guiaríais	habríais guiado	2ᵉ	guiad
3ᵉ guiarían	habrían guiado	3ᵉ	guíen

	INFINITIF	GÉRONDIF	PARTICIPE
FORME SIMPLE	guiar	guiando	guiado
FORME COMPOSÉE	haber guiado	habiendo guiado	

- Modèle pour tous les verbes se terminant par **iar**. Rociar est employé comme verbe impersonnel (→ 130).
- Verbe régulier de la 1ʳᵉ conjugaison, accentué sur la voyelle du radical, i qui devient í au sing. et à la 3ᵉ pers. plur. de l'indicatif et du subjonctif présents, ainsi qu'aux formes dérivées de l'impératif.

44 **hacer** *faire*

		INDICATIF		SUBJONCTIF	
		PRÉSENT	PASSÉ COMPOSÉ	PRÉSENT	PASSÉ
sing.	1ʳᵉ	hago	he hecho	haga	haya hecho
	2ᵉ	haces	has hecho	hagas	hayas hecho
	3ᵉ	hace	ha hecho	haga	haya hecho
plur.	1ʳᵉ	hacemos	hemos hecho	hagamos	hayamos hecho
	2ᵉ	hacéis	habéis hecho	hagáis	hayáis hecho
	3ᵉ	hacen	han hecho	hagan	hayan hecho
		IMPARFAIT	PLUS-QUE-PARFAIT	IMPARFAIT	PLUS-QUE-PARFAIT
sing.	1ʳᵉ	hacía	había hecho	hiciera	hubiera hecho
	2ᵉ	hacías	habías hecho	hicieras	hubieras hecho
	3ᵉ	hacía	había hecho	hiciera	hubiera hecho
plur.	1ʳᵉ	hacíamos	habíamos hecho	hiciéramos	hubiéramos hecho
	2ᵉ	hacíais	habíais hecho	hicierais	hubierais hecho
	3ᵉ	hacían	habían hecho	hicieran	hubieran hecho
		PASSÉ SIMPLE	PASSÉ ANTÉRIEUR	*ou*	*ou*
sing.	1ʳᵉ	hice	hube hecho	hiciese	hubiese hecho
	2ᵉ	hiciste	hubiste hecho	hicieses	hubieses hecho
	3ᵉ	hizo	hubo hecho	hiciese	hubiese hecho
plur.	1ʳᵉ	hicimos	hubimos hecho	hiciésemos	hubiésemos hecho
	2ᵉ	hicisteis	hubisteis hecho	hicieseis	hubieseis hecho
	3ᵉ	hicieron	hubieron hecho	hiciesen	hubiesen hecho
		FUTUR SIMPLE	FUTUR ANTÉRIEUR	FUTUR SIMPLE	FUTUR ANTÉRIEUR
sing.	1ʳᵉ	haré	habré hecho	hiciere	hubiere hecho
	2ᵉ	harás	habrás hecho	hicieres	hubieres hecho
	3ᵉ	hará	habrá hecho	hiciere	hubiere hecho
plur.	1ʳᵉ	haremos	habremos hecho	hiciéremos	hubiéremos hecho
	2ᵉ	haréis	habréis hecho	hiciereis	hubiereis hecho
	3ᵉ	harán	habrán hecho	hicieren	hubieren hecho
		CONDITIONNEL PRÉSENT	CONDITIONNEL PASSÉ		
sing.	1ʳᵉ	haría	habría hecho		
	2ᵉ	harías	habrías hecho		IMPÉRATIF
	3ᵉ	haría	habría hecho	sing. 2ᵉ	haz
plur.	1ʳᵉ	haríamos	habríamos hecho	3ᵉ	haga
	2ᵉ	haríais	habríais hecho	plur. 1ʳᵉ	hagamos
	3ᵉ	harían	habrían hecho	2ᵉ	haced
				3ᵉ	hagan

	INFINITIF	GÉRONDIF	PARTICIPE
FORME SIMPLE	hacer	haciendo	hecho
FORME COMPOSÉE	haber hecho	habiendo hecho	

- **C** devient **g** devant **o** ou **a** à la 1ʳᵉ pers. sing. de l'indicatif présent, au subjonctif présent et aux formes dérivées de l'impératif. Participe passé irrégulier. Pour conserver la prononciation, **c** devient **z** devant **o** à la 3ᵉ pers. sing. du passé simple. Contraction de la 2ᵉ pers. sing. de l'impératif. Contraction de l'infinitif à l'indicatif futur et au conditionnel. La voyelle du radical **a** devient **i** au passé simple et à ses temps dérivés (→ 110).

45 | **influir** *influer, influencer*

INDICATIF		SUBJONCTIF	
PRÉSENT	**PASSÉ COMPOSÉ**	**PRÉSENT**	**PASSÉ**
sing. 1re influyo	he influido	influya	haya influido
2e influyes	has influido	influyas	hayas influido
3e influye	ha influido	influya	haya influido
plur. 1re influimos	hemos influido	influyamos	hayamos influido
2e influís	habéis influido	influyáis	hayáis influido
3e influyen	han influido	influyan	hayan influido
IMPARFAIT	**PLUS-QUE-PARFAIT**	**IMPARFAIT**	**PLUS-QUE-PARFAIT**
sing. 1re influía	había influido	influyera	hubiera influido
2e influías	habías influido	influyeras	hubieras influido
3e influía	había influido	influyera	hubiera influido
plur. 1re influíamos	habíamos influido	influyéramos	hubiéramos influido
2e influíais	habíais influido	influyerais	hubierais influido
3e influían	habían influido	influyeran	hubieran influido
PASSÉ SIMPLE	**PASSÉ ANTÉRIEUR**	*ou*	*ou*
sing. 1re influí	hube influido	influyese	hubiese influido
2e influiste	hubiste influido	influyeses	hubieses influido
3e influyó	hubo influido	influyese	hubiese influido
plur. 1ra influimos	hubimos influido	influyésemos	hubiésemos influido
2e influisteis	hubisteis influido	influyeseis	hubieseis influido
3e influyeron	hubieron influido	influyesen	hubiesen influido
FUTUR SIMPLE	**FUTUR ANTÉRIEUR**	**FUTUR SIMPLE**	**FUTUR ANTÉRIEUR**
sing. 1re influiré	habré influido	influyere	hubiere influido
2e influirás	habrás influido	influyeres	hubieres influido
3e influirá	habrá influido	influyere	hubiere influido
plur. 1re influiremos	habremos influido	influyéremos	hubiéremos influido
2e influiréis	habréis influido	influyereis	hubiereis influido
3e influirán	habrán influido	influyeren	hubieren influido

CONDITIONNEL PRÉSENT	CONDITIONNEL PASSÉ		IMPÉRATIF
sing. 1re influiría	habría influido		
2e influirías	habrías influido	sing. 2^e	influye
3e influiría	habría influido	3^e	influya
plur. 1re influiríamos	habríamos influido	plur. 1re	influyamos
2e influiríais	habríais influido	2^e	influid
3e influirían	habrían influido	3^e	influyan

	INFINITIF	GÉRONDIF	PARTICIPE
FORME SIMPLE	influir	influyendo	influido
FORME COMPOSÉE	haber influido	habiendo influido	

- Modèle pour **afluir, argüir, atribuir, confluir, constituir, construir, contribuir, destituir, diluir, disminuir, distribuir, fluir, huir, imbuir, inmiscuir, instituir, instruir, luir, obstruir, ocluir, reconstituir, reconstruir, restituir, retribuir...** Concluir, excluir, incluir, recluir, sustituir ont un double participe passé (→ 133).
- La voyelle atone **i** devient **y** devant **a, e** ou **o** au sing. et à la 3e pers. plur. de l'indicatif présent, au subjonctif présent et aux formes dérivées de l'impératif, aux 3es pers. sing. et plur. du passé simple et à ses temps dérivés (→ 110), ainsi qu'au gérondif.

Verbe irrégulier

46 ir *aller*

		INDICATIF		SUBJONCTIF	
		PRÉSENT	**PASSÉ COMPOSÉ**	**PRÉSENT**	**PASSÉ**
sing.	1ʳᵉ	voy	he ido	vaya	haya ido
	2ᵉ	vas	has ido	vayas	hayas ido
	3ᵉ	va	ha ido	vaya	haya ido
plur.	1ʳᵉ	vamos	hemos ido	vayamos	hayamos ido
	2ᵉ	vais	habéis ido	vayáis	hayáis ido
	3ᵉ	van	han ido	vayan	hayan ido
		IMPARFAIT	**PLUS-QUE-PARFAIT**	**IMPARFAIT**	**PLUS-QUE-PARFAIT**
sing.	1ʳᵉ	iba	había ido	fuera	hubiera ido
	2ᵉ	ibas	habías ido	fueras	hubieras ido
	3ᵉ	iba	había ido	fuera	hubiera ido
plur.	1ʳᵉ	íbamos	habíamos ido	fuéramos	hubiéramos ido
	2ᵉ	ibais	habíais ido	fuerais	hubierais ido
	3ᵉ	iban	habían ido	fueran	hubieran ido
		PASSÉ SIMPLE	**PASSÉ ANTÉRIEUR**	*ou*	*ou*
sing.	1ʳᵉ	fui	hube ido	fuese	hubiese ido
	2ᵉ	fuiste	hubiste ido	fueses	hubieses ido
	3ᵉ	fue	hubo ido	fuese	hubiese ido
plur.	1ʳᵉ	fuimos	hubimos ido	fuésemos	hubiésemos ido
	2ᵉ	fuisteis	hubisteis ido	fueseis	hubieseis ido
	3ᵉ	fueron	hubieron ido	fuesen	hubiesen ido
		FUTUR SIMPLE	**FUTUR ANTÉRIEUR**	**FUTUR SIMPLE**	**FUTUR ANTÉRIEUR**
sing.	1ʳᵉ	iré	habré ido	fuere	hubiere ido
	2ᵉ	irás	habrás ido	fueres	hubieres ido
	3ᵉ	irá	habrá ido	fuere	hubiere ido
plur.	1ʳᵉ	iremos	habremos ido	fuéremos	hubiéremos ido
	2ᵉ	iréis	habréis ido	fuereis	hubiereis ido
	3ᵉ	irán	habrán ido	fueren	hubieren ido
		CONDITIONNEL PRÉSENT	**CONDITIONNEL PASSÉ**		
sing.	1ʳᵉ	iría	habría ido		
	2ᵉ	irías	habrías ido		
	3ᵉ	iría	habría ido		
plur.	1ʳᵉ	iríamos	habríamos ido		
	2ᵉ	iríais	habríais ido		
	3ᵉ	irían	habrían ido		

		IMPÉRATIF
sing.	2ᵉ	ve
	3ᵉ	vaya
plur.	1ʳᵉ	vayamos
	2ᵉ	id
	3ᵉ	vayan

	INFINITIF	GÉRONDIF	PARTICIPE
FORME SIMPLE	ir	yendo	ido
FORME COMPOSÉE	haber ido	habiendo ido	

- Ce verbe présente de nombreuses formes communes avec le verbe **ser** (→ conjugaison 1). Le y *(yod)* couvre le o de la désinence, **voy** à la 1ʳᵉ pers. de l'indicatif présent. Le radical de l'indicatif imparfait est irrégulier, ainsi que le gérondif et le participe passé. Le prétérit fort altère le radical et ajoute **fui** au passé simple et à ses temps dérivés (→ 110). L'utilisation de la 1ʳᵉ pers. plur. de l'indicatif présent (**vamos**) est aujourd'hui plus fréquente que celle de l'impératif (**vayamos**).

TABLEAUX ET LISTES

47 | **jugar** jouer

		INDICATIF		SUBJONCTIF	
		PRÉSENT	**PASSÉ COMPOSÉ**	**PRÉSENT**	**PASSÉ**
sing.	1ʳᵉ	juego	he jugado	juegue	haya jugado
	2ᵉ	juegas	has jugado	juegues	hayas jugado
	3ᵉ	juega	ha jugado	juegue	haya jugado
plur.	1ʳᵉ	jugamos	hemos jugado	juguemos	hayamos jugado
	2ᵉ	jugáis	habéis jugado	juguéis	hayáis jugado
	3ᵉ	juegan	han jugado	jueguen	hayan jugado
		IMPARFAIT	**PLUS-QUE-PARFAIT**	**IMPARFAIT**	**PLUS-QUE-PARFAIT**
sing.	1ʳᵉ	jugaba	había jugado	jugara	hubiera jugado
	2ᵉ	jugabas	habías jugado	jugaras	hubieras jugado
	3ᵉ	jugaba	había jugado	jugara	hubiera jugado
plur.	1ʳᵉ	jugábamos	habíamos jugado	jugáramos	hubiéramos jugado
	2ᵉ	jugabais	habíais jugado	jugarais	hubierais jugado
	3ᵉ	jugaban	habían jugado	jugaran	hubieran jugado
		PASSÉ SIMPLE	**PASSÉ ANTÉRIEUR**	*ou*	*ou*
sing.	1ʳᵉ	jugué	hube jugado	jugase	hubiese jugado
	2ᵉ	jugaste	hubiste jugado	jugases	hubieses jugado
	3ᵉ	jugó	hubo jugado	jugase	hubiese jugado
plur.	1ʳᵉ	jugamos	hubimos jugado	jugásemos	hubiésemos jugado
	2ᵉ	jugasteis	hubisteis jugado	jugaseis	hubieseis jugado
	3ᵉ	jugaron	hubieron jugado	jugasen	hubiesen jugado
		FUTUR SIMPLE	**FUTUR ANTÉRIEUR**	**FUTUR SIMPLE**	**FUTUR ANTÉRIEUR**
sing.	1ʳᵉ	jugaré	habré jugado	jugare	hubiere jugado
	2ᵉ	jugarás	habrás jugado	jugares	hubieres jugado
	3ᵉ	jugará	habrá jugado	jugare	hubiere jugado
plur.	1ʳᵉ	jugaremos	habremos jugado	jugáremos	hubiéremos jugado
	2ᵉ	jugaréis	habréis jugado	jugareis	hubiereis jugado
	3ᵉ	jugarán	habrán jugado	jugaren	hubieren jugado
		CONDITIONNEL PRÉSENT	**CONDITIONNEL PASSÉ**		

					IMPÉRATIF
sing.	1ʳᵉ	jugaría	habría jugado		
	2ᵉ	jugarías	habrías jugado	sing. 2ᵉ	juega
	3ᵉ	jugaría	habría jugado	3ᵉ	juegue
plur.	1ʳᵉ	jugaríamos	habríamos jugado	plur. 1ʳᵉ	juguemos
	2ᵉ	jugaríais	habríais jugado	2ᵉ	jugad
	3ᵉ	jugarían	habrían jugado	3ᵉ	jueguen

	INFINITIF	**GÉRONDIF**	**PARTICIPE**
FORME SIMPLE	jugar	jugando	jugado
FORME COMPOSÉE	haber jugado	habiendo jugado	

- Diphtongaison de **u** qui devient **ue** au sing. et à la 3ᵉ pers. plur. de l'indicatif présent, au sing. et à la 3ᵉ pers. plur. du subjonctif présent, ainsi qu'aux formes dérivées de l'impératif. Pour conserver la prononciation, **g** devient **gu** devant **e** à la 1ʳᵉ pers. sing. du passé simple, au subjonctif présent et aux formes dérivées de l'impératif.

48 **lucir** luire, briller

		INDICATIF		SUBJONCTIF	
		PRÉSENT	PASSÉ COMPOSÉ	PRÉSENT	PASSÉ
sing.	1re	luzco	he lucido	luzca	haya lucido
	2e	luces	has lucido	luzcas	hayas lucido
	3e	luce	ha lucido	luzca	haya lucido
plur.	1re	lucimos	hemos lucido	luzcamos	hayamos lucido
	2e	lucís	habéis lucido	luzcáis	hayáis lucido
	3e	lucen	han lucido	luzcan	hayan lucido
		IMPARFAIT	PLUS-QUE-PARFAIT	IMPARFAIT	PLUS-QUE-PARFAIT
sing.	1re	lucía	había lucido	luciera	hubiera lucido
	2e	lucías	habías lucido	lucieras	hubieras lucido
	3e	lucía	había lucido	luciera	hubiera lucido
plur.	1re	lucíamos	habíamos lucido	luciéramos	hubiéramos lucido
	2e	lucíais	habíais lucido	lucierais	hubierais lucido
	3e	lucían	habían lucido	lucieran	hubieran lucido
		PASSÉ SIMPLE	PASSÉ ANTÉRIEUR	ou	ou
sing.	1re	lucí	hube lucido	luciese	hubiese lucido
	2e	luciste	hubiste lucido	lucieses	hubieses lucido
	3e	lució	hubo lucido	luciese	hubiese lucido
plur.	1re	lucimos	hubimos lucido	luciésemos	hubiésemos lucido
	2e	lucisteis	hubisteis lucido	lucieseis	hubieseis lucido
	3e	lucieron	hubieron lucido	luciesen	hubiesen lucido
		FUTUR SIMPLE	FUTUR ANTÉRIEUR	FUTUR SIMPLE	FUTUR ANTÉRIEUR
sing.	1re	luciré	habré lucido	luciere	hubiere lucido
	2e	lucirás	habrás lucido	lucieres	hubieres lucido
	3e	lucirá	habrá lucido	luciere	hubiere lucido
plur.	1re	luciremos	habremos lucido	luciéremos	hubiéremos lucido
	2e	luciréis	habréis lucido	luciereis	hubiereis lucido
	3e	lucirán	habrán lucido	lucieren	hubieren lucido
		CONDITIONNEL PRÉSENT	CONDITIONNEL PASSÉ		
sing.	1re	luciría	habría lucido		IMPÉRATIF
	2e	lucirías	habrías lucido	sing. 2e	luce
	3e	luciría	habría lucido	3e	luzca
plur.	1re	luciríamos	habríamos lucido	plur. 1re	luzcamos
	2e	luciríais	habríais lucido	2e	lucid
	3e	lucirían	habrían lucido	3e	luzcan

	INFINITIF	GÉRONDIF	PARTICIPE
FORME SIMPLE	lucir	luciendo	lucido
FORME COMPOSÉE	haber lucido	habiendo lucido	

- Modèle pour **deslucir, enlucir, entrelucir, relucir, translucir, traslucir**.
- Introduction d'une consonne, **c** devient **zc** devant **o** ou **a** à la 1re pers. sing. de l'indicatif présent, au subjonctif présent et aux formes dérivées de l'impératif.

49 **mecer** *bercer*

		INDICATIF		SUBJONCTIF	
		PRÉSENT	**PASSÉ COMPOSÉ**	**PRÉSENT**	**PASSÉ**
sing.	1re	mezo	he mecido	meza	haya mecido
	2e	meces	has mecido	mezas	hayas mecido
	3e	mece	ha mecido	meza	haya mecido
plur.	1re	mecemos	hemos mecido	mezamos	hayamos mecido
	2e	mecéis	habéis mecido	mezáis	hayáis mecido
	3e	mecen	han mecido	mezan	hayan mecido
		IMPARFAIT	**PLUS-QUE-PARFAIT**	**IMPARFAIT**	**PLUS-QUE-PARFAIT**
sing.	1re	mecía	había mecido	meciera	hubiera mecido
	2e	mecías	habías mecido	mecieras	hubieras mecido
	3e	mecía	había mecido	meciera	hubiera mecido
plur.	1re	mecíamos	habíamos mecido	meciéramos	hubiéramos mecido
	2e	mecíais	habíais mecido	mecierais	hubierais mecido
	3e	mecían	habían mecido	mecieran	hubieran mecido
		PASSÉ SIMPLE	**PASSÉ ANTÉRIEUR**	*ou*	*ou*
sing.	1re	mecí	hube mecido	meciese	hubiese mecido
	2e	meciste	hubiste mecido	mecieses	hubieses mecido
	3e	meció	hubo mecido	meciese	hubiese mecido
plur.	1re	mecimos	hubimos mecido	meciésemos	hubiésemos mecido
	2e	mecisteis	hubisteis mecido	mecieseis	hubieseis mecido
	3e	mecieron	hubieron mecido	meciesen	hubiesen mecido
		FUTUR SIMPLE	**FUTUR ANTÉRIEUR**	**FUTUR SIMPLE**	**FUTUR ANTÉRIEUR**
sing.	1re	meceré	habré mecido	meciere	hubiere mecido
	2e	mecerás	habrás mecido	mecieres	hubieres mecido
	3e	mecerá	habrá mecido	meciere	hubiere mecido
plur.	1re	meceremos	habremos mecido	meciéremos	hubiéremos mecido
	2e	meceréis	habréis mecido	meciereis	hubiereis mecido
	3e	mecerán	habrán mecido	mecieren	hubieren mecido
		CONDITIONNEL PRÉSENT	**CONDITIONNEL PASSÉ**		
sing.	1re	mecería	habría mecido		IMPÉRATIF
	2e	mecerías	habrías mecido	sing. 2e	mece
	3e	mecería	habría mecido	3e	meza
plur.	1re	meceríamos	habríamos mecido	plur. 1re	mezamos
	2e	meceríais	habríais mecido	2e	meced
	3e	mecerían	habrían mecido	3e	mezan

	INFINITIF	GÉRONDIF	PARTICIPE
FORME SIMPLE	mecer	meciendo	mecido
FORME COMPOSÉE	haber mecido	habiendo mecido	

- Modèle pour **convencer, ejercer, remecer, vencer**. **Convencer** a un double participe passé (→ 133).
- Verbe régulier de la 2e conjugaison. Pour conserver la prononciation, **c** devient **z** devant **o** ou **a** à la 1re pers. sing. de l'indicatif présent, au subjonctif présent et aux formes dérivées de l'impératif.

50 | **mover** mouvoir

		INDICATIF		SUBJONCTIF	
		PRÉSENT	PASSÉ COMPOSÉ	PRÉSENT	PASSÉ
sing.	1re	muevo	he movido	mueva	haya movido
	2e	mueves	has movido	muevas	hayas movido
	3e	mueve	ha movido	mueva	haya movido
plur.	1re	movemos	hemos movido	movamos	hayamos movido
	2e	movéis	habéis movido	mováis	hayáis movido
	3e	mueven	han movido	muevan	hayan movido
		IMPARFAIT	PLUS-QUE-PARFAIT	IMPARFAIT	PLUS-QUE-PARFAIT
sing.	1re	movía	había movido	moviera	hubiera movido
	2e	movías	habías movido	movieras	hubieras movido
	3e	movía	había movido	moviera	hubiera movido
plur.	1re	movíamos	habíamos movido	moviéramos	hubiéramos movido
	2e	movíais	habíais movido	movierais	hubierais movido
	3e	movían	habían movido	movieran	hubieran movido
		PASSÉ SIMPLE	PASSÉ ANTÉRIEUR	*ou*	*ou*
sing.	1re	moví	hube movido	moviese	hubiese movido
	2e	moviste	hubiste movido	movieses	hubieses movido
	3e	movió	hubo movido	moviese	hubiese movido
plur.	1re	movimos	hubimos movido	moviésemos	hubiésemos movido
	2e	movisteis	hubisteis movido	movieseis	hubieseis movido
	3e	movieron	hubieron movido	moviesen	hubiesen movido
		FUTUR SIMPLE	FUTUR ANTÉRIEUR	FUTUR SIMPLE	FUTUR ANTÉRIEUR
sing.	1re	moveré	habré movido	moviere	hubiere movido
	2e	moverás	habrás movido	movieres	hubieres movido
	3e	moverá	habrá movido	moviere	hubiere movido
plur.	1re	moveremos	habremos movido	moviéremos	hubiéremos movido
	2e	moveréis	habréis movido	moviereis	hubiereis movido
	3e	moverán	habrán movido	movieren	hubieren movido
		CONDITIONNEL PRÉSENT	CONDITIONNEL PASSÉ		
sing.	1re	movería	habría movido		IMPÉRATIF
	2e	moverías	habrías movido		
	3e	movería	habría movido	sing. 2e	mueve
plur.	1re	moveríamos	habríamos movido	3e	mueva
	2e	moveríais	habríais movido	plur. 1re	movamos
	3e	moverían	habrían movido	2e	moved
				3e	muevan

	INFINITIF	GÉRONDIF	PARTICIPE
FORME SIMPLE	mover	moviendo	movido
FORME COMPOSÉE	haber movido	habiendo movido	

- Modèle pour **amover, condolerse, conmover, demoler, doler, llover, moler, morder, promover, remoler, remorder, remover. Llover** est employé comme verbe impersonnel (→ 130).
- Diphtongaison de **o** qui devient **ue** au sing. et à la 3e pers. plur. de l'indicatif et du subjonctif présents, ainsi qu'aux formes dérivées de l'impératif.

TABLEAUX ET LISTES

51 **oír** entendre, écouter

		INDICATIF		SUBJONCTIF	
		PRÉSENT	PASSÉ COMPOSÉ	PRÉSENT	PASSÉ
sing.	1re	oigo	he oído	oiga	haya oído
	2e	oyes	has oído	oigas	hayas oído
	3e	oye	ha oído	oiga	haya oído
plur.	1re	oímos	hemos oído	oigamos	hayamos oído
	2e	oís	habéis oído	oigáis	hayáis oído
	3e	oyen	han oído	oigan	hayan oído
		IMPARFAIT	PLUS-QUE-PARFAIT	IMPARFAIT	PLUS-QUE-PARFAIT
sing.	1re	oía	había oído	oyera	hubiera oído
	2e	oías	habías oído	oyeras	hubieras oído
	3e	oía	había oído	oyera	hubiera oído
plur.	1re	oíamos	habíamos oído	oyéramos	hubiéramos oído
	2e	oíais	habíais oído	oyerais	hubierais oído
	3e	oían	habían oído	oyeran	hubieran oído
		PASSÉ SIMPLE	PASSÉ ANTÉRIEUR	*ou*	*ou*
sing.	1re	oí	hube oído	oyese	hubiese oído
	2e	oíste	hubiste oído	oyeses	hubieses oído
	3e	oyó	hubo oído	oyese	hubiese oído
plur.	1re	oímos	hubimos oído	oyésemos	hubiésemos oído
	2e	oísteis	hubisteis oído	oyeseis	hubieseis oído
	3e	oyeron	hubieron oído	oyesen	hubiesen oído
		FUTUR SIMPLE	FUTUR ANTÉRIEUR	FUTUR SIMPLE	FUTUR ANTÉRIEUR
sing.	1re	oiré	habré oído	oyere	hubiere oído
	2e	oirás	habrás oído	oyeres	hubieres oído
	3e	oirá	habrá oído	oyere	hubiere oído
plur.	1re	oiremos	habremos oído	oyéremos	hubiéremos oído
	2e	oiréis	habréis oído	oyereis	hubiereis oído
	3e	oirán	habrán oído	oyeren	hubieren oído
		CONDITIONNEL PRÉSENT	CONDITIONNEL PASSÉ		

		CONDITIONNEL PRÉSENT	CONDITIONNEL PASSÉ	IMPÉRATIF	
sing.	1re	oiría	habría oído		
	2e	oirías	habrías oído	sing. 2e	oye
	3e	oiría	habría oído	3e	oiga
plur.	1re	oiríamos	habríamos oído	plur. 1re	oigamos
	2e	oiríais	habríais oído	2e	oíd
	3e	oirían	habrían oído	3e	oigan

	INFINITIF	GÉRONDIF	PARTICIPE
FORME SIMPLE	oír	oyendo	oído
FORME COMPOSÉE	haber oído	habiendo oído	

- Introduction de **g** devant **o** ou **a** à la 1re pers. sing. de l'indicatif présent, au subjonctif présent et aux formes dérivées de l'impératif et **d** devant **o** au participe passé. La voyelle atone **i** devient **y** devant **e** ou **o** aux 2e et 3e pers. sing. et à la 3e pers. plur. de l'indicatif présent, aux 3e pers. sing. et plur. du passé simple et à ses temps dérivés (→ 110), à la 2e pers. sing. de l'impératif, ainsi qu'au gérondif. Terminaisons irrégulières : 1re pers. plur. de l'indicatif présent (**ímos**), 2e pers. sing. et 1re et 2e pers. plur. du passé simple (**íste, ímos, ísteis**), 2e pers. plur. de l'impératif (**íd**), et participe passé (**ído**).

52 **oler** sentir

		INDICATIF		SUBJONCTIF	
		PRÉSENT	PASSÉ COMPOSÉ	PRÉSENT	PASSÉ
sing.	1re	huelo	he olido	huela	haya olido
	2e	hueles	has olido	huelas	hayas olido
	3e	huele	ha olido	huela	haya olido
plur.	1re	olemos	hemos olido	olamos	hayamos olido
	2e	oléis	habéis olido	oláis	hayáis olido
	3e	huelen	han olido	huelan	hayan olido
		IMPARFAIT	PLUS-QUE-PARFAIT	IMPARFAIT	PLUS-QUE-PARFAIT
sing.	1re	olía	había olido	oliera	hubiera olido
	2e	olías	habías olido	olieras	hubieras olido
	3e	olía	había olido	oliera	hubiera olido
plur.	1re	olíamos	habíamos olido	oliéramos	hubiéramos olido
	2e	olíais	habíais olido	olierais	hubierais olido
	3e	olían	habían olido	olieran	hubieran olido
		PASSÉ SIMPLE	PASSÉ ANTÉRIEUR	*ou*	*ou*
sing.	1re	olí	hube olido	oliese	hubiese olido
	2e	oliste	hubiste olido	olieses	hubieses olido
	3e	olió	hubo olido	oliese	hubiese olido
plur.	1re	olimos	hubimos olido	oliésemos	hubiésemos olido
	2e	olisteis	hubisteis olido	olieseis	hubieseis olido
	3e	olieron	hubieron olido	oliesen	hubiesen olido
		FUTUR SIMPLE	FUTUR ANTÉRIEUR	FUTUR SIMPLE	FUTUR ANTÉRIEUR
sing.	1re	oleré	habré olido	oliere	hubiere olido
	2e	olerás	habrás olido	olieres	hubieres olido
	3e	olerá	habrá olido	oliere	hubiere olido
plur.	1re	oleremos	habremos olido	oliéremos	hubiéremos olido
	2e	oleréis	habréis olido	oliereis	hubiereis olido
	3e	olerán	habrán olido	olieren	hubieren olido
		CONDITIONNEL PRÉSENT	CONDITIONNEL PASSÉ	IMPÉRATIF	
sing.	1re	olería	habría olido		
	2e	olerías	habrías olido	sing. 2e	huele
	3e	olería	habría olido	3e	huela
plur.	1re	oleríamos	habríamos olido	plur. 1re	olamos
	2e	oleríais	habríais olido	2e	oled
	3e	olerían	habrían olido	3e	huelan

	INFINITIF	GÉRONDIF	PARTICIPE
FORME SIMPLE	oler	oliendo	olido
FORME COMPOSÉE	haber olido	habiendo olido	

- Diphtongaison de **o** qui devient **ue** et introduction de **h**, simple signe graphique, pour conserver le son vocalique devant **ue**, au sing. et à la 3e pers. plur. de l'indicatif et du subjonctif présents, ainsi qu'aux formes dérivées de l'impératif.

Modification orthographique

53 **pagar** *payer*

		INDICATIF		SUBJONCTIF	
		PRÉSENT	PASSÉ COMPOSÉ	PRÉSENT	PASSÉ
sing.	1ʳᵉ	pago	he pagado	pague	haya pagado
	2ᵉ	pagas	has pagado	pagues	hayas pagado
	3ᵉ	paga	ha pagado	pague	haya pagado
plur.	1ʳᵉ	pagamos	hemos pagado	paguemos	hayamos pagado
	2ᵉ	pagáis	habéis pagado	paguéis	hayáis pagado
	3ᵉ	pagan	han pagado	paguen	hayan pagado
		IMPARFAIT	PLUS-QUE-PARFAIT	IMPARFAIT	PLUS-QUE-PARFAIT
sing.	1ʳᵉ	pagaba	había pagado	pagara	hubiera pagado
	2ᵉ	pagabas	habías pagado	pagaras	hubieras pagado
	3ᵉ	pagaba	había pagado	pagara	hubiera pagado
plur.	1ʳᵉ	pagábamos	habíamos pagado	pagáramos	hubiéramos pagado
	2ᵉ	pagabais	habíais pagado	pagarais	hubierais pagado
	3ᵉ	pagaban	habían pagado	pagaran	hubieran pagado
		PASSÉ SIMPLE	PASSÉ ANTÉRIEUR	*ou*	*ou*
sing.	1ʳᵉ	pagué	hube pagado	pagase	hubiese pagado
	2ᵉ	pagaste	hubiste pagado	pagases	hubieses pagado
	3ᵉ	pagó	hubo pagado	pagase	hubiese pagado
plur.	1ʳᵉ	pagamos	hubimos pagado	pagásemos	hubiésemos pagado
	2ᵉ	pagasteis	hubisteis pagado	pagaseis	hubieseis pagado
	3ᵉ	pagaron	hubieron pagado	pagasen	hubiesen pagado
		FUTUR SIMPLE	FUTUR ANTÉRIEUR	FUTUR SIMPLE	FUTUR ANTÉRIEUR
sing.	1ʳᵉ	pagaré	habré pagado	pagare	hubiere pagado
	2ᵉ	pagarás	habrás pagado	pagares	hubieres pagado
	3ᵉ	pagará	habrá pagado	pagare	hubiere pagado
plur.	1ʳᵉ	pagaremos	habremos pagado	pagáremos	hubiéremos pagado
	2ᵉ	pagaréis	habréis pagado	pagareis	hubiereis pagado
	3ᵉ	pagarán	habrán pagado	pagaren	hubieren pagado
		CONDITIONNEL PRÉSENT	CONDITIONNEL PASSÉ		
sing.	1ʳᵉ	pagaría	habría pagado		

IMPÉRATIF

sing.	2ᵉ	paga
	3ᵉ	pague
plur.	1ʳᵉ	paguemos
	2ᵉ	pagad
	3ᵉ	paguen

		CONDITIONNEL PRÉSENT	CONDITIONNEL PASSÉ
sing.	2ᵉ	pagarías	habrías pagado
	3ᵉ	pagaría	habría pagado
plur.	1ʳᵉ	pagaríamos	habríamos pagado
	2ᵉ	pagaríais	habríais pagado
	3ᵉ	pagarían	habrían pagado

	INFINITIF	GÉRONDIF	PARTICIPE
FORME SIMPLE	pagar	pagando	pagado
FORME COMPOSÉE	haber pagado	habiendo pagado	

- Modèle pour la plupart des verbes se terminant par **gar**, sauf ceux qui suivent les modèles de **colgar** (→ conjugaison 24), **jugar** (→ conjugaison 47), **regar** (→ conjugaison 66). **Garuar** et **pringar** sont employés comme verbes impersonnels (→ 130). **Enjugar** a un double participe passé (→ 133).
- Verbe régulier de la 1ʳᵉ conjugaison. Pour conserver la prononciation, **g** devient **gu** devant **e** à la 1ʳᵉ pers. sing. du passé simple, au subjonctif présent et aux formes dérivées de l'impératif.

54 parecer *paraître*

		INDICATIF		SUBJONCTIF	
		PRÉSENT	PASSÉ COMPOSÉ	PRÉSENT	PASSÉ
sing.	1re	parezco	he parecido	parezca	haya parecido
	2^e	pareces	has parecido	parezcas	hayas parecido
	3^e	parece	ha parecido	parezca	haya parecido
plur.	1re	parecemos	hemos parecido	parezcamos	hayamos parecido
	2^e	parecéis	habéis parecido	parezcáis	hayáis parecido
	3^e	parecen	han parecido	parezcan	hayan parecido
		IMPARFAIT	PLUS-QUE-PARFAIT	IMPARFAIT	PLUS-QUE-PARFAIT
sing.	1re	parecía	había parecido	pareciera	hubiera parecido
	2^e	parecías	habías parecido	parecieras	hubieras parecido
	3^e	parecía	había parecido	pareciera	hubiera parecido
plur.	1re	parecíamos	habíamos parecido	pareciéramos	hubiéramos parecido
	2^e	parecíais	habíais parecido	parecierais	hubierais parecido
	3^e	parecían	habían parecido	parecieran	hubieran parecido
		PASSÉ SIMPLE	PASSÉ ANTÉRIEUR	*ou*	*ou*
sing.	1re	parecí	hube parecido	pareciese	hubiese parecido
	2^e	pareciste	hubiste parecido	parecieses	hubieses parecido
	3^e	pareció	hubo parecido	pareciese	hubiese parecido
plur.	1re	parecimos	hubimos parecido	pareciésemos	hubiésemos parecido
	2^e	parecisteis	hubisteis parecido	parecieseis	hubieseis parecido
	3^e	parecieron	hubieron parecido	pareciesen	hubiesen parecido
		FUTUR SIMPLE	FUTUR ANTÉRIEUR	FUTUR SIMPLE	FUTUR ANTÉRIEUR
sing.	1re	pareceré	habré parecido	pareciere	hubiere parecido
	2^e	parecerás	habrás parecido	parecieres	hubieres parecido
	3^e	parecerá	habrá parecido	pareciere	hubiere parecido
plur.	1re	pareceremos	habremos parecido	pareciéremos	hubiéremos parecido
	2^e	pareceréis	habréis parecido	pareciereis	hubiereis parecido
	3^e	parecerán	habrán parecido	parecieren	hubieren parecido
		CONDITIONNEL PRÉSENT	CONDITIONNEL PASSÉ		
sing.	1re	parecería	habría parecido		
	2^e	parecerías	habrías parecido		
	3^e	parecería	habría parecido		
plur.	1re	pareceríamos	habríamos parecido		
	2^e	pareceríais	habríais parecido		
	3^e	parecerían	habrían parecido		

		IMPÉRATIF
sing.	2^e	parece
	3^e	parezca
plur.	1re	parezcamos
	2^e	pareced
	3^e	parezcan

	INFINITIF	GÉRONDIF	PARTICIPE
FORME SIMPLE	parecer	pareciendo	parecido
FORME COMPOSÉE	haber parecido	habiendo parecido	

- Modèle pour la plupart des verbes se terminant par **ecer**, sauf ceux qui suivent le modèle de **mecer** (→ conjugaison **49**). **Nacer** a un double participe passé (→ **133**); **acaecer, acontecer, empecer** sont des verbes défectifs (→ **131**); **acaecer, acontecer, amanecer, anochecer, atardecer, lobreguecer, obscurecer, parecer, tardecer** sont employés comme verbes impersonnels (→ **130**).
- Introduction d'une consonne, **c** devient **zc** devant **o** ou **a** à la 1re pers. sing. de l'indicatif présent, au subjonctif présent et aux formes dérivées de l'impératif.

Verbe irrégulier e → i

55 **pedir** demander

INDICATIF		SUBJONCTIF	
PRÉSENT	**PASSÉ COMPOSÉ**	**PRÉSENT**	**PASSÉ**
sing. 1ʳᵉ pido	he pedido	pida	haya pedido
2ᵉ pides	has pedido	pidas	hayas pedido
3ᵉ pide	ha pedido	pida	haya pedido
plur. 1ʳᵉ pedimos	hemos pedido	pidamos	hayamos pedido
2ᵉ pedís	habéis pedido	pidáis	hayáis pedido
3ᵉ piden	han pedido	pidan	hayan pedido
IMPARFAIT	**PLUS-QUE-PARFAIT**	**IMPARFAIT**	**PLUS-QUE-PARFAIT**
sing. 1ʳᵉ pedía	había pedido	pidiera	hubiera pedido
2ᵉ pedías	habías pedido	pidieras	hubieras pedido
3ᵉ pedía	había pedido	pidiera	hubiera pedido
plur. 1ʳᵉ pedíamos	habíamos pedido	pidiéramos	hubiéramos pedido
2ᵉ pedíais	habíais pedido	pidierais	hubierais pedido
3ᵉ pedían	habían pedido	pidieran	hubieran pedido
PASSÉ SIMPLE	**PASSÉ ANTÉRIEUR**	*ou*	*ou*
sing. 1ʳᵉ pedí	hube pedido	pidiese	hubiese pedido
2ᵉ pediste	hubiste pedido	pidieses	hubieses pedido
3ᵉ pidió	hubo pedido	pidiese	hubiese pedido
plur. 1ʳᵉ pedimos	hubimos pedido	pidiésemos	hubiésemos pedido
2ᵉ pedisteis	hubisteis pedido	pidieseis	hubieseis pedido
3ᵉ pidieron	hubieron pedido	pidiesen	hubiesen pedido
FUTUR SIMPLE	**FUTUR ANTÉRIEUR**	**FUTUR SIMPLE**	**FUTUR ANTÉRIEUR**
sing. 1ʳᵉ pediré	habré pedido	pidiere	hubiere pedido
2ᵉ pedirás	habrás pedido	pidieres	hubieres pedido
3ᵉ pedirá	habrá pedido	pidiere	hubiere pedido
plur. 1ʳᵉ pediremos	habremos pedido	pidiéremos	hubiéremos pedido
2ᵉ pediréis	habréis pedido	pidiereis	hubiereis pedido
3ᵉ pedirán	habrán pedido	pidieren	hubieren pedido

CONDITIONNEL PRÉSENT	**CONDITIONNEL PASSÉ**		
sing. 1ʳᵉ pediría	habría pedido		
2ᵉ pedirías	habrías pedido		**IMPÉRATIF**
3ᵉ pediría	habría pedido	sing. 2ᵉ	pide
plur. 1ʳᵉ pediríamos	habríamos pedido	3ᵉ	pida
2ᵉ pediríais	habríais pedido	plur. 1ʳᵉ	pidamos
3ᵉ pedirían	habrían pedido	2ᵉ	pedid
		3ᵉ	pidan

	INFINITIF	GÉRONDIF	PARTICIPE
FORME SIMPLE	pedir	pidiendo	pedido
FORME COMPOSÉE	haber pedido	habiendo pedido	

- Modèle pour **acomedirse, comedirse, concebir, derretir, descomedirse, desmedirse, despedir, desvestir, embestir, expedir, gemir, henchir, impedir, investir, medir, preconcebir, reexpedir, rendir, repetir, revestir, servir, vestir**.
- Affaiblissement de la voyelle du radical : **e** devient **i** au sing. et à la 3ᵉ pers. plur. de l'indicatif présent, aux 3ᵉ pers. sing. et plur. du passé simple et de ses temps dérivés (→ 110), au gérondif, ainsi qu'au subjonctif présent et aux formes dérivées de l'impératif.

56 **pensar** penser

		INDICATIF		SUBJONCTIF	
		PRÉSENT	**PASSÉ COMPOSÉ**	**PRÉSENT**	**PASSÉ**
sing.	1ʳᵉ	pienso	he pensado	piense	haya pensado
	2ᵉ	piensas	has pensado	pienses	hayas pensado
	3ᵉ	piensa	ha pensado	piense	haya pensado
plur.	1ʳᵉ	pensamos	hemos pensado	pensemos	hayamos pensado
	2ᵉ	pensáis	habéis pensado	penséis	hayáis pensado
	3ᵉ	piensan	han pensado	piensen	hayan pensado
		IMPARFAIT	**PLUS-QUE-PARFAIT**	**IMPARFAIT**	**PLUS-QUE-PARFAIT**
sing.	1ʳᵉ	pensaba	había pensado	pensara	hubiera pensado
	2ᵉ	pensabas	habías pensado	pensaras	hubieras pensado
	3ᵉ	pensaba	había pensado	pensara	hubiera pensado
plur.	1ʳᵉ	pensábamos	habíamos pensado	pensáramos	hubiéramos pensado
	2ᵉ	pensabais	habíais pensado	pensarais	hubierais pensado
	3ᵉ	pensaban	habían pensado	pensaran	hubieran pensado
		PASSÉ SIMPLE	**PASSÉ ANTÉRIEUR**	*ou*	*ou*
sing.	1ʳᵉ	pensé	hube pensado	pensase	hubiese pensado
	2ᵉ	pensaste	hubiste pensado	pensases	hubieses pensado
	3ᵉ	pensó	hubo pensado	pensase	hubiese pensado
plur.	1ʳᵉ	pensamos	hubimos pensado	pensásemos	hubiésemos pensado
	2ᵉ	pensasteis	hubisteis pensado	pensaseis	hubieseis pensado
	3ᵉ	pensaron	hubieron pensado	pensasen	hubiesen pensado
		FUTUR SIMPLE	**FUTUR ANTÉRIEUR**	**FUTUR SIMPLE**	**FUTUR ANTÉRIEUR**
sing.	1ʳᵉ	pensaré	habré pensado	pensare	hubiere pensado
	2ᵉ	pensarás	habrás pensado	pensares	hubieres pensado
	3ᵉ	pensará	habrá pensado	pensare	hubiere pensado
plur.	1ʳᵉ	pensaremos	habremos pensado	pensáremos	hubiéremos pensado
	2ᵉ	pensaréis	habréis pensado	pensareis	hubiereis pensado
	3ᵉ	pensarán	habrán pensado	pensaren	hubieren pensado
		CONDITIONNEL PRÉSENT	**CONDITIONNEL PASSÉ**		

		CONDITIONNEL PRÉSENT	CONDITIONNEL PASSÉ	IMPÉRATIF	
sing.	1ʳᵉ	pensaría	habría pensado		
	2ᵉ	pensarías	habrías pensado	sing. 2ᵉ	piensa
	3ᵉ	pensaría	habría pensado	3ᵉ	piense
plur.	1ʳᵉ	pensaríamos	habríamos pensado	plur. 1ʳᵉ	pensemos
	2ᵉ	pensaríais	habríais pensado	2ᵉ	pensad
	3ᵉ	pensarían	habrían pensado	3ᵉ	piensen

	INFINITIF	GÉRONDIF	PARTICIPE
FORME SIMPLE	pensar	pensando	pensado
FORME COMPOSÉE	haber pensado	habiendo pensado	

- Modèle pour tous les verbes de la 1ʳᵉ conjugaison (**ar**) ayant la voyelle **e** dans la dernière syllabe du radical. **Deshelar, helar, nevar** sont employés comme verbes impersonnels (→ 130). **Manifestar** a un double participe passé (→ 133).
- Diphtongaison de **e** qui devient **ie** au sing. et à la 3ᵉ pers. plur. de l'indicatif et du subjonctif présents, ainsi qu'aux formes dérivées de l'impératif.

Verbe irrégulier c → zc

57 placer *plaire*

		INDICATIF		SUBJONCTIF	
		PRÉSENT	**PASSÉ COMPOSÉ**	**PRÉSENT**	**PASSÉ**
sing.	1re	plazco	he placido	plazca	haya placido
	2^e	places	has placido	plazcas	hayas placido
	3^e	place	ha placido	plazca/plegue/plega	haya placido
plur.	1re	placemos	hemos placido	plazcamos	hayamos placido
	2^e	placéis	habéis placido	plazcáis	hayáis placido
	3^e	placen	han placido	plazcan	hayan placido
		IMPARFAIT	**PLUS-QUE-PARFAIT**	**IMPARFAIT**	**PLUS-QUE-PARFAIT**
sing.	1re	placía	había placido	placiera	hubiera placido
	2^e	placías	habías placido	placieras	hubieras placido
	3^e	placía	había placido	placiera/pluguiera	hubiera placido
plur.	1re	placíamos	habíamos placido	placiéramos	hubiéramos placido
	2^e	placíais	habíais placido	placierais	hubierais placido
	3^e	placían	habían placido	placieran	hubieran placido
		PASSÉ SIMPLE	**PASSÉ ANTÉRIEUR**	*ou*	*ou*
sing.	1re	plací	hube placido	placiese	hubiese placido
	2^e	placiste	hubiste placido	placieses	hubieses placido
	3^e	plació/plugo	hubo placido	placiese/pluguiese	hubiese placido
plur.	1re	placimos	hubimos placido	placiésemos	hubiésemos placido
	2^e	placisteis	hubisteis placido	placieseis	hubieseis placido
	3^e	placieron/pluguieron	hubieron placido	placiesen	hubiesen placido
		FUTUR SIMPLE	**FUTUR ANTÉRIEUR**	**FUTUR SIMPLE**	**FUTUR ANTÉRIEUR**
sing.	1re	placeré	habré placido	placiere	hubiere placido
	2^e	placerás	habrás placido	placieres	hubieres placido
	3^e	placerá	habrá placido	placiere/pluguiere	hubiere placido
plur.	1re	placeremos	habremos placido	placiéremos	hubiéremos placido
	2^e	placeréis	habréis placido	placiereis	hubiereis placido
	3^e	placerán	habrán placido	placieren	hubieren placido
		CONDITIONNEL PRÉSENT	**CONDITIONNEL PASSÉ**		

		CONDITIONNEL		IMPÉRATIF	
sing.	1re	placería	habría placido		
	2^e	placerías	habrías placido	sing. 2^e	place
	3^e	placería	habría placido	3^e	plazca
plur.	1re	placeríamos	habríamos placido	plur. 1re	plazcamos
	2^e	placeríais	habríais placido	2^e	placed
	3^e	placerían	habrían placido	3^e	plazcan

	INFINITIF	GÉRONDIF	PARTICIPE
FORME SIMPLE	placer	placiendo	placido
FORME COMPOSÉE	haber placido	habiendo placido	

- Introduction de **c** devient **zc** devant **o** ou **a** à la 1re pers. sing. de l'indicatif présent, au subjonctif présent et aux formes dérivées de l'impératif. La voyelle **a** devient **u** aux 3e pers. sing. et plur. du passé simple, aux 3e pers. sing. du subjonctif imparfait et futur. Introduction de **g** devant **o** ou **a** à la 3e pers. sing. du passé simple et du subjonctif présent. Pour faciliter la prononciation, **g** devient **gu** devant **e** ou **i** à la 3e pers. plur. du passé simple, à la 3e pers. sing. du subjonctif présent, aux 3e pers. sing. du subjonctif imparfait et futur. **Placer** n'est employé qu'à la 3e pers. sing. de l'indicatif présent.

58 **poder** *pouvoir*

	INDICATIF		SUBJONCTIF	
	PRÉSENT	PASSÉ COMPOSÉ	PRÉSENT	PASSÉ
sing. 1re	puedo	he podido	pueda	haya podido
2^e	puedes	has podido	puedas	hayas podido
3^e	puede	ha podido	pueda	haya podido
plur. 1re	podemos	hemos podido	podamos	hayamos podido
2^e	podéis	habéis podido	podáis	hayáis podido
3^e	pueden	han podido	puedan	hayan podido
	IMPARFAIT	PLUS-QUE-PARFAIT	IMPARFAIT	PLUS-QUE-PARFAIT
sing. 1re	podía	había podido	pudiera	hubiera podido
2^e	podías	habías podido	pudieras	hubieras podido
3^e	podía	había podido	pudiera	hubiera podido
plur. 1re	podíamos	habíamos podido	pudiéramos	hubiéramos podido
2^e	podíais	habíais podido	pudierais	hubierais podido
3^e	podían	habían podido	pudieran	hubieran podido
	PASSÉ SIMPLE	PASSÉ ANTÉRIEUR	*ou*	*ou*
sing. 1re	pude	hube podido	pudiese	hubiese podido
2^e	pudiste	hubiste podido	pudieses	hubieses podido
3^e	pudo	hubo podido	pudiese	hubiese podido
plur. 1re	pudimos	hubimos podido	pudiésemos	hubiésemos podido
2^e	pudisteis	hubisteis podido	pudieseis	hubieseis podido
3^e	pudieron	hubieron podido	pudiesen	hubiesen podido
	FUTUR SIMPLE	FUTUR ANTÉRIEUR	FUTUR SIMPLE	FUTUR ANTÉRIEUR
sing. 1re	podré	habré podido	pudiere	hubiere podido
2^e	podrás	habrás podido	pudieres	hubieres podido
3^e	podrá	habrá podido	pudiere	hubiere podido
plur. 1re	podremos	habremos podido	pudiéremos	hubiéremos podido
2^e	podréis	habréis podido	pudiereis	hubiereis podido
3^e	podrán	habrán podido	pudieren	hubieren podido
	CONDITIONNEL PRÉSENT	CONDITIONNEL PASSÉ		
sing. 1re	podría	habría podido		IMPÉRATIF
2^e	podrías	habrías podido	sing. 2^e	puede
3^e	podría	habría podido	3^e	pueda
plur. 1re	podríamos	habríamos podido	plur. 1re	podamos
2^e	podríais	habríais podido	2^e	poded
3^e	podrían	habrían podido	3^e	puedan

	INFINITIF	GÉRONDIF	PARTICIPE
FORME SIMPLE	poder	pudiendo	podido
FORME COMPOSÉE	haber podido	habiendo podido	

- Diphtongaison de **o** qui devient **ue** au sing. et à la 3e pers. plur. de l'indicatif et du subjonctif présents, ainsi qu'aux formes dérivées de l'impératif. **O** devient **u** au passé simple et à ses temps dérivés (→ 110), ainsi qu'au gérondif. Chute de la voyelle thématique **e** à l'indicatif futur et au conditionnel. **Poder** peut être employé comme verbe impersonnel (→ 130).

59 **podrir** *ou* **pudrir** pourrir

INDICATIF		SUBJONCTIF	
PRÉSENT	**PASSÉ COMPOSÉ**	**PRÉSENT**	**PASSÉ**
sing. 1re pudro	he podrido	pudra	haya podrido
2e pudres	has podrido	pudras	hayas podrido
3e pudre	ha podrido	pudra	haya podrido
plur. 1re pudrimos	hemos podrido	pudramos	hayamos podrido
2e pudrís	habéis podrido	pudráis	hayáis podrido
3e pudren	han podrido	pudran	hayan podrido
IMPARFAIT	**PLUS-QUE-PARFAIT**	**IMPARFAIT**	**PLUS-QUE-PARFAIT**
sing. 1re pudría	había podrido	pudriera	hubiera podrido
2e pudrías	habías podrido	pudrieras	hubieras podrido
3e pudría	había podrido	pudriera	hubiera podrido
plur. 1re pudríamos	habíamos podrido	pudriéramos	hubiéramos podrido
2e pudríais	habíais podrido	pudrierais	hubierais podrido
3e pudrían	habían podrido	pudrieran	hubieran podrido
PASSÉ SIMPLE	**PASSÉ ANTÉRIEUR**	*ou*	*ou*
sing. 1re pudrí	hube podrido	pudriese	hubiese podrido
2e pudriste	hubiste podrido	pudrieses	hubieses podrido
3e pudrió	hubo podrido	pudriese	hubiese podrido
plur. 1re pudrimos	hubimos podrido	pudriésemos	hubiésemos podrido
2e pudristeis	hubisteis podrido	pudrieseis	hubieseis podrido
3e pudrieron	hubieron podrido	pudriesen	hubiesen podrido
FUTUR SIMPLE	**FUTUR ANTÉRIEUR**	**FUTUR SIMPLE**	**FUTUR ANTÉRIEUR**
sing. 1re pudriré	habré podrido	pudriere	hubiere podrido
2e pudrirás	habrás podrido	pudrieres	hubieres podrido
3e pudrirá	habrá podrido	pudriere	hubiere podrido
plur. 1re pudriremos	habremos podrido	pudriéremos	hubiéremos podrido
2e pudriréis	habréis podrido	pudriereis	hubiereis podrido
3e pudrirán	habrán podrido	pudrieren	hubieren podrido

CONDITIONNEL PRÉSENT	CONDITIONNEL PASSÉ		
sing. 1re pudriría	habría podrido		
2e pudrirías	habrías podrido		**IMPÉRATIF**
3e pudriría	habría podrido	sing. 2^e	pudre
plur. 1re pudriríamos	habríamos podrido	3^e	pudra
2e pudriríais	habríais podrido	plur. 1re	pudramos
3e pudrirían	habrían podrido	2^e	pudrid
		3^e	pudran

	INFINITIF	GÉRONDIF	PARTICIPE
FORME SIMPLE	pudrir *ou* podrir	pudriendo	podrido
FORME COMPOSÉE	haber podrido	habiendo podrido	

- Modèle pour **repudrir**.
- Affaiblissement de la voyelle du radical : **o** devient **u**. La *Real Academia Española* tend à employer le radical **pudr** à toutes les formes et **podrido** comme participe passé. À l'infinitif, on peut utiliser aussi bien **podrir** que **pudrir**.

Verbe irrégulier o → u

60 **poner** *placer, poser, mettre*

		INDICATIF		SUBJONCTIF	
		PRÉSENT	PASSÉ COMPOSÉ	PRÉSENT	PASSÉ
sing.	1re	pongo	he puesto	ponga	haya puesto
	2e	pones	has puesto	pongas	hayas puesto
	3e	pone	ha puesto	ponga	haya puesto
plur.	1re	ponemos	hemos puesto	pongamos	hayamos puesto
	2e	ponéis	habéis puesto	pongáis	hayáis puesto
	3e	ponen	han puesto	pongan	hayan puesto
		IMPARFAIT	PLUS-QUE-PARFAIT	IMPARFAIT	PLUS-QUE-PARFAIT
sing.	1re	ponía	había puesto	pusiera	hubiera puesto
	2e	ponías	habías puesto	pusieras	hubieras puesto
	3e	ponía	había puesto	pusiera	hubiera puesto
plur.	1re	poníamos	habíamos puesto	pusiéramos	hubiéramos puesto
	2e	poníais	habíais puesto	pusierais	hubierais puesto
	3e	ponían	habían puesto	pusieran	hubieran puesto
		PASSÉ SIMPLE	PASSÉ ANTÉRIEUR	*ou*	*ou*
sing.	1re	puse	hube puesto	pusiese	hubiese puesto
	2e	pusiste	hubiste puesto	pusieses	hubieses puesto
	3e	puso	hubo puesto	pusiese	hubiese puesto
plur.	1re	pusimos	hubimos puesto	pusiésemos	hubiésemos puesto
	2e	pusisteis	hubisteis puesto	pusieseis	hubieseis puesto
	3e	pusieron	hubieron puesto	pusiesen	hubiesen puesto
		FUTUR SIMPLE	FUTUR ANTÉRIEUR	FUTUR SIMPLE	FUTUR ANTÉRIEUR
sing.	1re	pondré	habré puesto	pusiere	hubiere puesto
	2e	pondrás	habrás puesto	pusieres	hubieres puesto
	3e	pondrá	habrá puesto	pusiere	hubiere puesto
plur.	1re	pondremos	habremos puesto	pusiéremos	hubiéremos puesto
	2e	pondréis	habréis puesto	pusiereis	hubiereis puesto
	3e	pondrán	habrán puesto	pusieren	hubieren puesto
		CONDITIONNEL PRÉSENT	CONDITIONNEL PASSÉ		
sing.	1re	pondría	habría puesto		IMPÉRATIF
	2e	pondrías	habrías puesto	sing. 2e	pon
	3e	pondría	habría puesto	3e	ponga
plur.	1re	pondríamos	habríamos puesto	plur. 1re	pongamos
	2e	pondríais	habríais puesto	2e	poned
	3e	pondrían	habrían puesto	3e	pongan

	INFINITIF	GÉRONDIF	PARTICIPE
FORME SIMPLE	poner	poniendo	puesto
FORME COMPOSÉE	haber puesto	habiendo puesto	

- Modèle pour tous les composés de **poner**: **componer, disponer...**
- Introduction de **g** devant **o** ou **a** à la 1re pers. sing. de l'indicatif présent, au subjonctif présent et aux formes dérivées de l'impératif. La voyelle du radical **o** devient **u** au passé simple et à ses temps dérivés (→ 110). Remplacement de la voyelle thématique **e** par la consonne **d** à l'indicatif futur et au conditionnel. Apocope de la 2e pers. sing. de l'impératif. Diphtongaison de **o** qui devient **ue** au participe passé irrégulier.

Verbe irrégulier e → i

predecir prédire

INDICATIF		SUBJONCTIF	
PRÉSENT	**PASSÉ COMPOSÉ**	**PRÉSENT**	**PASSÉ**
sing. 1re predigo	he predicho	prediga	haya predicho
2e predices	has predicho	predigas	hayas predicho
3e predice	ha predicho	prediga	haya predicho
plur. 1re predecimos	hemos predicho	predigamos	hayamos predicho
2e predecís	habéis predicho	predigáis	hayáis predicho
3e predicen	han predicho	predigan	hayan predicho
IMPARFAIT	**PLUS-QUE-PARFAIT**	**IMPARFAIT**	**PLUS-QUE-PARFAIT**
sing. 1re predecía	había predicho	predijera	hubiera predicho
2e predecías	habías predicho	predijeras	hubieras predicho
3e predecía	había predicho	predijera	hubiera predicho
plur. 1re predecíamos	habíamos predicho	predijéramos	hubiéramos predicho
2e predecíais	habíais predicho	predijerais	hubierais predicho
3e predecían	habían predicho	predijeran	hubieran predicho
PASSÉ SIMPLE	**PASSÉ ANTÉRIEUR**	*ou*	*ou*
sing. 1re predije	hube predicho	predijese	hubiese predicho
2e predijiste	hubiste predicho	predijeses	hubieses predicho
3e predijo	hubo predicho	predijese	hubiese predicho
plur. 1re predijimos	hubimos predicho	predijésemos	hubiésemos predicho
2e predijisteis	hubisteis predicho	predijeseis	hubieseis predicho
3e predijeron	hubieron predicho	predijesen	hubiesen predicho
FUTUR SIMPLE	**FUTUR ANTÉRIEUR**	**FUTUR SIMPLE**	**FUTUR ANTÉRIEUR**
sing. 1re prediciré	habré predicho	predijere	hubiere predicho
2e predecirás	habrás predicho	predijeres	hubieres predicho
3e predecirá	habrá predicho	predijere	hubiere predicho
plur. 1re prediciremos	habremos predicho	predijéremos	hubiéremos predicho
2e prediciréis	habréis predicho	predijereis	hubiereis predicho
3e predecirán	habrán predicho	predijeren	hubieren predicho
CONDITIONNEL PRÉSENT	**CONDITIONNEL PASSÉ**		
sing. 1re prediciría	habría predicho		

		IMPÉRATIF	
2e predicirías	habrías predicho		
3e prediciría	habría predicho	sing. 2^e	predice
plur. 1re prediciríamos	habríamos predicho	3^e	prediga
2e prediciríais	habríais predicho	plur. 1re	predigamos
3e predicirían	habrían predicho	2^e	predecid
		3^e	predigan

	INFINITIF	GÉRONDIF	PARTICIPE
FORME SIMPLE	predecir	prediciendo	predicho
FORME COMPOSÉE	haber predicho	habiendo predicho	

- Modèle pour **bendecir** et **maldecir** qui ont un double participe passé (→ 133).
- Affaiblissement de la voyelle du radical : **e** devient **i** au sing. et à la 3e pers. plur. du présent de l'indicatif, au subjonctif présent et aux formes dérivées de l'impératif, au gérondif, ainsi qu'au participe passé. **C** devient **g** devant **o** ou **a** à la 1re pers. sing. du présent de l'indicatif, au subjonctif présent et aux formes dérivées de l'impératif. Affaiblissement de la voyelle du radical : **e** devient **i** et **c** devient **j**, au passé simple et à ses temps dérivés (→ 110).

62 **producir** produire

INDICATIF		SUBJONCTIF	
PRÉSENT	**PASSÉ COMPOSÉ**	**PRÉSENT**	**PASSÉ**
sing. 1ʳᵉ produzco	he producido	produzca	haya producido
2ᵉ produces	has producido	produzcas	hayas producido
3ᵉ produce	ha producido	produzca	haya producido
plur. 1ʳᵉ producimos	hemos producido	produzcamos	hayamos producido
2ᵉ producís	habéis producido	produzcáis	hayáis producido
3ᵉ producen	han producido	produzcan	hayan producido
IMPARFAIT	**PLUS-QUE-PARFAIT**	**IMPARFAIT**	**PLUS-QUE-PARFAIT**
sing. 1ʳᵉ producía	había producido	produjera	hubiera producido
2ᵉ producías	habías producido	produjeras	hubieras producido
3ᵉ producía	había producido	produjera	hubiera producido
plur. 1ʳᵉ producíamos	habíamos producido	produjéramos	hubiéramos producido
2ᵉ producíais	habíais producido	produjerais	hubierais producido
3ᵉ producían	habían producido	produjeran	hubieran producido
PASSÉ SIMPLE	**PASSÉ ANTÉRIEUR**	*ou*	*ou*
sing. 1ʳᵉ produje	hube producido	produjese	hubiese producido
2ᵉ produjiste	hubiste producido	produjeses	hubieses producido
3ᵉ produjo	hubo producido	produjese	hubiese producido
plur. 1ʳᵉ produjimos	hubimos producido	produjésemos	hubiésemos producido
2ᵉ produjisteis	hubisteis producido	produjeseis	hubieseis producido
3ᵉ produjeron	hubieron producido	produjesen	hubiesen producido
FUTUR SIMPLE	**FUTUR ANTÉRIEUR**	**FUTUR SIMPLE**	**FUTUR ANTÉRIEUR**
sing. 1ʳᵉ produciré	habré producido	produjere	hubiere producido
2ᵉ producirás	habrás producido	produjeres	hubieres producido
3ᵉ producirá	habrá producido	produjere	hubiere producido
plur. 1ʳᵉ produciremos	habremos producido	produjéremos	hubiéremos producido
2ᵉ produciréis	habréis producido	produjereis	hubiereis producido
3ᵉ producirán	habrán producido	produjeren	hubieren producido

CONDITIONNEL PRÉSENT	CONDITIONNEL PASSÉ		
sing. 1ʳᵉ produciría	habría producido		
2ᵉ producirías	habrías producido	**IMPÉRATIF**	
3ᵉ produciría	habría producido	sing. 2ᵉ	produce
plur. 1ʳᵉ produciríamos	habríamos producido	3ᵉ	produzca
2ᵉ produciríais	habríais producido	plur. 1ʳᵉ	produzcamos
3ᵉ producirían	habrían producido	2ᵉ	producid
		3ᵉ	produzcan

INFINITIF		GÉRONDIF	PARTICIPE
FORME SIMPLE	producir	produciendo	producido
FORME COMPOSÉE	haber producido	habiendo producido	

- Modèle pour **aducir, conducir, deducir, inducir, introducir, reducir, reproducir, seducir, traducir.**
- Introduction d'une consonne, **c** devient **zc** devant **o** ou **a** à la 1ʳᵉ pers. sing. de l'indicatif présent, au subjonctif présent et aux formes dérivées de l'impératif. **C** devient **j** au passé simple et à ses temps dérivés (→ 110).

63 prohibir prohiber, interdire

INDICATIF		SUBJONCTIF	
PRÉSENT	PASSÉ COMPOSÉ	PRÉSENT	PASSÉ
sing. 1ʳᵉ prohíbo	he prohibido	prohíba	haya prohibido
2ᵉ prohíbes	has prohibido	prohíbas	hayas prohibido
3ᵉ prohíbe	ha prohibido	prohíba	haya prohibido
plur. 1ʳᵉ prohibimos	hemos prohibido	prohibamos	hayamos prohibido
2ᵉ prohibís	habéis prohibido	prohibáis	hayáis prohibido
3ᵉ prohíben	han prohibido	prohíban	hayan prohibido
IMPARFAIT	PLUS-QUE-PARFAIT	IMPARFAIT	PLUS-QUE-PARFAIT
sing. 1ʳᵉ prohibía	había prohibido	prohibiera	hubiera prohibido
2ᵉ prohibías	habías prohibido	prohibieras	hubieras prohibido
3ᵉ prohibía	había prohibido	prohibiera	hubiera prohibido
plur. 1ʳᵉ prohibíamos	habíamos prohibido	prohibiéramos	hubiéramos prohibido
2ᵉ prohibíais	habíais prohibido	prohibierais	hubierais prohibido
3ᵉ prohibían	habían prohibido	prohibieran	hubieran prohibido
PASSÉ SIMPLE	PASSÉ ANTÉRIEUR	ou	ou
sing. 1ʳᵉ prohibí	hube prohibido	prohibiese	hubiese prohibido
2ᵉ prohibiste	hubiste prohibido	prohibieses	hubieses prohibido
3ᵉ prohibió	hubo prohibido	prohibiese	hubiese prohibido
plur. 1ʳᵉ prohibimos	hubimos prohibido	prohibiésemos	hubiésemos prohibido
2ᵉ prohibisteis	hubisteis prohibido	prohibieseis	hubieseis prohibido
3ᵉ prohibieron	hubieron prohibido	prohibiesen	hubiesen prohibido
FUTUR SIMPLE	FUTUR ANTÉRIEUR	FUTUR SIMPLE	FUTUR ANTÉRIEUR
sing. 1ʳᵉ prohibiré	habré prohibido	prohibiere	hubiere prohibido
2ᵉ prohibirás	habrás prohibido	prohibieres	hubieres prohibido
3ᵉ prohibirá	habrá prohibido	prohibiere	hubiere prohibido
plur. 1ʳᵉ prohibiremos	habremos prohibido	prohibiéremos	hubiéremos prohibido
2ᵉ prohibiréis	habréis prohibido	prohibiereis	hubiereis prohibido
3ᵉ prohibirán	habrán prohibido	prohibieren	hubieren prohibido
CONDITIONNEL PRÉSENT	CONDITIONNEL PASSÉ		

	CONDITIONNEL PRÉSENT	CONDITIONNEL PASSÉ
sing. 1ʳᵉ	prohibiría	habría prohibido
2ᵉ	prohibirías	habrías prohibido
3ᵉ	prohibiría	habría prohibido
plur. 1ʳᵉ	prohibiríamos	habríamos prohibido
2ᵉ	prohibiríais	habríais prohibido
3ᵉ	prohibirían	habrían prohibido

IMPÉRATIF	
sing. 2ᵉ	prohíbe
3ᵉ	prohíba
plur. 1ʳᵉ	prohibamos
2ᵉ	prohibid
3ᵉ	prohíban

	INFINITIF	GÉRONDIF	PARTICIPE
FORME SIMPLE	prohibir	prohibiendo	prohibido
FORME COMPOSÉE	haber prohibido	habiendo prohibido	

- Modèle pour **cohibir**.
- Verbe régulier de la 3ᵉ conjugaison, accentué sur la dernière voyelle du radical, i qui devient í au sing. et à la 3ᵉ pers. plur. de l'indicatif et du subjonctif présents, ainsi qu'aux formes dérivées de l'impératif.

Verbe irrégulier e → ie/i

64 **querer** vouloir, aimer

INDICATIF		SUBJONCTIF	

PRÉSENT / **PASSÉ COMPOSÉ** / **PRÉSENT** / **PASSÉ**

		PRÉSENT	PASSÉ COMPOSÉ	PRÉSENT	PASSÉ
sing.	1ʳᵉ	quiero	he querido	quiera	haya querido
	2ᵉ	quieres	has querido	quieras	hayas querido
	3ᵉ	quiere	ha querido	quiera	haya querido
plur.	1ʳᵉ	queremos	hemos querido	queramos	hayamos querido
	2ᵉ	queréis	habéis querido	queráis	hayáis querido
	3ᵉ	quieren	han querido	quieran	hayan querido

		IMPARFAIT	PLUS-QUE-PARFAIT	IMPARFAIT	PLUS-QUE-PARFAIT
sing.	1ʳᵉ	quería	había querido	quisiera	hubiera querido
	2ᵉ	querías	habías querido	quisieras	hubieras querido
	3ᵉ	quería	había querido	quisiera	hubiera querido
plur.	1ʳᵉ	queríamos	habíamos querido	quisiéramos	hubiéramos querido
	2ᵉ	queríais	habíais querido	quisierais	hubierais querido
	3ᵉ	querían	habían querido	quisieran	hubieran querido

		PASSÉ SIMPLE	PASSÉ ANTÉRIEUR	*ou*	*ou*
sing.	1ʳᵉ	quise	hube querido	quisiese	hubiese querido
	2ᵉ	quisiste	hubiste querido	quisieses	hubieses querido
	3ᵉ	quiso	hubo querido	quisiese	hubiese querido
plur.	1ʳᵉ	quisimos	hubimos querido	quisiésemos	hubiésemos querido
	2ᵉ	quisisteis	hubisteis querido	quisieseis	hubieseis querido
	3ᵉ	quisieron	hubieron querido	quisiesen	hubiesen querido

		FUTUR SIMPLE	FUTUR ANTÉRIEUR	FUTUR SIMPLE	FUTUR ANTÉRIEUR
sing.	1ʳᵉ	querré	habré querido	quisiere	hubiere querido
	2ᵉ	querrás	habrás querido	quisieres	hubieres querido
	3ᵉ	querrá	habrá querido	quisiere	hubiere querido
plur.	1ʳᵉ	querremos	habremos querido	quisiéremos	hubiéremos querido
	2ᵉ	querréis	habréis querido	quisiereis	hubiereis querido
	3ᵉ	querrán	habrán querido	quisieren	hubieren querido

		CONDITIONNEL PRÉSENT	CONDITIONNEL PASSÉ		
sing.	1ʳᵉ	querría	habría querido		
	2ᵉ	querrías	habrías querido		
	3ᵉ	querría	habría querido		
plur.	1ʳᵉ	querríamos	habríamos querido		
	2ᵉ	querríais	habríais querido		
	3ᵉ	querrían	habrían querido		

IMPÉRATIF		
sing.	2ᵉ	quiere
	3ᵉ	quiera
plur.	1ʳᵉ	queramos
	2ᵉ	quered
	3ᵉ	quieran

	INFINITIF	GÉRONDIF	PARTICIPE
FORME SIMPLE	querer	queriendo	querido
FORME COMPOSÉE	haber querido	habiendo querido	

- Modèle pour tous ses composés, **bienquerer, desquerer, malquerer**. **Bienquerer** et **malquerer** ont un double participe passé (→ 133).
- Diphtongaison de **e** qui devient **ie** au sing. et à la 3ᵉ pers. plur. de l'indicatif et du subjonctif présents, ainsi qu'aux formes dérivées de l'impératif. La voyelle du radical **e** devient **i** au passé simple et à ses temps dérivés (→ 110). Chute de la voyelle thématique **e** à l'indicatif futur et au conditionnel.

TABLEAUX ET LISTES

65 | **raer** *racler, raper*

		INDICATIF		SUBJONCTIF	
		PRÉSENT	**PASSÉ COMPOSÉ**	**PRÉSENT**	**PASSÉ**
sing.	1re	raigo/rayo	he raído	raiga/raya	haya raído
	2e	raes	has raído	raigas/rayas	hayas raído
	3e	rae	ha raído	raiga/raya	haya raído
plur.	1re	raemos	hemos raído	raigamos/rayamos	hayamos raído
	2e	raéis	habéis raído	raigáis/rayáis	hayáis raído
	3e	raen	han raído	raigan/rayan	hayan raído
		IMPARFAIT	**PLUS-QUE-PARFAIT**	**IMPARFAIT**	**PLUS-QUE-PARFAIT**
sing.	1re	raía	había raído	rayera	hubiera raído
	2e	raías	habías raído	rayeras	hubieras raído
	3e	raía	había raído	rayera	hubiera raído
plur.	1re	raíamos	habíamos raído	rayéramos	hubiéramos raído
	2e	raíais	habíais raído	rayerais	hubierais raído
	3e	raían	habían raído	rayeran	hubieran raído
		PASSÉ SIMPLE	**PASSÉ ANTÉRIEUR**	*ou*	*ou*
sing.	1re	raí	hube raído	rayese	hubiese raído
	2e	raíste	hubiste raído	rayeses	hubieses raído
	3e	rayó	hubo raído	rayese	hubiese raído
plur.	1re	raímos	hubimos raído	rayésemos	hubiésemos raído
	2e	raísteis	hubisteis raído	rayeseis	hubieseis raído
	3e	rayeron	hubieron raído	rayesen	hubiesen raído
		FUTUR SIMPLE	**FUTUR ANTÉRIEUR**	**FUTUR SIMPLE**	**FUTUR ANTÉRIEUR**
sing.	1re	raeré	habré raído	rayere	hubiere raído
	2e	raerás	habrás raído	rayeres	hubieres raído
	3e	raerá	habrá raído	rayere	hubiere raído
plur.	1re	raeremos	habremos raído	rayéremos	hubiéremos raído
	2e	raeréis	habréis raído	rayereis	hubiereis raído
	3e	raerán	habrán raído	rayeren	hubieren raído

		CONDITIONNEL PRÉSENT	CONDITIONNEL PASSÉ		IMPÉRATIF	
sing.	1re	raería	habría raído			
	2e	raerías	habrías raído	sing.	2e	rae
	3e	raería	habría raído		3e	raiga
plur.	1re	raeríamos	habríamos raído	plur.	1re	raigamos
	2e	raeríais	habríais raído		2e	raed
	3e	raerían	habrían raído		3e	raigan

	INFINITIF	GÉRONDIF	PARTICIPE
FORME SIMPLE	raer	rayendo	raído
FORME COMPOSÉE	haber raído	habiendo raído	

- La voyelle **a** du radical devient **ai** et introduction de **g** devant **o** ou **a** à la 1re pers. sing. de l'indicatif présent, au subjonctif présent et aux formes dérivées de l'impératif. La voyelle atone **i** devient **y** devant **e** ou **o** aux 3e pers. sing. et plur. du passé simple et à ses temps dérivés (→ 110). Ce verbe a deux formes à la 1re pers. sing. de l'indicatif présent et au subjonctif présent. Terminaisons irrégulières : 2e pers. sing. et 1re et 2e pers. plur. du passé simple (**íste**, **ímos**, **ísteis**) et participe passé (**ído**).

66 **regar** *arroser, irriguer*

		INDICATIF		SUBJONCTIF	
		PRÉSENT	PASSÉ COMPOSÉ	PRÉSENT	PASSÉ
sing.	1re	riego	he regado	riegue	haya regado
	2e	riegas	has regado	riegues	hayas regado
	3e	riega	ha regado	riegue	haya regado
plur.	1re	regamos	hemos regado	reguemos	hayamos regado
	2e	regáis	habéis regado	reguéis	hayáis regado
	3e	riegan	han regado	rieguen	hayan regado
		IMPARFAIT	PLUS-QUE-PARFAIT	IMPARFAIT	PLUS-QUE-PARFAIT
sing.	1re	regaba	había regado	regara	hubiera regado
	2e	regabas	habías regado	regaras	hubieras regado
	3e	regaba	había regado	regara	hubiera regado
plur.	1re	regábamos	habíamos regado	regáramos	hubiéramos regado
	2e	regabais	habíais regado	regarais	hubierais regado
	3e	regaban	habían regado	regaran	hubieran regado
		PASSÉ SIMPLE	PASSÉ ANTÉRIEUR	*ou*	*ou*
sing.	1re	regué	hube regado	regase	hubiese regado
	2e	regaste	hubiste regado	regases	hubieses regado
	3e	regó	hubo regado	regase	hubiese regado
plur.	1re	regamos	hubimos regado	regásemos	hubiésemos regado
	2e	regasteis	hubisteis regado	regaseis	hubieseis regado
	3e	regaron	hubieron regado	regasen	hubiesen regado
		FUTUR SIMPLE	FUTUR ANTÉRIEUR	FUTUR SIMPLE	FUTUR ANTÉRIEUR
sing.	1re	regaré	habré regado	regare	hubiere regado
	2e	regarás	habrás regado	regares	hubieres regado
	3e	regará	habrá regado	regare	hubiere regado
plur.	1re	regaremos	habremos regado	regáremos	hubiéremos regado
	2e	regaréis	habréis regado	regareis	hubiereis regado
	3e	regarán	habrán regado	regaren	hubieren regado

		CONDITIONNEL PRÉSENT	CONDITIONNEL PASSÉ		IMPÉRATIF	
sing.	1re	regaría	habría regado			
	2e	regarías	habrías regado	sing.	2e	riega
	3e	regaría	habría regado		3e	riegue
plur.	1re	regaríamos	habríamos regado	plur.	1re	reguemos
	2e	regaríais	habríais regado		2e	regad
	3e	regarían	habrían regado		3e	rieguen

	INFINITIF	GÉRONDIF	PARTICIPE
FORME SIMPLE	regar	regando	regado
FORME COMPOSÉE	haber regado	habiendo regado	

- Modèle pour **abnegarse, cegar, denegar, derrengar, desasosegar, desplegar, estregar, fregar, negar, plegar, refregar, renegar, replegar, restregar, segar, sosegar, trasegar.**
- Diphtongaison de **e** qui devient **ie** au sing. et à la 3e pers. plur. de l'indicatif et du subjonctif présents, ainsi qu'aux formes dérivées de l'impératif. Pour conserver la prononciation, **g** devient **gu** devant **e**, à la 1re pers. sing. du passé simple, au subjonctif présent et aux formes dérivées de l'impératif.

Verbe irrégulier e → i

reír *rire*

		INDICATIF		SUBJONCTIF	
		PRÉSENT	PASSÉ COMPOSÉ	PRÉSENT	PASSÉ
sing.	1re	río	he reído	ría	haya reído
	2e	ríes	has reído	rías	hayas reído
	3e	ríe	ha reído	ría	haya reído
plur.	1re	reímos	hemos reído	riamos	hayamos reído
	2e	reís	habéis reído	riáis	hayáis reído
	3e	ríen	han reído	rían	hayan reído
		IMPARFAIT	PLUS-QUE-PARFAIT	IMPARFAIT	PLUS-QUE-PARFAIT
sing.	1re	reía	había reído	riera	hubiera reído
	2e	reías	habías reído	rieras	hubieras reído
	3e	reía	había reído	riera	hubiera reído
plur.	1re	reíamos	habíamos reído	riéramos	hubiéramos reído
	2e	reíais	habíais reído	rierais	hubierais reído
	3e	reían	habían reído	rieran	hubieran reído
		PASSÉ SIMPLE	PASSÉ ANTÉRIEUR	*ou*	*ou*
sing.	1re	reí	hube reído	riese	hubiese reído
	2e	reíste	hubiste reído	rieses	hubieses reído
	3e	rió	hubo reído	riese	hubiese reído
plur.	1re	reímos	hubimos reído	riésemos	hubiésemos reído
	2e	reísteis	hubisteis reído	rieseis	hubieseis reído
	3e	rieron	hubieron reído	riesen	hubiesen reído
		FUTUR SIMPLE	FUTUR ANTÉRIEUR	FUTUR SIMPLE	FUTUR ANTÉRIEUR
sing.	1re	reiré	habré reído	riere	hubiere reído
	2e	reirás	habrás reído	rieres	hubieres reído
	3e	reirá	habrá reído	riere	hubiere reído
plur.	1re	reiremos	habremos reído	riéremos	hubiéremos reído
	2e	reiréis	habréis reído	riereis	hubiereis reído
	3e	reirán	habrán reído	rieren	hubieren reído
		CONDITIONNEL PRÉSENT	CONDITIONNEL PASSÉ		

		CONDITIONNEL PRÉSENT	CONDITIONNEL PASSÉ				IMPÉRATIF
sing.	1re	reiría	habría reído				
	2e	reirías	habrías reído	sing.	2e		ríe
	3e	reiría	habría reído		3e		ría
plur.	1re	reiríamos	habríamos reído	plur.	1re		riamos
	2e	reiríais	habríais reído		2e		reíd
	3e	reirían	habrían reído		3e		rían

	INFINITIF	GÉRONDIF	PARTICIPE
FORME SIMPLE	reír	riendo	reído
FORME COMPOSÉE	haber reído	habiendo reído	

- Modèle pour **engreír, freír, refreír, sofreír, sonreír**. **Freír** et **refreír** ont un double participe passé (→ 133).
- Affaiblissement de la voyelle du radical : **e** devient **i** au sing. et à la 3e pers. plur. de l'indicatif présent, aux 3e pers. sing. et plur. du passé simple et de ses temps dérivés (→ 110), au gérondif, au subjonctif, ainsi qu'aux formes dérivées de l'impératif. Terminaisons irrégulières : 1re pers. plur. du présent (**ímos**), 2e pers. sing. et 1re et 2e pers. plur. du passé simple (**íste, ímos, ísteis**), 2e pers. plur. de l'impératif (**íd**) et participe passé (**ído**).

68 reñir *gronder, se quereller*

		INDICATIF		SUBJONCTIF	
		PRÉSENT	PASSÉ COMPOSÉ	PRÉSENT	PASSÉ
sing.	1re	riño	he reñido	riña	haya reñido
	2^e	riñes	has reñido	riñas	hayas reñido
	3^e	riñe	ha reñido	riña	haya reñido
plur.	1re	reñimos	hemos reñido	riñamos	hayamos reñido
	2^e	reñís	habéis reñido	riñáis	hayáis reñido
	3^e	riñen	han reñido	riñan	hayan reñido
		IMPARFAIT	PLUS-QUE-PARFAIT	IMPARFAIT	PLUS-QUE-PARFAIT
sing.	1re	reñía	había reñido	riñera	hubiera reñido
	2^e	reñías	habías reñido	riñeras	hubieras reñido
	3^e	reñía	había reñido	riñera	hubiera reñido
plur.	1re	reñíamos	habíamos reñido	riñéramos	hubiéramos reñido
	2^e	reñíais	habíais reñido	riñerais	hubierais reñido
	3^e	reñían	habían reñido	riñeran	hubieran reñido
		PASSÉ SIMPLE	PASSÉ ANTÉRIEUR	*ou*	*ou*
sing.	1re	reñí	hube reñido	riñese	hubiese reñido
	2^e	reñiste	hubiste reñido	riñeses	hubieses reñido
	3^e	riñó	hubo reñido	riñese	hubiese reñido
plur.	1re	reñimos	hubimos reñido	riñésemos	hubiésemos reñido
	2^e	reñisteis	hubisteis reñido	riñeseis	hubieseis reñido
	3^e	riñeron	hubieron reñido	riñesen	hubiesen reñido
		FUTUR SIMPLE	FUTUR ANTÉRIEUR	FUTUR SIMPLE	FUTUR ANTÉRIEUR
sing.	1re	reñiré	habré reñido	riñere	hubiere reñido
	2^e	reñirás	habrás reñido	riñeres	hubieres reñido
	3^e	reñirá	habrá reñido	riñere	hubiere reñido
plur.	1re	reñiremos	habremos reñido	riñéremos	hubiéremos reñido
	2^e	reñiréis	habréis reñido	riñereis	hubiereis reñido
	3^e	reñirán	habrán reñido	riñeren	hubieren reñido
		CONDITIONNEL PRÉSENT	CONDITIONNEL PASSÉ		
sing.	1re	reñiría	habría reñido		IMPÉRATIF
	2^e	reñirías	habrías reñido	sing. 2^e	riñe
	3^e	reñiría	habría reñido	3^e	riña
plur.	1re	reñiríamos	habríamos reñido	plur. 1re	riñamos
	2^e	reñiríais	habríais reñido	2^e	reñid
	3^e	reñirían	habrían reñido	3^e	riñan

	INFINITIF	GÉRONDIF	PARTICIPE
FORME SIMPLE	reñir	riñendo	reñido
FORME COMPOSÉE	haber reñido	habiendo reñido	

- Modèle pour **astreñir, ceñir, constreñir, desceñir, desteñir, estreñir, heñir, teñir. Teñir** a un double participe passé (→ 133).
- Affaiblissement de la voyelle du radical : **e** devient **i** au sing. et à la 3e pers. plur. de l'indicatif présent, aux 3es pers. sing. et plur. du passé simple et à ses temps dérivés (→ 110), au gérondif, au subjonctif, ainsi qu'aux formes dérivées de l'impératif.

69 **reunir** réunir, assembler

INDICATIF		SUBJONCTIF	
PRÉSENT	**PASSÉ COMPOSÉ**	**PRÉSENT**	**PASSÉ**
sing. 1re reúno	he reunido	reúna	haya reunido
2e reúnes	has reunido	reúnas	hayas reunido
3e reúne	ha reunido	reúna	haya reunido
plur. 1re reunimos	hemos reunido	reunamos	hayamos reunido
2e reunís	habéis reunido	reunáis	hayáis reunido
3e reúnen	han reunido	reúnan	hayan reunido
IMPARFAIT	**PLUS-QUE-PARFAIT**	**IMPARFAIT**	**PLUS-QUE-PARFAIT**
sing. 1re reunía	había reunido	reuniera	hubiera reunido
2e reunías	habías reunido	reunieras	hubieras reunido
3e reunía	había reunido	reuniera	hubiera reunido
plur. 1re reuníamos	habíamos reunido	reuniéramos	hubiéramos reunido
2e reuníais	habíais reunido	reunierais	hubierais reunido
3e reunían	habían reunido	reunieran	hubieran reunido
PASSÉ SIMPLE	**PASSÉ ANTÉRIEUR**	*ou*	*ou*
sing. 1re reuní	hube reunido	reuniese	hubiese reunido
2e reuniste	hubiste reunido	reunieses	hubieses reunido
3e reunió	hubo reunido	reuniese	hubiese reunido
plur. 1re reunimos	hubimos reunido	reuniésemos	hubiésemos reunido
2e reunisteis	hubisteis reunido	reunieseis	hubieseis reunido
3e reunieron	hubieron reunido	reuniesen	hubiesen reunido
FUTUR SIMPLE	**FUTUR ANTÉRIEUR**	**FUTUR SIMPLE**	**FUTUR ANTÉRIEUR**
sing. 1re reuniré	habré reunido	reuniere	hubiere reunido
2e reunirás	habrás reunido	reunieres	hubieres reunido
3e reunirá	habrá reunido	reuniere	hubiere reunido
plur. 1re reuniremos	habremos reunido	reuniéremos	hubiéremos reunido
2e reuniréis	habréis reunido	reuniereis	hubiereis reunido
3e reunirán	habrán reunido	reunieren	hubieren reunido
CONDITIONNEL PRÉSENT	**CONDITIONNEL PASSÉ**		
sing. 1re reuniría	habría reunido		
2e reunirías	habrías reunido		IMPÉRATIF
3e reuniría	habría reunido	sing. 2e	reúne
plur. 1re reuniríamos	habríamos reunido	3e	reúna
2e reuniríais	habríais reunido	plur. 1re	reunamos
3e reunirían	habrían reunido	2e	reunid
		3e	reúnan

	INFINITIF	GÉRONDIF	PARTICIPE
FORME SIMPLE	reunir	reuniendo	reunido
FORME COMPOSÉE	haber reunido	habiendo reunido	

- Verbe régulier de la 3e conjugaison, accentué sur la voyelle du radical, **u** qui devient **ú** au sing. et à la 3e pers. plur. de l'indicatif et du subjonctif présents, ainsi qu'aux formes dérivées de l'impératif.

70 **roer** ronger

		INDICATIF		SUBJONCTIF	
		PRÉSENT	PASSÉ COMPOSÉ	PRÉSENT	PASSÉ
sing.	1re	roo	he roído	roa	haya roído
	2e	roes	has roído	roas	hayas roído
	3e	roe	ha roído	roa	haya roído
plur.	1re	roemos	hemos roído	roamos	hayamos roído
	2e	roéis	habéis roído	roáis	hayáis roído
	3e	roen	han roído	roan	hayan roído
		IMPARFAIT	PLUS-QUE-PARFAIT	IMPARFAIT	PLUS-QUE-PARFAIT
sing.	1re	roía	había roído	royera	hubiera roído
	2e	roías	habías roído	royeras	hubieras roído
	3e	roía	había roído	royera	hubiera roído
plur.	1re	roíamos	habíamos roído	royéramos	hubiéramos roído
	2e	roíais	habíais roído	royerais	hubierais roído
	3e	roían	habían roído	royeran	hubieran roído
		PASSÉ SIMPLE	PASSÉ ANTÉRIEUR	ou	ou
sing.	1re	roí	hube roído	royese	hubiese roído
	2e	roíste	hubiste roído	royeses	hubieses roído
	3e	royó	hubo roído	royese	hubiese roído
plur.	1re	roímos	hubimos roído	royésemos	hubiésemos roído
	2e	roísteis	hubisteis roído	royeseis	hubieseis roído
	3e	royeron	hubieron roído	royesen	hubiesen roído
		FUTUR SIMPLE	FUTUR ANTÉRIEUR	FUTUR SIMPLE	FUTUR ANTÉRIEUR
sing.	1re	roeré	habré roído	royere	hubiere roído
	2e	roerás	habrás roído	royeres	hubieres roído
	3e	roerá	habrá roído	royere	hubiere roído
plur.	1re	roeremos	habremos roído	royéremos	hubiéremos roído
	2e	roeréis	habréis roído	royereis	hubiereis roído
	3e	roerán	habrán roído	royeren	hubieren roído
		CONDITIONNEL PRÉSENT	CONDITIONNEL PASSÉ		

		CONDITIONNEL PRÉSENT	CONDITIONNEL PASSÉ			IMPÉRATIF
sing.	1re	roería	habría roído			
	2e	roerías	habrías roído	sing.	2e	roe
	3e	roería	habría roído		3e	roa
plur.	1re	roeríamos	habríamos roído	plur.	1re	roamos
	2e	roeríais	habríais roído		2e	roed
	3e	roerían	habrían roído		3e	roan

	INFINITIF	GÉRONDIF	PARTICIPE
FORME SIMPLE	roer	royendo	roído
FORME COMPOSÉE	haber roído	habiendo roído	

- Modèle pour **corroer**.
- La voyelle atone **i** devient **y** devant **e** ou **o** aux 3e pers. sing. et plur. du passé simple et à ses temps dérivés (→ 110), ainsi qu'au gérondif. Terminaisons irrégulières : 2e pers. sing. et 1re et 2e pers. plur. du passé simple (**íste, ímos, ísteis**) et participe passé (**ído**).

Verbe irrégulier

71 saber *savoir*

INDICATIF		SUBJONCTIF	

	PRÉSENT	PASSÉ COMPOSÉ	PRÉSENT	PASSÉ
sing. 1ʳᵉ	sé	he sabido	sepa	haya sabido
2ᵉ	sabes	has sabido	sepas	hayas sabido
3ᵉ	sabe	ha sabido	sepa	haya sabido
plur. 1ʳᵉ	sabemos	hemos sabido	sepamos	hayamos sabido
2ᵉ	sabéis	habéis sabido	sepáis	hayáis sabido
3ᵉ	saben	han sabido	sepan	hayan sabido

	IMPARFAIT	PLUS-QUE-PARFAIT	IMPARFAIT	PLUS-QUE-PARFAIT
sing. 1ʳᵉ	sabía	había sabido	supiera	hubiera sabido
2ᵉ	sabías	habías sabido	supieras	hubieras sabido
3ᵉ	sabía	había sabido	supiera	hubiera sabido
plur. 1ʳᵉ	sabíamos	habíamos sabido	supiéramos	hubiéramos sabido
2ᵉ	sabíais	habíais sabido	supierais	hubierais sabido
3ᵉ	sabían	habían sabido	supieran	hubieran sabido

	PASSÉ SIMPLE	PASSÉ ANTÉRIEUR	*ou*	*ou*
sing. 1ʳᵉ	supe	hube sabido	supiese	hubiese sabido
2ᵉ	supiste	hubiste sabido	supieses	hubieses sabido
3ᵉ	supo	hubo sabido	supiese	hubiese sabido
plur. 1ʳᵉ	supimos	hubimos sabido	supiésemos	hubiésemos sabido
2ᵉ	supisteis	hubisteis sabido	supieseis	hubieseis sabido
3ᵉ	supieron	hubieron sabido	supiesen	hubiesen sabido

	FUTUR SIMPLE	FUTUR ANTÉRIEUR	FUTUR SIMPLE	FUTUR ANTÉRIEUR
sing. 1ʳᵉ	sabré	habré sabido	supiere	hubiere sabido
2ᵉ	sabrás	habrás sabido	supieres	hubieres sabido
3ᵉ	sabrá	habrá sabido	supiere	hubiere sabido
plur. 1ʳᵉ	sabremos	habremos sabido	supiéremos	hubiéremos sabido
2ᵉ	sabréis	habréis sabido	supiereis	hubiereis sabido
3ᵉ	sabrán	habrán sabido	supieren	hubieren sabido

	CONDITIONNEL PRÉSENT	CONDITIONNEL PASSÉ	IMPÉRATIF	
sing. 1ʳᵉ	sabría	habría sabido		
2ᵉ	sabrías	habrías sabido	sing. 2ᵉ	sabe
3ᵉ	sabría	habría sabido	3ᵉ	sepa
plur. 1ʳᵉ	sabríamos	habríamos sabido	plur. 1ʳᵉ	sepamos
2ᵉ	sabríais	habríais sabido	2ᵉ	sabed
3ᵉ	sabrían	habrían sabido	3ᵉ	sepan

	INFINITIF	GÉRONDIF	PARTICIPE
FORME SIMPLE	saber	sabiendo	sabido
FORME COMPOSÉE	haber sabido	habiendo sabido	

- Modification de la voyelle du radical : **a** devient **e** à la 1ʳᵉ pers. sing. de l'indicatif présent, au subjonctif présent et aux formes dérivées de l'impératif. Le prétérit fort altère le radical : **ab** devient **up** au passé simple et à ses temps dérivés (➔ 110). Modification de la dernière consonne du radical : **b** devient **p** devant **a**, au subjonctif présent et aux formes dérivées de l'impératif. Chute de la voyelle thématique **e** à l'indicatif futur et au conditionnel.

72 | **sacar** tirer, sortir

		INDICATIF		SUBJONCTIF	
		PRÉSENT	PASSÉ COMPOSÉ	PRÉSENT	PASSÉ
sing.	1re	saco	he sacado	saque	haya sacado
	2e	sacas	has sacado	saques	hayas sacado
	3e	saca	ha sacado	saque	haya sacado
plur.	1re	sacamos	hemos sacado	saquemos	hayamos sacado
	2e	sacáis	habéis sacado	saquéis	hayáis sacado
	3e	sacan	han sacado	saquen	hayan sacado
		IMPARFAIT	PLUS-QUE-PARFAIT	IMPARFAIT	PLUS-QUE-PARFAIT
sing.	1re	sacaba	había sacado	sacara	hubiera sacado
	2e	sacabas	habías sacado	sacaras	hubieras sacado
	3e	sacaba	había sacado	sacara	hubiera sacado
plur.	1re	sacábamos	habíamos sacado	sacáramos	hubiéramos sacado
	2e	sacabais	habíais sacado	sacarais	hubierais sacado
	3e	sacaban	habían sacado	sacaran	hubieran sacado
		PASSÉ SIMPLE	PASSÉ ANTÉRIEUR	*ou*	*ou*
sing.	1re	saqué	hube sacado	sacase	hubiese sacado
	2e	sacaste	hubiste sacado	sacases	hubieses sacado
	3e	sacó	hubo sacado	sacase	hubiese sacado
plur.	1re	sacamos	hubimos sacado	sacásemos	hubiésemos sacado
	2e	sacasteis	hubisteis sacado	sacaseis	hubieseis sacado
	3e	sacaron	hubieron sacado	sacasen	hubiesen sacado
		FUTUR SIMPLE	FUTUR ANTÉRIEUR	FUTUR SIMPLE	FUTUR ANTÉRIEUR
sing.	1re	sacaré	habré sacado	sacare	hubiere sacado
	2e	sacarás	habrás sacado	sacares	hubieres sacado
	3e	sacará	habrá sacado	sacare	hubiere sacado
plur.	1re	sacaremos	habremos sacado	sacáremos	hubiéremos sacado
	2e	sacaréis	habréis sacado	sacareis	hubiereis sacado
	3e	sacarán	habrán sacado	sacaren	hubieren sacado
		CONDITIONNEL PRÉSENT	CONDITIONNEL PASSÉ		
sing.	1re	sacaría	habría sacado		

		INDICATIF CONDITIONNEL		IMPÉRATIF	
sing.	2e	sacarías	habrías sacado	sing. 2e	saca
	3e	sacaría	habría sacado	3e	saque
plur.	1re	sacaríamos	habríamos sacado	plur. 1re	saquemos
	2e	sacaríais	habríais sacado	2e	sacad
	3e	sacarían	habrían sacado	3e	saquen

	INFINITIF	GÉRONDIF	PARTICIPE
FORME SIMPLE	sacar	sacando	sacado
FORME COMPOSÉE	haber sacado	habiendo sacado	

- Modèle pour tous les verbes se terminant par **car**, sauf **ahincar** (→ conjugaison 11) et ceux qui suivent les modèles de **trocar** (→ conjugaison 80). **Neviscar** et **ventiscar** sont employés comme verbes impersonnels (→ 130).
- Verbe régulier de la 1re conjugaison. Pour conserver la prononciation, **c** devient **qu** devant **e** à la 1re pers. sing. du passé simple, au subjonctif présent et aux formes dérivées de l'impératif.

Verbe irrégulier

salir sortir

		INDICATIF		SUBJONCTIF	
		PRÉSENT	**PASSÉ COMPOSÉ**	**PRÉSENT**	**PASSÉ**
sing.	1ʳᵉ	salgo	he salido	salga	haya salido
	2ᵉ	sales	has salido	salgas	hayas salido
	3ᵉ	sale	ha salido	salga	haya salido
plur.	1ʳᵉ	salimos	hemos salido	salgamos	hayamos salido
	2ᵉ	salís	habéis salido	salgáis	hayáis salido
	3ᵉ	salen	han salido	salgan	hayan salido
		IMPARFAIT	**PLUS-QUE-PARFAIT**	**IMPARFAIT**	**PLUS-QUE-PARFAIT**
sing.	1ʳᵉ	salía	había salido	saliera	hubiera salido
	2ᵉ	salías	habías salido	salieras	hubieras salido
	3ᵉ	salía	había salido	saliera	hubiera salido
plur.	1ʳᵉ	salíamos	habíamos salido	saliéramos	hubiéramos salido
	2ᵉ	salíais	habíais salido	salierais	hubierais salido
	3ᵉ	salían	habían salido	salieran	hubieran salido
		PASSÉ SIMPLE	**PASSÉ ANTÉRIEUR**	*ou*	*ou*
sing.	1ʳᵉ	salí	hube salido	saliese	hubiese salido
	2ᵉ	saliste	hubiste salido	salieses	hubieses salido
	3ᵉ	salió	hubo salido	saliese	hubiese salido
plur.	1ʳᵉ	salimos	hubimos salido	saliésemos	hubiésemos salido
	2ᵉ	salisteis	hubisteis salido	salieseis	hubieseis salido
	3ᵉ	salieron	hubieron salido	saliesen	hubiesen salido
		FUTUR SIMPLE	**FUTUR ANTÉRIEUR**	**FUTUR SIMPLE**	**FUTUR ANTÉRIEUR**
sing.	1ʳᵉ	saldré	habré salido	saliere	hubiere salido
	2ᵉ	saldrás	habrás salido	salieres	hubieres salido
	3ᵉ	saldrá	habrá salido	saliere	hubiere salido
plur.	1ʳᵉ	saldremos	habremos salido	saliéremos	hubiéremos salido
	2ᵉ	saldréis	habréis salido	saliereis	hubiereis salido
	3ᵉ	saldrán	habrán salido	salieren	hubieren salido
		CONDITIONNEL PRÉSENT	**CONDITIONNEL PASSÉ**		
sing.	1ʳᵉ	saldría	habría salido		
	2ᵉ	saldrías	habrías salido		
	3ᵉ	saldría	habría salido		
plur.	1ʳᵉ	saldríamos	habríamos salido		
	2ᵉ	saldríais	habríais salido		
	3ᵉ	saldrían	habrían salido		

	IMPÉRATIF
sing. 2ᵉ	sal
3ᵉ	salga
plur. 1ʳᵉ	salgamos
2ᵉ	salid
3ᵉ	salgan

	INFINITIF	GÉRONDIF	PARTICIPE
FORME SIMPLE	salir	saliendo	salido
FORME COMPOSÉE	haber salido	habiendo salido	

- Modèle pour **resalir, sobresalir.**
- Introduction de **g** devant **o** ou **a** à la 1ʳᵉ pers. sing. de l'indicatif présent, au subjonctif présent et aux formes dérivées de l'impératif. Remplacement de la voyelle thématique **i** par une consonne **d** à l'indicatif futur et au conditionnel. Apocope de la 2ᵉ pers. sing. de l'impératif.

74 **satisfacer** *satisfaire*

		INDICATIF		SUBJONCTIF	
		PRÉSENT	PASSÉ COMPOSÉ	PRÉSENT	PASSÉ
sing.	1re	satisfago	he satisfecho	satisfaga	haya satisfecho
	2e	satisfaces	has satisfecho	satisfagas	hayas satisfecho
	3e	satisface	ha satisfecho	satisfaga	haya satisfecho
plur.	1re	satisfacemos	hemos satisfecho	satisfagamos	hayamos satisfecho
	2e	satisfacéis	habéis satisfecho	satisfagáis	hayáis satisfecho
	3e	satisfacen	han satisfecho	satisfagan	hayan satisfecho
		IMPARFAIT	PLUS-QUE-PARFAIT	IMPARFAIT	PLUS-QUE-PARFAIT
sing.	1re	satisfacía	había satisfecho	satisficiera	hubiera satisfecho
	2e	satisfacías	habías satisfecho	satisficieras	hubieras satisfecho
	3e	satisfacía	había satisfecho	satisficiera	hubiera satisfecho
plur.	1re	satisfacíamos	habíamos satisfecho	satisficiéramos	hubiéramos satisfecho
	2e	satisfacíais	habíais satisfecho	satisficierais	hubierais satisfecho
	3e	satisfacían	habían satisfecho	satisficieran	hubieran satisfecho
		PASSÉ SIMPLE	PASSÉ ANTÉRIEUR	*ou*	*ou*
sing.	1re	satisfice	hube satisfecho	satisficiese	hubiese satisfecho
	2e	satisficiste	hubiste satisfecho	satisficieses	hubieses satisfecho
	3e	satisfizo	hubo satisfecho	satisficiese	hubiese satisfecho
plur.	1re	satisficimos	hubimos satisfecho	satisficiésemos	hubiésemos satisfecho
	2e	satisficisteis	hubisteis satisfecho	satisficieseis	hubieseis satisfecho
	3e	satisficieron	hubieron satisfecho	satisficiesen	hubiesen satisfecho
		FUTUR SIMPLE	FUTUR ANTÉRIEUR	FUTUR SIMPLE	FUTUR ANTÉRIEUR
sing.	1re	satisfaré	habré satisfecho	satisficiere	hubiere satisfecho
	2e	satisfarás	habrás satisfecho	satisficieres	hubieres satisfecho
	3e	satisfará	habrá satisfecho	satisficiere	hubiere satisfecho
plur.	1re	satisfaremos	habremos satisfecho	satisficiéremos	hubiéremos satisfecho
	2e	satisfaréis	habréis satisfecho	satisficiereis	hubiereis satisfecho
	3e	satisfarán	habrán satisfecho	satisficieren	hubieren satisfecho
		CONDITIONNEL PRÉSENT	CONDITIONNEL PASSÉ		
sing.	1re	satisfaría	habría satisfecho		
	2e	satisfarías	habrías satisfecho		IMPÉRATIF
	3e	satisfaría	habría satisfecho	sing. 2e	satisfaz/satisface
plur.	1re	satisfaríamos	habríamos satisfecho	3e	satisfaga
	2e	satisfaríais	habríais satisfecho	plur. 1re	satisfagamos
	3e	satisfarían	habrían satisfecho	2e	satisfaced
				3e	satisfagan

	INFINITIF	GÉRONDIF	PARTICIPE
FORME SIMPLE	satisfacer	satisfaciendo	satisfecho
FORME COMPOSÉE	haber satisfecho	habiendo satisfecho	

* **C** devient **g** devant **o** ou à **a** à la 1re pers. sing. de l'indicatif présent, au subjonctif présent et aux formes dérivées de l'impératif. Affaiblissement de la dernière voyelle du radical : **a** devient **i** au passé simple et à ses temps dérivés (→ 110). Pour conserver la prononciation, **c** devient **z** devant **o** à la 3e pers. sing. du passé simple. Contraction de l'infinitif à l'indicatif futur et au conditionnel. Ce verbe a une double forme de la 2e pers. sing. : une régulière et l'autre irrégulière. Participe passé irrégulier.

Verbe irrégulier e → i

75 | **seguir** *suivre*

		INDICATIF		SUBJONCTIF	
		PRÉSENT	**PASSÉ COMPOSÉ**	**PRÉSENT**	**PASSÉ**
sing.	1re	sigo	he seguido	siga	haya seguido
	2^e	sigues	has seguido	sigas	hayas seguido
	3^e	sigue	ha seguido	siga	haya seguido
plur.	1re	seguimos	hemos seguido	sigamos	hayamos seguido
	2^e	seguís	habéis seguido	sigáis	hayáis seguido
	3^e	siguen	han seguido	sigan	hayan seguido

		IMPARFAIT	**PLUS-QUE-PARFAIT**	**IMPARFAIT**	**PLUS-QUE-PARFAIT**
sing.	1re	seguía	había seguido	siguiera	hubiera seguido
	2^e	seguías	habías seguido	siguieras	hubieras seguido
	3^e	seguía	había seguido	siguiera	hubiera seguido
plur.	1re	seguíamos	habíamos seguido	siguiéramos	hubiéramos seguido
	2^e	seguíais	habíais seguido	siguierais	hubierais seguido
	3^e	seguían	habían seguido	siguieran	hubieran seguido

		PASSÉ SIMPLE	**PASSÉ ANTÉRIEUR**	*ou*	*ou*
sing.	1re	seguí	hube seguido	siguiese	hubiese seguido
	2^e	seguiste	hubiste seguido	siguieses	hubieses seguido
	3^e	siguió	hubo seguido	siguiese	hubiese seguido
plur.	1re	seguimos	hubimos seguido	siguiésemos	hubiésemos seguido
	2^e	seguisteis	hubisteis seguido	siguieseis	hubieseis seguido
	3^e	siguieron	hubieron seguido	siguiesen	hubiesen seguido

		FUTUR SIMPLE	**FUTUR ANTÉRIEUR**	**FUTUR SIMPLE**	**FUTUR ANTÉRIEUR**
sing.	1re	seguiré	habré seguido	siguiere	hubiere seguido
	2^e	seguirás	habrás seguido	siguieres	hubieres seguido
	3^e	seguirá	habrá seguido	siguiere	hubiere seguido
plur.	1re	seguiremos	habremos seguido	siguiéremos	hubiéremos seguido
	2^e	seguiréis	habréis seguido	siguiereis	hubiereis seguido
	3^e	seguirán	habrán seguido	siguieren	hubieren seguido

		CONDITIONNEL PRÉSENT	**CONDITIONNEL PASSÉ**		
sing.	1re	seguiría	habría seguido		IMPÉRATIF
	2^e	seguirías	habrías seguido	sing. 2^e	sigue
	3^e	seguiría	habría seguido	3^e	siga
plur.	1re	seguiríamos	habríamos seguido	plur. 1re	sigamos
	2^e	seguiríais	habríais seguido	2^e	seguid
	3^e	seguirían	habrían seguido	3^e	sigan

	INFINITIF	GÉRONDIF	PARTICIPE
FORME SIMPLE	seguir	siguiendo	seguido
FORME COMPOSÉE	haber seguido	habiendo seguido	

- Affaiblissement de la voyelle du radical : **e** devient **i** au sing. et à la 3e pers. plur. de l'indicatif présent, aux 3e pers. sing. et plur. du passé simple et à ses temps dérivés (→ 110), au gérondif, au subjonctif, ainsi qu'aux formes dérivées de l'impératif. **Gu** devient **g** devant **o** et **a** à la 1re pers. sing. de l'indicatif présent, au subjonctif présent et aux formes dérivées de l'impératif.

76 **sentir** sentir

		INDICATIF		SUBJONCTIF	
		PRÉSENT	**PASSÉ COMPOSÉ**	**PRÉSENT**	**PASSÉ**
sing.	1re	siento	he sentido	sienta	haya sentido
	2^e	sientes	has sentido	sientas	hayas sentido
	3^e	siente	ha sentido	sienta	haya sentido
plur.	1re	sentimos	hemos sentido	sintamos	hayamos sentido
	2^e	sentís	habéis sentido	sintáis	hayáis sentido
	3^e	sienten	han sentido	sientan	hayan sentido
		IMPARFAIT	**PLUS-QUE-PARFAIT**	**IMPARFAIT**	**PLUS-QUE-PARFAIT**
sing.	1re	sentía	había sentido	sintiera	hubiera sentido
	2^e	sentías	habías sentido	sintieras	hubieras sentido
	3^e	sentía	había sentido	sintiera	hubiera sentido
plur.	1re	sentíamos	habíamos sentido	sintiéramos	hubiéramos sentido
	2^e	sentíais	habíais sentido	sintierais	hubierais sentido
	3^e	sentían	habían sentido	sintieran	hubieran sentido
		PASSÉ SIMPLE	**PASSÉ ANTÉRIEUR**	*ou*	*ou*
sing.	1re	sentí	hube sentido	sintiese	hubiese sentido
	2^e	sentiste	hubiste sentido	sintieses	hubieses sentido
	3^e	sintió	hubo sentido	sintiese	hubiese sentido
plur.	1re	sentimos	hubimos sentido	sintiésemos	hubiésemos sentido
	2^e	sentisteis	hubisteis sentido	sintieseis	hubieseis sentido
	3^e	sintieron	hubieron sentido	sintiesen	hubiesen sentido
		FUTUR SIMPLE	**FUTUR ANTÉRIEUR**	**FUTUR SIMPLE**	**FUTUR ANTÉRIEUR**
sing.	1re	sentiré	habré sentido	sintiere	hubiere sentido
	2^e	sentirás	habrás sentido	sintieres	hubieres sentido
	3^e	sentirá	habrá sentido	sintiere	hubiere sentido
plur.	1re	sentiremos	habremos sentido	sintiéremos	hubiéremos sentido
	2^e	sentiréis	habréis sentido	sintiereis	hubiereis sentido
	3^e	sentirán	habrán sentido	sintieren	hubieren sentido
		CONDITIONNEL PRÉSENT	**CONDITIONNEL PASSÉ**		
sing.	1re	sentiría	habría sentido		
	2^e	sentirías	habrías sentido		**IMPÉRATIF**
	3^e	sentiría	habría sentido	sing. 2^e	siente
plur.	1re	sentiríamos	habríamos sentido	3^e	sienta
	2^e	sentiríais	habríais sentido	plur. 1re	sintamos
	3^e	sentirían	habrían sentido	2^e	sentid
				3^e	sientan

	INFINITIF	GÉRONDIF	PARTICIPE
FORME SIMPLE	sentir	sintiendo	sentido
FORME COMPOSÉE	haber sentido	habiendo sentido	

- Modèle pour **advertir, arrepentirse, conferir, consentir, convertir, digerir, divertir, herir, hervir, mentir, pervertir, preferir, referir, requerir, sugerir, transferir**... **Ingerir** et **invertir** ont un double participe passé (→ 133).
- Diphtongaison de e qui devient **ie** au sing. et à la 3e pers. plur. de l'indicatif et du subjonctif présents, ainsi qu'aux formes dérivées de l'impératif. La voyelle du radical **e** devient **i** aux 1re et 2e pers. plur. du subjonctif présent, aux 3e pers. sing. et plur. du passé simple et à ses temps dérivés (→110), ainsi qu'au gérondif.

Verbe irrégulier o → ue

77 **soler** *avoir l'habitude*

		INDICATIF		SUBJONCTIF	
		PRÉSENT	PASSÉ COMPOSÉ	PRÉSENT	PASSÉ
sing.	1re	suelo	–	suela	–
	2e	sueles	–	suelas	–
	3e	suele	–	suela	–
plur.	1re	solemos	–	solamos	–
	2e	soléis	–	soláis	–
	3e	suelen	–	suelan	–
		IMPARFAIT	PLUS-QUE-PARFAIT	IMPARFAIT	PLUS-QUE-PARFAIT
sing.	1re	solía	–	soliera	–
	2e	solías	–	solieras	–
	3e	solía	–	soliera	–
plur.	1re	solíamos	–	soliéramos	–
	2e	solíais	–	solierais	–
	3e	solían	–	solieran	–
		PASSÉ SIMPLE	PASSÉ ANTÉRIEUR	*ou*	*ou*
sing.	1re	–	–	soliese	–
	2e	–	–	solieses	–
	3e	–	–	soliese	–
plur.	1re	–	–	soliésemos	–
	2e	–	–	solieseis	–
	3e	–	–	soliesen	–
		FUTUR SIMPLE	FUTUR ANTÉRIEUR	FUTUR SIMPLE	FUTUR ANTÉRIEUR
sing.	1re	–	–	–	–
	2e	–	–	–	–
	3e	–	–	–	–
plur.	1re	–	–	–	–
	2e	–	–	–	–
	3e	–	–	–	–
		CONDITIONNEL PRÉSENT	CONDITIONNEL PASSÉ		IMPÉRATIF
sing.	1re	–	–		
	2e	–	–	sing. 2e	–
	3e	–	–	3e	–
plur.	1re	–	–	plur. 1re	–
	2e	–	–	2e	–
	3e	–	–	3e	–

	INFINITIF	GÉRONDIF	PARTICIPE
FORME SIMPLE	soler	soliendo	–
FORME COMPOSÉE	–	–	–

- Verbe défectif (→ 131).
- Diphtongaison de **o** qui devient **ue** au sing. et à la 3e pers. plur. de l'indicatif et du subjonctif présents.

78 **tañer** *jouer (d'un instrument)*

INDICATIF		SUBJONCTIF	

	PRÉSENT	PASSÉ COMPOSÉ	PRÉSENT	PASSÉ
sing. 1ʳᵉ	taño	he tañido	taña	haya tañido
2ᵉ	tañes	has tañido	tañas	hayas tañido
3ᵉ	tañe	ha tañido	taña	haya tañido
plur. 1ʳᵉ	tañemos	hemos tañido	tañamos	hayamos tañido
2ᵉ	tañéis	habéis tañido	tañáis	hayáis tañido
3ᵉ	tañen	han tañido	tañan	hayan tañido

	IMPARFAIT	PLUS-QUE-PARFAIT	IMPARFAIT	PLUS-QUE-PARFAIT
sing. 1ʳᵉ	tañía	había tañido	tañera	hubiera tañido
2ᵉ	tañías	habías tañido	tañeras	hubieras tañido
3ᵉ	tañía	había tañido	tañera	hubiera tañido
plur. 1ʳᵉ	tañíamos	habíamos tañido	tañéramos	hubiéramos tañido
2ᵉ	tañíais	habíais tañido	tañerais	hubierais tañido
3ᵉ	tañían	habían tañido	tañeran	hubieran tañido

	PASSÉ SIMPLE	PASSÉ ANTÉRIEUR	*ou*	*ou*
sing. 1ʳᵉ	tañí	hube tañido	tañese	hubiese tañido
2ᵉ	tañiste	hubiste tañido	tañeses	hubieses tañido
3ᵉ	tañó	hubo tañido	tañese	hubiese tañido
plur. 1ʳᵉ	tañimos	hubimos tañido	tañésemos	hubiésemos tañido
2ᵉ	tañisteis	hubisteis tañido	tañeseis	hubieseis tañido
3ᵉ	tañeron	hubieron tañido	tañesen	hubiesen tañido

	FUTUR SIMPLE	FUTUR ANTÉRIEUR	FUTUR SIMPLE	FUTUR ANTÉRIEUR
sing. 1ʳᵉ	tañeré	habré tañido	tañere	hubiere tañido
2ᵉ	tañerás	habrás tañido	tañeres	hubieres tañido
3ᵉ	tañerá	habrá tañido	tañere	hubiere tañido
plur. 1ʳᵉ	tañeremos	habremos tañido	tañéremos	hubiéremos tañido
2ᵉ	tañeréis	habréis tañido	tañereis	hubiereis tañido
3ᵉ	tañerán	habrán tañido	tañeren	hubieren tañido

	CONDITIONNEL PRÉSENT	CONDITIONNEL PASSÉ
sing. 1ʳᵉ	tañería	habría tañido
2ᵉ	tañerías	habrías tañido
3ᵉ	tañería	habría tañido
plur. 1ʳᵉ	tañeríamos	habríamos tañido
2ᵉ	tañeríais	habríais tañido
3ᵉ	tañerían	habrían tañido

IMPÉRATIF	
sing. 2ᵉ	tañe
3ᵉ	taña
plur. 1ʳᵉ	tañamos
2ᵉ	tañed
3ᵉ	tañan

	INFINITIF	GÉRONDIF	PARTICIPE
FORME SIMPLE	tañer	tañendo	tañido
FORME COMPOSÉE	haber tañido	habiendo tañido	

- Modèle pour **atañer, empeller**. **Atañer** est un verbe défectif (→ 131).
- Le i atone disparaît placé entre la consonne ñ et une voyelle, aux 3ᵉ pers. sing. et plur. du passé simple et à ses temps dérivés (→ 110), ainsi qu'au gérondif.

79 **traer** apporter

		INDICATIF		SUBJONCTIF	
		PRÉSENT	PASSÉ COMPOSÉ	PRÉSENT	PASSÉ
sing.	1ʳᵉ	traigo	he traído	traiga	haya traído
	2ᵉ	traes	has traído	traigas	hayas traído
	3ᵉ	trae	ha traído	traiga	haya traído
plur.	1ʳᵉ	traemos	hemos traído	traigamos	hayamos traído
	2ᵉ	traéis	habéis traído	traigáis	hayáis traído
	3ᵉ	traen	han traído	traigan	hayan traído
		IMPARFAIT	PLUS-QUE-PARFAIT	IMPARFAIT	PLUS-QUE-PARFAIT
sing.	1ʳᵉ	traía	había traído	trajera	hubiera traído
	2ᵉ	traías	habías traído	trajeras	hubieras traído
	3ᵉ	traía	había traído	trajera	hubiera traído
plur.	1ʳᵉ	traíamos	habíamos traído	trajéramos	hubiéramos traído
	2ᵉ	traíais	habíais traído	trajerais	hubierais traído
	3ᵉ	traían	habían traído	trajeran	hubieran traído
		PASSÉ SIMPLE	PASSÉ ANTÉRIEUR	ou	ou
sing.	1ʳᵉ	traje	hube traído	trajese	hubiese traído
	2ᵉ	trajiste	hubiste traído	trajeses	hubieses traído
	3ᵉ	trajo	hubo traído	trajese	hubiese traído
plur.	1ʳᵉ	trajimos	hubimos traído	trajésemos	hubiésemos traído
	2ᵉ	trajisteis	hubisteis traído	trajeseis	hubieseis traído
	3ᵉ	trajeron	hubieron traído	trajesen	hubiesen traído
		FUTUR SIMPLE	FUTUR ANTÉRIEUR	FUTUR SIMPLE	FUTUR ANTÉRIEUR
sing.	1ʳᵉ	traeré	habré traído	trajere	hubiere traído
	2ᵉ	traerás	habrás traído	trajeres	hubieres traído
	3ᵉ	traerá	habrá traído	trajere	hubiere traído
plur.	1ʳᵉ	traeremos	habremos traído	trajéremos	hubiéremos traído
	2ᵉ	traeréis	habréis traído	trajereis	hubiereis traído
	3ᵉ	traerán	habrán traído	trajeren	hubieren traído
		CONDITIONNEL PRÉSENT	CONDITIONNEL PASSÉ		IMPÉRATIF
sing.	1ʳᵉ	traería	habría traído		
	2ᵉ	traerías	habrías traído	sing. 2ᵉ	trae
	3ᵉ	traería	habría traído	3ᵉ	traiga
plur.	1ʳᵉ	traeríamos	habríamos traído	plur. 1ʳᵉ	traigamos
	2ᵉ	traeríais	habríais traído	2ᵉ	traed
	3ᵉ	traerían	habrían traído	3ᵉ	traigan

	INFINITIF	GÉRONDIF	PARTICIPE
FORME SIMPLE	traer	trayendo	traído
FORME COMPOSÉE	haber traído	habiendo traído	

- Modèle pour **abstraer, atraer, contraer, detraer, distraer, extraer, maltraer, retraer, retrotraer, substraer, sustraer. Abstraer** a un double participe passé (→ 133).
- Introduction de **ig** après le radical **tra** à la 1ʳᵉ pers. sing. de l'indicatif présent, au subjonctif présent et aux formes dérivées de l'impératif. Introduction de **j** au passé simple et à ses temps dérivés (→ 110). La voyelle atone **i** devient **y** devant **e** au gérondif. La terminaison du participe passé est irrégulière.

80 **trocar** *troquer*

INDICATIF		SUBJONCTIF	
PRÉSENT	**PASSÉ COMPOSÉ**	**PRÉSENT**	**PASSÉ**
sing. 1re trueco	he trocado	trueque	haya trocado
2e truecas	has trocado	trueques	hayas trocado
3e trueca	ha trocado	trueque	haya trocado
plur. 1re trocamos	hemos trocado	troquemos	hayamos trocado
2e trocáis	habéis trocado	troquéis	hayáis trocado
3e truecan	han trocado	truequen	hayan trocado
IMPARFAIT	**PLUS-QUE-PARFAIT**	**IMPARFAIT**	**PLUS-QUE-PARFAIT**
sing. 1re trocaba	había trocado	trocara	hubiera trocado
2e trocabas	habías trocado	trocaras	hubieras trocado
3e trocaba	había trocado	trocara	hubiera trocado
plur. 1re trocábamos	habíamos trocado	trocáramos	hubiéramos trocado
2e trocabais	habíais trocado	trocarais	hubierais trocado
3e trocaban	habían trocado	trocaran	hubieran trocado
PASSÉ SIMPLE	**PASSÉ ANTÉRIEUR**	*ou*	*ou*
sing. 1re troqué	hube trocado	trocase	hubiese trocado
2e trocaste	hubiste trocado	trocases	hubieses trocado
3e trocó	hubo trocado	trocase	hubiese trocado
plur. 1re trocamos	hubimos trocado	trocásemos	hubiésemos trocado
2e trocasteis	hubisteis trocado	trocaseis	hubieseis trocado
3e trocaron	hubieron trocado	trocasen	hubiesen trocado
FUTUR SIMPLE	**FUTUR ANTÉRIEUR**	**FUTUR SIMPLE**	**FUTUR ANTÉRIEUR**
sing. 1re trocaré	habré trocado	trocare	hubiere trocado
2e trocarás	habrás trocado	trocares	hubieres trocado
3e trocará	habrá trocado	trocare	hubiere trocado
plur. 1re trocaremos	habremos trocado	trocáremos	hubiéremos trocado
2e trocaréis	habréis trocado	trocareis	hubiereis trocado
3e trocarán	habrán trocado	trocaren	hubieren trocado
CONDITIONNEL PRÉSENT	**CONDITIONNEL PASSÉ**		
sing. 1re trocaría	habría trocado		
2e trocarías	habrías trocado		
3e trocaría	habría trocado		
plur. 1re trocaríamos	habríamos trocado		
2e trocaríais	habríais trocado		
3e trocarían	habrían trocado		

IMPÉRATIF	
sing. 2^e	trueca
3^e	trueque
plur. 1re	troquemos
2^e	trocad
3^e	truequen

	INFINITIF	GÉRONDIF	PARTICIPE
FORME SIMPLE	trocar	trocando	trocado
FORME COMPOSÉE	haber trocado	habiendo trocado	

- Modèle pour **alocar, clocar, emporcar, enclocar, enrocar, revolcar, trastrocar, volcar**.
- Diphtongaison de **o** qui devient **ue** au sing. et à la 3e pers. plur. de l'indicatif et du subjonctif présents, ainsi qu'aux formes dérivées de l'impératif. Pour conserver la prononciation, **c** devient **qu** devant **e** à la 1re pers. sing. du passé simple, au subjonctif présent et aux formes dérivées de l'impératif.

Verbe irrégulier

81 **valer** valoir

INDICATIF		SUBJONCTIF	
PRÉSENT	**PASSÉ COMPOSÉ**	**PRÉSENT**	**PASSÉ**
sing. 1re valgo	he valido	valga	haya valido
2e vales	has valido	valgas	hayas valido
3e vale	ha valido	valga	haya valido
plur. 1re valemos	hemos valido	valgamos	hayamos valido
2e valéis	habéis valido	valgáis	hayáis valido
3e valen	han valido	valgan	hayan valido
IMPARFAIT	**PLUS-QUE-PARFAIT**	**IMPARFAIT**	**PLUS-QUE-PARFAIT**
sing. 1re valía	había valido	valiera	hubiera valido
2e valías	habías valido	valieras	hubieras valido
3e valía	había valido	valiera	hubiera valido
plur. 1re valíamos	habíamos valido	valiéramos	hubiéramos valido
2e valíais	habíais valido	valierais	hubierais valido
3e valían	habían valido	valieran	hubieran valido
PASSÉ SIMPLE	**PASSÉ ANTÉRIEUR**	*ou*	*ou*
sing. 1re valí	hube valido	valiese	hubiese valido
2e valiste	hubiste valido	valieses	hubieses valido
3e valió	hubo valido	valiese	hubiese valido
plur. 1re valimos	hubimos valido	valiésemos	hubiésemos valido
2e valisteis	hubisteis valido	valieseis	hubieseis valido
3e valieron	hubieron valido	valiesen	hubiesen valido
FUTUR SIMPLE	**FUTUR ANTÉRIEUR**	**FUTUR SIMPLE**	**FUTUR ANTÉRIEUR**
sing. 1re valdré	habré valido	valiere	hubiere valido
2e valdrás	habrás valido	valieres	hubieres valido
3e valdrá	habrá valido	valiere	hubiere valido
plur. 1re valdremos	habremos valido	valiéremos	hubiéremos valido
2e valdréis	habréis valido	valiereis	hubiereis valido
3e valdrán	habrán valido	valieren	hubieren valido
CONDITIONNEL PRÉSENT	**CONDITIONNEL PASSÉ**		
sing. 1re valdría	habría valido		
2e valdrías	habrías valido		
3e valdría	habría valido		
plur. 1re valdríamos	habríamos valido		
2e valdríais	habríais valido		
3e valdrían	habrían valido		

IMPÉRATIF	
sing. 2e	vale
3e	valga
plur. 1re	valgamos
2e	valed
3e	valgan

	INFINITIF	GÉRONDIF	PARTICIPE
FORME SIMPLE	valer	valiendo	valido
FORME COMPOSÉE	haber valido	habiendo valido	

- Modèle pour **equivaler**, **prevaler**.
- Introduction de **g** devant **o** ou **a** à la 1re pers. sing. de l'indicatif présent, au subjonctif présent et aux formes dérivées de l'impératif. Remplacement de la voyelle thématique **e** par une consonne **d** à l'indicatif futur et au conditionnel.

82 **venir** venir

		INDICATIF		SUBJONCTIF	
		PRÉSENT	PASSÉ COMPOSÉ	PRÉSENT	PASSÉ
sing.	1re	vengo	he venido	venga	haya venido
	2e	vienes	has venido	vengas	hayas venido
	3e	viene	ha venido	venga	haya venido
plur.	1re	venimos	hemos venido	vengamos	hayamos venido
	2e	venís	habéis venido	vengáis	hayáis venido
	3e	vienen	han venido	vengan	hayan venido
		IMPARFAIT	PLUS-QUE-PARFAIT	IMPARFAIT	PLUS-QUE-PARFAIT
sing.	1re	venía	había venido	viniera	hubiera venido
	2e	venías	habías venido	vinieras	hubieras venido
	3e	venía	había venido	viniera	hubiera venido
plur.	1re	veníamos	habíamos venido	viniéramos	hubiéramos venido
	2e	veníais	habíais venido	vinierais	hubierais venido
	3e	venían	habían venido	vinieran	hubieran venido
		PASSÉ SIMPLE	PASSÉ ANTÉRIEUR	*ou*	*ou*
sing.	1re	vine	hube venido	viniese	hubiese venido
	2e	viniste	hubiste venido	vinieses	hubieses venido
	3e	vino	hubo venido	viniese	hubiese venido
plur.	1re	vinimos	hubimos venido	viniésemos	hubiésemos venido
	2e	vinisteis	hubisteis venido	vinieseis	hubieseis venido
	3e	vinieron	hubieron venido	viniesen	hubiesen venido
		FUTUR SIMPLE	FUTUR ANTÉRIEUR	FUTUR SIMPLE	FUTUR ANTÉRIEUR
sing.	1re	vendré	habré venido	viniere	hubiere venido
	2e	vendrás	habrás venido	vinieres	hubieres venido
	3e	vendrá	habrá venido	viniere	hubiere venido
plur.	1re	vendremos	habremos venido	viniéremos	hubiéremos venido
	2e	vendréis	habréis venido	viniereis	hubiereis venido
	3e	vendrán	habrán venido	vinieren	hubieren venido
		CONDITIONNEL PRÉSENT	CONDITIONNEL PASSÉ		
sing.	1re	vendría	habría venido		
	2e	vendrías	habrías venido		IMPÉRATIF
	3e	vendría	habría venido	sing. 2e	ven
plur.	1re	vendríamos	habríamos venido	3e	venga
	2e	vendríais	habríais venido	plur. 1re	vengamos
	3e	vendrían	habrían venido	2e	venid
				3e	vengan

	INFINITIF	GÉRONDIF	PARTICIPE
FORME SIMPLE	venir	viniendo	venido
FORME COMPOSÉE	haber venido	habiendo venido	

- Modèle pour les composés de **venir** : convenir, intervenir, prevenir...
- Diphtongaison de **e** qui devient **ie** aux 2e et 3e pers. sing. et à la 3e pers. plur. de l'indicatif présent. Affaiblissement de la voyelle du radical : **e** devient **i** au passé simple, à ses temps dérivés (→ 110) et au gérondif. Introduction de **g** devant **o** ou **a** à la 1re pers. sing. de l'indicatif présent, au subjonctif présent et aux formes dérivées de l'impératif. Remplacement de la voyelle thématique, **e** qui devient **d** à l'indicatif futur et au conditionnel. Apocope de la 2e pers. sing. de l'impératif.

Verbe irrégulier e → ie/i

83 **ver** voir

	INDICATIF		SUBJONCTIF	
	PRÉSENT	**PASSÉ COMPOSÉ**	**PRÉSENT**	**PASSÉ**
sing. 1ʳᵉ	veo	he visto	vea	haya visto
2ᵉ	ves	has visto	veas	hayas visto
3ᵉ	ve	ha visto	vea	haya visto
plur. 1ʳᵉ	vemos	hemos visto	veamos	hayamos visto
2ᵉ	veis	habéis visto	veáis	hayáis visto
3ᵉ	ven	han visto	vean	hayan visto
	IMPARFAIT	**PLUS-QUE-PARFAIT**	**IMPARFAIT**	**PLUS-QUE-PARFAIT**
sing. 1ʳᵉ	veía	había visto	viera	hubiera visto
2ᵉ	veías	habías visto	vieras	hubieras visto
3ᵉ	veía	había visto	viera	hubiera visto
plur. 1ʳᵉ	veíamos	habíamos visto	viéramos	hubiéramos visto
2ᵉ	veíais	habíais visto	vierais	hubierais visto
3ᵉ	veían	habían visto	vieran	hubieran visto
	PASSÉ SIMPLE	**PASSÉ ANTÉRIEUR**	*ou*	*ou*
sing. 1ʳᵉ	vi	hube visto	viese	hubiese visto
2ᵉ	viste	hubiste visto	vieses	hubieses visto
3ᵉ	vio	hubo visto	viese	hubiese visto
plur. 1ʳᵉ	vimos	hubimos visto	viésemos	hubiésemos visto
2ᵉ	visteis	hubisteis visto	vieseis	hubieseis visto
3ᵉ	vieron	hubieron visto	viesen	hubiesen visto
	FUTUR SIMPLE	**FUTUR ANTÉRIEUR**	**FUTUR SIMPLE**	**FUTUR ANTÉRIEUR**
sing. 1ʳᵉ	veré	habré visto	viere	hubiere visto
2ᵉ	verás	habrás visto	vieres	hubieres visto
3ᵉ	verá	habrá visto	viere	hubiere visto
plur. 1ʳᵉ	veremos	habremos visto	viéremos	hubiéremos visto
2ᵉ	veréis	habréis visto	viereis	hubiereis visto
3ᵉ	verán	habrán visto	vieren	hubieren visto
	CONDITIONNEL PRÉSENT	**CONDITIONNEL PASSÉ**		
sing. 1ʳᵉ	vería	habría visto		
2ᵉ	verías	habrías visto		
3ᵉ	vería	habría visto		
plur. 1ʳᵉ	veríamos	habríamos visto		
2ᵉ	veríais	habríais visto		
3ᵉ	verían	habrían visto		

IMPÉRATIF

sing. 2ᵉ	ve	
3ᵉ	vea	
plur. 1ʳᵉ	veamos	
2ᵉ	ved	
3ᵉ	vean	

	INFINITIF	GÉRONDIF	PARTICIPE
FORME SIMPLE	ver	viendo	visto
FORME COMPOSÉE	haber visto	habiendo visto	

- Diphtongaison de **e** qui devient **ie** à la 3ᵉ pers. plur. du passé simple et à ses temps dérivés (→ 110), ainsi qu'au gérondif. Affaiblissement de la voyelle du radical : **e** devient **i** au sing., aux 1ʳᵉ et 2ᵉ pers. plur. du passé simple, ainsi qu'au participe passé. Contraction du radical : **ve** devient **v** aux 2ᵉ et 3ᵉ pers. sing., au plur. de l'indicatif présent et à la 2ᵉ pers. plur. de l'impératif. Apocope de la 2ᵉ pers. sing. de l'impératif. Participe passé irrégulier.

84 **volver** revenir, retourner

	INDICATIF		SUBJONCTIF	
	PRÉSENT	PASSÉ COMPOSÉ	PRÉSENT	PASSÉ
sing. 1ʳᵉ	vuelvo	he vuelto	vuelva	haya vuelto
2ᵉ	vuelves	has vuelto	vuelvas	hayas vuelto
3ᵉ	vuelve	ha vuelto	vuelva	haya vuelto
plur. 1ʳᵉ	volvemos	hemos vuelto	volvamos	hayamos vuelto
2ᵉ	volvéis	habéis vuelto	volváis	hayáis vuelto
3ᵉ	vuelven	han vuelto	vuelvan	hayan vuelto
	IMPARFAIT	PLUS-QUE-PARFAIT	IMPARFAIT	PLUS-QUE-PARFAIT
sing. 1ʳᵉ	volvía	había vuelto	volviera	hubiera vuelto
2ᵉ	volvías	habías vuelto	volvieras	hubieras vuelto
3ᵉ	volvía	había vuelto	volviera	hubiera vuelto
plur. 1ʳᵉ	volvíamos	habíamos vuelto	volviéramos	hubiéramos vuelto
2ᵉ	volvíais	habíais vuelto	volvierais	hubierais vuelto
3ᵉ	volvían	habían vuelto	volvieran	hubieran vuelto
	PASSÉ SIMPLE	PASSÉ ANTÉRIEUR	*ou*	*ou*
sing. 1ʳᵉ	volví	hube vuelto	volviese	hubiese vuelto
2ᵉ	volviste	hubiste vuelto	volvieses	hubieses vuelto
3ᵉ	volvió	hubo vuelto	volviese	hubiese vuelto
plur. 1ʳᵉ	volvimos	hubimos vuelto	volviésemos	hubiésemos vuelto
2ᵉ	volvisteis	hubisteis vuelto	volvieseis	hubieseis vuelto
3ᵉ	volvieron	hubieron vuelto	volviesen	hubiesen vuelto
	FUTUR SIMPLE	FUTUR ANTÉRIEUR	FUTUR SIMPLE	FUTUR ANTÉRIEUR
sing. 1ʳᵉ	volveré	habré vuelto	volviere	hubiere vuelto
2ᵉ	volverás	habrás vuelto	volvieres	hubieres vuelto
3ᵉ	volverá	habrá vuelto	volviere	hubiere vuelto
plur. 1ʳᵉ	volveremos	habremos vuelto	volviéremos	hubiéremos vuelto
2ᵉ	volveréis	habréis vuelto	volviereis	hubiereis vuelto
3ᵉ	volverán	habrán vuelto	volvieren	hubieren vuelto
	CONDITIONNEL PRÉSENT	CONDITIONNEL PASSÉ		
sing. 1ʳᵉ	volvería	habría vuelto		
2ᵉ	volverías	habrías vuelto		IMPÉRATIF
3ᵉ	volvería	habría vuelto	sing. 2ᵉ	vuelve
plur. 1ʳᵉ	volveríamos	habríamos vuelto	3ᵉ	vuelva
2ᵉ	volveríais	habríais vuelto	plur. 1ʳᵉ	volvamos
3ᵉ	volverían	habrían vuelto	2ᵉ	volved
			3ᵉ	vuelvan

	INFINITIF	GÉRONDIF	PARTICIPE
FORME SIMPLE	volver	volviendo	vuelto
FORME COMPOSÉE	haber vuelto	habiendo vuelto	

- Modèle pour **absolver, desenvolver, devolver, disolver, ensolver, envolver, resolver, revolver.**
- Diphtongaison de **o** qui devient **ue** au sing. et à la 3ᵉ pers. plur. de l'indicatif et du subjonctif présents, aux formes dérivées de l'impératif, ainsi qu'au participe passé. Participe passé irrégulier.

85 | yacer *gésir*

		INDICATIF		SUBJONCTIF	
		PRÉSENT	**PASSÉ COMPOSÉ**	**PRÉSENT**	**PASSÉ**
sing.	1re	yazgo	he yacido	yazga	haya yacido
	2e	yaces	has yacido	yazgas	hayas yacido
	3e	yace	ha yacido	yazga	haya yacido
plur.	1re	yacemos	hemos yacido	yazgamos	hayamos yacido
	2e	yacéis	habéis yacido	yazgáis	hayáis yacido
	3e	yacen	han yacido	yazgan	hayan yacido
		IMPARFAIT	**PLUS-QUE-PARFAIT**	**IMPARFAIT**	**PLUS-QUE-PARFAIT**
sing.	1re	yacía	había yacido	yaciera	hubiera yacido
	2e	yacías	habías yacido	yacieras	hubieras yacido
	3e	yacía	había yacido	yaciera	hubiera yacido
plur.	1re	yacíamos	habíamos yacido	yaciéramos	hubiéramos yacido
	2e	yacíais	habíais yacido	yacierais	hubierais yacido
	3e	yacían	habían yacido	yacieran	hubieran yacido
		PASSÉ SIMPLE	**PASSÉ ANTÉRIEUR**	*ou*	*ou*
sing.	1re	yací	hube yacido	yaciese	hubiese yacido
	2e	yaciste	hubiste yacido	yacieses	hubieses yacido
	3e	yació	hubo yacido	yaciese	hubiese yacido
plur.	1re	yacimos	hubimos yacido	yaciésemos	hubiésemos yacido
	2e	yacisteis	hubisteis yacido	yacieseis	hubieseis yacido
	3e	yacieron	hubieron yacido	yaciesen	hubiesen yacido
		FUTUR SIMPLE	**FUTUR ANTÉRIEUR**	**FUTUR SIMPLE**	**FUTUR ANTÉRIEUR**
sing.	1re	yaceré	habré yacido	yaciere	hubiere yacido
	2e	yacerás	habrás yacido	yacieres	hubieres yacido
	3e	yacerá	habrá yacido	yaciere	hubiere yacido
plur.	1re	yaceremos	habremos yacido	yaciéremos	hubiéremos yacido
	2e	yaceréis	habréis yacido	yaciereis	hubiereis yacido
	3e	yacerán	habrán yacido	yacieren	hubieren yacido

		CONDITIONNEL PRÉSENT	CONDITIONNEL PASSÉ		IMPÉRATIF
sing.	1re	yacería	habría yacido		
	2e	yacerías	habrías yacido	sing. 2e	yace
	3e	yacería	habría yacido	3e	yazga
plur.	1re	yaceríamos	habríamos yacido	plur. 1re	yazgamos
	2e	yaceríais	habríais yacido	2e	yaced
	3e	yacerían	habrían yacido	3e	yazgan

	INFINITIF	GÉRONDIF	PARTICIPE
FORME SIMPLE	yacer	yaciendo	yacido
FORME COMPOSÉE	haber yacido	habiendo yacido	

- Modification du radical : **c** devient **zg** devant **o** ou **a** à la 1re pers. sing. de l'indicatif présent, au subjonctif présent et aux formes dérivées de l'impératif. **Yacer** est employé aux mêmes formes que son correspondant français *gésir* aux 3e pers. sing. et plur. de l'indicatif présent : **yace**, il *gît* ; **yacen**, ils *gisent* ; à l'imparfait : **yacía**, il *gisait* ; **yacían**, ils *gisaient* ; au gérondif : **yaciendo**, *gisant* ; **aquí yace**, ci-*gît*. Toutes les autres formes sont inusitées.

86 **zurcir** repriser, raccommoder

		INDICATIF		SUBJONCTIF	
		PRÉSENT	PASSÉ COMPOSÉ	PRÉSENT	PASSÉ
sing.	1ʳᵉ	zurzo	he zurcido	zurza	haya zurcido
	2ᵉ	zurces	has zurcido	zurzas	hayas zurcido
	3ᵉ	zurce	ha zurcido	zurza	haya zurcido
plur.	1ʳᵉ	zurcimos	hemos zurcido	zurzamos	hayamos zurcido
	2ᵉ	zurcís	habéis zurcido	zurzáis	hayáis zurcido
	3ᵉ	zurcen	han zurcido	zurzan	hayan zurcido
		IMPARFAIT	PLUS-QUE-PARFAIT	IMPARFAIT	PLUS-QUE-PARFAIT
sing.	1ʳᵉ	zurcía	había zurcido	zurciera	hubiera zurcido
	2ᵉ	zurcías	habías zurcido	zurcieras	hubieras zurcido
	3ᵉ	zurcía	había zurcido	zurciera	hubiera zurcido
plur.	1ʳᵉ	zurcíamos	habíamos zurcido	zurciéramos	hubiéramos zurcido
	2ᵉ	zurcíais	habíais zurcido	zurcierais	hubierais zurcido
	3ᵉ	zurcían	habían zurcido	zurcieran	hubieran zurcido
		PASSÉ SIMPLE	PASSÉ ANTÉRIEUR	*ou*	*ou*
sing.	1ʳᵉ	zurcí	hube zurcido	zurciese	hubiese zurcido
	2ᵉ	zurciste	hubiste zurcido	zurcieses	hubieses zurcido
	3ᵉ	zurció	hubo zurcido	zurciese	hubiese zurcido
plur.	1ʳᵉ	zurcimos	hubimos zurcido	zurciésemos	hubiésemos zurcido
	2ᵉ	zurcisteis	hubisteis zurcido	zurcieseis	hubieseis zurcido
	3ᵉ	zurcieron	hubieron zurcido	zurciesen	hubiesen zurcido
		FUTUR SIMPLE	FUTUR ANTÉRIEUR	FUTUR SIMPLE	FUTUR ANTÉRIEUR
sing.	1ʳᵉ	zurciré	habré zurcido	zurciere	hubiere zurcido
	2ᵉ	zurcirás	habrás zurcido	zurcieres	hubieres zurcido
	3ᵉ	zurcirá	habrá zurcido	zurciere	hubiere zurcido
plur.	1ʳᵉ	zurciremos	habremos zurcido	zurciéremos	hubiéremos zurcido
	2ᵉ	zurciréis	habréis zurcido	zurciereis	hubiereis zurcido
	3ᵉ	zurcirán	habrán zurcido	zurcieren	hubieren zurcido
		CONDITIONNEL PRÉSENT	CONDITIONNEL PASSÉ		
sing.	1ʳᵉ	zurciría	habría zurcido		

		CONDITIONNEL PRÉSENT	CONDITIONNEL PASSÉ	IMPÉRATIF	
sing.	1ʳᵉ	zurciría	habría zurcido		
	2ᵉ	zurcirías	habrías zurcido	sing. 2ᵉ	zurce
	3ᵉ	zurciría	habría zurcido	3ᵉ	zurza
plur.	1ʳᵉ	zurciríamos	habríamos zurcido	plur. 1ʳᵉ	zurzamos
	2ᵉ	zurciríais	habríais zurcido	2ᵉ	zurcid
	3ᵉ	zurcirían	habrían zurcido	3ᵉ	zurzan

	INFINITIF	GÉRONDIF	PARTICIPE
FORME SIMPLE	zurcir	zurciendo	zurcido
FORME COMPOSÉE	haber zurcido	habiendo zurcido	

- Modèle pour **desfruncir, estarcir, fruncir, resarcir, uncir.**
- Verbe régulier de la 3ᵉ conjugaison. Pour conserver la prononciation, **c** devient **z** devant **o** ou **a** à la 1ʳᵉ pers. sing. de l'indicatif présent, au subjonctif présent et aux formes dérivées de l'impératif.

Conjugaison type de la forme passive

87 amar *aimer*

		INDICATIF		SUBJONCTIF	
		PRÉSENT	**PASSÉ COMPOSÉ**	**PRÉSENT**	**PASSÉ**
sing.	1re	soy amado	he sido amado	sea amado	haya sido amado
	2e	eres amado	has sido amado	seas amado	hayas sido amado
	3e	es amado	ha sido amado	sea amado	haya sido amado
plur.	1re	somos amados	hemos sido amados	seamos amados	hayamos sido amados
	2e	sois amados	habéis sido amados	seáis amados	hayáis sido amados
	3e	son amados	han sido amados	sean amados	hayan sido amados
		IMPARFAIT	**PLUS-QUE-PARFAIT**	**IMPARFAIT**	**PLUS-QUE-PARFAIT**
sing.	1re	era amado	había sido amado	fuera amado	hubiera sido amado
	2e	eras amado	habías sido amado	fueras amado	hubieras sido amado
	3e	era amado	había sido amado	fuera amado	hubiera sido amado
plur.	1re	éramos amados	habíamos sido amados	fuéramos amados	hubiéramos sido amados
	2e	erais amados	habíais sido amados	fuerais amados	hubierais sido amados
	3e	eran amados	habían sido amados	fueran amados	hubieran sido amados
		PASSÉ SIMPLE	**PASSÉ ANTÉRIEUR**	*ou*	*ou*
sing.	1re	fui amado	hube sido amado	fuese amado	hubiese sido amado
	2e	fuiste amado	hubiste sido amado	fueses amado	hubieses sido amado
	3e	fue amado	hubo sido amado	fuese amado	hubiese sido amado
plur.	1re	fuimos amados	hubimos sido amados	fuésemos amados	hubiésemos sido amados
	2e	fuisteis amados	hubisteis sido amados	fueseis amados	hubieseis sido amados
	3e	fueron amados	hubieron sido amados	fuesen amados	hubiesen sido amados
		FUTUR SIMPLE	**FUTUR ANTÉRIEUR**	**FUTUR SIMPLE**	**FUTUR ANTÉRIEUR**
sing.	1re	seré amado	habré sido amado	fuere amado	hubiere sido amado
	2e	serás amado	habrás sido amado	fueres amado	hubieres sido amado
	3e	será amado	habrá sido amado	fuere amado	hubiere sido amado
plur.	1re	seremos amados	habremos sido amados	fuéremos amados	hubiéremos sido amados
	2e	seréis amados	habréis sido amados	fuereis amados	hubiereis sido amados
	3e	serán amados	habrán sido amados	fueren amados	hubieren sido amados

		CONDITIONNEL PRÉSENT	CONDITIONNEL PASSÉ		IMPÉRATIF
sing.	1re	sería amado	habría sido amado		
	2e	serías amado	habrías sido amado	sing. 2e	sé amado
	3e	sería amado	habría sido amado	3e	sea amado
plur.	1re	seríamos amados	habríamos sido amados	plur. 1re	seamos amados
	2e	seríais amados	habríais sido amados	2e	sed amados
	3e	serían amados	habrían sido amados	3e	sean amados

	INFINITIF	GÉRONDIF	PARTICIPE
FORME SIMPLE	ser amado	siendo amado	sido amado
FORME COMPOSÉE	haber sido amado	habiendo sido amado	

- La conjugaison passive se forme avec l'auxiliaire **ser**, suivi du participe passé qui s'accorde avec le sujet.

88 levantarse *se lever*

INDICATIF		SUBJONCTIF	
PRÉSENT	**PASSÉ COMPOSÉ**	**PRÉSENT**	**PASSÉ**
sing. 1ʳᵉ me levanto	me he levantado	me levante	me haya levantado
2ᵉ te levantas	te has levantado	te levantes	te hayas levantado
3ᵉ se levanta	se ha levantado	se levante	se haya levantado
plur. 1ʳᵉ nos levantamos	nos hemos levantado	nos levantemos	nos hayamos levantado
2ᵉ os levantáis	os habéis levantado	os levantéis	os hayáis levantado
3ᵉ se levantan	se han levantado	se levanten	se hayan levantado
IMPARFAIT	**PLUS-QUE-PARFAIT**	**IMPARFAIT**	**PLUS-QUE-PARFAIT**
sing. 1ʳᵉ me levantaba	me había levantado	me levantara	me hubiera levantado
2ᵉ te levantabas	te habías levantado	te levantaras	te hubieras levantado
3ᵉ se levantaba	se había levantado	se levantara	se hubiera levantado
plur. 1ʳᵉ nos levantábamos	nos habíamos levantado	nos levantáramos	nos hubiéramos levantado
2ᵉ os levantabais	os habíais levantado	os levantareis	os hubierais levantado
3ᵉ se levantaban	se habían levantado	se levantaran	se hubieran levantado
PASSÉ SIMPLE	**PASSÉ ANTÉRIEUR**	*ou*	*ou*
sing. 1ʳᵉ me levanté	me hube levantado	me levantase	me hubiese levantado
2ᵉ te levantaste	te hubiste levantado	te levantases	te hubieses levantado
3ᵉ se levantó	se hubo levantado	se levantase	se hubiese levantado
plur. 1ʳᵉ nos levantamos	nos hubimos levantado	nos levantásemos	nos hubiésemos levantado
2ᵉ os levantasteis	os hubisteis levantado	os levantaseis	os hubieseis levantado
3ᵉ se levantaron	se hubieron levantado	se levantasen	se hubiesen levantado
FUTUR SIMPLE	**FUTUR ANTÉRIEUR**	**FUTUR SIMPLE**	**FUTUR ANTÉRIEUR**
sing. 1ʳᵉ me levantaré	me habré levantado	me levantare	me hubiere levantado
2ᵉ te levantaras	te habrás levantado	te levantares	te hubieres levantado
3ᵉ se levantara	se habrá levantado	se levantare	se hubiere levantado
plur. 1ʳᵉ nos levantaremos	nos habremos levantado	nos levantáremos	nos hubiéremos levantado
2ᵉ os levantaréis	os habréis levantado	os levantareis	os hubiereis levantado
3ᵉ se levantarán	se habrán levantado	se levantaren	se hubieren levantado
CONDITIONNEL PRÉSENT	**CONDITIONNEL PASSÉ**		
sing. 1ʳᵉ me levantaría	me habría levantado		

CONDITIONNEL PRÉSENT	CONDITIONNEL PASSÉ	IMPÉRATIF	
sing. 1ʳᵉ me levantaría	me habría levantado		
2ᵉ te levantarías	te habrías levantado	sing. 2ᵉ	levántate
3ᵉ se levantaría	se habría levantado	3ᵉ	levántese
plur. 1ʳᵉ nos levantaríamos	nos habríamos levantado	plur. 1ʳᵉ	levantémonos
2ᵉ os levantaríais	os habríais levantado	2ᵉ	levantaos
3ᵉ se levantarían	se habrían levantado	3ᵉ	levántense

	INFINITIF	GÉRONDIF	PARTICIPE
FORME SIMPLE	levantarse	levantándose	levantado
FORME COMPOSÉE	haberse levantado	habiéndose levantado	

* La conjugaison pronominale se forme avec les pronoms compléments, **me, te, se…** Ils se placent avant le verbe dans les temps simples et avant l'auxiliaire dans les temps composés. À l'infinitif, à l'impératif et au gérondif, ils se placent après le verbe et se soudent à lui : c'est **l'enclise.**

Conjugaison type des verbes impersonnels

89 llover _pleuvoir_

		INDICATIF		SUBJONCTIF	
		PRÉSENT	PASSÉ COMPOSÉ	PRÉSENT	PASSÉ
sing.	1re	–	–	–	–
	2^e	–	–	–	–
	3^e	llueve	ha llovido	llueva	haya llovido
plur.	1re	–	–	–	–
	2^e	–	–	–	–
	3^e	–	–	–	–
		IMPARFAIT	PLUS-QUE-PARFAIT	IMPARFAIT	PLUS-QUE-PARFAIT
sing.	1re	–	–	–	–
	2^e	–	–	–	–
	3^e	llovía	había llovido	lloviera	hubiera llovido
plur.	1re	–	–	–	–
	2^e	–	–	–	–
	3^e	–	–	–	–
		PASSÉ SIMPLE	PASSÉ ANTÉRIEUR	_ou_	_ou_
sing.	1re	–	–	–	–
	2^e	–	–	–	–
	3^e	llovió	hubo llovido	lloviese	hubiese llovido
plur.	1re	–	–	–	–
	2^e	–	–	–	–
	3^e	–	–	–	–
		FUTUR SIMPLE	FUTUR ANTÉRIEUR	FUTUR SIMPLE	FUTUR ANTÉRIEUR
sing.	1re	–	–	–	–
	2^e	–	–	–	–
	3^e	lloverá	habrá llovido	lloviere	hubiere llovido
plur.	1re	–	–	–	–
	2^e	–	–	–	–
	3^e	–	–	–	–
		CONDITIONNEL PRÉSENT	CONDITIONNEL PASSÉ		IMPÉRATIF
sing.	1re	–	–		
	2^e	–	–	sing. 2^e	–
	3^e	llovería	habría llovido	3^e	–
plur.	1re	–	–	plur. 1re	–
	2^e	–	–	2^e	–
	3^e	–	–	3^e	–

	INFINITIF	GÉRONDIF	PARTICIPE
FORME SIMPLE	llover	lloviendo	llovido
FORME COMPOSÉE	haber llovido	habiendo llovido	

- Les verbes impersonnels sont presque toujours relatifs aux phénomènes atmosphériques. Ils s'emploient à la 3e pers. sing. des formes personnelles et aux formes impersonnelles. Certains verbes impersonnels sont parfois employés avec un sujet : **Amanece el día**, Le jour se lève. **Amanecer** et **anochecer** peuvent être employés comme des verbes personnels et signifier se trouver quelque part le matin ou le soir : **Amanecí en Granada y anochecí en París**, Le matin j'étais à Grenade et, le soir, j'étais à Paris.

Grammaire du verbe

Bescherelle
ESPAGNOL

Les numéros renvoient aux paragraphes.

Généralités

Le verbe, mot clé de la phrase

▸ Dans la langue espagnole, le verbe est le mot de la phrase qui exprime l'existence des personnes, des animaux ou des choses, leur état, l'action qu'ils effectuent ou subissent, ainsi que les faits impersonnels.

> Juan vive. [existence]
> *Juan vit.*
>
> Los niños enfermaron. [état]
> *Les enfants sont tombés malades.*
>
> El perro ladra. [action active]
> *Le chien aboie.*
>
> Las rosas fueron regadas. [action passive]
> *Les roses ont été arrosées.*
>
> Llueve mucho. [fait impersonnel]
> *Il pleut beaucoup.*

▸ Le verbe est aussi le mot qui introduit la phrase dans le temps. En espagnol comme en français, un verbe se conjugue.

Les trois conjugaisons régulières

- **1re conjugaison:** verbes dont l'infinitif se termine en ar.

    cantar: *chanter*   tomar: *prendre*   cortar: *couper*

- **2e conjugaison:** verbes dont l'infinitif se termine en er.

    comer: *manger*   beber: *boire*   deber: *devoir*

- **3e conjugaison:** verbes dont l'infinitif se termine en ir.

    vivir: *vivre*   subir: *monter*   escribir: *écrire*

Les caractéristiques du verbe

LA VOIX

La voix marque les rapports entre l'action exprimée par le verbe et le sujet, suivant que l'action est considérée comme réalisée par lui (voix active) ou subie par lui (voix passive).

92 Voix active *(voz activa)*

L'action verbale est **réalisée par le sujet**.

> Cervantes **escribió** *Don Quijote*.
> Cervantès écrivit «Don Quichotte».

93 Voix passive *(voz pasiva)*

L'action verbale est **subie par le sujet**.

> *Don Quijote* **fue escrito** por Cervantes.
> «Don Quichotte» fut écrit par Cervantès.

LE MODE

94 Mode, formes personnelles et impersonnelles

Le **mode** (modo) est le cadre où s'ordonnent les formes verbales. Il exprime l'attitude de celui qui parle (le locuteur) vis-à-vis de l'action exprimée par le verbe, suivant qu'il considère cette action comme réalisable ou non. Les modes espagnols ont des formes personnelles ou impersonnelles.

- Les formes personnelles sont celles des modes **indicatif** (indicativo), **subjonctif** (subjuntivo) et **impératif** (imperativo).
- Les formes impersonnelles sont l'**infinitif** (infinitivo), le **gérondif** (gerundio) et le **participe passé** (participio).

Aujourd'hui, le **conditionnel** (condicional) est considéré comme un temps de l'indicatif, bien que chargé de valeur modale, et l'**infinitif** est traité avec les formes dites impersonnelles du verbe. Nous considérons ici **trois modes** : indicatif, subjonctif, impératif.

95 Indicatif *(indicativo)*

L'**indicatif** est par excellence le **mode du fait**. Il constate ce qui est (présent), ce qui a été (passé), ce qui sera (futur). C'est le mode **objectif**.

> Juan toma el autobús. [présent] *Juan prend l'autobus.*
>
> María leyó la novela. [passé] *María a lu le roman.*
>
> Los niños irán al cine. [futur] *Les enfants iront au cinéma.*

96 Subjonctif *(subjuntivo)*

Le **subjonctif**, employé en espagnol de façon plus régulière qu'en français, est le mode de la **subordination** et de la **dépendance**, de la **possibilité** et du **doute**.

> Dudo que venga. *Je doute qu'il vienne.*
>
> Desean que nos vayamos. *Ils souhaitent que nous partions.*
>
> Antonio teme que nieve. *Antonio craint qu'il ne neige.*
>
> Quizás venga. *Peut-être viendra-t-il.*

97 Impératif *(imperativo)*

▶ L'**impératif** exprime le **commandement**, le **souhait**, la **prière**, le **conseil**...

> ¡Soldados, obedezcan! *Soldats, obéissez !*
>
> Ana, estudia por favor. *Ana, étudie s'il te plaît.*
>
> Gasta tu dinero poco a poco. *Dépense ton argent peu à peu.*

▶ Pour un **ordre négatif** (la défense, l'interdiction), l'espagnol utilise la négation no suivie du **subjonctif**.

> No salgáis sin paraguas. *Ne sortez pas sans parapluie.*

LE TEMPS

98 La phrase dans le temps

Le verbe **introduit la phrase dans le temps**. Ce sont les temps qui nous indiquent quand a lieu l'action verbale.

> José come pan. [maintenant] *José mange du pain.*
>
> Julio comió fruta. [hier] *Julio mangea des fruits.*
>
> El niño tomará la sopa. [demain, plus tard] *L'enfant prendra de la soupe.*

99 Temps simples et temps composés

Les temps verbaux peuvent être **simples**, formés par un seul mot, ou **composés**, formés par un, deux ou trois mots.

> Canta. *Il/Elle chante.*
>
> Había bebido. *Il/Elle avait bu.*
>
> Han sido vistos/vistas. *Ils/Elles ont été vu(e)s.*

100 Tableaux récapitulatifs des temps

▶ Indicatif (indicativo) : cantar *(chanter)* à la 1ʳᵉ personne du singulier (yo)

TEMPS SIMPLES		TEMPS COMPOSÉS	
PRÉSENT	canto	PASSÉ COMPOSÉ	he cantado
IMPARFAIT	cantaba	PLUS-QUE-PARFAIT	había cantado
PASSÉ SIMPLE	canté	PASSÉ ANTÉRIEUR	hube cantado
FUTUR	cantaré	FUTUR ANTÉRIEUR	habré cantado
CONDITIONNEL	cantaría	CONDITIONNEL PASSÉ	habría cantado

▶ Subjonctif (subjuntivo) : cantar *(chanter)* à la 1ʳᵉ personne du singulier (yo)

TEMPS SIMPLES		TEMPS COMPOSÉS	
PRÉSENT	cante	PASSÉ	haya cantado
IMPARFAIT	cantara/cantase	PLUS-QUE-PARFAIT	hubiera/hubiese cantado
FUTUR	cantare	FUTUR ANTÉRIEUR	hubiere cantado

▶ Impératif (imperativo) : cantar *(chanter)*

	TEMPS SIMPLES
PRÉSENT	canta (tú) cante (Vd) cantemos (nosotros/nosotras) cantad (vosotros/vosotras) canten (Vds)

LES FORMES IMPERSONNELLES

Les formes impersonnelles sont l'infinitif, le gérondif et le participe passé.

101 Infinitif *(infinitivo)*

▶ L'**infinitif** indique le **sens du verbe** sans l'expression du temps, du nombre et de la personne. C'est une forme **invariable**.

tomar : *prendre*   cantar : *chanter*
beber : *boire*   deber : *devoir*
vivir : *vivre*   decir : *dire*

▶ L'**infinitif**, utilisé seul, exprime l'**action**. Dans la phrase, il a fréquemment la **valeur d'un nom**. Il peut donc en occuper toutes les fonctions.

Querer es poder. [sujet] *Vouloir c'est pouvoir.*

Querer es **poder**. [attribut] *Vouloir c'est pouvoir.*

Fernando desea **estudiar**. [COD] *Fernando souhaite étudier.*

Vine para **verte**. [complément circonstanciel] *Je suis venu(e) pour te voir.*

102 Gérondif *(gerundio)*

Le **gérondif**, forme verbale **invariable**, indique la simultanéité de deux actions, la durée d'une action, la cause, la condition, la valeur copulative (lien entre deux propositions), la fonction d'adjectif après un verbe de perception comme ver (voir), oír (entendre, écouter)...

Se paseaba **hablando**. [simultanéité] *Il/Elle se promenait tout en parlant.*

Estoy **leyendo** el periódico. [durée] *Je suis en train de lire le journal.*

Sabiendo que era Enrique, abrí la puerta. [cause]
Sachant que c'était Enrique, j'ai ouvert la porte.

Estando de acuerdo, iremos a la boda. [condition]
Puisque nous sommes d'accord, nous irons au mariage.

México es la capital, **siendo** la primera en habitantes. [valeur copulative]
Mexico est la capitale, étant (= et elle est) la première par le nombre d'habitants.

Vimos al niño **llorando**. [fonction adjectif]
Nous avons vu l'enfant en train de pleurer.

103 Participe passé *(participio)*

Le **participe passé** peut être considéré comme la **forme adjectivale** du verbe. Il varie en **genre** et en **nombre**.

- Dans la formation des **temps composés** avec l'auxiliaire haber *(avoir)*, il est invariable.

    Hemos venido a verte. *Nous sommes venu(e)s te voir.*

- Dans la formation de la **voix passive** avec les auxiliaires ser ou estar *(être)*, il s'accorde avec le sujet.

    El ladrón **fue detenido** por la policía.
    Le voleur fut arrêté par la police.

    Marisa **estaba preocupada** por los exámenes.
    Marisa s'inquiétait pour les examens.

- Comme **adjectif**, il s'accorde.

    Estos **son solteros** y esos **son casados**.
    Ceux-ci sont célibataires et ceux-là sont mariés.

LE NOMBRE ET LA PERSONNE

104 À l'infinitif

À l'**infinitif**, tous les verbes sont terminés par r, précédé de a, e ou i (voyelle thématique) :

    tom**ar** *(prendre)*, cant**ar** *(chanter)*, habl**ar** *(parler)*, beb**er** *(boire)*,
    com**er** *(manger)*, escrib**ir** *(écrire)*...

105 À l'indicatif et au subjonctif

L'**indicatif** et le **subjonctif**, aux temps simples ou composés, ont toujours **six formes** :

- **trois** correspondent aux personnes du **singulier** : yo, tú, él/ella/usted ;
- **trois** à celles du **pluriel** : nosotros/nosotras, vosotros/vosotras, ellos/ellas/ustedes.

La 3e personne du pluriel est toujours marquée par un n en fin de verbe :

    canta**n** *(ils/elles chantent/vous chantez)*, bebía**n** *(ils/elles buvaient/vous buviez)*, escribirá**n** *(ils/elles écriront/vous écrirez)*.

À l'impératif

L'**impératif** possède seulement **cinq formes**, puisque la 1re personne du singulier n'existe pas.

VENIR (VENIR)

ven (tú)
venga (usted)
vengamos (nosotros/nosotras)
venid (vosotros/vosotras)
vengan (ustedes)

L'ASPECT

Perfectif ou imperfectif

L'**aspect** (aspecto) concerne la manière dont l'action, exprimée par le verbe, est envisagée dans son déroulement (perfectif ou imperfectif).

• **Perfectif** signifie que l'action est finie.

Pedro **estudió** la lección. *Pedro étudia la leçon.*

• **Imperfectif** signifie que l'action n'est pas finie.

Paco **leía** el periódico. *Paco lisait le journal.*

La conjugaison
des verbes réguliers

108 Les conjugaisons formées à partir du radical

Il y a **deux parties** dans chaque forme verbale : le **radical** et la **terminaison**. Dans les trois conjugaisons régulières, le radical reste invariable et la terminaison change.

▶ **Présent de l'indicatif** (presente de indicativo)

1ʳᵉ conjugaison : radical + o, as, a, amos, áis, an.
2ᵉ conjugaison : radical + o, es, e, emos, éis, en.
3ᵉ conjugaison : radical + o, es, e, imos, ís, en.

▶ **Imparfait de l'indicatif** (pretérito imperfecto de indicativo)

1ʳᵉ conjugaison : radical + aba, abas, aba, ábamos, abais, aban.
2ᵉ et 3ᵉ conjugaisons : radical + ía, ías, ía, íamos, íais, ían.

▶ **Passé simple** (pretérito perfecto simple)

1ʳᵉ conjugaison : radical + é, aste, ó, amos, asteis, aron.
2ᵉ et 3ᵉ conjugaisons : radical + í, iste, ió, imos, isteis, ieron.

▶ **Présent du subjonctif** (presente de subjuntivo)

1ʳᵉ conjugaison : radical + e, es, e, emos, éis, en.
2ᵉ et 3ᵉ conjugaisons : radical + a, as, a, amos, áis, an.

▶ **Impératif** (imperativo)

1ʳᵉ conjugaison : radical + a, e, emos, ad, en.
2ᵉ conjugaison : radical + e, a, amos, ed, an.
3ᵉ conjugaison : radical + e, a, amos, id, an.

▶ **Gérondif** (gerundio)

1ʳᵉ conjugaison : radical + ando.
2ᵉ et 3ᵉ conjugaisons : radical + iendo.

▶ **Participe passé** (participio)

1ʳᵉ conjugaison : radical + ado.
2ᵉ et 3ᵉ conjugaisons : radical + ido.

109 Les temps dérivés de l'infinitif

▸ **Futur de l'indicatif** (futuro de indicativo)

Aux trois conjugaisons: infinitif + é, ás, á, emos, éis, án.

▸ **Conditionnel** (condicional)

Aux trois conjugaisons: infinitif + ía, ías, ía, íamos, íais, ían.

110 Les temps dérivés du passé simple

▸ **Imparfait du subjonctif** (pretérito imperfecto de subjuntivo)

L'imparfait du subjonctif se forme en remplaçant, aux trois conjugaisons, la terminaison ron de la 3ᵉ personne du pluriel du **passé simple** par:
– à la première forme: ra, ras, ra, ramos, rais, ran;
– à la deuxième forme: se, ses, se, semos, seis, sen.

▸ **Futur du subjonctif** (futuro de subjuntivo)

Le futur du subjonctif se forme en remplaçant, aux trois conjugaisons, la terminaison ron de la 3ᵉ personne du pluriel du **passé simple** par: re, res, re, remos, reis, ren. Cependant, ce temps est de moins en moins utilisé.

111 Terminaisons des temps simples

Tous les **verbes réguliers** ont des terminaisons communes, **sans modification du radical**. Ils suivent donc les modèles suivants.

1ʳᵉ conjugaison: cortar.
2ᵉ conjugaison: deber.
3ᵉ conjugaison: vivir.

INDICATIF			SUBJONCTIF		
PRÉSENT			PRÉSENT		
corto	debo	vivo	corte	deba	viva
cortas	debes	vives	cortes	debas	vivas
corta	debe	vive	corte	deba	viva
cortamos	debemos	vivimos	cortemos	debamos	vivamos
cortáis	debéis	vivís	cortéis	debáis	viváis
cortan	deben	viven	corten	deban	vivan
IMPARFAIT			IMPARFAIT		
cortaba	debía	vivía	cortara	debiera	viviera
cortabas	debías	vivías	cortaras	debieras	vivieras
cortaba	debía	vivía	cortara	debiera	viviera
cortábamos	debíamos	vivíamos	cortáramos	debiéramos	viviéramos
cortabais	debíais	vivíais	cortarais	debierais	vivierais
cortaban	debían	vivían	cortaran	debieran	vivieran
PASSÉ SIMPLE			OU	OU	OU
corté	debí	viví	cortase	debiese	viviese
cortaste	debiste	viviste	cortases	debieses	vivieses
cortó	debió	vivió	cortase	debiese	viviese
cortamos	debimos	vivimos	cortásemos	debiésemos	viviésemos
cortasteis	debisteis	vivisteis	cortaseis	debieseis	vivieseis
cortaron	debieron	vivieron	cortasen	debiesen	viviesen
FUTUR			FUTUR		
cortaré	deberé	viviré	cortare	debiere	viviere
cortarás	deberás	vivirás	cortares	debieres	vivieres
cortará	deberá	vivirá	cortare	debiere	viviere
cortaremos	deberemos	viviremos	cortáremos	debiéremos	viviéremos
cortaréis	deberéis	viviréis	cortareis	debiereis	viviereis
cortarán	deberán	vivirán	cortaren	debieren	vivieren
CONDITIONNEL			IMPÉRATIF		
cortaría	debería	viviría	—	—	—
cortarías	deberías	vivirías	corta	debe	vive
cortaría	debería	viviría	corte	deba	viva
cortaríamos	deberíamos	viviríamos	cortemos	debamos	vivamos
cortaríais	deberíais	viviríais	cortad	debed	vivid
cortarían	deberían	vivirían	corten	deban	vivan
INFINITIF	GÉRONDIF	PARTICIPE PASSÉ			
cortar	cortando	cortado			
deber	debiendo	debido			
vivir	viviendo	vivido			

La conjugaison des verbes auxiliaires et irréguliers

LES VERBES AUXILIAIRES

Les verbes auxiliaires sont ceux qui aident à former les temps des autres verbes. En espagnol, les verbes auxiliaires les plus importants sont haber (*avoir*), ser et estar (*être*)[1].

112 *Haber* (« avoir »)

Haber sert à la formation des **temps composés** de tous les verbes.

> **Ha tomado** el metro en la Puerta del Sol.
> *Il/Elle a pris le métro à la Puerta del Sol.*
> **Había bebido** agua. *Il/Elle avait bu de l'eau.*
> **Habíamos vivido** en Francia. *Nous avions habité en France.*

113 *Ser* et *estar* (« être »)

On emploie les verbes ser et estar pour former la **voix passive**.

> El herido **fue conducido** al hospital.
> *Le blessé fut conduit à l'hôpital.*
> La casa **estuvo habitada** por ingleses.
> *La maison fut habitée par des Anglais.*

LES VERBES IRRÉGULIERS

114 Généralités

Les verbes irréguliers sont ceux dont **le radical peut subir une modification** à certains temps, ou dont **les terminaisons types peuvent changer**, se distinguant ainsi de la conjugaison des verbes réguliers.

---

1 Le verbe français être équivaut aux verbes espagnols **ser** et **estar** (➜ **125** à **129**).

- **Variation du radical**

    jugar (*jouer*) : yo j**ue**go (*je joue*)
    poder (*pouvoir*) : yo p**ue**do (*je peux*)
    medir (*mesurer*) : yo m**i**do (*je mesure*)

- **Terminaisons particulières**

    andar (*marcher*) : yo and**uve** (*je marchai*)
    conducir (*conduire*) : yo cond**uje** (*je conduisis*)

- **Changement du radical et de la terminaison**

    hacer (*faire*) : yo **hice** (*je fis*)
    venir (*venir*) : yo **vine** (*je vins*)
    tener (*avoir*) : yo **tuve** (*j'eus*)
    decir (*dire*) : yo **dije** (*je dis*)

Cependant, en espagnol, les verbes irréguliers ne le sont pas à tous les temps. Les irrégularités apparaissent groupées par temps et par thèmes en trois séries. Le **thème** est constitué du **radical + voyelle thématique**, caractéristique d'une conjugaison.

1RE CONJUGAISON	2^E CONJUGAISON	3^E CONJUGAISON
ar → a	er → e	ir → e

INFINITIF	RADICAL + VOYELLE = THÈME
cortar	cort + a = corta
deber	deb + e = debe
vivir	viv + e = vive

115 Irrégularités du présent

L'accent tonique diphtongue la voyelle du radical au singulier et à la 3e personne du pluriel des présents de l'indicatif et du subjonctif, et aux formes de l'impératif qui en dérivent.

- La voyelle du radical **e** devient **ie**.

INFINITIF	INDICATIF PRÉSENT	SUBJONCTIF PRÉSENT	IMPÉRATIF
empezar (*commencer*)	yo emp**ie**zo	yo emp**ie**ce	emp**ie**za (tú)
defender (*défendre*)	yo def**ie**ndo	yo def**ie**nda	def**ie**nde (tú)
discernir (*discerner*)	yo disc**ie**rno	yo disc**ie**rna	disc**ie**rne (tú)

- La voyelle du radical **i** devient **ie**.

INFINITIF	INDICATIF PRÉSENT	SUBJONCTIF PRÉSENT	IMPÉRATIF
adquirir (*acquérir*)	yo adquiero	yo adquiera	adquiere (tú)

- La voyelle du radical **o** devient **ue**.

INFINITIF	INDICATIF PRÉSENT	SUBJONCTIF PRÉSENT	IMPÉRATIF
encontrar (*trouver*)	yo encuentro	yo encuentre	encuentra (tú)
volver (*revenir*)	yo vuelvo	yo vuelva	vuelve (tú)

- La voyelle du radical **u** devient **ue**.

INFINITIF	INDICATIF PRÉSENT	SUBJONCTIF PRÉSENT	IMPÉRATIF
jugar (*jouer*)	yo juego	yo juegue	juega (tú)

▶ **L'accent tonique diphtongue la voyelle du radical** au singulier et à la 3ᵉ personne du pluriel des présents de l'indicatif et du subjonctif, ainsi qu'aux formes de l'impératif qui en dérivent. **Affaiblissement de la voyelle du radical** aux 1ʳᵉ et 2ᵉ personnes du pluriel du présent du subjonctif. Ces verbes présentent une autre irrégularité (→ 117).

- La voyelle du radical **e** devient **ie**.

INFINITIF	INDICATIF PRÉSENT	SUBJONCTIF PRÉSENT	IMPÉRATIF
sentir (*sentir*)	yo siento	yo sienta	siente (tú)

- La voyelle du radical **o** devient **ue**.

INFINITIF	INDICATIF PRÉSENT	SUBJONCTIF PRÉSENT	IMPÉRATIF
dormir (*dormir*)	yo duermo	yo duerma	duerme (tú)

- La voyelle du radical **e** devient **i**.

INFINITIF	SUBJONCTIF PRÉSENT
sentir (*sentir*)	nosotros sintamos, vosotros sintáis

- La voyelle du radical **o** devient **u**.

INFINITIF	SUBJONCTIF PRÉSENT
dormir (*dormir*)	nosotros durmamos, vosotros durmáis

REMARQUE

Une **diphtongue** est un **ensemble de deux voyelles** –prononcées d'une seule émission de voix– **formant une seule syllabe**, chaque voyelle gardant sa prononciation.

Pour qu'il y ait diphtongue :
– une voyelle forte (**a, e, o**) et une voyelle faible (**i, u**), ou inversement, doivent se suivre : oír (*entendre, écouter*), viajar (*voyager*) ;
– deux voyelles faibles différentes (**i, u**) peuvent se combiner : huir (*fuir*).

Certains mots sont accentués afin de briser la diphtongue. C'est toujours la voyelle faible qui porte l'accent. Si l'accent est sur la voyelle forte, alors la diphtongue subsiste.

> **Miguel está ri**é**ndose.**
>
> *Miguel est en train de rire.*

Les mots monosyllabes sont **agudos** (oxytons) et ne sont pas accentués graphiquement.

> **ser** (*être*) : **fui** (*je fus*), **fue** (*il fut*)

Cependant, certains mots monosyllabes portent un **accent graphique** qui marque leur **fonction grammaticale**.

> **él** (*il/lui*) pronom, **el** (*le*) article
>
> **más** (*plus*) adverbe, **mas** (*mais*) conjonction
>
> **sí** (*oui/soi*) adverbe/pronom réfléchi, **si** (*si*) conjonction
>
> **dé** (*que je donne/donne*) 1re pers. du sing. du présent du subj./3e pers. du sing.
> de l'impératif du verbe **dar** (*donner*), **de** (*de*) préposition

▶ **Affaiblissement de la voyelle du radical** au singulier et à la 3e personne du pluriel du présent de l'indicatif, au présent du subjonctif et aux formes de l'impératif qui en dérivent.

- La voyelle du radical **e** devient **i**.

INFINITIF	INDICATIF PRÉSENT	SUBJONCTIF PRÉSENT	IMPÉRATIF
pedir (*demander*)	yo p**i**do	yo p**i**da	p**i**de (tú)

▶ **Augmentation du nombre des consonnes** dans les verbes se terminant par acer, ecer, ocer et ucir, devant les voyelles o et a, à la 1re personne du singulier du présent de l'indicatif, au présent du subjonctif et aux formes de l'impératif qui en dérivent.

- La consonne **c** devient **zc**.

INFINITIF	INDICATIF PRÉSENT	SUBJONCTIF PRÉSENT	IMPÉRATIF
conocer (*connaître*)	yo cono**zc**o	yo cono**zc**a	cono**zc**a (Vd)
lucir (*luire, briller*)	yo lu**zc**o	yo lu**zc**a	lu**zc**a (Vd)

- Introduction de **g** après n, l ou s du radical pour les verbes suivants.

INFINITIF	INDICATIF PRÉSENT	SUBJONCTIF PRÉSENT	IMPÉRATIF
poner (*mettre*)	yo pon**g**o	yo pon**g**a	pon**g**a (Vd)
tener (*avoir*)	yo ten**g**o	yo ten**g**a	ten**g**a (Vd)
venir (*venir*)	yo ven**g**o	yo ven**g**a	ven**g**a (Vd)
valer (*valoir*)	yo val**g**o	yo val**g**a	val**g**a (Vd)
salir (*sortir*)	yo sal**g**o	yo sal**g**a	sal**g**a (Vd)
asir (*prendre, saisir*)	yo as**g**o	yo as**g**a	as**g**a (Vd)

Dans les verbes se terminant par **uir**, **introduction de y entre le radical et la terminaison,** quand celle-ci commence par les voyelles a, e et o, au singulier et à la 3ᵉ personne du pluriel du présent de l'indicatif, au présent du subjonctif et aux formes de l'impératif qui en dérivent.

INFINITIF	INDICATIF PRÉSENT	SUBJONCTIF PRÉSENT	IMPÉRATIF
influir (influer, influencer)	yo influyo	yo influya	influye (tú)

Introduction de ig après le radical ca, tra ou o à la 1ʳᵉ personne du singulier du présent de l'indicatif, au présent du subjonctif et aux formes de l'impératif qui en dérivent.

INFINITIF	INDICATIF PRÉSENT	SUBJONCTIF PRÉSENT	IMPÉRATIF
caer (tomber)	yo caigo	yo caiga	caigan (Vds)
traer (apporter)	yo traigo	yo traiga	traigan (Vds)
oír (entendre, écouter)	yo oigo	yo oiga	oigan (Vds)

116 Autres irrégularités

Dans le verbe auxiliaire haber, **b devient y au présent du subjonctif.**

INFINITIF	SUBJONCTIF PRÉSENT
haber (avoir)	yo haya

Modification de la dernière consonne du radical: c devient g devant o ou a, à la 1ʳᵉ personne du singulier du présent de l'indicatif, au présent du subjonctif et aux formes de l'impératif qui en dérivent.

INFINITIF	INDICATIF PRÉSENT	SUBJONCTIF PRÉSENT	IMPÉRATIF
hacer (faire)	yo hago	yo haga	hagamos (nosotros)
satisfacer (satisfaire)	yo satisfago	yo satisfaga	satisfagamos (nosotros)

Modification de la dernière consonne du radical: b devient p devant o ou a, à la 1ʳᵉ personne du singulier du présent de l'indicatif, au présent du subjonctif et aux formes de l'impératif qui en dérivent. **Affaiblissement de la voyelle du radical: a devient e.**

INFINITIF	INDICATIF PRÉSENT	SUBJONCTIF PRÉSENT	IMPÉRATIF
caber (tenir, entrer)	yo quepo	yo quepa	quepamos (nosotros)
saber (savoir)	(yo sé)	yo sepa	sepamos (nosotros)

Modification de la dernière consonne du radical: c devient g devant o ou a, à la 1ʳᵉ personne du singulier du présent de l'indicatif, au présent du subjonctif, et aux formes de l'impératif qui en dérivent. **Affaiblissement de la voyelle du radical: e devient i.**

INFINITIF	INDICATIF PRÉSENT	SUBJONCTIF PRÉSENT	IMPÉRATIF
decir (dire)	yo digo	yo diga	digamos (nosotros)

117 Irrégularités du passé simple et de ses temps dérivés

Affaiblissement de la voyelle du radical aux 3ᵉ personnes du singulier et du pluriel du passé simple, à ses temps dérivés (subjonctif imparfait et futur) ainsi qu'au gérondif.

- La voyelle du radical **e** devient **i**.

INFINITIF	PASSÉ SIMPLE	SUBJONCTIF IMPARFAIT	SUBJONCTIF FUTUR	GÉRONDIF
sentir (sentir)	él sintió	él sintiera/sintiese	él sintiere	sintiendo

- La voyelle du radical **o** devient **u**.

INFINITIF	PASSÉ SIMPLE	SUBJONCTIF IMPARFAIT	SUBJONCTIF FUTUR	GÉRONDIF
dormir (dormir)	él durmió	él durmiera/durmiese	él durmiere	durmiendo

- La voyelle du radical du verbe podrir, **o**, devient **u** à tous les temps et toutes les personnes **sauf au participe passé** (podrido).

INFINITIF	PASSÉ SIMPLE	SUBJONCTIF IMPARFAIT	SUBJONCTIF FUTUR	GÉRONDIF
podrir (pourrir)	él pudrió	él pudriera/pudriese	él pudriere	pudriendo

Absorption de la voyelle atone de la terminaison, i, par une consonne palatale ll ou ñ, aux 3ᵉ personnes du singulier et du pluriel du passé simple, à ses temps dérivés (subjonctif imparfait et futur) ainsi qu'au gérondif.

INFINITIF	PASSÉ SIMPLE	SUBJONCTIF IMPARFAIT	SUBJONCTIF FUTUR	GÉRONDIF
bruñir (polir)	él bruñó	él bruñera/bruñese	él bruñere	bruñendo
bullir (bouillir)	él bulló	él bullera/bullese	él bullere	bullendo

On a également cette irrégularité avec une **consonne** anciennement **palatale**, aujourd'hui **vélaire**, j, dans tous les verbes se terminant par ducir. Dans ce cas, on introduit le **j** au passé simple et à ses temps dérivés (→ 110). Cependant, **le gérondif est régulier**.

INFINITIF	PASSÉ SIMPLE	SUBJONCTIF IMPARFAIT	SUBJONCTIF FUTUR	GÉRONDIF
producir (produire)	él produjo	él produjera/produjese	él produjere	**produciendo**

La **voyelle atone de la diphtongue**, i, devient **y** dans les verbes se terminant par aer, eer, oer et dans le verbe oír, aux 3ᵉ personnes du singulier et du pluriel du passé simple, à ses temps dérivés (subjonctif imparfait et futur) ainsi qu'au gérondif.

INFINITIF	PASSÉ SIMPLE	SUBJONCTIF IMPARFAIT	SUBJONCTIF FUTUR	GÉRONDIF
raer (racler)	él rayó	él rayera/rayese	él rayere	rayendo
creer (croire)	él creyó	él creyera/creyese	él creyere	creyendo
roer (ronger)	él royó	él royera/royese	él royere	royendo
oír (entendre, écouter)	él oyó	él oyera/oyese	él oyere	oyendo

118 Les prétérits forts

Les prétérits forts sont les **verbes accentués sur la dernière voyelle du radical** aux 1re et 3e personnes du singulier du passé simple.

INFINITIF	PASSÉ SIMPLE
andar (marcher)	yo anduve, él anduvo
caber (tenir, entrer)	yo cupe, él cupo
conducir (conduire)	yo conduje, él condujo [1]
decir (dire)	yo dije, él dijo
estar (être)	yo estuve, él estuvo
haber (avoir)	yo hube, él hubo
hacer (faire)	yo hice, él hizo
poder (pouvoir)	yo pude, él pudo
poner (placer)	yo puse, él puso
querer (vouloir)	yo quise, él quiso
responder [2] (répondre)	yo repuse, él repuso
saber (savoir)	yo supe, él supo
tener (avoir)	yo tuve, él tuvo
traer (apporter)	yo traje, él trajo [3]
venir (venir)	yo vine, él vino

119 Cas particuliers du passé simple

Au passé simple, ces verbes ont la particularité des mots monosyllabes (→ remarque, 115).

INFINITIF	PASSÉ SIMPLE
dar (donner)	yo **di**, él **dio**
ver (voir)	yo **vi**, él **vio**
ser (être)	yo **fui**, él **fue**

1 Aussi les verbes se terminant pas **ducir**: **inducir, producir, reducir, seducir, traducir**, etc.
2 Le verbe **responder**, en plus de son passé simple **respondí**, garde son prétérit fort **repuse, repusiste,** etc., égal au passé simple du verbe **reponer**.
3 Les dérivés de tous ces verbes répondent à la même règle.

120 Irrégularités du futur et du conditionnel

▶ **Perte de la voyelle thématique**

INFINITIF	INDICATIF FUTUR	CONDITIONNEL
haber (avoir)	yo habré	él habría
caber (tenir, entrer)	yo cabré	él cabría
saber (savoir)	yo sabré	él sabría
querer (vouloir, aimer)	yo querré	él querría
poder (pouvoir)	yo podré	él podría

▶ **Perte de la consonne finale et de la voyelle thématique**

INFINITIF	INDICATIF FUTUR	CONDITIONNEL
hacer (faire)	yo haré	él haría

▶ **Remplacement de la voyelle thématique par une consonne d** (dite épenthétique).

INFINITIF	INDICATIF FUTUR	CONDITIONNEL
poner (mettre)	yo pondré	él pondría
tener (avoir)	yo tendré	él tendría
valer (valoir)	yo valdré	él valdría
salir (sortir)	yo saldré	él saldría
venir (venir)	yo vendré	él vendría

LES VERBES À MODIFICATIONS ORTHOGRAPHIQUES

Ces variations orthographiques servent à **conserver la prononciation**.

121 Verbes de la 1ʳᵉ conjugaison

▶ Verbes qui se terminent en car : **c** devient **qu** devant e.

INFINITIF	PASSÉ SIMPLE	SUBJONCTIF PRÉSENT
buscar (chercher)	yo busqué	nosotros busquemos

▶ Verbes qui se terminent en gar : **g** devient **gu** devant e.

INFINITIF	PASSÉ SIMPLE	SUBJONCTIF PRÉSENT
jugar (jouer)	yo jugué	nosotros juguemos

▶ Verbes qui se terminent en guar: **gu** devient **gü** devant e.

INFINITIF	PASSÉ SIMPLE	SUBJONCTIF PRÉSENT
averi**gu**ar (vérifier)	yo averi**gü**é	nosotros averi**gü**emos

Verbes des 2e et 3e conjugaisons

▶ Verbes qui se terminent en cer et cir: **c** devient **z** devant a et o.

INFINITIF	INDICATIF PRÉSENT	SUBJONCTIF PRÉSENT
ven**c**er (vaincre)	yo ven**z**o	él ven**z**a
espar**c**ir (éparpiller)	yo espar**z**o	él espar**z**a

▶ Verbes qui se terminent en ger et gir: **g** devient **j** devant a et o.

INFINITIF	INDICATIF PRÉSENT	SUBJONCTIF PRÉSENT
esco**g**er (choisir)	yo esco**j**o	él esco**j**a
diri**g**ir (diriger)	yo diri**j**o	él diri**j**a

▶ Verbes qui se terminent en guir: suppression de **u** devant a et o.

INFINITIF	INDICATIF PRÉSENT	SUBJONCTIF PRÉSENT
conse**gu**ir (obtenir)	yo consi**g**o	él consi**g**a

▶ Verbes qui se terminent en quir: **qu** devient **c** devant a et o.

INFINITIF	INDICATIF PRÉSENT	SUBJONCTIF PRÉSENT
delin**qu**ir (commettre un délit)	yo delin**c**o	él delin**c**a

▶ Verbes qui se terminent en zar: **z** devient **c** devant e.

INFINITIF	INDICATIF PRÉSENT	SUBJONCTIF PRÉSENT
cru**z**ar (traverser, croiser)	yo cru**c**é	él cru**c**e

Verbes avec altérations orthographiques

▶ Pour respecter les règles orthographiques, la voyelle atone de la diphtongue de la terminaison, **i**, devient **y** entre deux voyelles.

INFINITIF	PASSÉ SIMPLE	SUBJONCTIF IMPARFAIT	SUBJONCTIF PRÉSENT	GÉRONDIF
oír (entendre, écouter)	él o**y**ó	él o**y**era/ o**y**ese	él o**y**ere	o**y**endo
huir (fuir)	él hu**y**ó	él hu**y**era/ hu**y**ese	él hu**y**ere	hu**y**endo
construir (construire)	él constru**y**ó	él constru**y**era/ constru**y**ese	él constru**y**ere	constru**y**endo

124 Verbes avec altérations de l'accent graphique

Dans les verbes qui se terminent en iar et uar, **le i et le u de la racine prennent un accent graphique** quand ils sont toniques.

INFINITIF	INDICATIF PRÉSENT	SUBJONCTIF PRÉSENT
confiar (*avoir confiance*)	yo confío	yo confíe
	tú confías	tú confíes
	él confía	él confíe
	ellos/ellas confían	ellos/ellas confíen
continuar (*continuer*)	yo continúo	yo continúe
	tú continúas	tú continúes
	él continúa	él continúe
	ellos/ellas continúan	ellos/ellas continúen

Certains verbes qui se terminent en iar, et tous ceux qui finissent en cuar et guar, gardent la diphtongue à toutes les personnes et ne prennent pas, dans ce cas, d'accent graphique.

INFINITIF	INDICATIF PRÉSENT
acariciar (*caresser*)	yo acaricio
	tú acaricias
	él acaricia
	ellos/ellas acarician
evacuar (*évacuer*)	yo evacuo
	tú evacuas
	él evacua
	ellos/ellas evacuan
apaciguar (*apaiser*)	yo apaciguo
	tú apaciguas
	él apacigua
	ellos/ellas apaciguan

Ser **et** estar

125 Ser et estar avec un attribut du sujet

Pour exprimer les sens du verbe *être* français, l'espagnol dispose de deux verbes : **ser** et **estar**. Le verbe ser est le verbe qui traduit l'existence (*pienso, luego soy* : *je pense, donc je suis*). En tant que verbe attributif, il indique que la **qualité**, l'**état** ou la **façon d'être** sont **essentiels**, c'est-à-dire caractéristiques et inséparables de la personne ou de la chose. Ser donne une **vision d'inhérence**. Le verbe estar indique au contraire qu'il s'agit d'un **état** ou d'une **façon d'être non essentiels**, c'est-à-dire circonstanciels et dus à des facteurs externes. Estar donne une **vision de non-inhérence**.

126 Emplois de *ser*

▶ Ser exprime l'**essence** et l'**existence**.

> El alma **es** inmortal. *L'âme est immortelle.*
> Andrés **es** un hombre. *Andrés est un homme.*

▶ Il sert à présenter les **personnes**, les **animaux** et les **objets**.

> ¿Quién **es**? **Es** Francisco. *Qui est-ce ? C'est Francisco.*
> **Es** Tom, el gato. *C'est Tom, le chat.*
> **Son** los muebles nuevos. *Ce sont les nouveaux meubles.*

▶ Ser introduit diverses caractéristiques.

- Pour les **êtres** : le sexe, le métier et la nationalité.

> Isabel **es** una chica. *Isabel est une jeune fille.*
> Isabel **es** peluquera. *Isabel est coiffeuse.*
> **Son** franceses. *Ils sont Français.*

- Pour les **êtres** et les **objets** : la forme, la matière, la couleur, la quantité et l'origine.

> La mesa **era** cuadrada. *La table était carrée.*
> La cama **era** de nogal. *Le lit était en noyer.*
> La casa **era** blanca. *La maison était blanche.*
> **Son** diez personas. *Il y a dix personnes.*
> **Son** de París. *Ils/Elles sont originaires de Paris.*

• Pour l'**identification temporelle** (donner l'heure).

    Son las cinco. *Il est cinq heures.*

127 Emplois de *estar*

▸ Estar s'emploie avec un adverbe de manière pour préciser l'**état physique**.

    Carmen **está** bien de salud. *Carmen est en bonne santé.*

▸ Avec un adjectif, estar précise un **état circonstanciel**.

    Hoy el cielo **está** azul. *Aujourd'hui, le ciel est bleu.*

▸ Avec un participe passé, il indique un **état résultant d'une action passée**.

    La puerta **está abierta**. *La porte est ouverte.*

▸ Estar s'emploie avec la **préposition** de, suivie d'un **complément circonstanciel**.

    Mis padres **están de viaje**. *Mes parents sont en voyage.*

▸ Avec le gérondif, estar indique que l'**action est en train de se faire**.

    Mis hermanos **están durmiendo**. *Mes frères sont en train de dormir.*

128 Opposition de *ser* et *estar*

Selon que l'on construit la phrase avec ser ou estar, le **sens de l'adjectif** peut être différent.

SER	ESTAR
Fernando **es** vivo.	Fernando **está** vivo.
Fernando est très éveillé.	*Fernando est vivant.*
María **es** buena.	María **está** buena.
María a bon cœur.	*María est en bonne santé.*
Felipe **es** listo.	Felipe **está** listo.
Felipe est intelligent.	*Felipe est prêt.*
Ana **es** mala.	Ana **está** mala.
Ana est méchante.	*Ana est malade.*
Jorge **es** negro.	Jorge **está** negro.
Jorge est noir.	*Jorge est en colère.*
Los Pérez **son** limpios.	Los Pérez **están** limpios.
Les Pérez sont propres.	*Les Pérez sont sans le sou.*
Los niños **son** sucios.	Los niños **están** sucios.
Les enfants sont sales.	*Les enfants se sont salis.*
Estos niños **son** mudos.	Estos niños **están** mudos.
Ces enfants sont muets.	*Ces enfants restent muets./Ces enfants se taisent.*

129 Emploi de *ser* et *estar* avec un complément

Ser et estar peuvent être suivis d'un **complément circonstanciel de lieu ou de temps**.

▶ On emploie ser pour **situer un événement**.

> El accidente **fue** ayer en la calle de Alcalá.
> *L'accident s'est produit hier dans la rue d'Alcalá.*
>
> La batalla **fue** a orillas del Guadalete.
> *La bataille eut lieu au bord du Guadalete.*
>
> La escena (de la comedia) **es** en Sevilla.
> *La scène (de la comédie) se déroule à Séville.*
>
> La cena **es** mañana a las 8 de la tarde.
> *Le dîner aura lieu demain à 8 heures du soir.*

▶ On emploie estar pour **localiser un être animé ou un objet**.

> Mi casa **está** en las afueras.
> *Ma maison est en banlieue.*
>
> **Estamos** en invierno.
> *Nous sommes en hiver.*
>
> Mi padre **está** en el huerto.
> *Mon père est dans le verger.*
>
> La cena **está** en la cocina.
> *Le dîner se trouve à la cuisine.*

Autres particularités des verbes

130 Les verbes impersonnels

Les verbes impersonnels sont presque toujours en relation avec les **phénomènes atmosphériques**. Certains verbes (*) appartiennent à un vocabulaire spécifique (marin ou agricole) et/ou ne sont utilisés que dans certaines régions d'Espagne ou en Amérique latine.

Ils ne s'emploient qu'à la 3ᵉ personne du singulier, avec un sujet indéterminé aux formes personnelles des temps simples et composés de l'indicatif et du subjonctif, ainsi qu'aux formes impersonnelles des temps simples et composés de l'infinitif et du gérondif.

Ils se conjuguent avec les mêmes irrégularités que ceux du groupe auquel ils appartiennent[1].

54 **acaecer** *arriver, avoir lieu*
54 **acontecer** *arriver, avoir lieu*
54 **amanecer**
  commencer à faire jour
54 **anochecer**
  commencer à faire nuit
 5 **apedrear** *lapider, grêler*
54 **atardecer** *tomber (la nuit)*
 5 **cellisquear**
  tomber par bourrasques
  (de la neige fondue) ✳
 5 **chaparrear** *pleuvoir à verse*
 5 **chispear**
  commencer à pleuvoir
 5 **clarear** *poindre (le jour),*
  s'éclaircir
 5 **diluviar** *pleuvoir à verse*
 5 **esclarecer** *se lever (le jour)*
 5 **encelajarse**
  se couvrir de légers nuages ✳
 5 **fucilar**
  faire des éclairs de chaleur ✳
 9 **garuar** *bruiner* ✳
 5 **gotear**
  commencer à pleuvoir

 5 **goterear**
  tomber de grosses gouttes ✳
21 **granizar** *grêler*
 3 **haber** *y avoir* [présent: hay]
44 **hacer**
  faire (en parlant du temps)
 5 **harinear** *bruiner* ✳
56 **helar** *geler*
50 **llover** *pleuvoir*
 5 **lloviznar** *bruiner*
54 **lobreguecer**
  commencer à faire nuit
 5 **marcear** *faire un temps*
  du mois de mars
 5 **mayear** *faire un temps*
  du mois de mai
 5 **mollinear** *bruiner* ✳
 5 **molliznar** *bruiner* ✳
 5 **molliznear** *bruiner* ✳
 5 **neblinear** *bruiner* ✳
56 **nevar** *neiger*
72 **neviscar** *neiger légèrement*
54 **obscurecer**
  commencer à faire sombre

1 Le numéro devant chaque verbe renvoie aux tableaux de conjugaison.

5 **obstar** s'opposer (une chose à une autre)	32 **rugir** s'ébruiter (un secret)
5 **orvallar** bruiner*	5 **rumorar** courir (un bruit/une rumeur)
54 **oscurecer** commencer à faire sombre	5 **rumorear** courir (un bruit/une rumeur)
54 **parecer** sembler	6 **suceder** arriver, se passer, avoir lieu
5 **pasar** survenir, arriver, se passer	54 **tardecer** tomber (le soir)
5 **pintear** bruiner*	5 **trapear** neiger
58 **poder** pouvoir	38 **tronar** tonner
53 **pringar** bruiner*	56 **ventar** venter
5 **refocilar** faire des éclairs de chaleur*	5 **ventear** venter
5 **relampaguear** faire des éclairs	72 **ventiscar** neiger avec grand vent
5 **resultar** résulter	5 **ventisquear** neiger avec grand vent
43 **rociar** tomber (de la rosée), bruiner	5 **zaracear** neiger légèrement et bruiner avec du vent*

131 Les verbes défectifs

Les verbes défectifs ne se conjuguent pas à tous les modes, à tous les temps ou à toutes les personnes.

8 **abolir** (abolir) s'emploie aux formes dont la **terminaison commence par i** et avec celles qui se forment sur l'infinitif :
- à l'**indicatif** : aux 1re et 2e personnes du pluriel du présent, à tous les autres temps simples et composés ;
- au **subjonctif** : à tous les temps, **sauf au présent** ;
- à l'**impératif** : seulement à la 2e personne du pluriel ;
- aux **formes impersonnelles**.

54 **acaecer** (arriver, se passer) s'emploie seulement :
- aux **3e personnes du singulier** et **du pluriel** à tous les temps ;
- aux **formes impersonnelles**.

54 **acontecer** (arriver, avoir lieu) s'emploie seulement :
- aux **3e personnes du singulier** et **du pluriel** à tous les temps ;
- aux **formes impersonnelles**.

8 **aguerrir** (aguerrir, endurcir) se conjugue comme **abolir**.

8 **arrecir** (engourdir) se conjugue comme **abolir**.

78 **atañer** (concerner, se rapporter à) s'emploie seulement :
- aux **3e personnes du singulier** et **du pluriel** à tous les temps ;
- aux **formes impersonnelles**.

8 **aterir** (transir, être transi de froid) se conjugue comme **abolir**.

8 **balbucir** (balbutier) s'emploie aux formes dont la **terminaison commence par i** et à celles qui se forment sur l'infinitif :
- à l'**indicatif**, à tous les temps, **sauf à la 1re personne du singulier du présent** ;
- au **subjonctif** : à tous les temps, **sauf au présent** ;

- à l'**impératif** : aux 2ᵉ personnes du singulier et du pluriel ;
- aux **formes impersonnelles**.

8 **colorir** (*colorer*) se conjugue comme **abolir**.

33 **concernir** (*concerner*) s'emploie seulement :
- aux **3ᵉ personnes du singulier** et **du pluriel** à tous les temps ;
- aux **formes impersonnelles**.

7 **desabrir** (*mécontenter, fâcher*) se conjugue comme **abolir**.

7 **descolorir** (*décolorer*) s'emploie seulement à l'**infinitif** et au **participe passé**.

8 **despavorir** (*s'effrayer, s'épouvanter*) se conjugue comme **descolorir**.

8 **embaír** (*tromper*) se conjugue comme **abolir**.

8 **empedernir** (*durcir, rendre dur*) se conjugue comme **descolorir**.

7 **fallir** (*manquer quelque chose/à sa parole*) se conjugue comme **descolorir**.

8 **garantir** (*garantir*) se conjugue comme **abolir**.

8 **manir** (*faisander le gibier*) se conjugue comme **abolir**.

7 **preterir** (*omettre une personne ou une chose*) se conjugue comme **descolorir**.

77 **soler** (*avoir l'habitude*) s'emploie seulement :
- à l'**indicatif** : au **présent**, à l'**imparfait** ;
- au **subjonctif** : au **présent**, à l'**imparfait**.

8 **transgredir** (*transgresser*) se conjugue comme **abolir**.

8 **trasgredir** (*transgresser*) se conjugue comme **abolir**.

7 **usucapir** (*acquérir par usucapion*) s'emploie seulement :
- à l'**infinitif** et au **participe passé**.

<h2>132   Les verbes réguliers avec participe passé irrégulier</h2>

Le **participe passé régulier** des verbes de la 1ʳᵉ conjugaison a une terminaison en ado, et ceux des 2ᵉ et 3ᵉ conjugaisons en ido. Cependant, certains verbes réguliers ont un **participe passé irrégulier**.

7 **abrir** (*ouvrir*) **abierto**
7 **adscribir** (*assigner*) **adscrito**
7 **circunscribir** (*circonscrire*) **circunscrito**
7 **cubrir** (*couvrir*) **cubierto**
7 **describir** (*décrire*) **descrito**
7 **descubrir** (*découvrir*) **descubierto**
7 **encubrir** (*cacher*) **encubierto**
7 **entreabrir** (*entrouvrir*) **entreabierto**
7 **escribir** (*écrire*) **escrito**
7 **inscribir** (*inscrire*) **inscrito**
7 **manuscribir** (*écrire à la main*) **manuscrito**
7 **prescribir** (*prescrire*) **prescrito**
7 **proscribir** (*proscrire*) **proscrito**
7 **reabrir** (*rouvrir*) **reabierto**
7 **reinscribir** (*réinscrire*) **reinscrito**
7 **rescribir** (*répondre par écrit*) **rescrito**
6 **romper** (*rompre, casser*) **roto**

7 **sobrescribir** (*écrire sur*) **sobrescrito**
7 **subscribir** (*souscrire*) **subscrito**
7 **suscribir** (*souscrire*) **suscrito**
7 **transcribir** (*transcrire*) **transcrito**
7 **trascribir** (*transcrire*) **trascrito**

133 Les verbes à double participe passé

▶ Certains verbes ont un **double participe passé**. L'**un régulier** s'emploie avec les auxiliaires haber (*avoir*) ou ser (*être*) pour former les temps composés. À la **voix active**, on emploie haber et le participe passé reste invariable. À la **voix passive**, on emploie ser et le participe passé s'accorde en genre et en nombre avec le sujet.

L'**autre irrégulier** s'emploie, la plupart du temps, comme **adjectif** pour tous les verbes, seul ou avec les auxiliaires estar (*être*) et tener (*avoir*).

▶ Dans le cas des verbes freír, imprimir, prender et proveer, on emploie les **deux participes passés indistinctement**.

6 **absorber** (*absorber*) **absorbido/absorto**
79 **abstraer** (*abstraire*) **abstraído/abstracto**
32 **afligir** (*affliger*) **afligido/aflicto**
12 **ahitar** (*bourrer*) **ahitado/ahíto**
29 **atender** (*s'occuper de*) **atendido/atento**
61 **bendecir** (*bénir*) **bendecido/bendito**
64 **bienquerer** (*apprécier*) **bienquerido/bienquisto**
5 **circuncidar** (*circoncire*) **circuncidado/circunciso**
6 **compeler** (*contraindre*) **compelido/compulso**
6 **comprender** (*comprendre*) **comprendido/comprenso**
7 **comprimir** (*comprimer*) **comprimido/compreso**
45 **concluir** (*conclure*) **concluido/concluso**
56 **confesar** (*confesser, avouer*) **confesado/confeso**
7 **confundir** (*confondre*) **confundido/confuso**
7 **consumir** (*consommer*) **consumido/consunto**
7 **contundir** (*contusionner*) **contundido/contuso**
49 **convencer** (*convaincre*) **convencido/convicto**
36 **corregir** (*corriger*) **corregido/correcto**
6 **corromper** (*corrompre*) **corrompido/corrupto**
56 **despertar** (*éveiller*) **despertado/despierto**
26 **desproveer** (*démunir*) **desproveído/desprovisto**
7 **difundir** (*diffuser*) **difundido/difuso**
7 **dividir** (*diviser*) **dividido/diviso**
36 **elegir** (*élire*) **elegido/electo**

53 **enjugar** (sécher, éponger) **enjugado/enjuto**
45 **excluir** (exclure) **excluido/excluso**
7 **eximir** (exempter) **eximido/exento**
6 **expeler** (expulser) **expelido/expulso**
5 **expresar** (exprimer) **expresado/expreso**
29 **extender** (étendre) **extendido/extenso**
34 **extinguir** (éteindre) **extinguido/extinto**
5 **fijar** (fixer) **fijado/fijo**
67 **freír** (frire) **freído/frito**
5 **hartar** (rassasier) **hartado/harto**
7 **imprimir** (imprimer) **imprimido/impreso**
45 **incluir** (inclure) **incluido/incluso**
7 **incurrir** (encourir) **incurrido/incurso**
7 **infundir** (inspirer) **infundido/infuso**
76 **ingerir** (ingérer) **ingerido/ingerto**
5 **injertar** (greffer) **injertado/injerto**
5 **insertar** (insérer) **insertado/inserto**
76 **invertir** (investir) **invertido/inverso** [1]
5 **juntar** (joindre) **juntado/junto**
61 **maldecir** (maudire) **maldecido/maldito**
64 **malquerer** (détester) **malquerido/malquisto**
56 **manifestar** (manifester) **manifestado/manifiesto**
7 **manumitir** (affranchir un esclave) **manumitido/manumiso**
5 **marchitar** (faner) **marchitado/marchito**
54 **nacer** (naître) **nacido/nato**
7 **omitir** (omettre) **omitido/omiso**
7 **oprimir** (opprimer) **oprimido/opreso**
5 **pasar** (passer) **pasado/paso**
26 **poseer** (posséder) **poseído/poseso**
36 **preelegir** (choisir d'avance) **preelegido/preelecto**
6 **prender** (prendre) **prendido/preso**
7 **presumir** (présumer) **presumido/presunto**
6 **pretender** (prétendre) **pretendido/pretenso**
6 **propender** (tendre vers) **propendido/propenso**
26 **proveer** (pourvoir) **proveído/provisto**
7 **radiodifundir** (radiodiffuser) **radiodifundido/radiodifuso**
45 **recluir** (incarcérer) **recluido/recluso**
36 **reelegir** (réélire) **reelegido/reelecto**
67 **refreír** (refrire) **refreído/refrito**
7 **reimprimir** (réimprimer) **reimprimido/reimpreso**

1 N'est plus usité.

5 **reinsertar** (réinsérer) **reinsertado/reinserto**
22 **retorcer** (retordre) **retorcido/retuerto** [1]
 5 **salpresar** (conserver dans le sel)
   salpresado/salpreso
 5 **salvar** (sauver) **salvado/salvo**
 5 **sepultar** (ensevelir) **sepultado/sepulto**
 7 **sobreimprimir** (surimprimer)
   sobreimprimido/sobreimpreso
67 **sofreír** (faire revenir) **sofreído/sofrito**
38 **soltar** (lâcher) **soltado/suelto**
 7 **subdividir** (subdiviser) **subdividido/subdiviso**
45 **substituir** (substituer) **substituido/substituto**
 5 **sujetar** (fixer, assujettir) **sujetado/sujeto**
 7 **suprimir** (supprimer) **suprimido/supreso** [2]
 6 **suspender** (suspendre) **suspendido/suspenso**
45 **sustituir** (substituer) **sustituido/sustituto**
68 **teñir** (teindre) **teñido/tinto**
22 **torcer** (tordre) **torcido/tuerto** [3]
 5 **torrefactar** (torréfier) **torrefactado/torrefacto**

1 N'est plus usité.
2 N'est plus usité.
3 N'est plus usité.

Le tratamiento
entre interlocuteurs

LES PRONOMS PERSONNELS

134 Formes des pronoms personnels

Les pronoms personnels ont des formes différentes selon qu'ils sont **sujets,
compléments avec ou sans préposition**.

PERSONNES		SINGULIER			PLURIEL			RÉFLÉCHI
		1RE	2E	3E	1RE	2E	3E	
PRONOM SUJET		yo (je/moi)	tú (tu/toi)	él/ella (il/lui, elle) usted (vous)	nosotros/ nosotras (nous)	vosotros/ vosotras (vous)	ellos/ ellas (ils/ elles/ eux) ustedes (vous)	
COMPLÉMENTS SANS PRÉPOSITION	DIRECT	me (me)	te (te)	le/lo/la (le/la)	nos (nous)	os (vous)	los/les/ las (les)	se (se)
	INDIRECT			le (lui)			les (leur)	
COMPLÉMENTS AVEC PRÉPOSITION		mí (moi)	ti (toi)	él/ella (lui/elle) usted (vous)	nosotros/ nosotras (nous)	vosotros/ vosotras (vous)	ellos/ ellas (eux/ elles) ustedes (vous)	sí (soi)
COMPLÉMENTS AVEC LA PRÉPOSITION con		conmigo (avec moi)	contigo (avec toi)	con él/ella (avec lui/elle) con usted (avec vous)	con nosotros/ nosotras (avec nous)	con vosotros/ vosotras (avec vous)	con ellos/ ellas (avec eux/ elles) con ustedes (avec vous)	consigo (avec soi)

Emplois des pronoms personnels

▶ **Emploi de *tú* et de *te***

Tú est le **pronom sujet**. Pour indiquer le **destinataire** ou le **complément d'objet direct**, on emploie la forme te.

> **Tú**, Sancho, hijo mío, serás Gobernador.
> *Sancho, mon fils, tu seras Gouverneur.*

> ¡Escucha niña! **te** estoy hablando. *Écoute ma petite! Je te parle.*

▶ **Emploi de *ti* et de *contigo***

Dans les **énoncés prépositionnels**, on emploie, selon le cas, la forme ti ou contigo.

> Bailaré **contigo**. *Je danserai avec toi.*

> Estas flores son para **ti**. [masculin et féminin]
> *Ces fleurs sont pour toi.*

> Se han vuelto contra **ti**. [masculin et féminin]
> *Ils/Elles se sont retourné(e)s contre toi.*

▶ **Emploi de *vosotros/vosotras***

Le pronom de la 2ᵉ personne du pluriel, vosotros/vosotras, reste inchangé dans les énoncés prépositionnels.

> Estoy con **vosotros**. [masculin pluriel]
> *Je suis avec vous.*

> Estos regalos son para **vosotras**. [féminin pluriel]
> *Ces cadeaux sont pour vous.*

▶ **Emploi de *os***

La forme os, unique pour les deux genres, correspond aux compléments d'objet direct et indirect.

> **Os** digo la verdad. [masculin et féminin]
> *Je vous dis la vérité.*

> **Os** estoy mirando. [masculin et féminin]
> *Je suis en train de vous regarder.*

LE TRATAMIENTO **SELON L'USAGE**

La communication en société, entre deux ou plusieurs personnes, est l'une des fonctions les plus importantes du langage articulé. Dans la conjugaison, les verbes doivent alors se soumettre à ce que la langue espagnole appelle tratamiento (*traitement*). Celui-ci est régi par les mœurs, les particularités régionales ou nationales, la familiarité entre les interlocuteurs ou le respect qu'ils se doivent.

Les trois formes de tratamiento les plus fréquentes sont le tuteo (emploi de tú), le voseo (emploi de vos, dans certaines régions d'Amérique latine) et le tratamiento avec usted.

Le *tuteo*

Les contextes, le ton employé, les signes de ponctuation permettent de reconnaître le sens du tuteo dans chaque cas.

136 Relation d'amitié ou de familiarité

▸ Le tuteo (*tutoiement*) est la forme habituelle de communication entre deux ou plusieurs interlocuteurs, quand il existe entre eux une **relation de familiarité** ou **d'amitié**. De nos jours, l'usage du tuteo devient de plus en plus fréquent à cause du développement de la vie urbaine et de la transformation des mœurs. Le tratamiento avec usted (*vouvoiement*) est une marque de respect qui, dans certains cas, tend à tomber en désuétude.

▸ On emploie tú (2e personne du singulier) pour s'adresser à une seule personne et les pronoms vosotros/vosotras pour parler à plusieurs interlocuteurs.

> **Tú** hablas. [masculin et féminin]
> Tu *parles*. [masculin et féminin]
>
> **Vosotros** cantáis. [masculin]
> **Vosotras** cantáis. [féminin]
> Vous *chantez*. [masculin et féminin]

▸ En espagnol, on tutoie Dieu, les saints, les divinités, la patrie et certains grands personnages. Le tutoiement peut, en effet, être une **marque d'amour ou de vénération**. Ainsi, le poète nicaraguayen Rubén Darío s'adresse avec révérence à Léonard de Vinci.

> "Maestro, Pomona levanta su cesto. Tu estirpe saluda a la aurora.
> **¡Tú aurora!**"

Le pronom tú peut être utilisé également pour **exprimer l'irritation ou l'inimitié**. Ce même poète interpelle ainsi Théodore Roosevelt, dans un autre poème.

> "¡Es con voz de la Biblia, o verso de Walt Whitman, que habría que llegar a **ti**, Cazador!"

REMARQUE

Le pronom tú est toujours accentué. Tu, sans accent, est la forme de l'adjectif possessif de la 2ᵉ personne du singulier.

tu pañuelo : ton mouchoir, **tu** casa : ta maison

Le *voseo*

137 Une exception en Amérique latine

Dans une grande partie du monde hispanophone, on emploie le voseo, usage qui consiste à employer la forme vos pour s'adresser à une seule personne (à la place de tú). Le voseo est pratiqué dans les pays du Río de la Plata (Argentine, Uruguay, une partie du Paraguay), ainsi que dans certains pays des Caraïbes et de l'Amérique centrale.

Il est difficile de déterminer l'origine historique du voseo. Son antécédent le plus vraisemblable est le vos espagnol utilisé, du temps de la Conquista (Conquête), comme marque de révérence et de grand respect. De nos jours, en revanche, le voseo est un signe de familiarité et d'amitié.

Le voseo a été considéré, jusqu'à une date relativement récente, comme une variante dialectale qui devait être évitée. Mais, depuis son adoption par des écrivains renommés tels que Miguel Ángel Asturias, Julio Cortázar, Jorge Luis Borges, Carlos Onetti, Ernesto Sábato, il semble avoir acquis définitivement sa place dans la langue à côté du tuteo. Dans les pays du Río de la Plata, on l'emploie fréquemment dans la publicité et dans les journaux.

138 Emplois de *vos*

Au **singulier**, le verbe conjugué avec **vos** correspond au **présent de l'indicatif** et au **passé simple de l'indicatif** à la 2ᵉ personne du pluriel **sans le i** (disparition de la diphtongue).

– Présent de l'indicatif : **vos** sos = sois (*tu es*), **vos** cantás = cantáis (*tu chantes*), **vos** tenés = tenéis (*tu as*), **vos** podés = podéis (*tu peux*).

– Passé simple de l'indicatif : cantaste (*tu chantas*), bailaste (*tu dansas*), viniste (*tu vins*) ou cantastes, bailastes, vinistes.

– Impératif, **disparition du d** : salí = salid (*sors*), cantá = cantad (*chante*), poné = poned (*mets*).

Pour un **ordre négatif**, deux formes coexistent : **avec ou sans accent** sur la dernière syllabe.

> no **cantes** ou no **cantés** (*ne chante pas*)
> no digas ou no digás (*ne dis pas*)

Cependant, la forme accentuée est utilisée seulement à un niveau de langue moins élevé.

Aux autres modes et temps, le voseo emploie, en général, les formes correspondant à la 2e personne du singulier.

Au **pluriel**, **vos** devient **ustedes** même lorsqu'on tutoie la/les personne(s). Le verbe est alors conjugué à la 3e personne du pluriel.

> **Ustedes** toman. [plusieurs personnes tú ou usted] *Vous prenez.*
>
> **Ustedes** beben. [plusieurs personnes tú ou usted] *Vous buvez.*
>
> **Ustedes** escriben. [plusieurs personnes tú ou usted] *Vous écrivez.*

139 Emplois de *vos* : cas particuliers

Le pronom **vos** est parfois précédé, plus particulièrement en Uruguay et en Argentine, du vocatif **che**. Mais ce dernier peut être employé seul pour souligner l'intention vocative d'une phrase.

> ¡**Che**, vos! *Dis donc, toi!*
>
> ¡**Che**, Juan! *Dis donc, Juan!*
>
> ¡**Che**, mirá! *Hé, regarde!*

En Uruguay, selon les régions géographiques et les couches sociales, on emploie le voseo, le tuteo ou une forme éclectique qui associe le pronom tú et le verbe « voseado ».

> **Tú** tenés. *Tu as.*
>
> **Tú** venís. *Tu viens.*
>
> **Tú** bailás. *Tu danses.*

Le *tratamiento* avec *usted*

140 *Usted*, marque de respect et de considération

L'ancien castillan avait adopté comme marque de respect la forme vuestra merced (*votre Grâce*), suivie du verbe conjugué à la 3ᵉ personne du singulier. Au cours des siècles, cette formule est devenue d'abord vuesarced, puis vusted, et enfin usted, que l'on emploie, de nos jours, comme marque de respect ou de considération envers son interlocuteur, en raison de l'âge ou de la situation sociale de celui-ci.

Usted est donc suivi du verbe conjugué à la 3ᵉ personne du singulier.

> Si **vuestra merced** lo permite. [3ᵉ pers. du sing.]
> Si *votre Grâce le permet.*

> Si **usted** lo quiere. [3ᵉ pers. du sing.] Si *vous le voulez.*

La forme sujet usted (masculin et féminin) est également employée **après une préposition**. En revanche, l'espagnol emploie d'autres formes pour indiquer le destinataire ou le complément d'objet direct.

Au **pluriel**, usted (Ud./Vd.) devient ustedes (Uds./Vds.). Cette forme varie aussi selon les fonctions grammaticales.

FONCTION	SINGULIER		PLURIEL	
	MASCULIN	FÉMININ	MASCULIN	FÉMININ
SUJET	**Usted** se queda en casa. *Vous restez à la maison.*		**Ustedes** se quedan en casa. *Vous restez à la maison.*	
DESTINATAIRE, COMPLÉMENT D'OBJET INDIRECT	Yo **le** traigo el periódico. *Je vous apporte le journal.* Yo **se** lo traigo. *Je vous l'apporte.*		Yo **les** subiré el correo. *Je vous monterai le courrier.* Yo **se** lo subo. *Je vous le monte.*	
COMPLÉMENT D'OBJET DIRECT	**Lo (le)** veo bien. *Je vous vois bien.*	**La** veo bien. *Je vous vois bien.*	**Los (les)** veo bien. *Je vous vois bien.*	**Las** veo bien. *Je vous vois bien.*
COMPLÉMENTS AVEC PRÉPOSITION	Me voy con **usted**. *Je pars avec vous.*		Me voy con **ustedes**. *Je pars avec vous.*	

141 Emploi de *usted* vocatif

Usted **vocatif** est placé devant le prénom ou le nom de l'interlocuteur, lui-même précédé de don ou de señor, selon les régions ou les pays.

Usted, don Juan se sentará aquí.
Vous, don Juan vous vous assiérez ici.

Usted, señor Díaz llegará primero.
Vous, monsieur Díaz, vous arriverez le premier.

142 Ambiguïté de *usted* avec les possessifs

Usted et ustedes ont une relation particulière avec les possessifs qui entraîne parfois des ambiguïtés.

	AVEC ADJECTIF POSSESSIF		AVEC PRONOMS POSSESSIFS	
	SINGULIER	PLURIEL	SINGULIER	PLURIEL
Usted/Ustedes	su (masculin et féminin singulier)	sus (masculin et féminin pluriel)	suyo (masculin singulier) / suya (féminin singulier)	suyos (masculin pluriel) / suyas (féminin pluriel)

• Emplois de su/sus

Aquí tiene **su** coche. (= de usted)
Aquí tienen **su** coche. (= de ustedes)
Voici votre voiture.

Han llegado **sus** primos. (= de usted et de ustedes)
Vos cousins sont arrivés.

Han llegado **sus** hijas. (= de usted et de ustedes)
Vos filles sont arrivées.

• Emplois de suyo(s)/suya(s)

¿Este abrigo es **suyo**? (= de usted) [masculin et féminin singulier]
Ce manteau est le vôtre ?

¿Esta gabardina es **suya**? (= de usted) [masculin et féminin singulier]
Cette gabardine est la vôtre ?

¿Estos zapatos son **suyos**? (= de usted ou de ustedes)
[masculin et féminin singulier ou pluriel]
Ces souliers sont les vôtres ?

¿Estas camisas son **suyas**? (= de usted ou de ustedes)
[masculin et féminin singulier ou pluriel]
Ces chemises sont les vôtres ?

Autres formes de *tratamiento*

Tratamiento : quelques exceptions

▶ Aux Canaries et dans les pays hispanophones d'Amérique latine, le pronom vosotros, généralement employé dans la péninsule Ibérique comme pluriel de tú, est remplacé par ustedes suivi du verbe conjugué à la 3e personne du pluriel.

> **ustedes** tienen = **vosotros** tenéis (vous avez)

▶ Le pluriel nosotros ou nos peut être employé à la place de la 1re personne du singulier, mais uniquement dans des circonstances particulières, par exemple, pour exprimer l'autorité et dans des actes solennels ou académiques.

> **Nos**, Juan XXIII, obispo de Roma...
> Nous, Jean XXIII, évêque de Rome...

> Ante **nos**, don Juan García, juez de instrucción...
> Devant nous, don Juan García, juge d'instruction...

> Vistos los malos resultados, **nos** permitimos discrepar con nuestro colega...
> Vu les mauvais résultats, nous nous permettons de ne pas être d'accord avec notre collègue...

Guide des verbes
à régime prépositionnel

LES PRÉPOSITIONS

VERBES ET PRÉPOSITIONS

Les prépositions

Définition

Les prépositions sont des **mots invariables** qui introduisent les **compléments des verbes**, des **adjectifs**, des **noms** et des **pronoms**. En espagnol, l'**emploi des prépositions est régi**, en général, **par le verbe qui les précède**. Par conséquent, bien que proches par leur sens des prépositions françaises équivalentes, les prépositions espagnoles diffèrent souvent de celles-ci dans leur emploi. Compte tenu de la complexité de ce système, les règles énoncées ci-dessous ne sauraient être, en aucun cas, exhaustives.

PRÉPOSITIONS SIMPLES ET LOCUTIONS PRÉPOSITIVES

145 Prépositions simples

a : à	durante : pendant	por : par
ante : devant	en : en, dans	pro : en faveur de
bajo : sous	entre : entre	salvo : sauf
cabe : près de	excepto : excepté	según : selon
con : avec	hacia : vers	sin : sans
contra : contre	hasta : jusqu'à	so : sous
de : de	mediante : moyennant	sobre : sur
desde : depuis	para : pour	tras : derrière

146 Principales locutions prépositives

Ces locutions sont **composées d'un adverbe et d'une préposition**.

además de : en plus de	detrás de : derrière
alrededor de : autour de	encima de : au-dessus de
antes de : avant de	enfrente de : en face de
cerca de : près de	fuera de : hors de
conforme a : selon, d'après	junto a : près de
debajo de : au-dessous de	lejos de : loin de
delante de : devant	tocante a : au sujet de, quant à

dentro de : dans	respecto a : à l'égard de, par rapport à
después de : après	respecto de : à propos de

Autres locutions prépositives

a beneficio de : au profit de	a favor de : à la faveur de
a cargo de : à la charge de	a fuerza de : à force de
a causa de : à cause de	a instancias de : à la demande de
a costa de : aux dépens de	a pesar de : malgré, en dépit de
al cabo de : au bout de (temps)	acerca de : au sujet de
a despecho de : malgré, en dépit de	en favor de : en faveur de
al frente de : à la tête de	en torno a : autour de
al lado de : à côté de	frente a : en face de
con cargo a : au compte de	pese a : malgré
de por sí : de lui-même,	por medio de : au moyen de
d'elle-même, en soi	
en calidad de : en qualité de	

PRINCIPALES PRÉPOSITIONS SIMPLES

La préposition *a*

Pour introduire un complément d'objet direct (COD)

La préposition a introduit un **complément d'objet direct**, lorsqu'il s'agit d'un **être animé**.

> Veo **a** Pedro. Je vois Pedro.
>
> Quiero **a** mi gato. J'aime mon chat.

Pour introduire l'idée de mouvement

La préposition a est employée pour introduire l'**idée de mouvement**.

Mouvement vers un lieu clairement désigné

> asomarse **a** la ventana : se pencher à la fenêtre
>
> Me caí **al** suelo. Je suis tombé(e) par terre.
>
> Subió **al** cielo. Il/Elle est monté(e) au ciel.
>
> girar **a** la izquierda : tourner à gauche
>
> Iremos **a** la montaña. Nous irons à la montagne.

Voy **a** París. *Je vais à Paris.*

Bajó **al** sótano. *Il/Elle est descendu(e) à la cave.*

Mouvement traduit par un verbe d'approche

acercarse **a** Madrid : (s')approcher de Madrid

Arrímate **al** fuego. Approche-toi du feu.

Mouvement figuré

Vamos **a** tomar una decisión. *Nous allons prendre une décision.*

Adelantó **a** su época. *Il/Elle a devancé son temps.*

Salió **a** su padre. *Il/Elle ressemble à son père.*

Mouvement intérieur vers une personne, une activité, une chose

aficionarse **a** los toros : se passionner pour les corridas

Se apegó **a** su familia. *Il/Elle s'est attaché(e) à sa famille.*

Temo **a** mis enemigos. *J'ai peur de mes ennemis.*

Tiene miedo **a** las arañas. *Il/Elle a peur des araignées.*

Es aficionado **a** las antigüedades. *Il est amateur d'antiquités.*

amor **al** prójimo : amour du prochain

Mouvement accompagné de l'idée de but

Vengo **a** pedirte un favor. *Je viens te demander un service.*

Salió **a** comprar pan. *Il/Elle est sorti(e) acheter du pain.*

Corrieron **a** esconderse. *Ils/Elles ont couru se cacher.*

ATTENTION Les verbes detenerse, pararse, sentarse ne sont suivis de la préposition a, pour introduire le but, que lorsqu'ils expriment un **mouvement qui s'achève**.

Se pararon **a** comer. *Ils s'arrêtèrent manger.*

Es hora de sentarse **a** descansar.
Il est temps de s'asseoir pour se reposer.

Se detuvo **a** contemplar la Alhambra.
Il/Elle s'est arrêté(e) pour contempler l'Alhambra.

Mouvement accompagné de l'idée de dépassement

adelantar **a** otro coche : dépasser une autre voiture

superar **a** un rival : surpasser un rival

150 Pour exprimer l'idée de commencement, de répétition, d'obligation

La préposition a est aussi employée après certains verbes qui introduisent les notions de **commencement**, de **répétition** ou d'**obligation**.

> La niña se echó **a** llorar. La petite fille s'est mise à pleurer.
>
> Volvió **a** sus ocupaciones habituales.
> Il/Elle a repris ses tâches habituelles.
>
> Lo forzaron **a** marcharse. Ils/Elles l'ont obligé à partir.

151 Pour indiquer la situation dans l'espace et le temps

▸ **Situation dans l'espace**

> Estaba **a** la izquierda de la ventana.
> Il/Elle était à gauche de la fenêtre.
>
> Está **a** diez kilómetros de Buenos Aires.
> Il/Elle est à dix kilomètres de Buenos Aires.
>
> pasearse **a** orillas del mar : se promener au bord de la mer

▸ **Situation dans le temps**

> **a** las cinco de la tarde : à cinq heures de l'après-midi
>
> mañana **a** las siete : demain à sept heures
>
> **a** los tres meses de haber llegado : trois mois après son arrivée

152 Pour introduire un complément de manière

> Reía **a** carcajadas. Il/Elle riait à gorge déployée.
>
> Llueve **a** cántaros. Il pleut à verse.
>
> Lo echó **a** puntapiés. Il/Elle l'a chassé à coups de pied.

153 Pour introduire des locutions adverbiales de manière

> **a** todo correr : à toutes jambes   **a** oscuras : dans le noir
>
> **a** toda costa : coûte que coûte   **a** regañadientes : en maugréant
>
> **a** bulto : au jugé   **a** sangre fría : de sang froid

ATTENTION Le **moyen de locomotion** est introduit par a avec les mots pie et caballo : a pie (à pied) ; a caballo (à cheval)... Dans tous les **autres cas**, on emploie la préposition en.

Pour introduire des verbes de perception

La préposition a introduit des verbes de perception comme oler (*sentir*),
saber a (*avoir le goût de*) qui peuvent s'employer comme complément de
certains noms.

> Tiene sabor **a** miel. *Cela a un goût de miel.*
> Tenía olor **a** azufre. *Cela avait l'odeur du soufre.*
> Huele **a** tabaco. *Ça sent le tabac.*

Pour introduire la notion de prix

> **A** veinte euros. *À vingt euros.*

Pour exprimer la condition, le doute

La préposition a sert à exprimer la **condition**, le **doute**, placée devant un
verbe à l'infinitif.

> **A** saber que había de venir... *Si j'avais su qu'il/elle allait venir...*
> **A** saber si tiene dinero. *Va savoir s'il/elle a de l'argent.*

Pour introduire un complément d'objet indirect

> Doy limosna **a** los necesitados.
> *Je fais l'aumône aux nécessiteux.*
>
> contar un cuento **a** los niños : *raconter une histoire aux enfants*
> Le hará un regalo **a** su novia. *Il fera un cadeau à sa fiancée.*

La préposition *con*

Pour exprimer l'accompagnement et la rencontre

> María vino a casa **con** su hermana.
> *María est venue à la maison avec sa sœur.*
>
> Comía pescado **con** arroz. *Il/Elle mangeait du poisson avec du riz.*
>
> Se reunieron **con** sus amigos. *Ils/Elles se sont réuni(e)s avec leurs amis.*
> Se encontró **con** mi madre. *Il/Elle a rencontré ma mère.*
> Tengo cita **con** el director. *J'ai rendez-vous avec le directeur.*

159 Pour exprimer la manière, le moyen, l'instrument

Lo recordaba **con** alegría. Il/Elle s'en souvenait avec joie.

Le hice una seña **con** la mano. Je lui fis signe de la main.

Comían **con** las manos. Ils/Elles mangeaient avec les mains.

160 Pour introduire un complément de nom
à valeur descriptive (momentanée)

Iba **con** la cabeza desnuda. Il allait tête nue.

Un hombre **con** un sombrero negro.
Un homme avec un chapeau noir.

161 Pour introduire un complément à valeur causale

Con esta nieve no se puede caminar.
Avec toute cette neige, on ne peut pas marcher.

Con este tiempo nos vamos a la playa.
Avec ce temps, nous allons à la plage.

162 Pour introduire l'idée d'opposition, de restriction
ou de concession

estar en guerra **con** todo el mundo :
être en guerre avec tout le monde

Con ser el mejor, no lo han promovido.
Bien qu'il soit le meilleur, il n'a pas été promu.

Con llorar, no se arregla nada. En pleurant, on n'arrange rien.

163 Pour exprimer les notions d'accord, de conformité,
de comparaison

compararse **con** los mejores : se comparer aux meilleurs

contentarse **con** su suerte : se contenter de son sort

conformar su opinión **con** la ajena :
conformer ses idées à celles des autres

La préposition *de*

Pour exprimer l'origine (des êtres, des choses)

La préposition de sert à exprimer le **lieu d'où sont originaires les personnes ou les choses**.

> Paco es **de** Granada. *Paco est de Grenade.*
>
> El mármol es **de** Carrara. *Le marbre est de Carrare.*
>
> Viene **de** Andalucía. *Il/Elle vient d'Andalousie.*
>
> El tren salía **de** la estación. *Le train quittait la gare.*
>
> Iba **de** Madrid a Toledo. *Il/Elle allait de Madrid à Tolède.*
>
> Se alejaron **de** la ciudad. *Ils/Elles se sont éloigné(e)s de la ville.*
>
> No salgo **de** casa. *Je ne sors pas de chez moi.*

Pour introduire un complément de nom ou d'adjectif

▶ La préposition de sert à introduire un **complément de nom** pour indiquer la matière dont est faite une chose, l'**appartenance**, une **caractéristique essentielle** telle que la fonction, l'habillement ou le contenu.

> el sombrero **de** paja : *le chapeau de paille*
>
> el sombrero **de** Juan : *le chapeau de Juan*
>
> la máquina **de** escribir : *la machine à écrire*
>
> una casa **de** ladrillos : *une maison en briques*
>
> un vaso **de** agua : *un verre d'eau*

▶ La préposition de sert également à introduire le **complément de l'adjectif**, pour exprimer un **trait physique** ou de **caractère**.

> Era ancho **de** espaldas. *Il était large d'épaules.*
>
> Es duro **de** corazón. *Il a le cœur dur.*
>
> Es morena **de** tez. *Elle a le teint mat.*

▶ ATTENTION

• Précédée d'un adjectif qualificatif et suivie d'un nom de personne, **la préposition de renforce le sens de l'adjectif qualificatif**.

> El tonto **de** Manuel se irá temprano.
> *Cet idiot de Manuel partira tôt.*
>
> el pícaro **de** su hermano… : *son coquin de frère…*

- Le complément de l'adjectif prend une **valeur intransitive** dans des constructions telles que :

> vino **del** bueno : du bon vin
>
> **de** lo peor : ce qu'il y a de pire

166 Pour introduire un complément circonstanciel de temps, de manière ou de cause

▶ **Complément circonstanciel de temps**

> Se levantaba **de** madrugada. Il/Elle se levait à l'aube.
>
> **De** momento, no puedo atenderte.
> Pour le moment, je ne peux pas m'occuper de toi.

▶ **Complément circonstanciel de manière**

> Tienen que viajar **de** pie todo el trayecto.
> Ils/Elles doivent faire tout le trajet debout.
>
> Se cayó **de** bruces. Il/Elle tomba à plat ventre.
>
> Se colocará **de** cocinera en este hotel.
> Elle se placera comme cuisinière dans cet hôtel.
>
> Estaba **de** médico en un pueblo. Il était médecin dans un village.

▶ **Complément circonstanciel de cause**

> Se morían **de** hambre. Ils/Elles mouraient de faim.
>
> Los niños se reían **de** la broma.
> Les enfants riaient de la plaisanterie.
>
> llorar **de** alegría : pleurer de joie

167 Pour exprimer la manière ou le but par des locutions

La préposition de sert à introduire des **expressions figées** qui peuvent exprimer aussi bien la **manière** que le **but**.

> Se va **de** viaje. Il/Elle part en voyage.
>
> Salían **de** compras. Ils/Elles sortaient faire des courses.

168 Pour indiquer la fraction d'un tout défini

> Quiero **de** esa carne. Je veux de cette viande-là.
>
> Bebe **de** tu vino. Bois de ton vin.

169 Pour exprimer la condition (*de* + infinitif)

> **De** haberlo sabido, no habría venido.
> *Si je l'avais su, je ne serais pas venu.*

170 Pour introduire un terme de comparaison

> más **de** lo necesario : *plus qu'il n'est besoin*
>
> peor **de** lo que pensaba : *pire que je ne le pensais*

REMARQUE

On retrouve cette construction dans des formules telles que : **mayor de** edad (*majeur*), **menor de** edad (*mineur*).

La préposition *desde*

171 Pour souligner le point d'origine, réel ou figuré

▶ **Dans l'espace**

> Vengo enfermo **desde** París. *Je suis malade depuis Paris.*
>
> **Desde** tu punto de vista, es más fácil defenderla.
> *De ton point de vue, c'est plus facile de la défendre.*

▶ **Dans le temps**

> **desde** la infancia... : *depuis l'enfance...*
>
> He trabajado **desde** las 8 de la mañana.
> *J'ai travaillé depuis 8 heures du matin.*

La préposition *en*

172 Pour exprimer la localisation dans l'espace

La préposition en sert à exprimer la **localisation dans l'espace**, quand il n'y a pas de mouvement ou que le mouvement se fait sur place ou vers l'intérieur d'un volume. Ce mouvement peut être **réel** ou **figuré**.

▶ **Mouvement réel**

> Vivo **en** España, **en** Málaga. *J'habite en Espagne, à Malaga.*
>
> Está **en** mi casa, **en** la planta baja.
> *Il/Elle est chez moi, au rez-de-chaussée.*

Se sienta **en** la silla. *Il/Elle s'assied sur la chaise.*

Nos apeamos **en** el andén. *Nous sommes descendu(e)s sur le quai.*

Puso la ropa **en** la maleta. *Il/Elle mit les vêtements dans la valise.*

entrar **en** una tienda : *entrer dans un magasin*

Se zambullía **en** la piscina. *Il/Elle plongeait dans la piscine.*

Hundo la cabeza **en** el agua. *Je plonge la tête dans l'eau.*

viajar **en** tren : *voyager en train*

▶ ATTENTION Les verbes qui expriment un choc peuvent se construire soit avec la préposition en, soit avec la préposition contra. L'emploi de en est normal si le choc a lieu à la surface.

Se estrellaron **en** el suelo. *Ils/Elles s'écrasèrent sur le sol.*

La pelota rebotaba **en** la pared. *La balle rebondissait sur le mur.*

▶ Mouvement figuré

Estamos metidos **en** un negocio.
Nous sommes engagés dans une affaire.

hundido **en** sus pensamientos : *plongé dans ses pensées.*

REMARQUE

Le mouvement figuré s'emploie aussi avec les verbes pensar, creer, confiar, fijarse...

Pienso **en** él. *Je pense à lui.*
Cree **en** Dios. *Il/Elle croit en Dieu.*

173 Pour introduire un complément circonstanciel de temps

▶ La préposition en s'emploie pour introduire un complément circonstanciel de temps, à l'intérieur d'une **période donnée**, notamment lorsqu'il s'agit d'un mois, d'une année, d'une saison ou d'un siècle.

Nació **en** 1939. *Il/Elle est né(e) en 1939.*

En primavera, el jardín está florido.
Au printemps, le jardin est fleuri.

▶ La préposition en peut aussi exprimer la **durée**

Terminarán el trabajo **en** algunas horas.
Ils/Elles finiront le travail en quelques heures.

En pocos meses aumentará de peso.
En quelques mois il/elle prendra du poids.

En mi vida oí tal cosa. *De ma vie je n'ai entendu pareille chose.*

Pour introduire un complément circonstanciel de manière

Le hablaba **en** voz baja. *Il/Elle lui parlait à voix basse.*

Estaban **en** bañador. *Ils/Elles étaient en maillot de bain.*

Llega **en** mangas de camisa. *Il/Elle arrive en bras de chemise.*

Viajamos **en** tren. *Nous voyageons en train.*

Voy **en** avión. *Je vais en avion.*

Pour introduire une idée de compétence, une activité intellectuelle ou physique

versado **en** arquitectura : *versé en architecture*

perito **en** leyes : *expert en lois*

doctor **en** medicina : *docteur en médecine*

Pour introduire la notion de quantité

Fue evaluado **en** 1000 euros. *Il a été évalué à 1000 euros.*

Los sueldos se aumentarán **en** un dos por ciento.
Les salaires seront augmentés de deux pour cent.

La préposition *entre*

Pour exprimer un état, une localisation précise

La préposition entre sert à exprimer un **état**, une **situation intermédiaire**, une **localisation dans l'espace et le temps dont les limites sont précisées**.

entre Sevilla y Granada : *entre Séville et Grenade*

entre mar y cielo : *entre la mer et le ciel*

entre las 8 y las 10 : *entre 8 heures et 10 heures*

entre finales de abril y principios de mayo : *entre la fin avril et début mai*

entre dulce y agrio : *aigre-doux*

entre satisfecho y sorprendido : *mi-satisfait, mi-étonné*

Pour exprimer l'intériorité

Lo pensábamos **entre** nosotros. *Nous le pensions entre nous.*

179 Pour exprimer l'idée de coopération ou de réciprocité

La traen **entre** los dos.
Ils l'apportent à eux deux.
Hablaban **entre** ellos.
Ils parlaient entre eux.

180 Pour introduire la notion de groupe

La préposition entre sert à introduire la **notion de groupe** considéré comme un ensemble, en général, pour exprimer une habitude.

entre los médicos : *chez les médecins*
entre los romanos : *chez les Romains*
entre la gente : *parmi la foule*

181 Pour exprimer le choix, l'hésitation

Vacilaba **entre** marcharse o quedarse.
Il/Elle hésitait entre partir ou rester.

La préposition *para*

182 Pour introduire le destinataire
ou un complément circonstanciel de but

Compro flores **para** mi madre.
J'achète des fleurs pour ma mère.

Es bueno **para** el dolor de cabeza.
C'est bon pour le mal de tête.

183 Pour introduire un complément circonstanciel de temps

La préposition para indique une **direction** ou un **terme**.

No dejes **para** mañana lo que puedes hacer hoy.
Ne remets pas à demain ce que tu peux faire aujourd'hui.

Llegará **para** las fiestas.
Il/Elle arrivera pour les fêtes.

Pour introduire un complément circonstanciel de lieu

Ce complément circonstanciel de lieu souligne alors l'**idée de direction**.

> Salimos **para** la escuela. *Nous partons pour l'école.*
>
> Vuelvo **para** casa. *Je rentre chez moi.*

REMARQUE

Dans ce sens, **para** peut exprimer de façon figurée un **mouvement vers l'intériorité**.

> decir **para** sí: *se dire à soi-même*
> **para** mí que …: *personnellement, je pense que…*

Pour introduire l'idée de relation ou de comparaison

> Es poco **para** lo que vales.
> *C'est peu pour ce que tu vaux.*
>
> Hace buen tiempo **para** la estación.
> *Il fait beau pour la saison.*

La préposition *por*

Pour introduire une notion de trajectoire

Dans l'espace

> El sol aparece **por** el Este. *Le soleil se lève à l'Est.*
>
> Iremos a Valencia **por** Barcelona.
> *Nous irons à Valence en passant par Barcelone.*
>
> pasearse **por** el jardín: *se promener dans le jardin*
>
> subir **por** la escalera: *monter par l'escalier*
>
> Lo encontraremos **por** Madrid.
> *Nous le rencontrerons à Madrid.*

Dans le temps

> Nos veremos **por** Navidad. *Nous nous verrons à Noël.*
>
> **Por** la mañana, leo ; **por** la tarde, escribo ; **por** la noche, sueño.
> *Le matin, je lis ; l'après-midi, j'écris ; la nuit, je rêve.*

187 Pour introduire un complément d'agent

La ciudad ha sido destruida **por** el bombardeo.
La ville a été détruite par le bombardement.

El Presidente será recibido **por** el Rey.
Le Président sera reçu par le Roi.

188 Pour introduire un complément circonstanciel de cause

Cerrado **por** defunción. *Fermé pour cause de deuil.*

Lo desprecian **por** cobarde.
Ils/Elles le méprisent parce qu'il est lâche./
On le méprise parce qu'il est lâche.

189 Pour introduire un complément de but

Por divertirse, haría cualquier cosa.
Pour s'amuser, il/elle ferait n'importe quoi.

por lo que dices : *au sujet de ce que tu dis*

ir **por** pan : *aller chercher du pain*

190 Pour exprimer la joie, la qualité ou l'opinion

Por suerte le tocó el gordo.
Il/Elle a eu la chance de gagner le gros lot.

tomar **por** esposa : *prendre pour épouse*

Lo tengo **por** bueno. *Je pense qu'il est bon.*

191 Pour exprimer l'échange

Lo comprará **por** pocos euros. *Il/Elle l'achètera pour quelques euros.*

Te cambio mi libro **por** el tuyo.
Je te donne mon livre en échange du tien.

192 Pour exprimer la multiplication et la proportion

tres **por** cuatro : *trois fois quatre*

diez **por** ciento : *dix pour cent*

a cien euros **por** persona : *à cent euros par personne*

Verbes et prépositions

abalanzarse al peligro ▸ contra una pared ▸ hacia el recién llegado ▸ sobre el centinela ▸ tras alguien.

abandonarse a la suerte ▸ en manos del cirujano.

abarrotarse de gente.

abastecer con pan y carne ▸ de agua ▸ desde tierra ▸ en verano ▸ hasta Navidad ▸ sin tregua.

abatirse al suelo ▸ ante los ruegos ▸ con dificultad ▸ de espíritu ▸ en la desgracia ▸ hacia la proa ▸ hasta el borde ▸ por los reveses.

abdicar de las viejas ideas ▸ en contra de sus deseos ▸ por la fuerza ▸ tras la derrota.

abismarse en el estudio.

abjurar al error ▸ ante el concilio ▸ bajo pena de excomunión ▸ de la equivocación ▸ en Toledo.

abocar a una solución.

abocarse con alguno.

abochornarse de algo ▸ por alguno ▸ sin razón.

abogar a favor de/en favor de alguien ▸ ante el tribunal ▸ contra algo ▸ por alguno.

abominar de su suerte ▸ del vicio ▸ sin dudarlo.

abonar en una cuenta.

abonarse al teatro ▸ desde el lindero ▸ en profundidad ▸ hacia abajo ▸ hasta la carretera ▸ sin parar.

abordar (una nave) a/con otra ▸ contra las rocas ▸ en una isla.

aborrecer a alguien ▸ con fuerza ▸ de muerte.

abrasarse de amor ▸ en deseos.

abrazar contra su pecho.

abrazarse a alguien ▸ con el amigo.

abrevar con agua ▸ de maldad ▸ en la charca.

abreviar con la partida ▸ de razones ▸ en tiempo ▸ por la selva.

abrigarse a la fortaleza ▸ bajo techado ▸ con ropa ▸ contra el frío ▸ de la lluvia ▸ en el

portal ▸ entre los árboles ▸ para dormir ▸ por precaución ▸ tras el parapeto.

abrir al público ▸ con fuerza ▸ de arriba abajo ▸ desde la torre ▸ en canal ▸ hacia afuera ▸ sin precaución.

abrirse a las amistades ▸ con los amigos ▸ de piernas ▸ hacia dentro ▸ hasta la cintura ▸ sobre la ciudad ▸ tras la epidemia.

abrumar con caricias ▸ de atenciones.

absolver al penitente ▸ ante la comunidad ▸ del cargo ▸ sin pérdida ▸ tras la confesión.

abstenerse de beber ▸ desde mayo.

abstraerse ante el espectáculo ▸ con la música ▸ de lo que rodea.

abundar ante el Rey ▸ de/en riqueza.

aburrirse con alguien ▸ de esperar ▸ en casa ▸ por todo ▸ sin motivo.

abusar con los amigos ▸ de la amistad ▸ en el precio.

acabar a tiempo ▸ bajo el agua ▸ con su fortuna ▸ contra un árbol ▸ de venir ▸ en el manicomio ▸ entre flores ▸ para octubre ▸ por negarse ▸ sin dinero.

acaecer (algo) a alguno ▸ bajo Carlos V ▸ en tiempos de los árabes.

acalorarse con el gentío ▸ de correr ▸ en la multitud ▸ por poco ▸ sin motivos ▸ tras la carrera.

acarrear a lomo ▸ con barcazas ▸ desde Jávea ▸ en ruedas ▸ entre todos ▸ hasta León ▸ para el amo ▸ sin tregua.

acceder a la petición ▸ de nuevo ▸ sin motivo.

acelerarse a partir ▸ desde media cuesta ▸ por la urgencia.

aceptar (algo) de alguien ▸ en prueba ▸ para otro ▸ por marido ▸ sin pestañear.

acercarse a la villa ▸ desde tierra ▸ hacia el enemigo ▸ hasta el río ▸ por el norte.

acertar a la lotería ▸ **con** la casa ▸ **desde** el comienzo ▸ **en** las quinielas ▸ **hacia** la mitad ▸ **hasta** el final ▸ **sin** dudar.

achicarse ante el jefe.

achicharrarse al/bajo el sol ▸ **de** calor ▸ **por** el bochorno.

achuchar a alguien ▸ (una persona) **contra** algo ▸ **por** los lados.

aclamar al Presidente ▸ **con** aplausos ▸ **contra** sus enemigos ▸ **desde** el aeropuerto ▸ **hasta** la ciudad ▸ **por** Rey ▸ **sin** descansar.

aclimatarse a un país ▸ **en** España ▸ **entre** nosotros ▸ **sin** problemas.

acobardarse ante el adversario ▸ **con** el frío ▸ **de** verse solo ▸ **en** la pelea ▸ **frente** al contrario ▸ **por** la enfermedad.

acodarse a la ventana ▸ **en** el alféizar ▸ **sobre** la baranda.

acoger a los amigos ▸ **bajo** techo ▸ **en** casa ▸ **entre** los nuestros.

acogerse a/bajo sagrado ▸ **en** el templo ▸ **hasta** la primavera ▸ **sobre** medianoche ▸ **tras** la frontera.

acometer al contrario ▸ **contra** el adversario ▸ **de** cara ▸ **hacia** el enemigo ▸ **hasta** la caída del sol ▸ (a alguien) **por** la espalda ▸ **según** lo pactado ▸ **sin** tregua.

acomodarse a/con otra opinión ▸ **de** criado ▸ **en** una casa ▸ **para** viajar ▸ **por** poco tiempo ▸ **sobre** la cubierta ▸ **tras** la derrota.

acompañar a palacio ▸ **con** ejemplos ▸ **de** pruebas ▸ **en** el sentimiento ▸ **hasta** la iglesia.

acompañarse al piano ▸ **con/de** buenos amigos.

acomplejar con sus éxitos.

acondicionar con sal y pimienta ▸ (la fruta) **en** cajas ▸ **para** el transporte ▸ **según** la receta.

aconsejar contra su enemigo ▸ (a alguien) **de** algo ▸ **en** algún asunto ▸ **sobre** la elección.

aconsejarse con/de sabios ▸ **en** el negocio.

acontecer a/con todos ▸ **bajo** la República ▸ **por** el verano ▸ **según** lo concluido.

acoplar (el remolque) **al** tractor ▸ (el instrumento) **en** la caja ▸ **entre** los dos ▸ **tras** el camión.

acoplarse con otra persona.

acorazarse contra la maledicencia ▸ **de** indiferencia ▸ **para** la pelea.

acordar (la voz) **al** instrumento ▸ **con** un instrumento ▸ **entre** los socios.

acordarse con los contrarios ▸ **de** lo pasado ▸ **en** hacer algo ▸ **sobre** algo.

acortar con el atajo ▸ **de** palabras ▸ **desde** el principio ▸ **en** diez kilómetros ▸ **por** la vereda.

acosar a un deudor ▸ **con** preguntas.

acostarse con alguien ▸ **contra** la pared ▸ **de** noche ▸ **en** pijama ▸ **entre** las peñas ▸ **hacia** medianoche ▸ **hasta** las cinco ▸ **por** la mañana ▸ **sobre** el césped.

acostumbrarse a los trabajos ▸ **con** los demás ▸ **según** la tradición ▸ **sin** dificultad.

acreditarse con alguien ▸ **de** necio ▸ **en** su oficio ▸ **para** alguno.

acribillar a tiros ▸ **con** clavos ▸ **de** balazos.

actuar bajo la amenaza ▸ **con** otro ▸ **contra** alguien ▸ **de** comparsa ▸ **en** los negocios ▸ **para** sí ▸ **por** lo civil ▸ **según** la ley.

acudir a/con la solución ▸ **ante** la autoridad ▸ **de** todas partes ▸ **desde** muy lejos ▸ **en** su ayuda ▸ **sin** pérdida de tiempo ▸ **tras** la caballería.

acumular (los intereses) **al** capital ▸ **sobre** riquezas.

acusar (a alguno) **ante** el juez ▸ **con** insistencia ▸ **de** un delito.

acusarse con arrepentimiento ▸ **de** las culpas.

adaptar(se) al uso ▸ **con** algo.

adelantar en la carrera ▸ (no) nada **con** enfadarse ▸ (la silla) **hacia** la mesa ▸ **por** la izquierda.

adelantarse a otros ▸ **en** los estudios ▸ **hasta** el Tajo ▸ **por** el lado izquierdo ▸ **según** lo convenido ▸ **sin** avisar.

adentrarse con la infantería ▸ **en** el bosque ▸ **desde** la orilla del mar ▸ **hasta** el bosque ▸ **para** descansar.

adherir a un dictamen.

adiestrar(se) a esgrimir ▸ **con** la espada ▸ **en** la lucha ▸ **entre** campeones ▸ **para** el juego.

admirarse ante/de un exceso ▸ **en** el espejo ▸ **por** el éxito.

admitir a alguien ▸ **bajo** juramento ▸ **en** sociedad ▸ **por** jefe ▸ **sin** reservas.

adobar con vinagre.

adolecer de alguna enfermedad.

adoptar a alguien ▸ **por** hijo ▸ **para** la batalla.

adorar a Dios ▸ **con** el alma ▸ **de** todo corazón.

adormecerse en un vicio.

adormilar(se) en un sillón ▸ **por** la tarde.

adornar con florones ▸ **de** carteles ▸ **por** fuera.

adueñarse con dádivas ▸ **de** la fortuna ▸ **en** tres semanas ▸ **por** tierra y mar ▸ **sin** resistencia.

advertir a alguien ▸ **del** peligro ▸ **en** secreto ▸ **sin** reservas.

afanarse al trabajo ▸ **bajo** el sol ▸ **hasta** la caída del sol ▸ **en** ganar ▸ **por** la recompensa ▸ **sobre** el arado ▸ **tras** la yunta.

aferrarse a/con/en su opinión.

afianzar a alguien ▸ **bajo** techo ▸ **con** sus bienes ▸ **entre** dos troncos ▸ **sobre** el fondo del agua ▸ **tras** la pared.

afianzarse ante el jefe ▸ **con** un consejo ▸ **en** la fe ▸ **para** el paso ▸ **sobre** el apoyo.

aficionarse a/de alguna cosa.

afilar con el cuchillo ▸ **en** la piedra.

afiliarse a un partido ▸ **con** otro ▸ **de** nuevo.

afinar (un instrumento) **con** otro.

afinarse en el trato ▸ **tras** el viaje.

afincarse en París ▸ **con** su hermana.

afirmarse en lo dicho ▸ **sobre** la montura.

afligirse ante/de/por la situación actual.

aflojar en el estudio.

aflorar a la superficie.

afluir (el público) **al** estadio.

afrentar con denuestos.

afrentarse a/de su estado.

afrontar al enemigo ▸ **con** la conducta.

agarrar de/por el pelo.

agarrarse al pasamanos ▸ **de** la barandilla.

agarrotarse de frío ▸ **con** la humedad.

agazaparse bajo una rampa ▸ **entre** la maleza ▸ **tras** el matorral.

agobiarse con/de/por los años.

agonizar en su cama ▸ **por** la edad.

agraciar con una gran cruz.

agradar al gusto ▸ **con** cada cual ▸ **para** todos.

agraviarse de alguno ▸ **por** una chanza.

agregar (leche) **al** café.

agregarse de/con todos.

agriarse con los reveses de la vida.

aguantarse con la bronca.

aguardar a otro día ▸ **en** casa.

ahitarse de manjares.

ahogarse de calor ▸ **en** poca agua ▸ **entre** una cosa y otra.

ahondar con pico y pala ▸ **en** el tema.

ahorcajarse en los hombros de alguno.

ahorcarse con una soga ▸ **de/en** un árbol.

ahorrarse (aclaraciones) **con** alguien.

airarse con alguien ▸ **contra** alguno ▸ **de** lo dicho ▸ **por** lo que dijeron.

aislarse de la gente.

ajetrearse de un lado a otro.

ajustar(se) (una cosa) **a** otra ▸ **con** el amo ▸ (un trabajo) **en** mil euros.

alabar a alguien ▸ **de** discreto ▸ (algo) **en** otro ▸ (a alguien) **por** su prudencia.

alabarse de valiente.

alardear de inteligente.

alargarse a la ciudad ▸ **en** la narración ▸ **hasta** el pueblo.

alarmarse por el gran ruido.

albergarse en un hotel.

alborotarse por poca cosa.

alcanzar al techo ▸ **con** ruegos del Rey ▸ **en** días ▸ (la paga) **hasta** fin de mes ▸ **para** todos.

alear con cobre.

aleccionar a un hijo ▸ **en** el modo de conducirse.

alegar de/con pruebas ▸ **en** defensa.

alegrarse con la noticia ▸ **del** acontecimiento ▸ **por** lo sucedido.

alejarse de su tierra ▸ **en** el mar ▸ **por** los aires.

alentar con la esperanza ▸ **en** vano.

aliarse (uno) **a/con/contra** otro.

alimentarse a base de frutas ▸ **con** huevos ▸ **de** hierbas.

alinear(se) bajo las órdenes del entrenador ▸ **con** el Real Madrid ▸ **de** portero ▸ **en** el equipo titular ▸ (un jugador) **en** lugar de/en vez de otro.

aliñar con vinagre.

alistarse en la Armada ▸ **por** socio.

aliviar del dolor ▸ **con** medicinas ▸ **en** el trabajo.

allanar hasta el suelo.

allanarse a lo justo.

alocarse por poca cosa.

alojarse en un hotel.

alquilar (un piso) **en/por** mil euros.

alternar con los sabios ▸ **en** el servicio ▸ **entre** unos y otros.

alternarse en la tarea.

alucinar(se) con sofismas ▸ **en** el examen ▸ **por** lo observado.

aludir a/en algo.

alumbrarse con la linterna ▸ **en** la oscuridad.

alzar (los ojos) **al** cielo ▸ (algo) **del** suelo ▸ **por** caudillo.

alzarse a mayores ▸ **con** el reino ▸ **contra** el gobierno ▸ **de** la silla ▸ **en** rebelión.

amagar con un ataque.

amainar en sus pretensiones.

amanecer con fiebre ▸ **en** Alicante ▸ **entre** Pinto y Valdemoro ▸ **por** la sierra ▸ **sobre** las cinco.

amañarse a escribir ▸ **con** cualquiera ▸ **para** hacer un trabajo.

amar de corazón ▸ **con** sinceridad.

amargar con hiel.

amarrar a un tronco ▸ **con** cuerdas.

amedrentarse ante el profesor ▸ **por** cualquier cosa.

amenazar (a alguien) **al** pecho ▸ **con** la espada ▸ **de** muerte.

amparar (a uno) **de** la persecución ▸ **en** la posesión.

ampararse bajo un árbol ▸ **con** algo ▸ **contra** el viento ▸ **de** la lluvia ▸ **en** el portal.

amueblar con lujo.

andar a gatas ▸ **con** el tiempo ▸ **de** puntillas ▸ **detrás de** alguien ▸ **en** pleitos ▸ **entre** mala gente ▸ **por** conseguir algo ▸ **sobre** el césped ▸ **tras** un negocio.

andarse en flores ▸ **por** las ramas.

anegar en sangre ▸ **de** tierra.

anhelar a más ▸ **por** mayor fortuna.

animar al certamen ▸ **con** aplausos.

anochecer en Valencia.

anteponer (la obligación) **al** gusto.

anticipar (mil euros) **sobre** el sueldo.

anticiparse a otro.

anunciar(se) en la prensa ▸ **por** la radio.

añadir a lo dicho.

apabullar con argumentos.

apacentarse con/de memorias.

apalabrar a un criado ▸ (un negocio) **con** alguien.

apañarse con cien euros.

aparar con/en la mano.

aparcar en una calle.

aparecer en el fondo ▸ **con** alguien ▸ **entre** las nubes ▸ **por** el horizonte.

aparecerse a/ante alguien ▸ **en** casa ▸ **entre** sueños.

aparejarse al/para el trabajo.

apartar a un lado ▸ **de** sí.

apartarse a un lado ▸ **de** la ocasión.

apasionarse con/de/en/por alguno.

apearse a merendar ▸ **del** autobús ▸ **en** marcha ▸ **para** hacer compras ▸ **por** la puerta delantera.

apechugar con las secuelas.

apegarse a un empleo.

apelar a otro medio ▸ **ante** la Audiencia ▸ **contra** la condena ▸ **para/ante** el Tribunal Supremo ▸ **por** algo.

apelotonarse a la entrada ▸ **contra** el muro.

apencar con las consecuencias.

apercibirse a la contienda ▸ **para** la batalla ▸ **contra** el enemigo ▸ **de** armas.

apesadumbrarse con/de la noticia ▸ **por** niñerías.

apestar a perfume barato ▸ (el mercado) **de** géneros ▸ **con** sus amigos.

apiadarse de los pobres.

apiñarse ante los escaparates.

aplastar contra la pared ▸ **sobre** el suelo.

aplicar(se) a los estudios ▸ **en** clase.

apoderarse de la hacienda.

aporrear a alguien ▸ **en** la puerta.

aportar a la ciudad ▸ **en** dinero.

aposentarse en un hotel.

apostar a correr ▸ **con** un amigo ▸ **por** lo mejor.

apostatar de la fe ▸ **en** otros.

apoyar con citas ▸ **en** autoridades.

apoyarse en la pared ▸ **sobre** la columna.

apreciar en mucho ▸ **en/por** su verdadero valor ▸ **por** sus prendas.

aprender a escribir ▸ **con** la lectura ▸ **de** su padre ▸ **por** sus principios.

aprestarse a la lucha ▸ **para** salir.

apresurarse a venir ▸ **con** réplica ▸ **por** llegar a tiempo.

apretar a llover ▸ **con** las manos ▸ **contra** sí ▸ **entre** los brazos ▸ **sobre** la tapadera.

aprisionar bajo el agua ▸ **con** una trampa ▸ **del** cuello ▸ **en** la calle ▸ **entre** la escalera ▸ **por** los brazos ▸ **tras** la puerta.

aprobar en latín ▸ **por** unanimidad ▸ **bajo** condición.

apropiar para sí.

apropiarse de lo ajeno.

aprovechar en el estudio ▸ **para** copiar.

aprovecharse de la ocasión.

aprovisionar con víveres ▸ **de** mercancías.

aproximar (una cosa) **a/de** otra.

aproximarse al altar.

apuntar a alguien ▸ **con** la pistola ▸ **en** mi haber ▸ **hacia** la solución.

apurarse con un percance ▸ **en** los reveses ▸ **por** poco.

aquietarse con la explicación.

arder a fuego lento ▸ (la casa) **con** llamas ▸ **en** deseos ▸ **por** ir al cine.

arderse de cólera ▸ **en** deseos.

argüir a favor del acusado ▸ **con** pruebas ▸ **contra** la sentencia ▸ **en favor** de lo dicho ▸ **de** falso ▸ **en contra** de la argumentación.

argumentar para la defensa ▸ **en** defensor de.

armar con lanzas ▸ **de** carabinas ▸ **hasta** los dientes.

armarse de paciencia ▸ **contra** el enemigo.

armonizar (una cosa) **con** otra.

arraigarse en Castilla.

arramblar con todo.

arrancar (la broza) **del** suelo ▸ **de** raíz.

arrancarse a cantar ▸ **con** cien euros ▸ **de** raíces ▸ (el toro) **contra** el picador ▸ **hacia** el torero ▸ **por** peteneras.

arrasarse (los ojos) **de/en** lágrimas.

arrastrar desde tiempo ▸ **en** su caída ▸ **hasta** la puerta ▸ **por** tierra.

arrastrarse a los pies ▸ **por** tierra ▸ **en** el barro ▸ **sobre** el suelo.

arrebatar de las manos ▸ **con** fuerza.

arrebatarse de/en cólera.

arrebozarse con/en la capa.

arrecirse de frío ▸ **por** el viento.

arreglarse a la razón ▸ **con** el acreedor ▸ **para** salir ▸ **por** las buenas.

arregostarse a los cambios ▸ **de** nuevo.

arrellanarse en la butaca.

arremeter al/con/contra el bandido.

arremolinarse a la salida ▸ **alrededor del** auto ▸ **en** la puerta.

arrepentirse de sus actos.

arrestarse a todo.
arribar a Cádiz.
arriesgarse a salir ▸ en la empresa.
arrimarse al sol que más calienta.
arrinconarse en una esquina.
arrojar a/en la calle ▸ de sí ▸ por la ventana.
arrojarse a pelear ▸ contra el bandido ▸ del balcón ▸ desde la terraza ▸ en el estanque ▸ por la ventana ▸ sobre el enemigo.
arroparse con/en la manta.
arrostrarse con los peligros.
asaetear a/con las súplicas.
asar a la lumbre ▸ en la parrilla.
asarse de calor.
ascender a coronel ▸ de categoría ▸ en la carrera ▸ por los aires.
asediar de solicitudes ▸ con preguntas ▸ desde tiempo hasta el final.
asegurar(se) contra el pedrisco ▸ de los incendios.
asemejarse a algo ▸ en/por el color.
asentarse (el pueblo) a orillas de río ▸ en el trono.
asentir a un dictamen.
asesorarse con juristas ▸ de letrados ▸ en cuestiones económicas.
asimilar (una cosa) a otra.
asir a la niña ▸ con una tenaza ▸ de la ropa ▸ por los cabellos.
asirse a la ramas ▸ con el contrario ▸ de las cuerdas.
asistir a los enfermos ▸ de oyente ▸ en la necesidad.
asociarse a/con uno.
asomarse a la calle ▸ por el balcón.
asombrarse con el empeño ▸ de/por algo.
asonantar (una palabra) con otra.
asparse a gritos ▸ por algo.
aspirar a mayor fortuna.
asquearse de la falsedad.
asustarse de todo ▸ con el ruido ▸ por un ruido.
atacar a raíz.

atajar por los campos.
atar (el caballo) a un árbol ▸ con cuerdas ▸ de pies y manos ▸ por la cintura.
atarearse a escribir ▸ con los asuntos ▸ en los negocios.
atarse a una sola opinión ▸ en las dificultades.
atascarse con el coche ▸ en el barro.
ataviarse de/con lo ajeno.
atemorizarse con/de/por la tempestad.
atenazar a la reja.
atender a la conversación.
atenerse a lo seguro.
atentar a la vida ▸ contra la propiedad.
aterirse de frío ▸ en la calle ▸ contra un árbol.
aterrarse por la noticia.
aterrizar a ciegas ▸ en el aeropuerto ▸ sin visibilidad.
aterrorizarse por lo visto.
atestar con muebles ▸ de trastos.
atestiguar con hechos ▸ de oídas ▸ sobre el robo.
atiborrarse de comida.
atinar al blanco ▸ con la solución ▸ desde arriba ▸ en respuesta.
atollarse en el lodo.
atormentarse con recuerdos ▸ (no) por nada.
atracarse a uvas ▸ de comida.
atraer a su bando ▸ con promesas.
atragantarse con una espina.
atrancarse en el vado.
atravesar (el río) con/en la barca ▸ de parte a parte ▸ por el vado.
atravesarse en el camino ▸ con un árbol.
atreverse a cosas grandes ▸ con todos.
atribuir a todo.
atribularse con las tareas ▸ en la faena ▸ por los trabajos.
atrincherarse en una tapia ▸ bajo un árbol ▸ tras su silencio.
atropellar con el auto ▸ por una precipitación.
atropellarse en las acciones.
atufar(se) con el perfume ▸ de humo.

aturullarse con tanto lío ▸ **por** el tráfico.

aumentar de/en peso.

aunarse con otro.

ausentarse de casa ▸ **por** Navidad.

autorizar a firmar ▸ **con** su firma ▸ **para** algún acto ▸ **por** escrito.

avanzar a primera fila ▸ **en** edad ▸ **hacia** el frente ▸ **hasta** las líneas enemigas ▸ **por** el campo ▸ **sobre** el enemigo.

avecindarse en Segovia.

avenirse a/con todo ▸ **entre** sí.

aventajar en sabiduría.

aventurarse a ciegas ▸ **con** riesgo ▸ **por** casualidad.

avergonzar al abuelo ▸ **por** las faltas.

avergonzarse de su conducta ▸ **con** alguno.

averiguarse con alguno.

avezarse a la vagancia.

aviarse de ropa ▸ **para** salir.

avisar a alguien ▸ **de** algo.

avocar a defender algo.

ayudar a triunfar ▸ **con** armas ▸ **en** la dificultad.

ayudarse con apoyos ▸ **de** la recomendación.

azotar con la correa ▸ (la lluvia) **en** los cristales.

azulear con añil.

bailar al compás ▸ **ante** un buen público ▸ **de** puntas ▸ **con** Isabel ▸ **en** la cuerda floja ▸ **por** sevillanas.

bajar a la cueva ▸ **de** la torre ▸ **en** el ascensor ▸ **hacia** el valle ▸ **por** las escaleras.

balancear a alguien ▸ **con** fuerza ▸ **en** la cuerda.

balar (las ovejas) **de** miedo.

baldarse con la humedad ▸ **de** frío.

bambolearse en la soga.

bañar(se) con agua fría ▸ **de** lágrimas ▸ **en** el mar ▸ **por** higiene.

barajar con la vecina.

basarse en la fuerza militar ▸ **sobre** buenos principios.

bastar a/con el dinero ▸ **para** enriquecerse.

bastardear de su naturaleza ▸ **en** sus acciones.

batallar con el adversario ▸ **contra** los enemigos ▸ **por** los hijos.

batirse en duelo ▸ **con** maestría.

beber a la salud de alguien ▸ **con** ganas ▸ **de** la botella ▸ **en** buena fuente ▸ **hasta** reventar.

beneficiarse con el horario de verano ▸ **de** las nuevas disposiciones ▸ **en** parte.

besar en la frente ▸ **tras** la oreja ▸ **entre** los ojos.

bienquistarse con el jefe.

blasfemar contra Dios ▸ **de** la virtud ▸ **por** todo.

blasonar de noble ▸ **con** aquel desconocido.

bordar a mano ▸ (algo) **al** tambor ▸ **en** cañamazo ▸ **sobre** seda.

borrar con una goma ▸ (a alguien) **de** la lista.

bostezar de aburrimiento.

botar de alegría.

bramar de furor.

brear a golpes.

bregar con alguno ▸ **contra** los contrabandistas ▸ **en** las faenas caseras ▸ **por** los hijos.

brillar al sol ▸ **con** luz propia ▸ **por** su ingenio.

brincar de júbilo ▸ **desde** un lado a otro ▸ **sobre** los azulejos.

brindar a la salud de alguno ▸ **con** regalos ▸ **por** el amigo ausente.

brindarse a hacer un favor.

brotar de/en un peñasco ▸ **con** fuerza.

bucear en el mar ▸ **bajo** el agua ▸ **con** aletas ▸ **por** las rocas.

bufar de ira.

bullir en la cazuela ▸ **a** cien grados.

burilar en cobre.

burlar a la policía ▸ **con** astucia.

burlarse de alguien ▸ **con** otro ▸ **en** la plaza.

buscar (fallo) **al** enemigo ▸ **por** donde salir.

cabalgar a mujeriegas ▸ **en** mula ▸ **por** aquellos montes ▸ **sin** montura ▸ **sobre** un asno.

caber de pies ▸ **desde** aquí **hasta** allí ▸ **en** la mano ▸ **entre** la cuba y las dos garrafas ▸ **por** el hueco.

cabrearse con un amigo.

cachondearse de alguien ▸ **con** la broma.

caer(se) al agua ▸ **con** otro ▸ **de** viejo ▸ **desde** la ventana ▸ **en** tierra ▸ **hacia** tal parte ▸ **hasta** la calle ▸ **por** el balcón ▸ **sobre** los enemigos.

cagarse de miedo ▸ **en** los calzones.

calar(se) a fondo ▸ **de** agua ▸ **hasta** los huesos.

calentar(se) al fuego ▸ **con** la lumbre ▸ **en** el juego ▸ **junto** al hogar ▸ **hasta** el rojo vivo.

calificar con sobresaliente ▸ **de** sabio.

callar (la verdad) a otro ▸ **de/por** miedo.

calzarse con la prebenda ▸ **en** tal sitio.

cambiar (una cosa) **con/por** otra ▸ **de** camisa ▸ **en** calderilla.

cambiarse a otra cosa ▸ **de** chaqueta ▸ (la risa) **en** llanto.

caminar a pie ▸ **de** concierto ▸ **hacia** Alcalá ▸ **para** Toledo ▸ **por** el atajo.

campar por sus respetos.

canjear (una cosa) **por** otra.

cansarse con el bullicio ▸ **del** trabajo ▸ **en** buscar.

cantar a libro abierto ▸ **con** gracia ▸ **de** plano ▸ **en** voz baja ▸ **por** bulerías.

capacitar (a alguien) **para** algo.

capitular ante el enemigo ▸ (a alguno) **de** malversación.

caracterizarse de rey ▸ **entre** todos ▸ **por** su solidez.

carcajearse de la autoridad ▸ **con** gracia.

carecer de medios.

cargar a flete ▸ **con** el saco ▸ **contra** el adversario ▸ **de** trigo ▸ **en** los hombros ▸ **sobre** la espalda.

cargarse con la responsabilidad ▸ **de** razón.

casar a los novios ▸ (una cosa) **con** otra ▸ **de** nuevo ▸ **en** segundas nupcias ▸ **por** poderes.

casarse con su novia ▸ **en** la iglesia ▸ **por** el juzgado.

castigar a alguien ▸ **con** un día de haber ▸ **de** rodillas ▸ (a alguno) **por** su temeridad ▸ **sin** recreo.

catalogar (a alguien) **de** novato.

catequizar (a alguien) **para** un fin particular.

cautivar (a alguno) **con** sus encantos ▸ **por** su hermosura.

cavar en el campo.

cavilar para hallar la solución ▸ **sobre** el asunto.

cazar al vuelo ▸ **con** halcón ▸ **en** terreno vedado.

cebar desde octubre ▸ **hasta** diciembre ▸ **con** grano.

cebarse en la venganza.

ceder a la autoridad ▸ **ante** la fuerza ▸ **de** su derecho ▸ **en** honra de alguno.

cegarse de cólera ▸ **con** su amor ▸ **por** los celos.

cejar ante las dificultades ▸ **en** el empeño.

censurar (algo) **a/en** alguno ▸ **por** su comportamiento.

centrarse en el tema.

ceñir a sus sienes ▸ **con/de** flores.

ceñirse a lo justo ▸ **en** la curva.

cerciorarse de un suceso.

cernerse sobre (algo) un peligro.

cerrar a piedra y lodo ▸ **con** llave ▸ **contra** uno ▸ **hacia** fuera ▸ **en** falso ▸ **por** dentro ▸ **tras** él.

cerrarse a toda concesión ▸ **de** todo ▸ **en** callar.

cesar de correr ▸ **en** su empleo.

chacotearse de algo ▸ **con** alguien.

chancearse con Luis ▸ **de** Pedro.

chapar con/de oro ▸ **en** madera.

chapear (la cocina) **con/de** azulejos.

chapotear en el agua.

chapuzar en el mar.

chapuzarse en la piscina ▸ **por** San Juan.

chiflarse por algo.

chivarse al maestro.

chocar a los telespectadores ▸ **con** el
auto ▸ **contra** la barrera ▸ **en** un árbol.
chochear con los años ▸ **de** anciano ▸ **por** la
vejez.
ciar con agilidad ▸ **en** sus pretensiones ▸ **hacia**
la pared.
cifrar (su dicha) **en** la virtud.
cifrarse en varios millones.
cimentarse en la amistad.
circular por calle ▸ **en** moto ▸ **a** ciento ochenta.
circunscribirse a algo.
ciscarse de miedo ▸ **en** algo.
citar a alguno ▸ **ante** la justicia ▸ **en** un bar.
clamar a Dios **de** dolor ▸ **contra** la
injusticia ▸ **por** lo justo.
clamorear a muerto (las campanas)
▸ **por** alguna cosa.
clasificar (una cosa) **de** derecha a
izquierda ▸ **en** orden ▸ (a los alumnos) **por**
méritos ▸ **según** sus aptitudes.
clavar a/en la pared ▸ **por** debajo.
coadyuvar a/en la construcción.
cobijarse bajo el tejado ▸ **con** su madre ▸ **de** la
lluvia ▸ **en** el portal.
cobrar con firmeza ▸ **de** los deudores ▸ **en**
papel ▸ **por** San Martín.
cocer a la lumbre ▸ **con** el fuego ▸ **en** su
salsa ▸ **entre** la carne ▸ **sobre** las brasas.
codearse con los mejores.
coexistir con algo.
coger a mano ▸ **bajo** su manto ▸ **con** el robo
▸ **de** buen humor ▸ **en** Guadalajara ▸ **entre**
puertas ▸ **por** la mano.
cohibirse ante/con alguien ▸ **de** hacer una cosa.
coincidir con alguien ▸ **en** gustos.
cojear del pie derecho ▸ **por** una molestia.
colaborar a una obra ▸ **con** Fernando ▸ **en** la
revista.
colarse en un examen ▸ **por** un hueco.
colegir de/por los antecedentes.
colgar de un clavo ▸ **en** la percha ▸ **por** los pies.
coligarse con algunos.

colindar con su finca.
colmar de mercedes.
colocar al principio ▸ **con** arreglo ▸ **en** serie
▸ **entre** dos cosas ▸ **por** orden.
colocarse de empleado.
colorear de rojo.
combatir con los antagonistas ▸ **contra** el
enemigo ▸ **por** una causa.
combinar (una cosa) **con** otra.
comedirse en las palabras.
comenzar a decir ▸ **por** reñir.
comer a dos carrillos ▸ **con** un amigo
▸ **de** todo ▸ **hasta** hartarse ▸ **por** cuatro
▸ **sin** ganas.
comerciar con otra empresa ▸ **en** granos.
comerse (unos) **a** otros ▸ **con** salsa ▸ **de**
envidia ▸ **entre** todos.
compadecerse (una cosa) **con** otra ▸ **del**
infeliz ▸ **por** el caso.
compaginar (el estudio) **con** el descanso.
comparar (un objeto) **a/con** otro.
compartir (las penas) **con** otro ▸ (la fruta) **en**
dos cestas ▸ **entre** varios.
compeler (a alguien) **a** pagar sus deudas.
compensar (una cosa) **con** otra ▸ (a alguien) **de**
las molestias ▸ **por** las pérdidas.
competir al fútbol ▸ **en** precio ▸ **para** una
coloración ▸ **por** el primer puesto.
complacer a un amigo ▸ (a alguien) **con** sus
atenciones ▸ **en** la realización de un proyecto.
complacerse con la noticia ▸ **de** una noticia ▸ **en**
un suceso.
completar con referencias.
complicar (el trato) **con** exceso de cortesía.
componer (un himno) **al** sol ▸ (un ramo) **con**
rosas ▸ (un todo) **de** varias partes ▸ (un poema)
en honor de la amada.
componerse con los acreedores ▸ **de** bueno y
malo.
comprar (algo) **al** contado ▸ **con** pérdida
▸ **del** comerciante ▸ **en** la tienda ▸ **para** la novia
▸ **por** kilos.

comprender con dificultad ▸ de qué se trata.

comprimirse en los gastos.

comprobar con el testigo ▸ en origen.

comprometer a otro ▸ en un negocio.

comprometerse a pagar ▸ con alguien ▸ en una empresa ▸ para un objetivo.

computar (la distancia) en años luz ▸ (cada punto) por cien euros.

comulgar bajo las dos especies ▸ (otro) con ruedas de molino ▸ en los mismos ideales ▸ por Pascua.

comunicar (la noticia) al público ▸ (uno) con otro ▸ de uno a otro ▸ por una ventana.

comunicarse (el fuego) a las casas ▸ con alguien ▸ de lejos ▸ entre sí ▸ por teléfono.

concebir (odio) contra el tirano ▸ hacia el opresor ▸ por el déspota.

concentrar (la luz) con una lente ▸ (el poder) en una sola persona.

concentrarse en el estudio.

conceptuar (al testigo) de/por falso.

concernir (una cosa) a alguien.

concertar (uno) con otro ▸ en/por precio ▸ entre dos contrarios.

conchabarse con malhechores.

conciliar (una cosa) con otra.

conciliarse (el respeto) del público.

concluir con cantos ▸ (a uno) de ignorante ▸ en consonante ▸ por vender la casa.

concordar (la copia) con el original ▸ en género y número.

concretarse al sueldo ▸ con lo que se tiene ▸ (una teoría) en una obra.

concurrir a algún fin ▸ con otros ▸ en un dictamen.

condenar (a uno) a galeras ▸ con una multa ▸ en costas ▸ por ladrón.

condensar en pocas páginas.

condescender a los ruegos ▸ con la instancia ▸ en reiterarse.

condicionar (el beneficio) al trabajo.

condolerse de los trabajos ▸ en la tristeza.

conducir (una cosa) al cielo ▸ hacia el Norte ▸ en coche ▸ por mar.

conectar con Radio Madrid ▸ en Barajas.

confabular(se) con los contrarios ▸ contra el enemigo ▸ para un golpe.

confederarse con los del Sur.

conferir (un negocio) con amigos ▸ entre socios.

confesar (un delito) al juez ▸ en secreto ▸ entre amigos.

confesarse a Dios ▸ con alguno ▸ de sus culpas.

confiar (la presidencia) a Felipe ▸ de alguien ▸ en alguno ▸ por necesidad.

confinar (a alguno) a residencia ▸ en Menorca ▸ (España) con Francia.

confirmar (al orador) de sabio ▸ en la fe ▸ por idiota.

confirmarse en opinión.

confluir a la plaza ▸ con otro ▸ en un sitio.

conformar (su opinión) a/con la ajena ▸ por fuerza.

conformarse al momento ▸ con su suerte ▸ por obligación.

confrontar (un jugador) con otro ▸ (dos ediciones) entre sí.

confundir (al amigo) con atenciones.

confundirse de lo que se ve ▸ (una cosa) con otra ▸ en sus opiniones.

congeniar con la esposa.

congraciarse con otro.

congratularse con los suyos ▸ del triunfo ▸ por la victoria.

conjeturar (algo) de/por lo visto.

conjugar (los verbos) con precisión ▸ en español.

conjurarse con otros ▸ contra el tirano.

conminar (al enemigo) a rendirse ▸ (a alguien) con una multa.

conmutar (una cosa) con/por otra ▸ (una pena) con otra.

conocer a otro ▸ de vista ▸ en tal asunto ▸ por su fama.

consagrarse al estudio.
conseguir del padre (la mano de la hija).
consentir con los caprichos ▸ en algo.
conservarse con/en salud ▸ hasta el verano.
considerar a la servidumbre ▸ (una cuestión)
bajo/de/en todos sus aspectos ▸ desde todos
los puntos de vista ▸ por todos lados.
consignar (el paquete) a nombre de
Antonio ▸ (mil euros) para gastos de casa.
consistir en una friolera.
consolar (a uno) de un trabajo ▸ en su
aflicción ▸ sobre su pecho.
consolarse con sus parientes ▸ de la pérdida
sufrida ▸ en Dios ▸ entre la familia.
conspirar a un fin ▸ con otros ▸ contra alguno
▸ en su intento ▸ para el triunfo de la rebelión.
constar (el todo) de partes ▸ en los autos ▸ por
escrito.
consternarse con/por la muerte de un amigo.
constituir (la nación) en república ▸ (una
hipoteca) sobre la finca.
constituirse en sociedad ▸ por garante.
constreñir (a alguien) a hacer algo.
construir (una palabra) con otra ▸ (el verbo) en
subjuntivo ▸ entre pocos.
consultar a alguien ▸ con letrados ▸ en primer
lugar ▸ (a alguno) para un empleo ▸ por
Navidad ▸ (a un abogado) sobre un
asunto ▸ respecto a un tema.
consumirse a fuego lento ▸ a causa del
amor ▸ con la fiebre ▸ de impaciencia ▸ en
meditaciones ▸ hacia abajo ▸ por devoción.
contagiarse con/del/por el roce.
contaminarse con los vicios ▸ de la
enfermedad ▸ en la epidemia.
contar (algo) al vecino ▸ con sus fuerzas ▸ de
uno a tres ▸ de dos en dos ▸ de cinco hasta
diez ▸ desde diez en adelante ▸ (a alguien)
entre sus amigos ▸ por verdadero.
contemplar a la buena moza ▸ en calma ▸ de
arriba abajo.
contemporizar con el adversario.

contender con alguno ▸ contra los moros ▸ en
nobleza ▸ por las armas ▸ sobre filosofía.
contenerse de beber ▸ en sus deseos ▸ por
educación.
contentarse con su suerte ▸ del parecer.
contestar a la pregunta ▸ con prisa ▸ de malos
modos.
continuar con salud ▸ desde aquí ▸ en
su puesto ▸ hacia el Norte ▸ hasta el
desenlace ▸ por buen camino.
contradecirse con sus actos.
contraer (la amistad) con un amigo.
contrapesar (una cosa) con otra.
contraponer (una cosa) a/con otra.
contrastar (una cosa) a/con otra ▸ (dos cosas)
entre sí.
contratar de prueba ▸ (a alguien) en mil
euros ▸ para un proyecto ▸ por tres meses.
contratarse para actuar en Londres.
contravenir a lo dicho.
contribuir a tal cosa ▸ con dinero ▸ en el
éxito ▸ para la construcción.
convalecer de la enfermedad.
convencer a la policía ▸ de algo.
convencerse con la razones ▸ de la razón.
convenir (una cosa) al enfermo ▸ con otro ▸ en
alguna cosa.
convenirse a una cita ▸ con lo planteado ▸ en
lo propuesto.
converger (los esfuerzos) al bien común ▸ (los
caminos) en un punto ▸ entre los dos ríos.
conversar con el vecino ▸ en/sobre literatura.
convertir al cristianismo ▸ en dinero ▸ entre
los dos.
convertirse a una religión ▸ (el mal) en bien.
convidar (a alguno) a comer ▸ con un
billete ▸ para el baile.
convidarse a/con jerez ▸ para la fiesta.
convivir con otros ▸ en buena armonía.
convocar a junta ▸ en junio ▸ por aviso.
cooperar a alguna cosa ▸ con otro ▸ en el
esfuerzo.

copiar a mano ▸ **del** original ▸ **en** la manera de vestir.

coquetear con alguien.

coronar con/de/en flores ▸ **por** Rey de España ▸ **a** la Virgen.

corregir (una obra) **con/de/por** su propia mano ▸ **en** rojo.

corregirse de sus defectos.

correr a caballo ▸ **con** los gastos ▸ **de** Norte a Sur ▸ **de** un sitio **para** otro ▸ **en** busca de socorro ▸ **entre** los árboles ▸ **por** mal camino ▸ (un velo) **sobre** lo pasado ▸ **sin** botas ▸ **tras** el evadido.

correrse de vergüenza ▸ **en** la propina ▸ **por** una culpa.

corresponder a los favores ▸ **con** el amigo ▸ **del** mismo modo ▸ **en** la misma forma.

cortar con las tijeras ▸ **de** la rama ▸ (la cordillera) **de** Norte a Sur ▸ (un discurso) **en** lo más interesante ▸ **por** lo sano.

coser a cuchilladas ▸ **con** máquina ▸ **para** el comercio ▸ **por** pedido.

coserse (a unos) **a/con/contra** otros.

cotejar (la copia) **con** el original ▸ **por** arriba ▸ **según** ordenanza.

crecer a los ojos de todos ▸ **de** tamaño ▸ **en** sabiduría.

creer a Pablo ▸ (tal cosa) **de** otro ▸ **bajo** palabra ▸ **en** Dios ▸ (uno) **por/sobre** su testimonio.

creerse de opiniones ajenas.

criar a sus pechos ▸ **con** solicitud ▸ **en** la honestidad.

criarse con disciplina ▸ **en** buenos pañales ▸ **para** el arte.

cristalizar(se) en prismas.

cruzar (un macho) **con** una hembra ▸ (una cuerda) **de** un borde a otro ▸ (la gente) **en** todas direcciones ▸ **por** detrás.

cruzarse con alguien ▸ (el auto) **en** la carretera.

cuadrar (algo) **a** una persona ▸ (lo uno) **con** lo otro ▸ **por** el camino.

cubrir(se) con/de joyas.

cuidar a los hijos ▸ **con** esmero ▸ **de** su casa.

cuidarse de los amigos.

culminar (la fiesta) **con** un banquete ▸ **en** una zambra.

culpar a alguien ▸ (a uno) **de** omiso ▸ **en** uno lo que se disculpa en otro ▸ (a otro) **por** lo que se hace.

cumplir con su deber ▸ **en** representación ▸ **por** todos.

cundir (la noticia) **por** la ciudad.

curar al aire ▸ **con** medicamentos ▸ **de** la dolencia.

curarse con buenas recetas ▸ **de** la gripe ▸ **en** salud.

curiosear con los ojos ▸ **en** la despensa ▸ **por** las calles.

curtirse al/con el frío ▸ **del** fresco ▸ **en** la sierra.

D

dañar a alguien ▸ **con** la actitud ▸ **de** palabra ▸ **en** la honra ▸ **bajo** juramento.

dañarse del estómago ▸ **con** un cuchillo.

dar (algo) **a** cualquiera ▸ **con** la carga al suelo ▸ **contra** un árbol ▸ **de** palos ▸ **en** manías ▸ (ocasión) **a/de/para** conocer ▸ **por** visto ▸ **sobre** el más flaco.

darse al alcohol ▸ **con** una piedra en la espinilla ▸ **de** listo ▸ **por** vencido.

datar (un monumento) **de** tiempos antiguos.

deambular por las calles.

deber (dinero) **a** Enrique ▸ **de** ciudadano.

deberse a su conducta.

decaer de su fortuna ▸ **en** vigor.

decantarse hacia algo ▸ **por** la mejor oferta.

decidir a favor de/en favor de alguien ▸ **de** nuestras vidas ▸ **en** un juicio ▸ **por** su padre ▸ **sobre** el asunto.

decidirse a volver ▸ **a** favor del declarante ▸ **en** favor del testigo ▸ **por** costumbre.

decir a Francisco ▸ **de** alguno ▸ **en**
conciencia ▸ **para** sí ▸ **por** teléfono ▸ **bajo**
juramento.

declarar al/**ante** juez ▸ **en** el tribunal
▸ (a alguien) **por** enemigo ▸ **sobre** el asunto.

declararse (un hombre) **a** una mujer ▸ **a favor
de** un programa ▸ **con** alguien ▸ **en contra de**
una idea ▸ **por** un concepto.

declinar a/**hacia** un lado ▸ **de** allí ▸ **en** bajeza
▸ **en** latín y griego.

decrecer con el tiempo ▸ **en** las últimas horas.

dedicar (tiempo) **al** estudio.

dedicarse a la empresa ▸ **con** tesón.

deducir de la remuneración ▸ **por** lo expuesto.

defender al contrario ▸ **con** la espada ▸ **contra** el
viento ▸ **de** alguien ▸ (al reo) **por** pobre.

defraudar al fisco ▸ (trigo) **del** almacén ▸ **con**
engaño ▸ **en** lo prometido.

degenerar de su estirpe ▸ (una cosa) **de** otra
▸ **en** sus tradiciones ▸ **con** el uso.

dejar a María ▸ **antes del** mediodía
▸ **bajo** cuerda ▸ **con** la palabra en la boca
▸ **de** llamar ▸ (a alguien) **en** paz ▸ **para** el
lunes ▸ **por** aburrimiento ▸ **sin** acabar ▸ **tras** la
pared.

dejarse de enredos.

delatar a la policía ▸ **bajo** palabra.

delatarse a/**ante** los asistentes ▸ **con** sus actos.

delegar al consejero ▸ **en** un apoderado ▸ **para**
vender.

deleitarse con el oído ▸ **de** escuchar ▸ **en** la
lectura.

deliberar en consejo ▸ **entre** socios ▸ **sobre** la
venta.

delirar en pesadillas ▸ **por** la fiebre.

demandar a alguien ▸ **ante** el juzgado ▸ **de/por**
calumnia ▸ **en** juicio.

demorarse en el pago.

demostrar con pruebas.

departir con el amigo ▸ **de** la coyuntura ▸ **sobre**
la actualidad.

depender de una subvención.

deponer ante el juez ▸ **contra** el criminal
▸ (a alguien) **de** su puesto ▸ **en** juicio.

deportar a Guinea ▸ **de** su tierra.

depositar bajo custodia ▸ (al reo) **en** manos **del**
magistrado ▸ **en** poder del juez ▸ **sobre** la mesa.

derivar (una palabra) **de** otra ▸ **hacia** temas
íntimos.

derramar (agua) al/**en** el suelo ▸ **bajo**
la cama ▸ **encima del** vestido ▸ **por** la
alfombra ▸ **sobre** el sofá.

derretirse de calor.

derribar al suelo ▸ **de** la cumbre ▸ **en/por** tierra.

derrocar al suelo ▸ **del** acantilado ▸ **en** una
asonada ▸ **por** sentencia.

desabrirse con alguno.

desacertar en la elección **del** tema.

desacostumbrarse al frío ▸ **de** la siesta.

desacreditar a la empresa ▸ **ante** la
competencia ▸ **con** los clientes ▸ **en** su
fama ▸ **entre** la profesión.

desafiar (a alguien) **al** ajedrez ▸ **de** palabra ▸ **en**
su apariencia ▸ **por** gusto.

desaguar en el río ▸ (un pantano) **por** las
esclusas ▸ **sobre** el lago.

desaguarse por un tubo.

desahogarse a gusto ▸ **con** su amigo ▸ **de** su
aflicción ▸ **en** gritos.

desairar con la respuesta ▸ **en** sus
pretensiones.

desalojar del piso.

desaparecer ante sus ojos ▸ **de** la vista ▸ **para**
siempre.

desapoderar (a alguien) **de** sus atribuciones.

desarraigar(se) de su tierra ▸ **con** la lejanía.

desasirse de las cuerdas.

desatarse de un árbol ▸ **en** insultos ▸ **con**
rapidez.

desavenirse con su novia ▸ **entre** sí ▸ **por**
discusiones.

desayunar(se) de alguna cosa ▸ **con** café ▸ **en**
casa ▸ **por** el camino.

desbancar a alguien ▸ **de** su puesto.

desbordarse (el río) **de** la rambla ▸ **en** la vega ▸ **por** los huertos.
descabalarse con/en/por el caos.
descabalgar del mulo.
descabezarse con un disgusto ▸ **en** una dificultad.
descalabrar(se) a pedradas ▸ **con** un guijarro.
descansar del esfuerzo ▸ **en** paz ▸ **sobre** el lecho.
descararse a pedir ▸ **con** el superior.
descargar contra el débil ▸ (los sacos) **del** camión ▸ (la tormenta) **en** la sierra ▸ **sobre** el arcén.
descargarse con el ausente ▸ **contra** el malhechor ▸ **del** secreto ▸ **en** el suelo ▸ **sobre** la era.
descarriarse del buen camino.
descartarse de un compromiso.
descender al sótano ▸ **de** buena familia ▸ **desde** la cúspide ▸ **en** un diez por ciento ▸ **hacia** el valle ▸ **por** grados.
desclavar (un cuadro) **de** la pared.
descolgarse al huerto ▸ **con** una petición ▸ **de/desde** la ventana ▸ **hasta** la terraza ▸ **por** la cañería.
descollar en física ▸ **entre** otros ▸ **sobre** todos ▸ **por** su ciencia.
descomponerse con alguno ▸ **en** tres partes ▸ **por** el bochorno.
desconfiar de algo o alguien ▸ **hasta** de su imagen ▸ **por** costumbre.
descontar de un préstamo.
descubrir al ladrón ▸ **por** las huellas.
descubrirse a/con su novia ▸ **ante** el valor ▸ **por** respeto.
descuidarse de las faenas ▸ **en** sus labores.
desdecir de su origen ▸ **con** el otro.
desdecirse de lo prometido.
desdeñarse de hablar con los demás.
desdoblarse (una imagen) **en** dos.
desechar (a una persona) **del** pensamiento.
desembarazarse de dificultades ▸ **con** gran esfuerzo.

desembarcar del barco ▸ **en** el muelle.
desembocar en el mar.
desempeñar de sus deudas.
desenfrenarse en los vicios.
desengañarse de ilusiones ▸ **con** un fracaso.
desenredarse del nudo ▸ **con** rapidez.
desentenderse de su responsabilidad ▸ **con** rapidez.
desenterrar de la arena.
desentonar (un color) **con** otro.
desertar al campo enemigo ▸ **de** su deber ▸ **en** pleno combate.
desesperar de/por obtener un premio.
desfallecer de hambre ▸ **en** el camino.
desfogar(se) (la cólera) **con/en** su amigo.
desgajar(se) del tronco ▸ **por** el peso.
deshacerse a trabajar ▸ **del** reloj ▸ **en** excusas ▸ **por** las mujeres.
designar (a alguien) **con** su nombre ▸ **para** el puesto ▸ (una cosa) **por** méritos.
desimpresionarse de una idea.
desinteresarse de la conversación ▸ **por** lo ocurrido.
desistir del proyecto.
desleír en zumo ▸ **con** la cuchara.
desligarse de un conjunto.
deslizarse al pecado ▸ **en** los vicios ▸ **entre** las piernas ▸ **por** la montaña ▸ **sobre** la nieve.
deslucirse al sol ▸ **por** la luz.
desmentir a uno ▸ **bajo** juramento ▸ (una cosa) **de** otra.
desmerecer (una cosa) **de** otra.
desmontarse a tiempo ▸ **de** la moto.
desnudarse de los pies a la cabeza ▸ **desde** la cabeza **hasta** la cintura ▸ **por** completo.
desorientarse en sus investigaciones ▸ **por** la montaña ▸ **entre** los árboles.
despacharse con los empleados ▸ **contra** su jefe.
desparramarse en el suelo ▸ **entre** los árboles ▸ **por** la mesa ▸ **sobre** la tierra.
despedirse de la familia.

despegar para Lima ▸ **con** la uña ▸ **de** Madrid.

despegarse de los vicios ▸ **por** arriba.

despeñarse al vacío ▸ **en** el abismo ▸ **de** la cúspide ▸ **por** la pendiente.

despepitarse por ir al cine ▸ **de** risa.

desperdigarse entre los trigales ▸ **por** el valle.

desperecerse por algo.

despertar al niño ▸ **de** repente ▸ **entre** las olas ▸ **sobre** el agua ▸ **bajo** el sol.

despertarse de miedo ▸ **desde** las tres ▸ **con** sed.

despoblarse de gente.

despojar(se) de la falda ▸ **con** prisa.

desposarse ante el juez ▸ **con** una viuda ▸ **por** poderes.

desposeer de su fortuna.

despotricar contra el jefe.

desprenderse de un peso.

despreocuparse del negocio.

desproveer (a alguien) **de** recursos.

despuntar de inteligente ▸ **en** los estudios ▸ **entre** sus amigos ▸ **por** su saber.

desquitarse de la pérdida ▸ **con** el vecino.

destacar (un color) **de** los otros ▸ **en** matemáticas ▸ **entre** los amigos ▸ **por** su simpatía.

destaparse con un amigo ▸ **en** la cama.

desternillarse de risa.

desterrar a una isla ▸ **de** su patria ▸ **por** traidor.

destinar a París ▸ **para** el uso.

destituir de un cargo ▸ **por** incompetente.

desunir (a un amigo) **de** otro ▸ **con** agua.

desvelarse por su trabajo ▸ **con** el ruido.

desvergonzarse a pedir una recomendación ▸ **con** su amigo.

desvestirse de los hábitos ▸ **para** dormir ▸ **con** rapidez.

desviarse con la niebla ▸ **del** camino ▸ **hacia** el norte.

desvivirse con ella ▸ **por** el bienestar.

detenerse a comer ▸ **con** los obstáculos ▸ **en** el camino.

determinarse a partir ▸ **a** favor de/en favor de uno ▸ **por** el más joven.

detestar del pecado.

detraer del salario.

devolver a su propietario ▸ (mal) **por** bien.

dictaminar sobre un proyecto de ley.

diferenciarse (un hombre) **de** otro ▸ **en** el acento ▸ **por** el modo de moverse.

diferenciarse de su familia.

diferir (algo) **a/hasta/para** septiembre ▸ **de** hoy a mañana ▸ **en** sus ideas ▸ **entre** sí ▸ **por** una semana.

difundirse en la ciudad ▸ (la noticia) **entre** la gente ▸ (la nube) **hasta** desaparecer ▸ **por** la calle.

dignarse a contestar ▸ **de** saludarle.

dilatar (una cosa) **a/para** otra vez ▸ **de** día en día ▸ **hasta** el lunes.

dilatarse en razones ▸ **hacia** la montaña ▸ **hasta** el mar ▸ **para** salir.

diluir en un líquido ▸ **con** la cuchara.

dimanar (una cosa) **de** otra.

dimitir del cargo.

diptongar (la o) **en** ue.

diputar a senador ▸ **para** un cargo.

dirigir a/hacia la ciudad ▸ (a alguien) **en** sus estudios ▸ **para** un fin ▸ **por** una senda.

dirigirse a los asistentes ▸ **hacia** Burgos.

discernir (una cosa) **de** otra ▸ **con** claridad ▸ **entre** todos.

discordar del profesor ▸ **en** opiniones ▸ **sobre** la solución.

discrepar de Carlos ▸ **con** su amiga ▸ **en** parecer.

disculpar al alumno ▸ **con** el maestro.

disculparse ante el grupo ▸ **con** el director ▸ **del** retraso ▸ **por** no asistir ▸ **sin** motivos.

discurrir de un punto a otro ▸ **con** razón ▸ **en** varios asuntos ▸ (el río) **entre** praderas ▸ **por** lugares montañosos ▸ **según** el buen juicio ▸ **sobre** matemáticas.

discutir (una orden) **al** jefe ▸ **con** (alguien) ▸ **de/sobre** política ▸ **por** sus intereses.

diseminar en todas direcciones ▸ **entre** los árboles ▸ **por** el bosque.

disentir del adversario.

disertar con el público ▸ **sobre** arte.
disfrazar con promesas.
disfrazarse bajo un hábito de monje ▸ de gitana
▸ con un traje de labriego.
disfrutar con un amigo ▸ de buena salud
▸ en el cine.
disgregarse en fragmentos.
disgustarse con/de su respuesta ▸ por su
comportamiento.
disimular ante los demás ▸ con malicia.
disipar (el dinero) en juergas ▸ por vicios.
disolver con aceite ▸ en aguardiente.
disonar (un color) de los otros ▸ (alguien) en
una reunión.
disparar contra el enemigo ▸ hacia el monte
▸ hasta matarlo.
dispensar bajo contribución ▸ de asistir ▸ por el
retraso ▸ tras la caída.
dispersarse en fragmentos ▸ entre los árboles
▸ por América.
disponer de los bienes ▸ en hileras ▸ por
secciones.
disponerse a bien morir ▸ para caminar.
disputar con su padre ▸ de/por/sobre alguna
materia.
distanciarse de sus amistades.
distar (una idea) de otra.
distinguir con un premio ▸ entre los demás
▸ por leal.
distinguirse de sus asociados ▸ en el
estudio ▸ entre sus compañeros ▸ por su talla.
distraerse con la música ▸ de sus
ocupaciones ▸ en el trabajo ▸ por la
conversación.
distribuir a domicilio ▸ en trozos ▸ entre
sobrinos ▸ por la calle.
disuadir a alguien ▸ de un proyecto.
divagar del tema ▸ sobre el asunto.
divertirse a costa de alguien ▸ con su
amigo ▸ en dibujar.
dividir con los amigos ▸ (una cosa) de otra ▸ en
dos partes ▸ entre asociados ▸ por la mitad.

dividirse en regiones ▸ con un cuchillo (en
trozos).
divorciarse de su mujer.
divulgar entre sus relaciones.
doblar (el salario) al trabajador ▸ a muerto ▸ de
un golpe ▸ en dos ▸ hacia la izquierda ▸ hasta la
cintura ▸ por un difunto.
doblarse del esfuerzo ▸ en tres partes ▸ hacia
atrás ▸ hasta el suelo ▸ por el trabajo.
dolerse con un íntimo ▸ de las injusticias.
domiciliarse con sus padres ▸ en Caracas.
dominar en absoluto ▸ por completo.
dormir a pierna suelta ▸ bajo el árbol ▸ con el niño
▸ en paz ▸ hasta el anochecer ▸ sobre el tema.
dotar con dinero ▸ de ropa ▸ en diez millones.
dudar acerca de su integridad ▸ de su
amor ▸ en salir ▸ entre esto y aquello ▸ hasta
estar seguro ▸ sobre su honestidad.
durar en el mismo puesto ▸ para todo ▸ por
mucho tiempo.

E

echar a perder ▸ de casa ▸ en falta ▸ (las
ramas) entre los árboles ▸ hacia el valle ▸ para
adelante ▸ por la vereda ▸ sobre sí ▸ tras el
fugitivo.
echarse al campo ▸ bajo un árbol ▸ de
comer ▸ en la cama ▸ entre los árboles ▸ hacia
la izquierda ▸ para la pared ▸ por el
suelo ▸ sobre el contrario.
edificar entre los árboles ▸ (la fortuna) en las
ganancias.
editar por su cuenta ▸ con esmero.
educar con/en buenos principios ▸ para reina.
ejercer de profesor.
ejercitarse en el deporte.
elegir (al mejor) de los concursantes ▸ contra
otro ▸ entre muchos ▸ por marido.
elevarse al/hasta el cielo ▸ de la tierra ▸ en
éxtasis ▸ por las nubes ▸ sobre los demás.

eliminar (a un jugador) **de** la partida ▸ (toxinas) **por** el sudor.

emanar (simpatía) **de** su persona.

emanciparse de la tutela ▸ **por** mayoría de edad.

embadurnar con pintura ▸ **de** rojo.

embarazarse de un crío ▸ **con** el bulto ▸ **por** tanto paquete.

embarcarse con un socio ▸ **de** pasajero ▸ **en** un vapor ▸ **hacia** América ▸ **para** Cuba.

embaucar (a uno) **con** palabras.

embebecerse en mirar.

embeberse con la música ▸ **de** su expresión ▸ **en** la lectura.

embelesarse con el espectáculo ▸ **de** su belleza ▸ **en** ver la película.

embestir al torero ▸ **con** la espada ▸ **contra** el enemigo ▸ **por** la espalda.

embobarse ante el paisaje ▸ **con** el niño ▸ **de/por** algo.

embocarse por un pasillo.

emborracharse con vino ▸ **de** cerveza ▸ **desde** el comienzo.

emboscarse en la sierra ▸ **entre** los árboles ▸ **por** la cañada.

embozarse con la capa ▸ **en** el abrigo ▸ **hasta** las cejas.

embravecerse con los criados ▸ **contra** los débiles.

embriagarse con aguardientes ▸ **de** alegría.

embutir de/con carne ▸ (una cosa) **en** otra.

emerger del agua.

emigrar a Francia ▸ **de** España ▸ **desde** su tierra.

emitir en frecuencia modulada.

emocionarse con el canto ▸ **de** alegría ▸ **en** la boda de la hija ▸ **por** la desgracia.

empacharse con el hornazo ▸ **de** comer ▸ **por** lo mucho.

empalagarse con dulces ▸ **de** chocolate.

empalmar (un remolque) **con/en** el camión.

empapar con una esponja ▸ **de** agua ▸ **en** leche.

empaparse bajo la lluvia ▸ **de** ciencia ▸ **en** malas doctrinas.

empapuzarse de comida.

emparejar(se) (una cosa) **con** otra.

emparentar con buena familia ▸ **sin** recato.

empatar a dos goles ▸ **con** el Real Madrid.

empedrar con/de adoquines.

empeñarse con/por alguno ▸ **en** trabajar ▸ **para** la boda ▸ **por** la enfermedad.

emperrarse con el juego ▸ **en** comprarse un coche.

empezar a brotar ▸ **con** bien ▸ **desde** la primera página ▸ **en** malos términos ▸ **por** el principio.

emplear (a alguien) **para** trabajar.

emplearse de camarero ▸ **en** hacer el bien.

emponzoñar por la corrupción.

empotrar con fuerza ▸ **en** el muro.

emprender a golpes ▸ **con** su socio ▸ (un trabajo) **por** sí solo.

empujar al precipicio ▸ **con** el pie ▸ **contra** el muro ▸ **hacia** el barranco ▸ **hasta** el abismo.

emular a/con alguien ▸ **desde** niño.

emulsionar con/en gasolina.

enajenarse de alegría ▸ **por** el miedo.

enamorarse de Carmen.

enamoricarse de alguien.

enamoriscarse de María.

encajar (la puerta) **con/en** el cerco ▸ **entre** piedras.

encalabrinarse con la secretaria.

encalarse en la reunión ▸ **para** las fiestas.

encallar (el barco) **en** la arena ▸ **sobre** una roca.

encaminarse al casino ▸ **con** su padre ▸ **hacia** el río.

encanecer de miedo ▸ **en** el oficio ▸ **por** la emoción.

encapricharse de un vestido ▸ **con** un chico ▸ **en** un tema ▸ **por** cualquiera.

encaramarse al tejado ▸ **en** un árbol ▸ **sobre** el muro.

encararse a/con su jefe.

encargar (a alguien) **a/de** un asunto.

encargarse de la tienda ▸ **por** un tiempo.

encariñarse con/de una chica.

encarnizarse con/en los vencidos.

encartar con las previsiones ▸ en los padrones.

encasillarse en un partido.

encastillarse con/en su idea.

encauzar(se) en la vida ▸ por la vía del tren.

encenagarse en el barro.

encender a/en la lumbre.

encenderse de cólera ▸ en ira.

encerrar (algo) en una caja ▸ (la cita) entre paréntesis.

encerrarse con llave ▸ en su casa ▸ entre cuatro paredes.

encharcarse de agua ▸ en los vicios.

encogerse de hombros ▸ con el frío.

encomendar (el niño) a su abuela.

encomendarse a Dios ▸ en manos del médico.

enconarse con el vecino ▸ en insultos.

encontrar con un obstáculo ▸ bajo la cama ▸ en América ▸ sobre la mesa ▸ tras la puerta.

encontrarse con un amigo ▸ en ideas contrarias ▸ entre Pinto y Valdemoro.

encuadernar a mano ▸ en rústica.

encuadrar en un marco ▸ (los reclutas) por unidades.

encuadrarse con su promoción ▸ en un partido.

encumbrarse a/en la cúspide ▸ hasta las nubes ▸ sobre sus paisanos.

endurecerse al trabajo ▸ con/en/por el esfuerzo.

enemistar a una persona con otra.

enemistarse con un colega.

enfadarse con/contra alguno ▸ de la respuesta ▸ por tan poco.

enfermar con el trabajo ▸ del hígado ▸ por el esfuerzo.

enfilar hacia el castillo ▸ por el atajo.

enfocar con los faros ▸ (una cuestión) desde otro punto.

enfrascarse en la lectura.

enfrentarse al/con el enemigo.

enfurecerse al acordarse ▸ con/contra el criado ▸ de ver injusticias ▸ por todo.

engalanar (los balcones) con banderas ▸ de colgaduras.

engalanarse con méritos ajenos ▸ de oro.

enganchar(se) (la camisa) con/en un clavo.

engañar a alguien ▸ con promesas.

engañarse a sí mismo ▸ con/por las apariencias ▸ en el precio.

engarzar con perlas ▸ en oro.

engastar con diamantes ▸ en platino.

engendrar(se) (un hijo) con/por amor ▸ de alguien ▸ (un ser) en otro.

englobar en un proyecto.

engolfarse con prostitutas ▸ en los vicios ▸ por lujuria.

engolosinarse con el premio.

engreírse con/de/por su riqueza.

enjuagarse con agua.

enjugar (ropa) al fuego.

enlazar (una cuerda) a/con otra.

enloquecer de tristeza ▸ por las desgracias.

enmascararse de princesa ▸ para el baile.

enmendarse con/por la condena ▸ de un error ▸ por los reproches.

enojarse con/contra la familia ▸ de la mala noticia ▸ por la ligereza.

enorgullecerse de/con sus obras.

enraizar con fuerza ▸ de nuevo ▸ en un país.

enredarse (una cosa) a/con/en otra ▸ de palabras ▸ entre las zarzas ▸ por los cabellos.

enriquecer(se) con dádivas ▸ de virtudes ▸ en ciencia.

enrolarse en la marina.

ensangrentarse con/contra uno.

ensañarse con/en los vencidos.

ensayar(se) a cantar ▸ en la declamación ▸ para hablar en público.

enseñar a leer ▸ con el dedo ▸ por buen autor.

enseñorearse de una propiedad.

ensimismarse en sus pensamientos.

ensoberbecerse con su hermosura ▸ de su fortuna.

ensuciarse con lodo ▸ de grasa ▸ en el trabajo ▸ por el suelo.

entapizar con/de ricos tejidos.

entender de mecánica ▸ **en** electrónica.

entenderse con la vecina ▸ **en** inglés ▸ (con alguien) **para** un trabajo ▸ **por** señas.

enterarse del contenido ▸ **de** boca del informador ▸ **en** la calle ▸ **por** boca del testigo ▸ **por** la televisión.

enternecerse con un crío.

enterrar en el cementerio.

enterrarse en vida.

entibiarse con un amigo.

entonar (un canto) **a** la libertad ▸ (un color) **con** otro.

entrar a/en la iglesia ▸ **con** buen pie ▸ **de** soldado ▸ **dentro de** sí ▸ **hacia** las nueve ▸ **hasta** el coro ▸ **por** la puerta principal.

entregar (algo) **a** alguien.

entregarse al estudio ▸ **en** manos de la suerte ▸ **sin** condiciones.

entremeterse con los mejores ▸ **en** asuntos ajenos ▸ **entre** los buenos.

entremezclar(se) con cemento ▸ **en** arena.

entrenarse con el equipo ▸ **en** el estadio.

entresacar (las plantas) **de** un campo.

entretenerse con una novela ▸ **en** oír música.

entrevistarse con el ministro ▸ **en** el gabinete.

entristecerse con/de/por las malas noticias.

entrometerse en los asuntos ajenos ▸ **entre** marido y mujer.

entroncar (una cosa) **con** otra.

entronizar (a la amada) **en** su corazón.

entusiasmarse con algo ▸ **por** una mujer.

envalentonarse con los éxitos.

envanecerse con/de/en/por el triunfo.

envasar al vacío.

envejecer con ansiedad ▸ **de** repente ▸ **en** el oficio ▸ **por** el duro trabajo.

envenenar al doliente ▸ **con** cianuro.

envenenarse de/por comer setas.

enviar (a alguno) **al** pueblo ▸ **con** un regalo ▸ **de** embajador ▸ **por** correo.

enviciarse con/en el juego ▸ **por** las malas amistades.

envolver(se) con papel ▸ **en** el gabán ▸ **entre** mantas.

enzarzarse en una disputa ▸ **por** envidia.

equidistar de Sevilla y Córdoba.

equipar(se) con prendas ▸ **de** atuendos.

equiparar (una cosa) **a/con** otra.

equivaler a cien euros.

equivocar (una cosa) **con** otra.

equivocarse al hablar ▸ **con** otro ▸ **de** número ▸ **en** algo.

erigir(se) en juez.

errar en la vida ▸ **por** el mundo.

escabullirse de la obligación ▸ **entre** la muchedumbre ▸ **por** la ventana.

escamarse de/por algo.

escandalizarse por la mala conducta.

escapar(se) a la calle ▸ **con** vida ▸ **de** la cárcel ▸ **en** un coche ▸ **sobre** un caballo.

escarbar en los secretos.

escarmentar con/de/por la desgracia ▸ **en** cabeza ajena.

escindirse en dos partes ▸ **por** la mitad.

escoger del/en el montón ▸ **entre** todas ▸ **para/por** mujer.

esconderse a la persecución ▸ **bajo/debajo de** las escaleras ▸ **de** la policía ▸ **en** el desván ▸ **entre** las matas.

escribir a máquina ▸ **de/sobre** filosofía ▸ **desde** Madrid ▸ **en** español ▸ **para** el cine ▸ **por** correo.

escrupulizar en pequeñeces.

escuchar al padre ▸ **con** atención ▸ **en** silencio.

escudarse con fuerza ▸ **contra** el muro ▸ **de** la religión ▸ **en** la autoridad.

escudriñar (el mar) **en** busca de los barcos ▸ **entre** los libros.

esculpir a cincel ▸ **en** mármol.

escupir a la cara ▸ **en** el suelo ▸ **por** el colmillo.

escurrirse al suelo ▸ **de** las manos ▸ **entre** las piedras ▸ **en** la propina.

esforzarse a/en trabajar ▸ **para** no dormirse ▸ **por** ganar dinero.

esfumarse ante los ojos ▸ **de** la vista ▸ **en** la lejanía ▸ **por** las nubes.

esmaltar al fuego ▸ **con/de** adornos.

esmerarse en el trabajo ▸ **por** ser amable.

espantarse al crujido ▸ **ante** la realidad ▸ **con/de/por** el ruido.

esparcir (las flores) **por** el camino.

especializarse en medicina.

especular con terrenos ▸ **en** bolsa ▸ **sobre** un hecho.

esperar a que llegue ▸ **de** los amigos ▸ **en** Dios ▸ **para** cenar.

espolvorear con azúcar.

establecerse de médico ▸ **en** Buenos Aires.

estafar a su hermana ▸ **con** moneda falsa ▸ **en** un asunto.

estallar de risa ▸ **en** sollozos.

estampar a mano ▸ **con** un sello ▸ **contra** el muro ▸ **en** madera ▸ **sobre** seda.

estancarse en un asunto.

estar a/bajo la orden de otro ▸ **bajo** el árbol ▸ **con** calentura ▸ **contra** todo ▸ **de** regreso ▸ **en** casa ▸ **entre** amigos ▸ **para** salir ▸ **por** el monarca ▸ **sin** calma ▸ **sobre** un asunto ▸ **tras** una doncella.

estimar a un amigo ▸ **en** dinero.

estimular al trabajo ▸ **con** dádivas.

estirar de la cuerda.

estragarse con el alcohol ▸ **de** beber ▸ **por** la mala comida.

estraperlear con las mercancías.

estrechar entre los brazos ▸ (una amistad) **con** alguien.

estrecharse con alguno ▸ **en** las propinas.

estregar con el estropajo.

estregarse contra la pared.

estrellarse con un camión ▸ **contra** un árbol ▸ **en** avión ▸ **sobre** la calzada.

estremecerse de miedo.

estrenarse con una obra maestra ▸ **en** un negocio ▸ **por** primera vez.

estribar (el pie) **en** el travesaño.

estudiar con los jesuitas ▸ **de** memoria ▸ **en** los clásicos ▸ **entre** el lunes y el martes ▸ **para** médico ▸ **sin** profesor.

evadirse de la prisión.

evaluar (la herencia) **en** cinco millones.

exagerar con la bebida ▸ **en** la dosis.

examinar(se) a fin de curso ▸ **de** gramática ▸ **en** Salamanca ▸ **para** nota ▸ **por** Navidad.

exceder (la realidad) **a** la ficción ▸ **del** proyecto ▸ **en** autoridad.

excederse a sí mismo ▸ **de** sus facultades ▸ **en** regalos.

exceptuar (a alguien) **de** la regla.

excitar a la violencia.

excluir (a alguien) **de** algún sitio.

exculpar (a alguien) **de** una falta.

excusarse con su amigo ▸ **de** hacer algo ▸ **por** llegar tarde.

exhortar a cambiar de vida ▸ **con** razones.

exhumar (algo) **del** olvido.

eximir(se) del servicio militar.

exonerar del impuesto.

expansionarse con el amigo.

expeler del reino ▸ **por** la boca.

explayarse con los amigos ▸ **en** discursos.

exponerse a un desastre ▸ **ante** el enemigo.

expresarse con mímicas ▸ **de** palabra ▸ **en** alemán ▸ **por** escrito.

expulsar (a alguien) **del** colegio ▸ **por** la boca.

expurgar de lo malo.

extender sobre la hierba.

extenderse a/hasta mil euros ▸ **de** norte a sur ▸ **desde/hacia** el Norte ▸ **en** digresiones ▸ **por** el suelo.

extraer con maquinaria ▸ **de** la mina.

extralimitarse en sus facultades.

extrañar de la patria.

extrañarse de su amigo.

extraviarse a otra cuestión ▸ **del** camino ▸ **en** sus opiniones ▸ **para** la sierra ▸ **por** el bosque.

extremarse en precauciones.

facultar con poderes ▸ (alguien) para hacer algo.

fajar a un niño.

fajarse con alguien ▸ en el debate.

fallar a favor del reo ▸ contra el delincuente ▸ en contra del condenado ▸ en favor del acusado ▸ con/en tono magistral.

fallecer a manos del enemigo ▸ de muerte violenta ▸ en un accidente.

faltar a la cita ▸ de casa ▸ en algo ▸ para mil ▸ por saber.

familiarizarse con las costumbres de otro país ▸ en el manejo del nuevo coche.

fastidiarse al andar ▸ con/de la charla de alguno.

fatigarse de subir ▸ en disculpas ▸ por atraer la atención.

favorecer a un familiar ▸ con dinero ▸ para Navidad ▸ por las circunstancias.

favorecerse de las relaciones.

felicitarse del éxito de un amigo.

fiar (algo) a/de alguien ▸ en el contable.

fiarse a/de/en un amigo.

fichar por el Real Madrid.

figurar de director ▸ en la Corte.

fijar a/en la pared ▸ con cola ▸ de arriba abajo.

fijarse en un detalle.

filtrar (el agua) a través de la tierra ▸ con filtrador.

firmar con puño y letra ▸ de propia mano ▸ en blanco ▸ por mandato.

fisgar en la maleta de otro ▸ detrás de la ventana.

flamear al viento ▸ en el aire.

flaquear en la virtud ▸ por los cimientos.

flojear de las piernas ▸ en el esfuerzo.

florecer de/en sabiduría.

fluctuar en/entre dudas.

fluir (el agua) de la fuente ▸ por el caño.

forjar con/de/en hierro.

formar (al alumno) con el buen ejemplo ▸ (quejas) de un amigo ▸ en fila ▸ entre los reclutas ▸ por secciones.

forrar de/con/en pieles.

forrarse de millones.

fortificarse con barricadas ▸ contra el enemigo ▸ en la muralla.

forzar a salir ▸ con algo.

fracasar en las oposiciones.

franquearse a un amigo ▸ con un compañero.

freír a preguntas ▸ con/en aceite.

frisar (una moldura) con otra ▸ en/en torno a los cuarenta años.

frotar (una cosa) con/contra otra.

fugarse con su socio ▸ de la cárcel ▸ en helicóptero.

fulminar con la mirada ▸ por la enfermedad.

fumar con/sin boquilla ▸ en pipa.

fundamentar en principios.

fundarse en la razón.

fundirse al sol ▸ con el calor ▸ por la temperatura.

galardonar con un premio.

ganar al ajedrez ▸ con el cambio ▸ de posición ▸ en nivel ▸ para vivir ▸ por la mano.

gastar con gracia ▸ de su fortuna ▸ en banquetes.

girar a/hacia la izquierda ▸ (una letra) a cargo de alguien ▸ alrededor del centro ▸ contra otro ▸ de una parte a otra ▸ (una cosa) en torno a otra ▸ por tal parte ▸ sobre el eje.

gloriarse de alguna cosa ▸ en el Señor.

gobernarse con acierto ▸ por consejos.

golpear con un bastón ▸ contra la ventana.

gotear (el agua) del tejado.

gozar(se) con/en el bien público ▸ del bienestar.

grabar al aguafuerte ▸ con cincel ▸ en cobre ▸ sobre madera.

graduar(se) de licenciado ▸ en ciencias ▸ por Salamanca.

granjear (la voluntad) a/de alguien ▸ para sí.

gravar con impuestos ▸ **en** excesivo.
gravitar sobre la Tierra.
guardar bajo/con llave ▸ (la casa) **contra** los
ladrones ▸ **del** frío ▸ **en** la memoria ▸ **entre** las
mantas ▸ **para** el invierno ▸ **por** precaución.
guardarse de los enemigos.
guarecerse bajo techo ▸ (una cosa) **con/de**
otra ▸ **del** frío ▸ **en** una cabaña.
guarnecer con lechuga ▸ **de** patatas.
guasearse de alguien.
guerrear con/contra el enemigo.
guiar (a alguien) **a través del** bosque ▸ **con**
la mano ▸ **en** las dificultades ▸ **hacia** el
acantilado ▸ **hasta** la puerta ▸ **por** la selva.
guiarse con un compás ▸ **por** el ejemplo.
gustar de chanzas.

H

haber de morir ▸ (dinero) **en** caja ▸ **por** plaza.
habilitar (a uno) **con** dinero ▸ **de** ropa ▸ **para** el
hospital.
habitar bajo techo ▸ **con** su tía ▸ **en** Ávila ▸ **entre**
parientes.
habituarse al calor.
hablar acerca de algo ▸ **al** jefe ▸ **con**
alguno ▸ **de/sobre** alguna cosa ▸ **en**
broma ▸ **entre** dientes ▸ **para** sí ▸ **por**
hablar ▸ **sin** discernimiento.
hacendar (un hijo) **con** tierras.
hacendarse en California.
hacer (algo) **a** ambas manos ▸ (mucho) **con**
poco trabajo ▸ **de** héroe ▸ (algo) **en** regla ▸ **para**
sí ▸ **por** alguno ▸ **sin** afán.
hacerse a las armas ▸ **con/de** buenos
amigos ▸ (algo) **en** debida forma.
hallar (la solución) **al** problema ▸ (una cartera)
en la calle ▸ **por** el camino.
hallarse a/en la fiesta ▸ **con** una pared ▸ **de**
vacaciones.
hartar(se) a insultos ▸ **con** jamón ▸ **de** comer.

hastiar(se) con los estudios ▸ **de** todo.
helarse de frío.
henchir con lana ▸ **de** satisfacción.
heredar al padre ▸ **de** su abuelo ▸ **en/por** línea
directa.
herir de muerte ▸ **en** la estimación ▸ **por** la
espalda.
hermanar(se) dos a dos ▸ (una cosa) **con** otra
▸ **entre** sí.
herrar a fuego ▸ **en** frío.
hervir a fuego lento ▸ **con** agua ▸ **de** gente ▸ **en**
ira ▸ **sobre** el fuego.
hilar con lana.
hincar (el pie) **en** lodo.
hincarse a los pies ▸ **de** rodillas.
hincharse a comer ▸ **con** las alabanzas ▸ **de**
beber.
hipar por ir al cine.
hocicar con/contra/en alguna cosa.
holgarse con/de alguna cosa.
hombrearse con los mayores.
honrar(se) con la amistad ▸ **de/en** complacer.
horrorizarse con/de todo ▸ **por** cualquier
cosa.
huir al extranjero ▸ **ante** los peligros ▸ **de** la
ciudad ▸ **por** el bosque.
humanarse con los vencidos.
humedecer con la lengua ▸ **de/en** agua.
humillarse a un superior ▸ **ante** el jefe ▸ **con**
los fuertes.
hundirse en el agua ▸ **por** el peso.
hurgar con un palo ▸ **en** la herida.
hurtar (algo) **a** un comerciante ▸ **de** la tienda
▸ **en** el precio.
hurtarse a los ojos ▸ **de** otro.

I

identificar a un malhechor.
identificarse (una cosa) **con** otra.
idolatrar a sus padres.

igualar(se) a los mejores ▸ **con/en** cultura ▸ **de** saberes.

ilustrar con citas.

imbuir (a uno) **de/en** ideas falsas.

imitar a alguien ▸ **con** mímicas ▸ **en** la voz.

impacientarse con alguien ▸ **de** esperar ▸ **por** no recibir noticias.

impeler (a uno) **a** una acción ▸ **por** la fe.

impermeabilizar con plástico ▸ **contra** la humedad.

impetrar (algo) **del** Gobernador.

implicar a los amigos ▸ **en** un asunto.

implicarse con alguno ▸ **en** un delito.

imponer (una pena) **al** reo ▸ (un impuesto) **sobre** el tabaco.

importar (mucho) **a** alguno ▸ (mercancías) **de** América ▸ **a/en** España.

importunar con cuestiones.

imposibilitar para un cargo.

impregnar(se) con/de/en gasolina.

imprimir con/de letra nueva ▸ **en** el ánimo ▸ **sobre** papel.

impulsar a hacer algo.

imputar al adversario.

incapacitar para el empleo.

incautarse de algo ▸ **por** la fuerza.

incidir en culpa.

incitar a la sublevación ▸ **contra** otro ▸ **para** guerrear.

inclinar (a alguno) **a** la virtud ▸ **en favor de** los indigentes ▸ **hacia** la izquierda.

inclinarse a la amistad ▸ **ante** la amenaza ▸ **hacia** la orilla ▸ **hasta** el suelo ▸ **por** el estudio ▸ **sobre** el mostrador.

incluir en la lista ▸ **entre** los mejores.

incorporar a/en un registro ▸ (un asunto) **con** otro.

incorporarse a filas.

incrementar(se) en millones de euros.

incrustarse en la piel.

inculcar a la gente ▸ **en** el pensamiento.

inculpar de un crimen.

incumbir (una acción) **a** otra persona.

incurrir en infracción.

indemnizar (a una persona) **con** dinero ▸ **del** accidente ▸ **por** el perjuicio.

independizarse de los padres ▸ **en** el aspecto económico.

indigestarse con fruta ▸ **de** comer pasteles ▸ **por** la bebida.

indignarse con algo ▸ **contra** alguien ▸ **de** una canallada ▸ **por** una mala acción.

indisponer (a uno) **con/contra** el jefe.

inducir (a uno) **a** pecar ▸ **en** error.

indultar (a alguno) **de** la pena ▸ **por** buena conducta.

infatuarse con el éxito.

inferir (una cosa) **de/por** otra.

infestar (un pueblo) **con/de** una enfermedad.

inficionar con malos ejemplos.

infiltrarse en el campo adverso ▸ **entre** los enemigos.

inflamar(se) de cólera ▸ **en** ira.

inflar(se) de aire ▸ **con** vanidades.

influir ante el tribunal ▸ **con** el superior ▸ **en** la sentencia ▸ **para** el indulto ▸ **sobre** el resultado.

informar (a alguno) **de/en/sobre** alguna cosa.

infundir (fuerzas) **a/en** alguno.

ingeniarse a vivir ▸ **con** poco ▸ **en** construir ▸ **para** ir viviendo.

ingerir con una paja ▸ **de** golpe ▸ **por** la boca.

ingerirse en cosas ajenas.

ingresar en la universidad.

inhabilitar (a alguno) **de** un cargo ▸ **para** funciones.

inhibirse de razón ▸ (el juez) **en** el conocimiento de una causa.

iniciar(se) a/en la ciencia.

injerir a púa ▸ **de** escudete ▸ (una rama) **en** un árbol.

injertar en una rama.

inmiscuirse en un asunto.

inmolar (el honor) **a** la riqueza ▸ (la vida) **en aras de** ▸ **por** la patria.

inquietarse con/de/por la salud.

inscribir(se) en algún sitio.
insertar (un documento) en otro.
insinuarse a una mujer ▸ con los
poderosos ▸ en el ánimo del monarca.
insistir en la demanda ▸ sobre el testigo.
insolentarse con/contra el jefe.
inspirar (una idea) a/en alguno.
inspirarse de Picasso ▸ en pintura.
instalar en casa.
instalarse en la Costa del Sol.
instar (a alguien) a obrar ▸ para el éxito ▸ por
un apoyo ▸ sobre el negocio.
instigar (a uno) a cometer un delito.
instruir del peligro ▸ en la virtud ▸ sobre
matemáticas.
insubordinarse contra el jefe.
insurreccionarse contra la república.
integrar(se) en un conjunto.
intentar (una acusación) a/contra Juan.
intercalar (una frase) en la conversación.
interceder ante el jefe ▸ con alguno ▸ acerca
de alguien ▸ en favor de un colega ▸ por un
compañero.
interesarse con algo ▸ de cerca ▸ en la
empresa ▸ por Ana.
interferir(se) en un negocio.
internar en un penitenciario.
internarse en el bosque ▸ por la selva.
interpolar (unas cosas) con/entre otras.
interponer (su autoridad) con alguno ▸ por
otro.
interponerse entre adversarios.
interpretar del español al francés ▸ en inglés.
interrogar acerca de algo ▸ en la comisaría.
intervenir cerca del Presidente ▸ con el juez ▸ en
el reparto ▸ para el ajuste ▸ por el reo.
intimar con Isabel.
introducir(se) con los que mandan ▸ en/por
alguna parte ▸ entre los soldados.
inundar de agua ▸ (el suelo) en sangre.
invernar en Málaga.
invertir en tierras.

investir (a alguien) con una dignidad ▸ de doctor.
invitar a cenar ▸ con un gesto ▸ desde lejos.
involucrar a un desconocido ▸ en el tema.
inyectar en vena.
ir a/hacia Buenos Aires ▸ bajo custodia ▸ con
su novio ▸ contra corriente ▸ de compras ▸ de
un sitio a otro ▸ de mal en peor ▸ de acá
para allá ▸ de por sí ▸ desde un sitio a
otro ▸ desde un sitio hasta otro ▸ detrás de
alguien ▸ en coche ▸ entre fusiles ▸ hasta/
para Barcelona ▸ por mal camino ▸ sobre
ruedas ▸ tras el fugitivo.
irritarse con/contra el juez ▸ por todo.
irrumpir en la reunión.
irse a pique ▸ de la cabeza ▸ por lo alto.

J

jactarse de rico.
jaspear (una pared) de colores.
jubilar(se) con cincuenta años ▸ del trabajo.
jugar a las cartas ▸ (unos) con otros ▸ contra
los demás ▸ de manos ▸ en la lotería ▸ hasta la
camisa ▸ (alguna cosa) por otra.
juntar (una cosa) a/con otra ▸ (ovejas y cabras)
en el rebaño ▸ (varias cosas) por los extremos.
juntar(se) con la familia ▸ en casa ▸ para una
fiesta.
jurar en vano ▸ por Dios ▸ sobre los Evangelios.
justificar(se) ante el director ▸ con el jefe ▸ de
algún cargo ▸ (la medida) por sí misma.
juzgar a alguien ▸ de alguna cosa ▸ en
derecho ▸ entre las partes ▸ por/sobre las
apariencias ▸ según la costumbre ▸ sin
apelación.

L

laborar a mano ▸ en favor de la
humanidad ▸ por el bien del país.

labrar a cincel ▸ con el tractor ▸ de mañana ▸ en madera.
ladear(se) a/hacia la derecha ▸ con un amigo ▸ por un partido.
ladrar a la Luna ▸ con fuerza.
lamentar(se) de/por la desdicha.
languidecer de pena.
lanzar (piedras) al/contra el adversario ▸ con la mano ▸ de/desde la torre.
lanzarse al agua ▸ contra el toro ▸ con un salvavidas ▸ en el mar ▸ hacia la izquierda ▸ sobre la liebre.
largarse con otro ▸ de casa.
lastimarse con una espina ▸ contra la pared ▸ de la noticia ▸ en un pie.
lavar con jabón ▸ en el baño.
leer a Cervantes ▸ con calma ▸ de corrido ▸ en voz alta ▸ entre líneas ▸ sobre papel ▸ por encima.
legar (una obra) a la posteridad.
levantar al niño ▸ del suelo ▸ en brazos ▸ por las nubes ▸ sobre la cabeza.
levantarse con el pie izquierdo ▸ contra la autoridad ▸ de la silla ▸ en armas ▸ hasta arriba ▸ sobre la punta de los pies.
liar con cuerdas.
liarse a palos ▸ con el vecino ▸ en una manta.
liberar al prisionero ▸ con dinero ▸ de sus cadenas.
liberarse de un fardo.
librar a cargo ▸ de/contra un banco ▸ de riesgos ▸ (su esperanza) en Dios ▸ sobre una plaza.
librarse del peligro ▸ por los pelos.
licenciarse del ejército ▸ en Filosofía y Letras.
lidiar con la muleta ▸ contra los animales ▸ por la fe.
ligar a Isabel ▸ con Fernando.
ligarse con/por su promesa.
limitar con Andalucía ▸ por el sur.
limitarse a copiar.
limpiar con el pañuelo ▸ de sangre ▸ en seco.
limpiarse con la toalla ▸ de tizne ▸ en el paño.
lindar (una finca) con otra ▸ por el río.

lisonjear(se) con adulaciones ▸ de esperanzas.
litigar con/contra su hermano ▸ de/por pobre ▸ sobre una herencia.
llamar a la puerta ▸ con la mano ▸ de tú ▸ por teléfono.
llamarse a engaño.
llegar a casa ▸ de/desde Florida ▸ en avión ▸ hasta el aeropuerto ▸ por la rodilla.
llenar con/de trigo ▸ hasta el borde.
llevar a casa ▸ con paciencia ▸ en coche ▸ por tema ▸ sobre el lomo.
llevarse (bien) con el vecino ▸ de la ira ▸ por delante.
llorar a lágrima viva ▸ de alegría ▸ con emoción ▸ por la desgracia.
llover a cántaros ▸ en primavera ▸ sobre mojado.
loar (a alguien) de sabio ▸ por sabiduría ▸ (una cosa) en su persona.
localizar a un amigo ▸ en algún sitio.
lograr (algo) de alguien.
lucir ante las gentes ▸ bajo el sol ▸ sobre el corpiño ▸ tras la montaña.
lucirse con el capote ▸ en una prueba.
lucrarse a costa ajena ▸ a base de estafar ▸ con las ganancias.
luchar a brazo partido ▸ con/contra el enemigo ▸ por la victoria.
ludir (una cosa) con/por otra.

machacar con el mazo ▸ en hierro frío.
maldecir a alguien ▸ con insultos ▸ de/por todo.
malearse con/por los amigotes.
malgastar con malas compañías ▸ (el dinero) en tonterías.
maliciar de cualquiera ▸ en cualquiera cosa.
malmeter (a uno) a hacer cosas malas ▸ con/contra un amigo.
malquistarse con un compañero.

maltratar al animal ▸ de palabra ▸ **hasta** herirlo ▸ **sin** compasión.

mamar con ansia ▸ (un vicio) **en** el pecho ▸ **de** la madre.

manar (agua) de una fuente ▸ **en** la riqueza.

mancomunarse con otros.

manchar (la ropa) **con** sangre ▸ **de** grasa.

mandar (una carta) **al** correo ▸ **de** emisario ▸ (a uno) **con** la música a otra parte ▸ **en** su casa ▸ **entre** los amigos ▸ **por** dulces.

mangonear a la familia ▸ **en** todo.

manifestarse a favor de una idea ▸ **en** política ▸ **por** la ciudad.

manipular a la gente ▸ **con** cuidado ▸ **en** la máquina.

mantener a su familia ▸ (correspondencia) **con** alguno ▸ **en** buen estado.

mantenerse con/de fruta ▸ **en** forma.

maquinar con un cómplice ▸ **contra** la autoridad.

maravillarse ante su belleza ▸ **con/de/por** la noticia.

marcar a fuego ▸ **con** hierro ▸ **por** suyo.

marchar(se) a Burgos ▸ **de** Madrid ▸ **de** Cádiz a Huelva ▸ **desde** Córdoba **hasta** Málaga ▸ **hacia** Sevilla ▸ **para** Granada ▸ **por** carretera ▸ **sin** despedirse ▸ **sobre** rieles.

matar (a alguien) **a** golpes ▸ **con** un palo ▸ **contra** la pared ▸ **de** un disgusto ▸ **en** el patíbulo ▸ **entre** los dos ▸ **por** accidente.

matarse a trabajar ▸ **con** otro ▸ **contra** un muro ▸ **por** ganar dinero.

matizar con/de rojo y amarillo.

matricularse de oyente ▸ **en** la universidad ▸ **por** libre.

mecer al niño ▸ **con** fuerza ▸ **en** la cuna ▸ **sin** ritmo.

mediar con alguno ▸ **en** una querella ▸ **en favor** de uno ▸ **entre** los parientes ▸ **por** un hermano.

medir a palmos ▸ (una cosa) **con** otra ▸ **contra** el muro ▸ **por** varas ▸ **sobre** la mesa.

medirse con un metro ▸ **en** la pared.

meditar en solitario ▸ **entre** sí ▸ **sobre** el asunto.

medrar en riqueza.

mejorar de/en condición.

merecer con creces ▸ **de** alguno ▸ **para** su profesión.

mermar en capacidad.

merodear por los alrededores.

mesurarse en las acusaciones.

meter (al hijo) **a** trabajar ▸ **de** camarero ▸ **en** cintura ▸ **entre** el bultos ▸ **por** la vereda.

meterse a gobernar ▸ **bajo** un árbol ▸ **con** los que mandan ▸ **de** chófer ▸ **de** cabeza en el agua ▸ **en** un lío ▸ **en** la cama con fiebre ▸ **entre** gente ruin ▸ **por** medio.

mezclar (sal) **a** la harina ▸ (una cosa) **con** otra ▸ **en** vino.

mezclarse a la gente ▸ **con** mala gente ▸ **en** varios negocios ▸ **entre** el público.

militar en una asociación ▸ **por** la patria.

mirar a la cara ▸ **con** buenos ojos ▸ **de** reojo ▸ **hacia** el sur ▸ **por** alguno ▸ **sobre** el hombro.

mirarse al espejo ▸ (bien) **antes de** hacer algo ▸ **en** el agua.

moderarse con el gesto ▸ **en** la expresión.

mofarse del público.

mojar(se) con/en agua.

moler(se) a trabajar ▸ **con** impertinencias.

molestar a la gente ▸ **con** cuestiones.

molestarse en hacer algo ▸ **por** alguien.

mondarse de risa.

montar a horcajadas ▸ **en** bicicleta ▸ **sobre** un caballo.

morar con sus padres ▸ **en** un castillo.

morir al pie del cañón ▸ **a causa de** una enfermedad ▸ **con** las botas puestas ▸ **de** pena ▸ **en** la cama ▸ **entre** sus familiares ▸ **para** los amigos ▸ **por** nada ▸ **sin** razón ▸ **tras** la pelea.

morirse de frío ▸ **por** llegar pronto.

mortificarse con penitencias ▸ **en** algo.

motejar (a uno) **de** ignorante.

motivar con un galardón ▸ **en** buenas razones.

mover(se) a piedad ▸ con lo que dice ▸ de un sitio a otro ▸ por egoísmo.

mudar(se) a otro sitio ▸ de ropa.

multiplicar con su trabajo ▸ por cien.

murmurar de la gente ▸ por lo bajo.

N

nacer al mundo del teatro ▸ con fortuna ▸ de buena familia ▸ en Granada ▸ para músico.

nacionalizarse en Francia.

nadar a braza ▸ contra corriente ▸ de espaldas ▸ en la piscina ▸ entre dos aguas ▸ hacia la costa.

naturalizarse con toda la familia ▸ en otro país.

navegar a/para Canarias ▸ con buen viento ▸ contra el viento ▸ de bolina ▸ en un yate ▸ entre dos aguas ▸ hacia Vigo.

necesitar de auxilios ▸ para comer.

negarse al trato.

negociar al por mayor ▸ con una empresa ▸ en un traslado.

nivelarse a su vecino ▸ con los ricos.

nombrar para un cargo.

notar al margen ▸ con esmero ▸ (a alguien) de hablador ▸ (faltas) en obras ajenas.

notificar a alguien ▸ de algo.

nutrir(se) con manjares ▸ de leche fresca ▸ en sabiduría.

O

obcecarse con/en/por una quimera.

obedecer al director ▸ con rapidez ▸ sin dudarlo.

obligar a devolver ▸ con su actitud ▸ por fuerza.

obrar a la ligera ▸ con maldad ▸ en poder de alguien ▸ por amor.

obsequiar a un amigo ▸ con flores.

obsesionarse con/por alguien.

obstar (una cosa) a/para otra.

obstinarse contra alguno ▸ en su opinión.

obtener (un producto) con otro ▸ (algún favor) de otro.

ocultar a alguien ▸ ante el juez ▸ con una cortina ▸ de la vista ▸ detrás de la casa ▸ entre los árboles ▸ tras la montaña.

ocuparse con un negocio ▸ de sus padres ▸ en trabajar.

ocurrir con rapidez.

odiar a/de muerte.

ofenderse con los insultos ▸ de los agravios ▸ por todo.

oficiar de sacerdote.

ofrecerse a servir ▸ de acompañante ▸ en ofrenda ▸ en calidad de suplente ▸ para ayudar ▸ por servidor.

ofrendar (la vida) a/por la patria.

oír bajo confesión ▸ con atención ▸ del juez ▸ de boca de alguien ▸ en secreto ▸ por sí mismo.

oler a rosas.

olvidarse de sí mismo.

operarse del estómago ▸ en París.

opinar acerca de Luis ▸ con el socio ▸ (bien) de alguien ▸ en política ▸ sobre el gobierno.

oponer (una barrera) a/contra la nieve.

oponerse a la justicia ▸ con razón.

opositar a cátedra ▸ con su amigo ▸ contra los demás.

oprimir al pueblo ▸ bajo su poder ▸ con tiranía.

optar a/por un empleo ▸ entre varios candidatos.

orar en favor de los vivos ▸ por los difuntos.

ordenar(se) de sacerdote ▸ en columnas ▸ por asignaturas.

organizar en/por porciones.

orientar(se) a/hacia Levante ▸ por las estrellas.

orzar a popa ▸ de avante.

oscilar entre ambiciones.

P

pactar con el diablo ▸ entre sí ▸ por bueno.

padecer con/de/en/por la injusticia.

pagar al contado ▸ **con** la misma moneda ▸ **de** su fortuna ▸ **en** metálico ▸ **para** Navidad ▸ **por** meses ▸ **según** el precio ▸ **sin** rechistar.

pagarse de sí mismo ▸ **con** razones.

paladearse con un dulce.

paliar (un problema) **con** ayuda.

palidecer ante la dificultad ▸ **bajo** la amenaza ▸ **con** los peligros ▸ **de** cólera.

palpar con la mano ▸ **entre** las ropas ▸ **por** sus manos.

parapetarse con sacos terrenos ▸ **de** los tiros ▸ **en** su habitación ▸ **tras** el secreto profesional.

parar(se) a descansar ▸ **ante** la catedral ▸ **con** su mujer ▸ **de** golpe ▸ **en** tonterías ▸ **entre** dos estaciones ▸ **para** comer ▸ **por** algún sitio.

parecer(se) a su padre ▸ **de** cara ▸ **en** los ojos.

participar del beneficio ▸ **en** el negocio.

particularizarse con el amigo ▸ **en** el trato.

partir a/para América ▸ (la capa) **con/en** el pobre ▸ **de** Portugal ▸ **en** busca de fortuna ▸ **entre** amigos ▸ **hacia** Roma ▸ **para** Lisboa ▸ **por** la mitad.

partirse con un cuchillo ▸ **de** risa ▸ (el pecho) **por** uno.

pasar a casa ▸ **ante** el juez ▸ **bajo** el tiroteo ▸ **con** el semáforo en rojo ▸ **de** moda ▸ **de** Zaragoza a Madrid ▸ **en** silencio ▸ **entre** montañas ▸ **por** la calle ▸ **sobre** el dibujo.

pasarse de gracioso ▸ **sin** dar golpe.

pasear(se) a orillas del río ▸ **con** Marisa ▸ **en** barco ▸ **por** el parque ▸ **sobre** el césped.

pasmarse con la nevada ▸ **de** frío.

pavonearse con la victoria ▸ **de** su triunfo.

pecar con la mirada ▸ **contra** la ley ▸ **de** ignorante ▸ **en** el pensamiento ▸ **por** ignorancia.

pechar con un trabajo ▸ **por** un amigo.

pedir al ministro ▸ **contra** la ley ▸ **de** derecho ▸ **desde** joven ▸ **en** justicia ▸ **para** otro ▸ **por** Dios.

pegar a la puerta ▸ **con** cola ▸ **contra** el tabique ▸ **en** la pared ▸ (golpes) **sobre** la mesa.

pegarse al suelo ▸ **con** alguien.

pelear(se) a puñetazos ▸ **con** espada ▸ **contra** la adversidad ▸ **en** defensa de algo ▸ **por** la familia.

peligrar de muerte ▸ **en** el agua.

pellizcar hasta hacer sangre.

penar de amores ▸ **en** la cárcel ▸ **por** sus hijos.

pender ante el tribunal ▸ **de** un hilo ▸ **en** la cruz ▸ (una amenaza) **sobre** nuestras vidas.

penetrar en casa ▸ **entre** las columnas ▸ **hacia** el corazón ▸ **hasta** las entrañas ▸ **por** lo más espeso.

penetrarse de razón.

pensar (algo) **de** alguien ▸ **con** los pies ▸ **en** lo peor ▸ **entre** sí ▸ **para** consigo ▸ **sobre** filosofía.

percatarse del peligro.

percibir al día ▸ **como** obsequio ▸ **de** regalo ▸ **por** el trabajo.

perder al ajedrez ▸ **de** vista ▸ **en** el juego.

perderse de vista ▸ **en** el bosque ▸ **entre** la maleza ▸ **por** atrevido.

perecer a manos del enemigo ▸ **de** sed ▸ **en** el accidente ▸ **por** una mujer.

peregrinar a Roma ▸ **por** los templos.

perfumar con incienso.

permanecer con su madre ▸ **en** silencio ▸ **hasta** junio ▸ **por** Navidad ▸ **sin** falta ▸ **tras** la montaña.

permutar (un objeto) **con/por** otro.

perpetuar(se) (el recuerdo) **de** los caídos ▸ (su fama) **en** la posteridad.

perseguir a caballo ▸ (el bienestar) **del** pueblo ▸ **en** coche ▸ **entre** los árboles ▸ **por** el campo.

perseverar en su error.

persistir en una idea.

personarse ante la policía ▸ **en** la comisaría.

persuadir a Isabel ▸ **con** razones ▸ **de** los hechos ▸ **por** su bondad.

pertenecer a María.

pertrecharse con/de lo necesario ▸ **para** el asedio.

pesar en la conciencia.

pescar a río revuelto ▸ **en** aguas turbias ▸ **con** caña ▸ **en** historia ▸ **para** comer.

piar por la comida.

picar de/en todo.

picarse con alguno ▸ de puntual ▸ en el deporte ▸ por una broma.

pillar a un ladrón ▸ de camino.

pinchar con el palillo ▸ en hueso.

pincharse con una púa ▸ en el pie.

pintar al óleo ▸ con brocha ▸ de rojo ▸ en el muro.

pirrarse por la música.

pisar con las botas ▸ en el cuello ▸ por la calle ▸ sobre el barro.

pitorrearse con bromas ▸ de alguien.

plagarse de mosquitos.

planear sobre los montes.

plantar de árboles ▸ en huerta.

plantarse en Almería.

plañir de dolor.

plasmar (un proyecto) en la mente.

pleitear con su socio ▸ contra el vecino ▸ por pobre.

poblar con chopos ▸ de pinos ▸ en buena tierra.

poblarse de gente.

poder a todos ▸ con el peso ▸ de atracción ▸ para/con alguno.

ponderar (algo) de grande.

poner a trabajar ▸ ante los hechos ▸ bajo tutela ▸ (bien) con otro ▸ contra la pared ▸ de alcalde ▸ (dos horas) de París a Madrid ▸ en duda ▸ entre la espada y la pared ▸ por las nubes ▸ sobre la mesa.

ponerse a escribir ▸ ante la puerta ▸ bajo un árbol ▸ contra la ley ▸ (a bien) con Dios ▸ de muestra ▸ en guardia ▸ entre los contendientes ▸ por medio ▸ sobre el tejado.

porfiar acerca/de/sobre algo ▸ con su amigo ▸ contra el enemigo ▸ en negar ▸ hasta vencer ▸ sobre lo mismo.

portarse con dignidad.

portear en hombros ▸ con el camión ▸ por tren.

posar ante la cámara ▸ en una rama ▸ para el pintor ▸ sobre la mesa.

posarse en/sobre algo.

posesionarse de la herencia.

posponer (el interés) a la honra ▸ hasta mañana.

postrarse a los pies ▸ ante el altar ▸ de dolor ▸ en cama ▸ por el suelo.

practicar en una escuela ▸ con la raqueta.

precaverse contra la enfermedad ▸ del calor.

preceder en antigüedad.

preciarse de valiente.

precipitarse al vacío ▸ contra el adversario ▸ del balcón ▸ desde el tejado ▸ en sus brazos ▸ por la borda.

predestinar (un hijo) a/para el sacerdocio.

predisponer (a alguien) a hacer algo ▸ a favor de/en contra de alguien ▸ en favor de algo ▸ para sentenciar ▸ por el miedo.

predominar en casa ▸ sobre todos.

preferir a Pedro ▸ entre todos ▸ para médico.

preguntar a alguien ▸ con insistencia ▸ para saber ▸ por un amigo.

prendarse de una mujer.

prender (una cosa) a otra ▸ con alfileres ▸ de un gancho ▸ en la tierra.

prenderse del muro ▸ en un clavo.

preocuparse con/de/por algo.

prepararse a/para la lucha ▸ con armas ▸ contra el frío ▸ según el número ▸ sin miedo.

preponderar (una cosa) sobre otra.

prescindir de asistencia.

presentar para un cargo.

presentarse al general ▸ con retraso ▸ de improviso ▸ en la estación ▸ por candidato.

preservar(se) contra el peligro ▸ de la enfermedad.

presidir en un tribunal ▸ por antigüedad.

prestar a un amigo ▸ con interés ▸ para un mes ▸ sobre garantía.

prestarse a ayudar.

presumir de rico ▸ con todos.

presupuestar (los gastos) en mil euros.

prevalecer entre todos ▸ sobre la injusticia.

prevenir a alguien ▸ **contra** el mal ▸ **de** un peligro ▸ **en contra de** alguien ▸ **en favor de** otro ▸ **sobre** algo.

prevenirse al/**contra** el peligro ▸ **de**/**con** lo necesario ▸ **en** la ocasión ▸ **para** un viaje.

principiar con/**en**/**por** tales palabras.

pringarse con/**de** aceite ▸ **en** una miseria.

privar(se) con el monarca ▸ **de** algo.

probar a saltar ▸ **de** todo.

proceder a una elección ▸ **con**/**sin** acuerdo ▸ **contra** los morosos ▸ **de** oficio ▸ **en** justicia ▸ **sin** orden.

procesar por estafador.

procurar para/**por** sus hijos.

producir(se) ante el juez ▸ **de**/**por** todo ▸ **en** juicio.

progresar en el trabajo.

prohibir bajo pena ▸ **de** nuevo.

prolongar(se) (un plazo) al deudor ▸ **en** tiempo.

prometer a la niña ▸ **en** casamiento ▸ **por** esposa.

promover (a Juan) a director ▸ **para** gobernador.

pronunciarse en favor de Andrés ▸ **por** Antonio.

propagar en/**entre** el pueblo ▸ **por** la ciudad.

propagarse a murmurar ▸ **a costa de**/**con** alguien ▸ **en** la amistad.

propender a la confianza.

proponer (la paz) al enemigo ▸ (a uno) **en** primer lugar ▸ **para** secretaria ▸ (a uno) **por** árbitro.

proporcionar(se) a las fuerzas ▸ **con**/**para** alguna cosa.

prorratear entre varios.

prorrogar por dos años.

prorrumpir en lágrimas ▸ **por** todos lados.

proseguir con/**en** el trabajo.

prosternarse a/**para** pedir ▸ **ante** el altar ▸ **en** tierra.

prostituir (el ingenio) al oro ▸ **en** Barcelona ▸ **por** dinero.

proteger(se) con ropa de invierno ▸ **contra** el frío ▸ **del** sol ▸ (a alguien) **en** sus designios.

protestar contra la calumnia ▸ **de** su inocencia ▸ **por** esas palabras.

proveer a la necesidad pública ▸ (la plaza) **con**/**de** víveres ▸ **en** justicia ▸ **entre** las partes.

provenir de otra familia.

provocar a la ira ▸ **con** insultos.

proyectar en el telón ▸ **sobre** la pantalla.

prudenciarse en los gastos.

pudrirse de aburrimiento.

pugnar con/**contra** el enemigo ▸ **en defensa de** otro ▸ **para**/**por** librarse.

pujar con/**contra** las dificultades ▸ **en**/**sobre** el precio ▸ **por** alguna cosa.

purgar(se) (un libro) **de** errores ▸ **con** aceite de ricino ▸ (una pena) **por** un crimen.

purificarse con agua ▸ **de** sus pecados.

Q

quebrantar con/**por** el trabajo ▸ **de** miedo.

quebrar(se) (el corazón) a su amada ▸ **con** un amigo ▸ **en** mil millones ▸ **por** las dificultades.

quedar(se) a oscuras ▸ **con** la mejor parte ▸ **de** acuerdo ▸ **en** el paseo ▸ **entre** bastidores ▸ **para** mañana ▸ **por** valiente ▸ **sin** dinero.

quejarse a/**de** los vecinos ▸ **por** todo.

quemarse con el fuego ▸ **de** la respuesta ▸ **por** la pasión.

querellarse al alcalde ▸ **ante** el juez ▸ **contra**/**de** su socio ▸ **por** los tributos.

querer(se) con locura.

quitar(se) a alguien ▸ **del** medio.

R

rabiar con/**contra** el jefe ▸ **de** hambre ▸ **por** quedar bien.

radiar en/**por** esta longitud.

radicar en El Escorial.

raer con fuerza ▸ (la mancha) del escrito.
ramificarse en varios itinerarios.
ratificarse en lo dicho.
rayar a gran altura ▸ con la frontera ▸ en lo grandioso.
razonar con el profesor ▸ en clase ▸ sobre metafísica.
rebajar a cinco pesos ▸ con agua ▸ (un precio) de otro.
rebajarse a disculparse ▸ ante el público ▸ de rancho.
rebasar del límite.
rebatir a un competidor ▸ con razón ▸ (una cantidad) de otra.
rebelarse contra el gobierno.
rebosar de alegría ▸ en agua ▸ hasta el borde.
rebotar en el suelo.
rebozar en harina y huevo.
recabar con esfuerzo ▸ (una cosa) de alguien.
recaer (el premio) en/sobre el más digno.
recapacitar sobre un asunto.
recargar con ornamentos ▸ (el café) de azúcar.
recatarse de las gentes.
recelar(se) del adversario.
recetar al enfermo ▸ con acierto ▸ contra el mal.
recibir a/en cuenta ▸ (a uno) de/como criado ▸ con los brazos abiertos ▸ por esposa.
reclamar a/de Ramón ▸ ante el juez ▸ contra un pariente ▸ en juicio ▸ para él ▸ por su bien.
reclinar (la cabeza) contra/en la pared ▸ sobre la mano.
reclinarse en/sobre el respaldo.
recobrarse de la enfermedad.
recoger a/de mano real ▸ con el cinturón ▸ en su casa.
recogerse a casa ▸ en sí mismo.
recomendar a un amigo ▸ para un empleo.
recompensar al laborioso ▸ con el sueldo ▸ del esfuerzo ▸ en metálico ▸ por su fidelidad ▸ tras la batalla.
reconcentrarse (el odio) en el corazón.
reconciliar(se) con su adversario.

reconocer a Pilar ▸ ante el público ▸ (mérito) en una obra ▸ entre ambos ▸ (a uno) por hijo.
reconquistar (Granada) de los moros.
reconvenir con reproches ▸ (a alguno) de/sobre algo ▸ por sus groserías.
reconvertir en dólares.
recorrer (España) de un extremo al otro ▸ desde un extremo hasta el otro.
recostarse en/sobre la cama.
recrearse con la pintura ▸ en oír música.
recubrir (la mesa) con un mantel ▸ de flores.
recurrir a un amigo ▸ contra/de la sentencia.
redimir del pecado.
redondear en números.
reducir a la mitad ▸ de precio ▸ en una parte.
reducirse a lo más preciso ▸ de tamaño ▸ en los gastos.
redundar en beneficio.
reemplazar (a una persona) con/por otra ▸ (a Antonio) en su trabajo.
reencarnarse en un animal.
reengendrar (a alguien) en Cristo.
referirse a su negocio.
reflejar de bondad ▸ en el espejo ▸ sobre el agua.
reflexionar con tiempo ▸ en solitario ▸ sobre el problema.
refocilarse con la noticia ▸ en los vicios.
reformarse en el vestir.
refregarse con el estropajo ▸ contra la esquina.
refrescarse bajo la ducha ▸ con agua ▸ en el río.
refugiarse a/bajo/en sagrado ▸ contra los tiros ▸ entre las ruinas.
refundir en latón ▸ con cobre.
refutar (una teoría) con hechos.
regalar (el oído) a alguien ▸ para los dos ▸ por su cumpleaños.
regalarse con buenas comidas ▸ en dulces recuerdos.
regar a/ante la puerta ▸ con/de lágrimas ▸ por la tarde.
regir de vientre ▸ por el buen sentido.
registrar a fondo ▸ en el cajón ▸ por todas partes.

reglar por los criterios ▸ **con** criterio ▸ **por** obediencia.

regocijarse con/de la noticia ▸ **por** Luisa.

regodearse con la comida.

regresar a Madrid ▸ **de** París ▸ **desde** La Habana ▸ **en** avión ▸ **por** Navidad.

rehabilitar a su amigo ▸ **en** su puesto.

rehogar (la carne) **a** fuego lento ▸ **con** aceite ▸ **en** manteca.

reinar en España ▸ (el terror) **entre** las gentes ▸ **sobre** el pueblo.

reincidir con dureza ▸ **en** el crimen.

reincorporar (a uno) **a** su destino.

reintegrar(se) a su puesto ▸ **de** lo suyo ▸ **en** sus bienes.

reír(se) a solas ▸ **con** Enrique ▸ **de** dientes afuera ▸ **en** las barbas de uno ▸ **entre** dientes ▸ **para** sus adentros ▸ **por** lo bajo ▸ **sin** parar.

relacionarse con otros ▸ **entre** sí.

relajar(se) al brazo seglar ▸ **con** masajes ▸ **de** sus deberes ▸ **en** la conducta.

relamerse con gusto ▸ **de** placer.

relevar con autoridad ▸ (a uno) **del** cargo.

rellenar de chocolate ▸ (un cojín) **con** lana ▸ **entre** las capas ▸ **por** dentro.

rematar al toro ▸ **con** una copla ▸ **en** cruz.

remirarse al/en el espejo.

remitirse a la Providencia.

remojar en el agua ▸ **por** fuera.

remontar(se) al/hasta el pasado ▸ **en** alas de la fantasía ▸ **por** los aires ▸ **sobre** los demás.

remover de su puesto ▸ **con** un cuchillo ▸ **por** incapaz.

renacer a la vida ▸ **con/por** la gracia ▸ **en** Jesucristo.

rendirse a la razón ▸ **con** el peso ▸ **de** fatiga.

renegar de su fe.

renunciar a un proyecto ▸ (algo) **en** otro ▸ **en** favor **de** alguien.

reñir(se) a/con la novia ▸ **entre** amigos ▸ **por** la herencia.

reparar (perjuicios) **con** favores ▸ **en** los pormenores.

repararse del daño.

repartir (alguna cosa) **a/entre** algunos ▸ **entre** amigos ▸ **en** porciones iguales.

repasar por un camino.

repeler a intrusos.

repercutir bajo la condición ▸ (la subida del dólar) **en** los precios.

repoblar de árboles ▸ **con** peces.

reponerse de una enfermedad.

reposar de la fatiga.

reprender de la conducta.

representar al Rey ▸ (su dolor) **con** ademanes ▸ **en** el contrato ▸ **para** los jóvenes ▸ **sobre** un asunto.

representarse (una cosa) **a/en** la imaginación.

reprimirse de hablar.

reputar (a alguno) **de** inteligente ▸ (la honra) **en** mucho ▸ **por** honrado.

requerir de amores.

requerirse (tacto) **en/para** un negocio.

resaltar (un color) **de** otro ▸ **sobre** el mantel.

resarcirse con subsidios ▸ **de** una pérdida.

resbalar con la grasa ▸ **en/sobre** el hielo.

resbalarse de/entre las manos ▸ **por** la pendiente.

rescatar al olvido ▸ (la plaza) **del** enemigo ▸ **por** el mar.

resentirse con/contra alguno ▸ **de/por** lo dicho ▸ **en** el costado.

reservar a alguien ▸ **para** sí.

reservarse al comienzo ▸ (el juicio) **acerca de** algo ▸ **en** el combate ▸ **para** el final.

resfriarse con alguno ▸ **en** la amistad.

resguardarse con/contra la pared ▸ **de** los tiros.

residir en la ciudad ▸ **entre** salvajes.

resignarse a los sufrimientos ▸ **con** su suerte ▸ **en** la desgracia.

resistir(se) a la violencia.

resolverse a salir ▸ (el agua) **en** vapor ▸ **por** unanimidad.

resonar (la ciudad) **con/en** cánticos de gozo ▸ **entre** montañas ▸ **hacia** el sur.

resoplar en una trompeta ▸ **sobre** la mesa.

respaldarse con/contra la tapia ▸ en la silla.

resplandecer al/con el sol ▸ contra el fondo ▸ de alegría ▸ en sabiduría ▸ entre los demás ▸ por la luz.

responder a la pregunta ▸ con la fianza ▸ del préstamo ▸ por otro.

responsabilizarse de un nieto.

restablecerse de una dolencia.

restar (fuerzas) al enemigo ▸ (una cantidad) de otra.

restituir a Juan ▸ bajo confesión ▸ con dinero ▸ en tierras ▸ (una cosa) por entero.

restregar (una cosa) con/contra otra.

restringirse al presupuesto.

resucitar a los muertos ▸ de entre los difuntos.

resultar (un kilo) a diez euros ▸ contra su opinión ▸ (una cosa) de otra ▸ en beneficio de todos.

resumir(se) en dos palabras.

resurgir de la derrota.

retar a muerte ▸ con espada ▸ de traidor.

retener en la memoria.

retirarse a la sombra ▸ con éxito ▸ de la circulación.

retorcerse de/por un dolor.

retornar a casa ▸ con sus hijos ▸ de lejos ▸ (uno) en sí.

retractarse de la acusación.

retraerse a su pena ▸ de la vista.

retrasar en los estudios.

retratarse con su mujer ▸ de frente ▸ en traje de baño.

retreparse en una silla.

retroceder a/de/hacia tal parte ▸ de un sitio a otro ▸ en el camino.

retumbar con el eco.

reunir a todos.

reunirse con amigos.

reventar de risa ▸ por hablar.

revertir a largo plazo ▸ en su provecho.

revestir(se) con/de facultades.

revolcarse en el barro ▸ por el suelo ▸ sobre el polvo.

revolver con un tenedor ▸ en el armario ▸ entre las sábanas.

revolverse al/contra/sobre el enemigo ▸ en la hierba.

rezar a Dios ▸ con su madre ▸ en la ermita ▸ por los difuntos.

rezumar (el agua) a través de las lozas ▸ de humedad ▸ (el sudor) por la frente.

rimar (un verso) con otro.

rivalizar con los contrarios ▸ en hermosura ▸ por el número uno.

rodar al suelo ▸ de lo alto ▸ bajo los caballos ▸ por tierra.

rodear(se) con/de murallas ▸ por el bosque.

roer con los dientes ▸ para agujerear.

rogar a Dios ▸ con fe ▸ por los pecadores.

romper a cantar ▸ con la novia ▸ en lágrimas ▸ por medio.

rozarse (una cosa) con otra ▸ contra el árbol ▸ en el pasillo.

ruborizarse por nada.

saber a miel ▸ de dificultades ▸ para sí ▸ por cierto.

saborearse con el chocolate.

sacar a la luz ▸ con bien ▸ de alguna parte ▸ en limpio ▸ por consecuencia.

saciar(se) con poco ▸ de bebida.

sacrificarse a no gastar ▸ para mejorar ▸ por alguno.

sacudir(se) del polvo.

salir a la calle ▸ con dirección a Cartagena ▸ con sus amigos ▸ contra alguno ▸ de apuros ▸ en los periódicos ▸ para Nueva York ▸ por fiador.

salirse con la suya ▸ de la norma ▸ por la tangente.

salpicar con/de aceite ▸ sobre la tela.

saltar a tierra ▸ con una simpleza ▸ de gozo ▸ de un tema a otro ▸ de mata en mata ▸ desde el balcón ▸ en el aire ▸ por la pared.

saludar a alguien ▸ **con** la mano ▸ **de** nuestra parte ▸ **desde** lejos.

salvar al enfermo ▸ **con** cuidados ▸ **de** la muerte.

salvarse a nado ▸ **con** una balsa ▸ **en** el barco ▸ **por** los pelos.

sanar al doliente ▸ **con** hierbas ▸ **de** la enfermedad ▸ **por** ensalmo.

sangrar a un enfermo ▸ **por** la boca.

satisfacer a su esposa ▸ **con** la condena ▸ **por** las culpas.

satisfacerse con razones ▸ **de** la deuda.

saturarse de ciencia.

secar(se) al aire ▸ **bajo** el sol ▸ **con** un paño ▸ **de** sed ▸ **en** el prado ▸ **sobre** la hierba.

secundar al superior ▸ (alguien) **en** sus proyectos.

segar a destajo ▸ **con** la hoz ▸ **de** sol a sol ▸ **desde** la carretera ▸ **hacia** el río ▸ **hasta** la tarde.

segregar (una cosa) **a/de** otra.

seguir con la empresa ▸ **de** cerca ▸ **en** el intento ▸ **para** Castilla.

seguirse (una cosa) **a/de** otra.

sembrar (el camino) **con/de** flores ▸ **en** el huerto ▸ **entre** piedras ▸ **por** abril.

semejar(se) (una cosa) **a** otra ▸ **en** algo ▸ **para** los abuelos.

sentar por escrito.

sentarse a la mesa ▸ **bajo** el parral ▸ **de** cabecera de mesa ▸ **en** un sillón ▸ **entre** rosas ▸ **junto** al huésped ▸ **sobre** un cojín ▸ **tras** el matorral.

sentenciar al destierro ▸ **con** dureza ▸ **en** justicia ▸ **por** robo ▸ **según** la ley.

sentir con otro ▸ **en** el alma ▸ **por** un hombre.

sentirse con ánimos ▸ **de** la cabeza ▸ **sin** la pierna.

señalar con el dedo ▸ (a alguien) **para** hacer algo.

señalarse en la guerra ▸ **por** discreto.

señorearse de la ciudad.

separar(se) de su mujer ▸ **con** violencia.

sepultar (a alguien) **bajo** tierra ▸ **en** el olvido ▸ **entre** los árboles.

ser (una cosa) a gusto de todos ▸ **con** usted ▸ **de** Andalucía ▸ (el mejor) **entre** los mejores ▸ **para** mí ▸ **por** su beneficio.

servir al rey ▸ **con** fidelidad ▸ **de** colaborador ▸ **en** palacio ▸ **para** nada ▸ **por** la comida ▸ **sin** sueldo.

servirse de la amistad ▸ **en/para** un lance ▸ **por** la escalera falsa.

significar (algo) **a/para** alguien.

significarse por su integridad.

simpatizar con sus conceptos.

simultanear (una cosa) **con** otra.

sincerarse ante el juez ▸ **con** el amigo ▸ **del** error ▸ **desde** el comienzo ▸ **hasta** el final.

sincronizarse bajo el juramento ▸ **con** las imágenes.

singularizarse con alguno ▸ **en** todo ▸ **entre** los suyos ▸ **por** su traje.

sintonizar con Radio Madrid.

sisar al ama ▸ **de** la tela ▸ **en** la compra.

sitiar por tierra, mar y aire.

situar(se) en alguna parte ▸ **entre** dos ríos.

sobrenadar (el agua) **sobre** el aceite.

sobrepasar (el gasto) al presupuesto ▸ **en** estatura.

sobreponerse a sus sentimientos.

sobrepujar en precio.

sobresalir (una piedra) **del** suelo ▸ **en** mérito ▸ **entre** todos ▸ **por** su ciencia.

sobresaltarse con/de/por la información.

sobreseer en la causa ▸ **por** ausencia de pruebas.

sobrevivir a alguien.

socorrer al pobre ▸ **con** comida ▸ **de** víveres.

solazarse con fiestas ▸ **en** el prado ▸ **entre** mujeres.

solicitar al Presidente ▸ **con** el ministro ▸ **del** Gobernador ▸ **para/por** sus padres.

solidarizarse con los huelguistas.

soltar de la mano ▸ **desde** arriba abajo.

soltarse (un niño) a andar ▸ **con** una tontería ▸ **en** un trabajo.

someterse a/bajo la autoridad.

sonar a hueco ▸ **en/hacia** tal parte ▸ **para** el norte.

sonreír con sonrisa feliz ▸ **de** la idea ▸ **por** dentro.

soñar con las vacaciones ▸ **en** un mundo mejor.

sopesar con atención.

soplar (una lección) **a** un alumno ▸ **de** aire ▸ **con** la boca.

sorprender al ladrón ▸ **con** la vista ▸ **en** la cama.

sospechar de/en alguien.

sostener al candidato ▸ **con** razones ▸ **en** el debate.

subdividir con justicia ▸ **en** partes.

subir a la torre ▸ **del** sótano ▸ **desde** el primer piso ▸ **en** ascensor ▸ **hacia** la cumbre ▸ **hasta** Sierra Nevada ▸ **por** la escalera ▸ **sobre** la mesa.

subordinar al mando.

subrogar (una cosa) **con/en** lugar de/para/por otra.

subscribirse a un periódico.

subsistir con/del dinero ajeno.

substituir a/por alguno ▸ (una cosa) **con** otra ▸ (un poder) **en** alguno.

substraerse a/de la obediencia.

subvenir a las necesidades.

suceder a José ▸ **con** Diego lo que **con** Manuel ▸ **de** cura (a otro) ▸ (a alguno) **en** el empleo.

sucumbir a un nuevo ataque ▸ **ante/bajo** el enemigo.

sufragar (los gastos) **de** la casa ▸ **por** uno.

sufrir a/de Enrique lo que no se sufre **a/de** Pedro ▸ **bajo** el cautiverio ▸ **con** paciencia ▸ **por** amor de Dios.

sujetar(se) al niño ▸ **con** habilidad ▸ **por** los pies.

sumarse a la manifestación.

sumergir(se) bajo/en el agua ▸ **entre** la muchedumbre.

sumirse a la incertidumbre.

supeditar (los gastos) **a** los ingresos.

superponer(se) a la amargura.

suplicar a la reina ▸ **ante** el consejo ▸ (al tribunal) de la sentencia ▸ **en** recurso ▸ **por** el condenado.

suplir (una cosa) **a/con** otra ▸ **en** el puesto ▸ **por** otro.

surgir de la niebla ▸ **en** el horizonte ▸ **entre** los árboles.

surtir a la población ▸ **de** víveres.

suspender de una cuerda ▸ **en** las asignaturas ▸ **hasta** Navidad ▸ **por** la cintura.

suspirar de amor ▸ **por** el poder.

sustentarse con frutas ▸ **de** ilusiones.

sustituir a/por alguno ▸ (una cosa) **con** otra ▸ (un poder) **en** alguno.

sustraerse a/de la obediencia.

T

tachar con maldad ▸ (a alguien) **de** frívolo ▸ **por** su comportamiento.

tachonar de estrellas ▸ **con** florones de oro.

tallar (una piedra) **a** bisel ▸ **en** rombos.

tantear al adversario.

tañer a muerto ▸ **con** fuerza ▸ **por** el difunto.

tapar con una manta.

tardar en venir.

tarifar con el director.

tejer con lana ▸ **de** seda.

televisar en directo ▸ **por** la tarde.

temblar con el susto ▸ **de** frío ▸ **por** su vida.

temer a/de otro ▸ **por** su familia.

templarse con dos copas ▸ **en** beber.

tender a mejorar.

tenderse en/por el suelo ▸ **sobre** la cama.

tener a mano ▸ **ante** los ojos ▸ **con** cuidado ▸ **de/por** criada ▸ **en** menos ▸ **entre** manos ▸ **para** sí ▸ **por** amigo ▸ (algo) **que** hacer ▸ **sin** sosiego ▸ **sobre** la conciencia ▸ **tras** la puerta.

tenerse a lo escrito ▸ **de/en** pie ▸ **por** válido ▸ **sobre** el borde.

tentar (a uno) **a** fumar ▸ **con** una copa.

teñir con/de/en verde.

terciar **con** el jefe ▸ **en** la lucha ▸ **entre** ellos.
terminar **de/en** punta ▸ **por** llegar.
testimoniar **con** alguien ▸ **de** oídas ▸ **sobre** el robo.
tildar **con** argumentos ▸ **de** avaro ▸ **sin** razones.
timarse **con** una mujer.
tirar **a** la derecha ▸ **con** fuerza ▸ **contra** el enemigo ▸ **de** la capa ▸ **hacia** la izquierda ▸ **para** Soria ▸ **por** medio ▸ **sobre** la liebre.
tirarse **al/por** el suelo ▸ **entre** las ortigas.
tiritar **de** frío.
tirotear **desde** el tejado ▸ **por** la policía.
titubear **ante/en** la decisión.
tocar **a** misa ▸ **con** el dedo ▸ **de** oído ▸ **en** la ventana ▸ **por** encima de algo.
tomar **a** broma ▸ **ante** Dios ▸ **bajo** su protección ▸ **con/entre** sus manos ▸ **de** la bandeja ▸ **en** el suelo ▸ **hacia** el Sur ▸ **para** sí ▸ **por** la ventana ▸ **sobre** el hombro ▸ **sin** garantía.
topar **con** un amigo ▸ **contra/en** el muro.
torcer **a/hacia** la izquierda.
tornar **a** las andadas ▸ **de** Asturias ▸ (la defensa) **en** acusación ▸ **por** el oeste.
tornarse **contra** el jefe ▸ **en** admiración ▸ **hacia** su padre ▸ **tras** sus pasos.
tostarse **al/bajo** el sol ▸ **con** crema.
trabajar **a** destajo ▸ **de** obrero ▸ **de** sol a sol ▸ **en** tal materia ▸ **para** vivir ▸ **por/para** distinguirse.
trabar (una cosa) **con/de/en** otra.
trabarse **al** hablar ▸ **con/de/en** palabras.
trabucarse **en** la disputa.
traducir **al** francés ▸ **del** inglés.
traer **a** casa ▸ **ante** el juez ▸ **con** uno mismo ▸ **de** España ▸ **en/entre** manos ▸ **hacia/sobre** sí ▸ **sin** cuidado ▸ **para** la familia ▸ **por** divisa.
traficar **con** armas ▸ **en** drogas.
tragar **con** dificultad.
tramitar **a** través de la embajada ▸ **en** el ayuntamiento.
transbordar/trasbordar **al** camión ▸ **de** un tren a otro.

transferir (alguna cosa) **a/en** otra persona ▸ **de** una parte **a** otra.
transfigurarse **con** el disfraz ▸ **en** otro ▸ **por** la noticia.
transformar(se) (una cosa) **en** otra.
transitar **por** la plaza Mayor.
transmutar (una cosa) **en** otra.
transpirar **con** el calor ▸ **por** todos los poros.
transportar **a** lomos ▸ **de** alegría ▸ **de** una parte **a** otra ▸ **en** camión ▸ **sobre** una silla.
transportarse **de** júbilo.
trasegar (el vino) **de** una cuba **a** otra.
trasladar **a** alguien ▸ **al** castellano ▸ **de** Santander **a** Bilbao ▸ **del** alemán.
traspasar (la herencia) **a** los huérfanos ▸ **por** ley.
traspasarse **en** el trato.
trasplantar **de** un lado a otro ▸ **de** una parte **en** otra.
tratar **a** los vecinos ▸ **acerca de** un problema ▸ **con** Antonio ▸ **de** valiente ▸ **en** lanas ▸ (el óxido) **por** una pintura ▸ **sobre** una cuestión.
travesear **con** su amigo ▸ **por** el parque.
trepar **a** un árbol ▸ **por** la cuerda.
triunfar **con** sus aliados ▸ **de/sobre** los enemigos ▸ **en** el encuentro.
trocar (una cosa) **con/en/por** otra.
tronar **con** gran ruido ▸ **contra** el vicio ▸ **por** la noche.
troncharse **de** risa.
tropezar **con/contra** el árbol ▸ **en** el umbral.
tumbar **al** suelo ▸ **por** tierra.
turbar(se) **en** el examen ▸ **por** la pasión.

U

ufanarse **con** la victoria ▸ **del** triunfo ▸ **por** el éxito.
ultrajar **con** insultos ▸ **de** palabra ▸ **en** su honor.

uncir (la yunta) **al** carro ▸ (vaca) **con** buey.

ungir(se) con bálsamo ▸ **por** el sacerdote.

uniformar a los voluntarios ▸ **con** los veteranos ▸ **del** mismo color.

unirse a/con los compañeros ▸ **en** el grupo ▸ **entre** todos.

untar al funcionario ▸ **con/de** grasa.

usar de malas artes.

utilizar a Juan ▸ **con** Alonso ▸ **de** prueba ▸ **en** la pelea.

vacar a sus quehaceres.

vaciar del contenido ▸ **en** yeso.

vaciarse de agua ▸ **por** la compuerta.

vacilar en la elección ▸ **entre** una solución y otra.

vagabundear de un lado **a/para** otro.

vagar por la ciudad.

valer (una cosa) **a** millón ▸ **ante** el juez ▸ **con** creces ▸ **para** soldado ▸ **por** dos.

valerse de alguien o algo.

vanagloriarse de/por su familia.

varar en/sobre la arena.

variar de opinión ▸ **en** tamaño.

vejar a alguien ▸ **por** una ofensa.

velar a los muertos ▸ **en** defensa de los intereses del país ▸ **por** el bien público ▸ **sobre** la salud.

vencer a/con/por traición ▸ **en** la batalla.

vender al por mayor ▸ **con** pérdida ▸ **de** contrabando ▸ **en** firme.

venderse a alguno ▸ **en** tanto ▸ **por** dinero.

venerar a alguien ▸ **por** santo.

vengarse con vehemencia ▸ **de** una ofensa ▸ **en** el mismo lugar ▸ **por** el crimen.

venir(se) a casa ▸ **con** automóvil ▸ (el enemigo) **contra** nosotros ▸ **de** perilla ▸ **desde** Valencia ▸ **en** decretar ▸ **hacia/hasta** aquí ▸ **para** las vacaciones ▸ **por** buen

camino ▸ (una desgracia) **sobre** alguien.

ver al enfermo ▸ **con** sus propios ojos ▸ **de** hacer algo ▸ **por** un agujero.

veranear en la Costa del Sol ▸ **por** Marbella.

versar sobre libros.

verse a la legua ▸ **de** lejos ▸ **con** Andrés ▸ **en** un apuro ▸ **entre** los suyos ▸ **sin** dinero.

verter al suelo ▸ **del** cántaro ▸ **en** español ▸ **hacia** el río.

vestir de/a la moda ▸ **con** gusto.

vestirse con plumas ajenas ▸ **de** verano.

viajar a caballo ▸ **de** noche ▸ **en** segunda ▸ **hacia/hasta** Argentina.

viciarse con una persona ▸ **de/por** el trato de alguien.

vigilar al preso ▸ **del** castillo ▸ **en** defensa de la ciudad ▸ **por** el bien común ▸ **sobre** el río.

vincular (la gloria) **a/en** la virtud ▸ **entre** sí ▸ **por** la gratitud ▸ **sobre** una hacienda.

vindicar del insulto.

violentarse a contestar ▸ **con** la (mala) situación ▸ **en** responder.

virar a/hacia la costa ▸ **de** bordo ▸ **con** viento en popa ▸ **hasta** inclinar la barca ▸ **por** avante ▸ **sobre** el ancla.

vivir a gusto ▸ **bajo** la dictadura ▸ **con** poco ▸ **de** rentas ▸ **desde** años ▸ **en** paz ▸ **entre** salvajes ▸ **hacia** los años veinte ▸ **hasta** cien años ▸ **para** ver ▸ **por** milagro ▸ **sin** pena ni gloria ▸ **sobre** la faz de la tierra.

volar al cielo ▸ **con** sus propias alas ▸ **de** rama en rama ▸ **en** avión ▸ **por** encima del mar ▸ **sobre** España.

volcarse en un asunto ▸ **por** una persona.

volver a casa ▸ **de** la aldea ▸ **en** sí ▸ **hacia** tal parte ▸ **por** el camino ▸ **para** el pueblo ▸ **sobre** sus pasos ▸ **sin** retorno.

volverse contra todos ▸ **en** contra de alguien.

votar al candidato ▸ **con** la mayoría ▸ **en** las elecciones ▸ **por** el concejal.

Y

yacer ante/contra el muro ▸ **sobre** las
flores ▸ **con** la amante ▸ **en** la sepultura ▸ **sin**
vida ▸ **tras** el seto.

Z

zafarse de la pregunta ▸ **con** su cómplice ▸ **por**
la ventana.
zaherir con injurias.
zambullir(se) bajo/en el agua.
zamparse en la comida ▸ **con** gula.
zampuzar(se) en el agua.
zarpar del puerto.
zozobrar con/en/por la tormenta ▸ **bajo** las
aguas.
zurcir con hilo ▸ **de** seda ▸ **entre** mallas.

Dictionnaire
des verbes

COMMENT UTILISER CE DICTIONNAIRE

7 000 VERBES USUELS DE A À Z

ESPAGNOL

Les numéros renvoient aux paragraphes.

COMMENT UTILISER CE DICTIONNAIRE

Ce dictionnaire rassemble un grand nombre de verbes espagnols, ceux de la langue courante parlée et écrite mais également ceux de la langue littéraire ou technique.

À chaque verbe est associé de manière systématique un ensemble d'informations concernant son utilisation.

Toutes les informations utiles

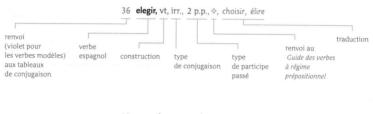

Abréviations utilisées

amér.	américanisme	*méd.*	terme de médecine
archit.	terme d'architecture	*mus.*	terme de musique
comm.	terme de la langue commerciale	*navig.*	terme de navigation
cuis.	terme de cuisine	p.p.	verbe à participe passé irrégulier
déf.	verbe défectif	2 p.p.	verbe à double participe passé
dr.	terme de droit	*photogr.*	terme de photographie
fam.	familier	qqch.	quelque chose
imp.	verbe impersonnel	qqn	quelqu'un
imprim.	terme d'imprimerie	vi	verbe intransitif
irr.	verbe irrégulier	vp	verbe pronominal
ling.	terme de linguistique	vt	verbe transitif

A

5 **abacorar,** vt, *amér.*, harceler

5 **abajar,** vt, vi, vp, descendre ; se baisser

21 **abalanzar,** vt, vp, ❖, jeter avec force, s'élancer

5 **abalaustrar,** vt, garnir de balustres

5 **abalear,** vt, balayer [la paille sur l'aire],
amér., cribler de balles, fusiller

21 **abalizar,** vt, baliser

5 **aballestar,** vt, haler [sur une manœuvre]

5 **abaluartar,** vt, bastionner

5 **abanar,** vt, éventer

5 **abancalar,** vt, défricher, préparer un terrain

5 **abanderar,** vt, vp, nationaliser [un navire
étranger], se faire le porte-drapeau de

21 **abanderizar,** vt, vp, diviser en factions ;
s'enrôler [dans un parti]

5 **abandonar,** vt, vp, ❖, abandonner, se laisser aller

72 **abanicar,** vt, vp, éventer

5 **abarajar,** vt, *amér.*, battre [les cartes] ;
attraper (qqch.) au vol

5 **abaratar,** vt, vp, baisser, diminuer le prix

5 **abarbechar,** vt, mettre [les terres] en jachère

72 **abarcar,** vt, embrasser, entourer avec les bras ;
englober, comprendre

5 **abarloar,** vt, vp, accoster un bateau [à un quai]

5 **abarquillar,** vt, vp, courber, incurver, gondoler

72 **abarracar,** vi, vp, camper dans des baraques

5 **abarrajar,** vt, vp, renverser, bousculer,
amér., s'avilir

72 **abarrancar,** vt, vi, vp, raviner, échouer,
s'embourber

5 **abarrotar,** vt, vp, ❖, arrimer [une cargaison] ;
surcharger ; remplir

5 **abastardar,** vi, s'abâtardir, dégénérer

54 **abastecer,** vt, vp, irr., ❖, approvisionner,
ravitailler

5 **abastionar,** vt, bastionner

5 **abatanar,** vt, fouler [le drap] ; battre, frapper

7 **abatir,** vt, vi, vp, ❖, abattre, humilier, abaisser ;
[un bateau] dériver ; se précipiter

72 **abdicar,** vt, ❖, abdiquer

5 **abejorrear,** vi, bourdonner

72 **abellacar,** vt, vp, avilir, s'encanailler

5 **abemolar,** vt, adoucir [la voix], bémoliser

5 **aberrar,** vi, dévier de sa route, s'égarer

5 **abicharse,** vp, *amér.*, se gâter,
[un fruit] être véreux

5 **abigarrar,** vt, vp, bigarrer, barioler

5 **abisagrar,** vt, munir de charnières [porte, fenêtre]

5 **abiselar,** vt, biseauter

5 **abismar,** vt, vp, ❖, plonger dans un abîme,
engloutir ; confondre ; *amér.*, s'étonner

5 **abjurar,** vt, vi, ❖, abjurer

5 **ablandar,** vt, vi, vp, ramollir, amollir,
se radoucir

66 **abnegarse,** vp, irr., se dévouer, se sacrifier

5 **abobar,** vt, vp, hébéter, rendre stupide

72 **abocar,** vt, vi, vp, ❖, verser [dans un récipient] ;
approcher ; aboutir à ; déboucher sur ;
aborder, accoster (qqn)

5 **abocardar,** vt, évaser

5 **abocetar,** vt, esquisser, ébaucher

5 **abochornar,** vt, vp, ❖, suffoquer ; avoir honte

5 **abocinar,** vt, vi, vp, évaser ; *fam.*, tomber
à plat ventre

5 **abofetear,** vt, gifler ; bafouer

53 **abogar,** vi, ❖, plaider ; intercéder

8 **abolir,** vt, déf., abolir, abroger

5 **abollar,** vt, vp, bosseler, cabosser

5 **abolsarse,** vp, prendre la forme d'une bourse ;
[la peinture] cloquer, [le crépi d'un mur]
se boursoufler

5 **abombar,** vt, vi, vp, bomber, rendre convexe ;
amér., s'enivrer

5 **abominar,** vt, ❖, abominer, maudire

21 **abonanzar,** vi, se calmer,
[la tempête] s'apaiser

5 **abonar,** vt, vi, vp, ❖, payer, verser [une somme] ;
fumer [une terre] ; [la mer] se calmer ;
s'abonner

5 **abordar,** vt, vi, ❖, aborder (qqn) ;
[un bateau] accoster

72 **aborrascarse,** vp, [le temps] devenir orageux

54 **aborrecer,** vt, vp, irr., ❖, détester, haïr ;
ennuyer

53 **aborregarse,** vp, [le ciel] se moutonner ;
être intimidé

72 **aborricarse,** vp, s'abrutir, s'abêtir

5 **abortar,** vi, vt, échouer ; avorter ;
faire une fausse couche

5 **aborujar,** vt, vp, pelotonner, mettre en pelote

53 **abotargarse ; abotagarse,** vp, [le corps,
la jambe] se boursoufler, [le visage] bouffir

5 **abotonar,** vt, vi, vp, boutonner ; bourgeonner

5 **abovedar,** vt, voûter

5 **aboyar,** vt, vi, baliser avec des bouées ; flotter

5 **abozalar,** vt, museler

5 **abrasar,** vt, vi, vp, ❖, embraser, brûler,
être brûlant

21 **abrazar,** vt, vp,❖, prendre dans ses bras;
étreindre; entourer; embrasser
[une idée, une opinion]

5 **abrevar,** vt, vp,❖, abreuver; faire boire; arroser

5 **abreviar,** vt, vi,❖, abréger, écourter; hâter

5 **abribonarse,** vp, devenir un fripon

53 **abrigar,** vt, vp,❖, abriter; protéger; se couvrir

5 **abrillantar,** vt, tailler [en facettes]; lustrer;
brillanter; polir

7 **abrir,** vt, vi, vp, p.p.,❖, ouvrir; percer; écarter

5 **abrochar,** vt, vp, agrafer; boutonner

53 **abrogar,** vt, abroger

72 **abroncar,** vt, vp, se fâcher; vexer; ennuyer

5 **abrumar,** vt, vp,❖, écraser; accabler; s'embrumer

84 **absolver,** vt, irr., p.p.,❖, absoudre; acquitter

6 **absorber,** vt, 2 p.p., absorber

4 **abstenerse,** vp, irr.,❖, se priver, s'abstenir

23 **absterger,** vt, absterger

79 **abstraer,** vt, vi, vp, irr., 2 p.p.,❖, abstraire,
faire abstraction de

5 **abuchear,** vt, huer, conspuer, siffler

5 **abultar,** vt, vi, grossir; gonfler; enfler;
être gros/volumineux

5 **abundar,** vi,❖, abonder, foisonner

5 **abuñuelar,** vt, souffler; frire

5 **aburguesarse,** vp, s'embourgeoiser

5 **aburrarse,** vp, s'abrutir

7 **aburrir,** vt, vp,❖, ennuyer, lasser

5 **abusar,** vi,❖, abuser

5 **acaballonar,** vt, faire des ados [dans un terrain]

5 **acabañar,** vi, vp, [un berger] construire
une cabane

5 **acabar,** vt, vi, vp,❖, terminer, achever, finir

5 **acabildar,** vt, vp, rallier [plusieurs personnes]
à une opinion

5 **acachetar,** vt, donner le coup de grâce
[au taureau]

5 **acachetear,** vt, gifler, donner des claques

21 **academizar,** vt, académiser

54 **acaecer,** vi, imp., déf., irr.,❖, arriver, survenir

5 **acalabrotar,** vt, câbler; corder

5 **acalambrar,** vt, vp, amér., avoir une crampe

5 **acalenturarse,** vp, avoir de la fièvre

5 **acallar,** vt, faire taire, apaiser

5 **acalorar,** vt, vp,❖, chauffer, encourager, échauffer

5 **acamar,** vt, vp, coucher, [les plantes] courber

5 **acamellonar,** vt, amér., faire des ados
[dans un terrain]

5 **acampanar,** vt, vp, donner, prendre [la forme
d'une cloche]

5 **acampar,** vt, vi, vp, camper

5 **acanalar,** vt, canneler, strier

5 **acanallar,** vt, vp, encanailler

5 **acantonar,** vt, vp, cantonner

5 **acaparar,** vt, accaparer

5 **acaramelar,** vt, vp, caraméliser;
se montrer empressé

5 **acardenalar,** vt, vp, meurtrir; couvrir de bleus

5 **acariciar,** vt, caresser

5 **acarrear,** vt,❖, charrier, transporter, charroyer

5 **acartonarse,** vp, se dessécher, se ratatiner

5 **acatar,** vt, respecter, honorer

5 **acatarrar,** vt, vp, enrhumer; amér., ennuyer,
fatiguer

5 **acaudalar,** vt, thésauriser; amasser [de l'argent]

5 **acaudillar,** vt, vp, commander; élire un chef

6 **acceder,** vi,❖, accéder; consentir; acquiescer

5 **accidentar,** vt, vp, causer ou être victime
d'un accident; accidenter

5 **accionar,** vt, vi, actionner, faire marcher;
gesticuler

5 **acechar,** vt, guetter, épier

5 **acecinar,** vt, vp, boucaner, faire sécher
[la viande]; se dessécher

5 **acedar,** vt, vp, aigrir; fâcher; devenir aigre

5 **aceitar,** vt, huiler, graisser

5 **acelerar,** vt, vp,❖, accélérer; hâter, presser

5 **acendrar,** vt, purifier; épurer
[les métaux précieux]

9 **acensuar,** vt, imposer (à qqn) une redevance

9 **acentuar,** vt, vp, accentuer

5 **acepillar,** vt, raboter; brosser

5 **aceptar,** vt,❖, accepter, admettre

5 **acequiar,** vi, creuser des canaux
[pour l'irrigation]

5 **acerar,** vt, vp, acérer; aciérer; fortifier

72 **acercar,** vt, vp,❖, approcher, rapprocher

5 **acerrojar,** vt, verrouiller

56 **acertar,** vt, vi, vi, irr.,❖, atteindre; deviner;
réussir à

72 **acetificar,** vt, vp, acétifier

5 **acetilar,** vi, acétyler

5 **acetrinar,** vt, rendre jaune citron

5 **achabacanar,** vt, vp, rendre/devenir vulgaire

5 **achacar,** vt, attribuer; imputer

5 **achaflanar,** vt, chanfreiner

5 **achantar,** vt, vp, effrayer, intimider,
se tenir coi

5 **achaparrarse,** vp, [un arbre] s'élargir;
se tasser

5 **acharar**, vt, vp, *faire honte; effrayer*

5 **acharolar**, vt, *vernir*

5 **achatar**, vt, vp, *aplatir*

72 **achicar**, vt, vp, ❖, *rétrécir; écoper [un bateau]; diminuer, humilier; fam., se dégonfler*

5 **achicharrar**, vt, vp, ❖, *brûler, griller*

17 **achiguarse**, vp, *amér., se bomber, devenir obèse, prendre du ventre*

5 **achiquitar**, vt, vp, *amér., rapetisser, prendre peur*

5 **achispar**, vt, vp, *fam., griser, enivrer*

5 **achocharse**, vp, *fam., radoter, devenir gâteux*

5 **acholar**, vt, vp, *amér., faire honte à; rougir*

72 **achubascarse**, vp, *[le ciel] se couvrir*

5 **achuchar**, vt, ❖, *aplatir; écraser; pousser*

5 **achucharrar**, vt, vp, *amér., aplatir; décourager*

5 **achulaparse; achularse**, vp, *s'encanailler; frimer*

5 **achunchar**, vt, vp, *amér., effrayer, intimider; avoir honte*

5 **acibarar**, vt, *rendre amer, remplir d'amertume*

5 **acicalar**, vt, vp, *polir; parer; se pomponner*

5 **acicatear**, vt, *stimuler, aiguillonner, inciter*

72 **acidificar**, vt, *acidifier*

5 **acidular**, vt, *aciduler*

5 **acinturar**, vt, *entourer, étreindre*

5 **aclamar**, vt, ❖, *acclamer*

5 **aclarar**, vt, vi, imp., vp, *éclaircir, [le jour] se lever*

54 **aclarecer**, vt, irr., *rendre plus clair; espacer*

5 **aclimatar**, vt, vp, ❖, *acclimater*

5 **acobardar**, vt, vi, vp, ❖, *intimider, faire peur à; prendre peur*

72 **acocarse**, vp, *[un fruit] devenir véreux*

5 **acocear**, vt, *[un cheval] ruer; fam., outrager, offenser*

5 **acochinar**, vt, vp, *cerner un pion [aux dames]; fam., tuer (qqn sans défense); se comporter lâchement*

5 **acodalar**, vt, *étrésillonner; étayer*

5 **acodar**, vt, vp, ❖, *accouder*

5 **acoderar**, vt, vp, *embosser*

5 **acodillar**, vt, vi, *couder; courber; [un animal] tomber sur les genoux*

23 **acoger**, vt, vp, ❖, *accueillir, recevoir; se réfugier*

5 **acogollar**, vt, vi, vp, *bourgeonner; abriter, couvrir*

5 **acogotar**, vt, *colleter; assommer*

5 **acojonar**, vt, *fam., faire/avoir peur, ficher la trouille*

5 **acolar**, vt, *accoler [deux écus]*

5 **acolchar**, vt, *capitonner, matelasser*

5 **acolchonar**, vt, *amér., matelasser*

5 **acolitar**, vi, vt, *amér., accompagner*

38 **acollarar**, vt, *mettre un collier [à un animal]; amér., unir, se marier*

55 **acomedirse**, vp, irr., *amér., se montrer empressé [à faire une chose], être serviable*

6 **acometer**, vt, ❖, *assaillir, attaquer*

5 **acomodar**, vt, vi, vp, ❖, *arranger, accommoder; convenir; s'installer*

5 **acompañar**, vt, vp, ❖, *accompagner*

5 **acompasar**, vt, *compasser, battre la mesure*

5 **acomplejar**, vt, ❖, *complexer*

5 **aconchabarse**, vp, *s'associer; s'acoquiner*

5 **aconchar**, vt, vp, *rencogner; [un bateau] s'échouer*

5 **acondicionar**, vt, vp, ❖, *conditionner; climatiser; acquérir les conditions requises*

5 **acongojar**, vt, vp, *angoisser; affliger*

5 **aconsejar**, vt, vp, ❖, *conseiller, prendre conseil*

5 **aconsonantar**, vi, vt, *rimer, faire rimer*

54 **acontecer**, vi, imp., déf., irr., ❖, *arriver, avoir lieu*

5 **acopar**, vt, vi, *tailler en dôme; former une tête [d'un arbre]*

5 **acopiar**, vt, *amasser, entasser [les grains, les provisions]*

5 **acoplar**, vt, vp, ❖, *assembler; accoupler*

5 **acoquinar**, vt, vp, *décourager; effrayer, intimider*

21 **acorazar**, vt, vp, ❖, *cuirasser; blinder*

5 **acorcharse**, vp, *devenir spongieux; se dessécher*

38 **acordar**, vt, vi, vp, irr., ❖, *se mettre d'accord, convenir; concorder; se souvenir*

5 **acordelar**, vt, *arpenter; mesurer*

5 **acordonar**, vt, *lacer [une chaussure]; créneler [les monnaies]*

5 **acornear**, vt, *encorner*

5 **acorralar**, vt, vp, *parquer [le bétail]; acculer, cerner*

6 **acorrer**, vt, vi, *secourir; accourir*

5 **acortar**, vt, vp, ❖, *raccourcir, écourter; rester court*

5 **acosar**, vt, ❖, *poursuivre; harceler*

5 **acosijar**, vt, *amér., harceler; persécuter*

38 **acostar**, vt, vi, vp, irr., ❖, *coucher; accoster*

5 **acostumbrar**, vt, vi, vp, ❖, *habituer, accoutumer, avoir l'habitude de*

5 **acotar**, vt, vp, *borner, délimiter; se réfugier*

5 **acotejar**, vt, vp, *amér., ranger; placer*

56 **acrecentar,** vt, vp, irr., *augmenter, accroître*

54 **acrecer,** vt, vi, vp, irr., *augmenter, accroître*

5 **acreditar,** vt, vp, ❖, *accréditer ;
    acquérir [une réputation]*

5 **acribillar,** vt, ❖, *cribler ; percer*

5 **acriminar,** vt, *accuser, incriminer*

5 **acriollarse,** vp, *amér.,* *prendre les habitudes
    du pays*

5 **acrisolar,** vt, vp, *affiner, purifier [les métaux]*

5 **acristalar,** vt, *vitrer*

21 **acromatizar,** vt, *achromatiser*

5 **activar,** vt, vp, *activer, accélérer*

21 **actualizar,** vt, *actualiser*

9 **actuar,** vt, vi, vp, ❖, *agir ; jouer ;
    mettre en action ; s'exercer à*

5 **acuadrillar,** vt, vp, *réunir en bande ; commander*

5 **acuartelar,** vt, vp, *caserner, consigner ;
    lotir [un terrain], prendre ses quartiers*

5 **acuartillar,** vi, *[un cheval] plier les jarrets*

21 **acuatizar,** vi, *[un hydravion] amerrir*

5 **acuchillar,** vt, vp, *poignarder ; se battre [à l'épée]*

5 **acuciar,** vt, *hâter, presse*

5 **acuclillarse,** vp, *s'accroupir*

7 **acudir,** vi, ❖, *accourir ; arriver ; venir*

5 **acuitar,** vt, vp, *affliger ; chagriner*

5 **acular,** vt, vp, *acculer ; caler,
    [un bateau] toucher le fond*

5 **acumular,** vt, vp, ❖, *accumuler ; entasser ;
    amonceler*

5 **acunar,** vt, *bercer [un enfant]*

5 **acuñar,** vt, vi, vp, *frapper, battre [la monnaie] ;
    caler*

72 **acurrucarse,** vp, *se blottir, se pelotonner*

5 **acurrullar,** vt, *désenverguer et amener [les voiles]*

5 **acusar,** vt, vp, ❖, *accuser*

72 **adamascar,** vt, *damasser [les tissus]*

5 **adaptar,** vt, vp, ❖, *adapter*

53 **adargar,** vt, vp, *défendre, protéger*

5 **adecentar,** vt, vp, *rendre décent,
    s'habiller décemment*

5 **adecuar,** vt, vp, *adapter ; approprier ;
    accommoder*

5 **adehesar,** vt, vp, *convertir [une terre]
    en pâturage*

5 **adelantar,** vt, vi, vp, ❖, *avancer ; dépasser ;
    progresser*

21 **adelgazar,** vt, vi, vp, *amincir, maigrir*

5 **ademar,** vt, *étançonner ; étayer ; boiser*

5 **adentellar,** vt, *mordre ;
    archit., laisser des pierres d'attente*

5 **adentrarse,** vp, ❖, *pénétrer, s'enfoncer*

21 **aderezar,** vt, vp, *parer, orner ; s'apprêter*

56 **adestrar,** vt, irr., *dresser*

5 **adeudar,** vt, vp, *devoir ; s'endetter*

76 **adherir,** vt, vi, vp, irr., ❖, *coller ; fixer ; adhérer*

43 **adiar,** vt, *fixer un jour/une date*

5 **adicionar,** vt, *additionner*

5 **adiestrar,** vt, vp, *dresser ; s'exercer*

5 **adinerarse,** vp, *s'enrichir*

7 **adir,** vt, déf., *accepter un héritage*

5 **adivinar,** vt, *deviner*

5 **adjetivar,** vt, *adjectiver ; accorder*

72 **adjudicar,** vt, vp, *adjuger ; s'approprier*

5 **adjuntar,** vt, *joindre [à une lettre] ;
    adjoindre [un assistant]*

5 **administrar,** vt, vp, *administrer, gérer ;
    prendre [un médicament]*

5 **admirar,** vt, vp, ❖, *admirer ; s'étonner*

7 **admitir,** vt, ❖, *admettre, accepter*

5 **adobar,** vt, ❖, *apprêter ; assaisonner ;
    mettre en daube [une viande]*

5 **adocenar,** vt, vp, *compter [par douzaines] ;
    devenir vulgaire*

5 **adoctrinar,** vt, *endoctriner ; enseigner*

54 **adolecer,** vi, vp, irr., ❖, *tomber malade ;
    souffrir de*

5 **adoptar,** vt, ❖, *adopter*

5 **adoquinar,** vt, *paver*

5 **adorar,** vt, vi, ❖, *adorer ; prier*

54 **adormecer,** vt, vp, irr., ❖, *assoupir ; endormir*

5 **adormilarse,** vp, ❖, *s'assoupir ; somnoler*

5 **adornar,** vt, vp, ❖, *orner, parer*

5 **adosar,** vt, *adosser ; adapter, ajuster*

10 **adquirir,** vt, irr., *acquérir*

21 **adrizar,** vt, *dresser, redresser*

7 **adscribir,** vt, vp, p.p., *assigner, attribuer ; affecter*

6 **adsorber,** vt, *absorber*

5 **aduanar,** vt, *dédouaner ;
    payer des droits de douane*

62 **aducir,** vt, irr., *alléguer*

5 **adueñarse,** vp, ❖, *s'approprier ; s'emparer*

5 **adujar,** vt, vp, *lover, gléner ; se pelotonner*

5 **adular,** vt, *aduler ; flatter*

5 **adulterar,** vi, vt, vp, *adultérer ;
    commettre un adultère*

21 **adulzar,** vt, *adoucir [un métal]*

5 **adulzorar,** vt, vp, *dulcifier ; adoucir*

5 **adumbrar,** vt, *ombrer, ombrager*

5 **adunar,** vt, vp, *rassembler*

82 **advenir,** vi, irr., *arriver ; advenir*

5 **adverar,** vt, *certifier*; *authentifier*
21 **adverbializar,** vt, vp, *adverbialiser*
76 **advertir,** vt, vi, irr., ❖, *remarquer*; *avertir*
5 **aerotransportar,** vt, *transporter par avion*
5 **afamar,** vt, vp, *rendre, devenir fameux*
5 **afanar,** vi, vt, vp, ❖, *peiner, travailler dur*;
  s'évertuer à
5 **afear,** vt, vp, *enlaidir, rendre laid*
5 **afectar,** vt, vp, *affecter*;
  se laisser impressionner
5 **afeitar,** vt, vp, *raser*; *farder, orner*
5 **afelpar,** vt, *pelucher*; *velouter*
5 **afeminar,** vt, vp, *efféminer*
56 **aferrar,** vt, vi, irr., ❖, *ancrer, jeter l'ancre*;
  s'accrocher
21 **afianzar,** vt, vp, ❖, *cautionner, garantir*;
  consolider
5 **aficionar,** vt, vp, ❖, *prendre goût à*;
  attirer; *séduire*
5 **afiebrarse,** vp, *amér., avoir de la fièvre*
5 **afilar,** vt, vp, ❖, *aiguiser, affûter, affiler*
5 **afiliar,** vt, vp, ❖, *affilier*; *adhérer*
5 **afiligranar,** vt, *filigraner*; *perfectionner*
5 **afinar,** vt, vp, ❖, *affiner*; *dégrossir*; *polir*
72 **afincar,** vi, vp, ❖, *acquérir une propriété*; *s'établir*
5 **afirmar,** vt, vp, ❖, *appuyer*; *affirmer*;
  prendre appui
5 **aflautar,** vt, *rendre aigu*;
  parler d'une voix criarde
32 **afligir,** vt, vp, 2 p.p., ❖, *affliger*; *frapper*;
  être affligé
5 **aflojar,** vt, vi, vp, ❖, *relâcher*; *desserrer*; *diminuer*
5 **aflorar,** vt, vi, ❖, *affleurer*; *tamiser*; *vanner*
45 **afluir,** vi, irr., ❖, *affluer*
5 **afofarse,** vp, *se ramollir*; *devenir spongieux*
5 **afondar,** vt, vi, vp, *couler à fond*; *sombrer*
38 **aforar,** vt, vi, irr., *jauger*; *estimer, évaluer*;
  garnir de décors [la scène]
5 **aforrar,** vt, vp, *doubler*; *mettre une doublure à*;
  s'emmitoufler
72 **afoscarse,** vp, *se brouiller*; *s'assombrir*
5 **afrailar,** vt, *étêter*; *ébrancher*
5 **afrancesar,** vt, vp, *franciser*
5 **afrentar,** vt, vp, ❖, *faire affront*; *outrager*;
  avoir honte
21 **africanizar,** vt, vp, *africaniser*
5 **afrontar,** vt, vi, ❖, *affronter*; *confronter*
5 **agabachar,** vt, vp, *fam., franciser*
5 **agachar,** vt, vp, *baisser*
5 **agangrenarse,** vp, *se gangrener*

5 **agarrar,** vt, vp, ❖, *attraper, saisir*; *[une plante]*
  prendre; *accrocher*; *cramponner*
5 **agarrochar,** vt, *piquer [les taureaux]*
5 **agarrotar,** vt, vp, ❖, *garrotter*; *gripper*; *bloquer*
5 **agasajar,** vt, *traiter aimablement*; *fêter*;
  bien accueillir
5 **agaucharse,** vp, *amér., adopter les habitudes*
  du gaucho
5 **agazapar,** vt, vp, ❖, *attraper*; *se blottir*;
  se cacher
5 **agenciar,** vt, vi, vp, *préparer*; *agencer*;
  se débrouiller
5 **agigantar,** vt, vp, *donner des proportions*
  gigantesques
5 **agilipollar,** vt, vp, *fam., rendre, devenir con*
21 **agilizar,** vt, vp, *rendre/devenir agile*; *accélérer*
5 **agitanar,** vt, vp, *donner une apparence gitane*
5 **agitar,** vt, vp, *agiter*; *troubler*
5 **aglomerar,** vt, vp, *agglomérer*
5 **aglutinar,** vt, vp, *agglutiner*
5 **agobiar,** vt, vp, ❖, *courber*; *écraser*; *épuiser*;
  accabler
5 **agolpar,** vt, vp, *accumuler*; *entasser*; *rassembler*
21 **agonizar,** vt, vi, ❖, *assister un moribond*;
  agoniser
5 **agorgojarse,** vp, *être charançonné*
5 **agostar,** vt, vi, vp, *[les plantes] dessécher*;
  labourer [les terres en août]
5 **agraciar,** vt, ❖, *accorder une grâce*;
  remettre un prix
5 **agradar,** vi, vp, ❖, *plaire*; *trouver du plaisir*
54 **agradecer,** vt, irr., *remercier*; *savoir gré*
5 **agramilar,** vt, *tailler [les briques]*; *briqueter*
5 **agrandar,** vt, vp, *agrandir*; *augmenter*
5 **agravar,** vt, vp, *aggraver*
5 **agraviar,** vt, vp, ❖, *offenser*; *aggraver*
7 **agrazar,** vi, *avoir un goût aigre*; *déplaire*
8 **agredir,** vt, *agresser*; *attaquer*
53 **agregar,** vt, vp, ❖, *agréger, ajouter*
5 **agremiar,** vt, vp, *réunir en corporation*
  ou en corps de métier
5 **agriar,** vt, vp, ❖, *aigrir*; *tourner à l'aigre*
5 **agrietar,** vt, vp, *[la terre] crevasser*;
  [les lèvres] gercer
53 **agringarse,** vp, *amér., se conduire comme*
  un gringo
5 **agrumar,** vt, vp, *grumeler*
5 **agrupar,** vt, vp, *grouper*
5 **aguachar,** vt, vp, *noyer, inonder*;
  amér., domestiquer [un animal]

5 **aguadar**, vt, *amér.*, couper d'eau ; adoucir

5 **aguaitar**, vt, guetter, épier

5 **aguantar**, vt, vi, vp, ❖, endurer, supporter ;
résister ; se taire

17 **aguar**, vt, vp, couper d'eau ; se remplir d'eau

5 **aguardar**, vt, vp, ❖, attendre ; s'arrêter

21 **aguazar**, vt, vp, inonder

21 **agudizar**, vt, vp, aiguiser ;
[une maladie] s'aggraver

8 **aguerrir**, vt, vp, déf., aguerrir ; endurcir

5 **aguijar**, vt, vi, aiguillonner, stimuler ; se hâter

5 **aguijonear**, vt, piquer [avec l'aiguillon] ;
aiguillonner ; stimuler

53 **aguizgar**, vt, aiguillonner, stimuler

5 **agujerar ; agujerear**, vt, vp, percer, trouer

5 **agusanarse**, vp, [les fruits] devenir véreux

21 **aguzar**, vt, aiguiser, affiler

5 **ahechar**, vt, cribler, vanner [le grain]

5 **ahelear**, vt, vi, enfieller ; être amer

5 **aherrojar**, vt, enchaîner ; mettre aux fers

5 **aherrumbrar**, vt, vp, rendre ferrugineux ;
rouiller

12 **ahijar**, vt, vi, adopter [un enfant] ; enfanter ;
procréer

12 **ahilar**, vi, vp, aller en file ; défaillir

11 **ahincar**, vt, vp, insister (auprès de qqn) ; se hâter

12 **ahitar**, vt, vi, vp, 2 p.p., ❖, bourrer ; empiffrer ;
borner, jalonner [un terrain]

5 **ahocinarse**, vp, se resserrer ;
[une rivière] se rétrécir

53 **ahogar**, vt, vp, ❖, noyer ; étouffer, étrangler

5 **ahondar**, vt, vi, vp, ❖, creuser, approfondir ;
enfoncer ; pénétrer

5 **ahorcajarse**, vp, ❖, se mettre à califourchon

72 **ahorcar**, vt, vp, ❖, pendre

5 **ahormar**, vt, vp, mettre en forme
[des chaussures] ; se plier ; se façonner

5 **ahornar**, vt, vp, enfourner, mettre au four ;
[le pain] se havir

5 **ahorquillar**, vt, vp, étayer [un arbre] ;
donner la forme d'une fourche

5 **ahorrar**, vt, vp, ❖, économiser, épargner

5 **ahoyar**, vi, creuser des trous

15 **ahuchar**, vt, économiser ; garder
[dans une tirelire]

72 **ahuecar**, vt, vp, creuser, évider ; s'enorgueillir

5 **ahuesarse**, vp, *amér.*, devenir inutile ;
devenir invendable

5 **ahuevar**, vt, clarifier [le vin avec des jaunes
d'œuf] ; donner la forme d'un œuf

15 **ahumar**, vt, vi, vp, fumer ; boucaner ;
enivrer, se soûler

15 **ahusar**, vt, vp, fuseler ; effiler

5 **ahuyentar**, vt, vp, mettre en fuite ; s'enfuir

12 **airar**, vt, vp, ❖, fâcher ; mettre en colère ; irriter

5 **airear**, vt, vp, aérer ; donner de l'air ; prendre l'air

12 **aislar**, vt, vp, ❖, isoler ; mettre à l'écart

5 **ajamonarse**, vp, *fam.*, grossir ; être bien en chair

72 **ajaquecarse**, vp, avoir la migraine

5 **ajar**, vt, vp, défraîchir ; flétrir ; faner

5 **ajardinar**, vt, aménager des espaces verts

5 **ajear**, vi, [la perdrix] cacaber

5 **ajetrear**, vt, vp, ❖, harasser (qqn) ; se démener

5 **ajornalar**, vt, vp, louer ou prendre à la journée

5 **ajuiciar**, vt, vi, assagir ; traduire en justice

5 **ajumarse**, vp, se soûler

5 **ajustar**, vt, vi, vp, ❖, ajuster ; adapter ;
s'adapter parfaitement

5 **ajusticiar**, vt, exécuter [un condamné]

5 **alabar**, vt, vp, ❖, louer, vanter ; faire des éloges

5 **alabear**, vt, vp, gauchir, gondoler, bomber

5 **alacranear**, vi, *amér.*, médire

72 **alambicar**, vt, distiller, alambiquer ;
examiner attentivement (qqch.)

5 **alambrar**, vt, grillager [une fenêtre] ;
clôturer [un terrain]

5 **alamparse**, vp, brûler d'envie (de qqch.)

5 **alardear**, vi, ❖, parader ; se vanter

53 **alargar**, vt, vp, ❖, allonger, étendre ; rallonger

5 **alarmar**, vt, vp, ❖, alarmer ; prévenir ;
s'inquiéter

5 **albañilear**, vi, faire des travaux de maçon

5 **albardar**, vt, bâter

5 **albear**, vi, blanchir un mur [à la chaux]

53 **albergar**, vt, vi, vp, ❖, héberger, loger ;
être logé

5 **alborear**, vi, imp., poindre, [le jour] se lever

5 **alborotar**, vt, vi, vp, ❖, troubler, agiter ;
faire du tapage

21 **alborozar**, vt, vp, réjouir ; égayer

5 **albuminar**, vt, albuminer

5 **alcahuetear**, vt, vi, servir d'entremetteur

21 **alcalinizar**, vt, alcaliniser

5 **alcanforar**, vt, camphrer

5 **alcantarillar**, vt, construire des égouts

21 **alcanzar**, vt, vi, vp, ❖, atteindre ; arriver ;
rejoindre

5 **alcoholar**, vt, vp, alcooliser ; goudronner
[une embarcation]

21 **alcoholizar**, vt, vp, alcooliser

21 **alcorzar,** vt, vp, glacer [un gâteau]

5 **aldabear,** vi, heurter à la porte
[avec le marteau]

5 **alear,** vi, vt, ❖, battre des ailes;
allier [des métaux]

56 **alebrarse,** vp, irr., se tapir; avoir peur

5 **aleccionar,** vt, vp, ❖, enseigner, instruire

53 **alegar,** vt, vi, ❖, alléguer, invoquer;
[un avocat] plaider

21 **alegorizar,** vt, allégoriser

5 **alegrar,** vt, vp, ❖, réjouir, égayer, animer

5 **alejar,** vt, vp, ❖, éloigner

5 **alelar,** vt, vp, ahurir, hébéter,
être frappé d'ahurissement

56 **alentar,** vi, vt, vp, irr., ❖, respirer; encourager;
s'enhardir

5 **alertar,** vt, alerter, avertir

53 **aletargar,** vt, vp, engourdir;
faire tomber en léthargie

5 **aletear,** vi, [les oiseaux] battre des ailes;
[les poissons] agiter les nageoires;
agiter les bras [comme des ailes]

21 **alfabetizar,** vt, alphabétiser

72 **alfeñicarse,** vp, maigrir beaucoup;
faire des manières

5 **alfilerar,** vt, épingler

5 **alfombrar,** vt, recouvrir de tapis; tapisser

21 **alforzar,** vt, remplier [une jupe]; faire un pli à

5 **algaliar,** vt, parfumer à la civette

5 **algodonar,** vt, rembourrer de coton; ouater

5 **alhajar,** vt, parer ou couvrir de bijoux

5 **alheñar,** vt, vp, teindre au henné;
[les moissons] être brûlées,
flétries par le soleil

43 **aliar,** vt, vp, ❖, allier

5 **alicatar,** vt, carreler; revêtir d'azulejos

5 **alicortar,** vt, rogner les ailes; blesser à l'aile

5 **alienar,** vt, vp, aliéner

5 **aligerar,** vt, vi, vp, alléger; soulager;
se dépêcher

5 **alijar,** vt, alléger; décharger [un bateau]

5 **alijarar,** vt, partager les terres en friche
[pour les cultiver]

5 **alimentar,** vt, vp, ❖, nourrir, alimenter

5 **alimonarse,** vp, [les feuilles d'un arbre] jaunir

5 **alindar,** vt, vp, borner [un terrain]; embellir

5 **alinear,** vt, vp, ❖, aligner,
faire partie [d'une équipe]

5 **aliñar,** vt, vp, ❖, arranger, parer;
assaisonner [les aliments]

5 **alisar,** vt, vp, lisser [les cheveux]; polir;
aléser [un cylindre]

5 **alistar,** vt, vp, ❖, enrôler, recruter; s'engager

5 **alivianar,** vt, amér., soulager

5 **aliviar,** vt, vp, ❖, alléger; soulager

5 **aljofarar,** vt, garnir de petites perles

5 **aljofifar,** vt, nettoyer avec une serpillière

5 **allanar,** vt, vp, ❖, aplanir; niveler

53 **allegar,** vt, vi, vp, ramasser, recueillir; arriver;
s'approcher

5 **almacenar,** vt, emmagasiner, stocker

5 **almadiar,** vi, vp, avoir le mal de mer

5 **almagrar,** vt, teindre en rouge

5 **almarbatar,** vt, assembler

5 **almenar,** vt, créneler

5 **almibarar,** vt, confire dans du sirop

5 **almidonar,** vt, amidonner, empeser

5 **almizclar,** vt, musquer

5 **almogavarear,** vi, razzier

5 **almohadillar,** vt, bosseler; rembourrer,
capitonner

21 **almohazar,** vt, étriller

5 **almonedear,** vt, vendre aux enchères;
solder, brader

42 **almorzar,** vi, vt, irr., déjeuner,
manger au déjeuner;
prendre une collation [le matin]

72 **alocar,** vt, vp, ❖, rendre fou; s'affoler

5 **alojar,** vt, vi, vp, ❖, loger, se loger

5 **alomar,** vt, vp, billonner, labourer par billons

5 **alotar,** vt, arriser, prendre un ris

5 **alpargatar,** vi, faire des espadrilles

5 **alquilar,** vt, vp, ❖, louer

5 **alquitarar,** vt, distiller; alambiquer

5 **alquitranar,** vt, goudronner

5 **alterar,** vt, vp, altérer, changer; s'émouvoir

72 **altercar,** vi, se quereller, se disputer

5 **alternar,** vt, vi, ❖, alterner, se relayer

5 **alucinar,** vt, vi, vp, ❖, halluciner; leurrer,
tromper

7 **aludir,** vi, ❖, parler (de qqch).; faire allusion

5 **alumbrar,** vt, vi, vp, ❖, éclairer; enfanter

5 **aluminar,** vt, aluminer

5 **alunarse,** vp, [la viande] se gâter;
[les blessures] s'envenimer

21 **alunizar,** vi, alunir

5 **alustrar,** vt, polir, lustrer

5 **alzaprimar,** vt, soulever [avec un levier]

21 **alzar,** vt, vi, vp, ❖, lever, relever

5 **amachetear,** vt, frapper à coups de machette

5 **amacollar,** vi, vp, [les plantes] former une touffe
53 **amadrigar,** vt, vp, faire bon accueil à; se terrer
5 **amadrinar,** vt, vp, attacher par le mors;
  parrainer
5 **amaestrar,** vt, vp, dresser
53 **amagar,** vt, vi, vp, ❖, être sur le point de;
  menacer
5 **amainar,** vt, vi, ❖, amener [les voiles],
  [le vent] se calmer
5 **amajadar,** vt, vi, parquer [le bétail]
5 **amalgamar,** vt, vp, amalgamer
5 **amamantar,** vt, allaiter, nourrir au sein
5 **amancebarse,** vp, vivre en concubinage
5 **amancillar,** vt, vp, tacher
54 **amanecer,** vi, imp., irr., ❖, faire jour, [le jour]
  se lever/poindre; arriver au lever du jour
5 **amanerarse,** vp, [un artiste] avoir un style
  affecté; [une personne] faire des manières
5 **amanojar,** vt, botteler [des radis, des asperges]
5 **amansar,** vt, vi, vp, dompter; apprivoiser;
  s'adoucir
5 **amanzanar,** vt, amér., lotir [un terrain]
5 **amañar,** vt, vp, ❖, combiner, truquer;
  se débrouiller
5 **amar,** vt, vp, ❖, aimer
5 **amarar,** vi, amerrir
53 **amargar,** vi, vt, vp, ❖, être amer;
  rendre amer; s'attrister
5 **amariconarse,** vp, fam., devenir efféminé
5 **amarillear** vi, jaunir; pâlir
54 **amarillecer,** vi, irr., jaunir, pâlir
5 **amarinar,** vt, amariner; faire mariner
5 **amaromar,** vt, amarrer
5 **amarrar,** vt, vp, ❖, amarrer; attacher
5 **amartelar,** vt, vp, rendre jaloux; s'éprendre
5 **amartillar,** vt, marteler; armer [une arme à feu]
5 **amasar,** vt, pétrir [le pain]; gâcher
  [du mortier]
53 **amayorazgar,** vt, constituer en majorat
5 **ambarar,** vt, ambrer
5 **ambicionar,** vt, ambitionner; convoiter
5 **ambientar,** vt, vp, créer l'ambiance de;
  s'acclimater
5 **amblar,** vi, ambler
5 **amedrentar,** vt, vp, ❖, effrayer; intimider;
  faire peur
5 **amelcochar,** vt, vp, amér., donner
  la consistance du miel
53 **amelgar,** vt, labourer par planches
5 **amellar,** vt, vp, ébrécher

21 **amenazar,** vt. vi. ❖, menacer
17 **amenguar,** vt, vi, amoindrir, diminuer;
  déshonorer
21 **amenizar,** vt, égayer; agrémenter
21 **americanizar,** vt, vp, américaniser
21 **amerizar,** vi, amerrir
5 **ametrallar,** vt, mitrailler
53 **amigar,** vt, vp, devenir l'ami de, se lier d'amitié;
  se mettre en concubinage
5 **amilanar,** vt, vp, effrayer, faire peur;
  se décourager
5 **amillarar,** vt, repartir les impôts
  [d'après le cadastre]
5 **aminar,** vt, aminer
5 **aminorar,** vt, diminuer, amoindrir
5 **amistar,** vt, vp, devenir amis; réconcilier;
  se lier (avec qqn)
43 **amnistiar,** vt, amnistier
5 **amodorrarse,** vp, s'assoupir
5 **amogollonarse,** vp, s'entasser, s'accumuler
12 **amohinar,** vt, vp, fâcher, bouder;
  faire la moue
5 **amojamar,** vt, vp, boucaner; saurer; maigrir
5 **amojonar,** vt, borner, mettre des bornes
38 **amolar,** vt, irr., aiguiser; ennuyer, importuner
5 **amoldar,** vt, vp, mouler; ajuster; adapter
5 **amollar,** vi, vt, céder, faiblir; mollir
5 **amollentar,** vt, amollir, ramollir
5 **amonarse,** vp, fam., s'enivrer, se soûler
5 **amonedar,** vt, monnayer
5 **amonestar,** vt, vp, réprimander;
  se faire admonester
5 **amontonar,** vt, vp, entasser, amonceler
5 **amoratar,** vt, vp, rendre violacé; devenir violet
21 **amordazar,** vt, bâillonner; museler
54 **amorecer,** vt, vp, irr., [le bélier et la brebis]
  accoupler
5 **amorrar,** vi, vp, baisser ou pencher la tête
5 **amorronar,** vt, mettre le pavillon en berne
  [en signe de deuil/de détresse]
5 **amortajar,** vt, ensevelir [dans un linceul]
54 **amortecer,** vt, vi, vp, irr., amortir; s'évanouir
17 **amortiguar,** vt, vp, amortir, atténuer
21 **amortizar,** vt, amortir [le capital]
21 **amostazar,** vt, vp, irriter; s'emporter
5 **amotinar,** vt, vp, soulever, ameuter;
  se révolter
5 **amparar,** vt, vp, ❖, protéger; s'abriter
43 **ampliar,** vt, agrandir; étendre; augmenter
72 **amplificar,** vt, amplifier; agrandir

5 **ampollar,** vt, vp, *produire des ampoules ;
se faire des ampoules [aux mains]*
5 **amputar,** vt, *amputer*
5 **amueblar,** vt, ❖, *meubler*
5 **amuelar,** vt, *mettre en tas [le grain]*
5 **amuermar,** vt, *abrutir, assommer*
5 **amugronar,** vt, *provigner*
5 **amurallar,** vt, *entourer de murailles, fortifier*
5 **amurar,** vt, *amurer*
53 **amusgar,** vt, vi, vp, *[les animaux] coucher
les oreilles ; avoir honte*
5 **amustiar,** vt, vp, *faner, flétrir ; attrister,
abattre*
5 **anadear,** vi, *se dandiner [en marchant]*
21 **analizar,** vt, *analyser*
21 **anarquizar,** vi, *anarchiser, propager
les doctrines anarchistes*
5 **anastomosarse,** vp, *s'anastomoser*
21 **anatematizar,** vt, *anathématiser*
21 **anatomizar,** vt, *disséquer, anatomiser*
5 **anclar,** vi, *mouiller, ancrer [un navire]*
5 **ancorar,** vi, *mouiller, jeter l'ancre*
21 **andaluzarse,** vp, *prendre le caractère andalou*
13 **andar,** vi, vt, vp, irr., ❖, *marcher ; parcourir ;
s'en aller*
53 **anegar,** vt, vp, ❖, *inonder [un terrain] ;
noyer (qqn)*
5 **anestesiar,** vt, *anesthésier*
5 **anexar,** vt, *annexer*
5 **anexionar,** vt, *annexer*
21 **anglicanizar,** vt, vp, *angliciser, s'angliciser*
5 **angostar,** vt, vi, vp, *rétrécir ; se resserrer*
5 **angustiar,** vt, vp, *angoisser ; affliger ; affoler*
5 **anhelar,** vi, vt, ❖, *haleter ; aspirer à ; briguer*
5 **anidar,** vi, vt, vp, *nicher, faire son nid ;
accueillir ; habiter*
5 **anillar,** vt, *anneler*
21 **animalizar,** vt, vp, *animaliser*
5 **animar,** vt, vp, ❖, *animer ; s'enhardir*
5 **aniñarse,** vp, *faire l'enfant*
5 **aniquilar,** vt, vp, *annihiler ; anéantir*
5 **anisar,** vt, *aniser*
54 **anochecer,** vi, imp., vt, vp, irr., ❖, *commencer
à faire nuit ; s'obscurcir*
5 **anonadar,** vt, vp, *anéantir ; accabler ; atterrer*
5 **anotar,** vt, *noter, prendre note ; annoter*
5 **anquilosar,** vt, vp, *ankyloser ; être paralysé*
43 **ansiar,** vt, *convoiter ; désirer ardemment*
5 **antagallar,** vt, *arriser, prendre un ris*
6 **anteceder,** vt, *précéder*

23 **antecoger,** vt, *pousser, porter en avant*
5 **antedatar,** vt, *antidater*
61 **antedecir,** vt, irr., *prédire*
53 **antepagar,** vt, *payer d'avance*
60 **anteponer,** vt, vp, irr., ❖, *mettre devant ;
faire passer avant ; préférer à*
83 **antever,** vt, irr., *prévoir ; voir avant*
5 **anticipar,** vt, vp, ❖, *anticiper ; devancer ; avancer*
5 **anticuar,** vt, vp, *déclarer vieilli ou inusité ;
se démoder*
21 **antipatizar,** vi, *amér., éprouver de l'antipathie
(pour qqn)*
5 **antojarse,** vp, *avoir envie de*
5 **anublar,** vt, vp, *[le ciel] obscurcir ;
[les plantes] flétrir, dessécher ; se couvrir*
5 **anudar,** vt, vp, *nouer [la cravate] ;
attacher [les chaussures]*
5 **anular,** vt, vp, *annuler ; révoquer*
5 **anunciar,** vt, ❖, *annoncer*
7 **añadir,** vt, ❖, *ajouter*
5 **añejar,** vt, vp, *vieillir*
5 **añilar,** vt, *teindre en bleu indigo*
5 **añorar,** vt, vi, *regretter ; avoir la nostalgie*
5 **aojar,** vt, *jeter un sort [sur une personne,
en la regardant]*
5 **aovar,** vi, *[les oiseaux et autres animaux] pondre*
5 **apabullar,** vt, ❖, *aplatir ; écraser*
56 **apacentar,** vt, vp, irr., ❖, *paître, pâturer*
17 **apaciguar,** vt, vp, *apaiser, calmer*
5 **apadrinar,** vt, vp, *parrainer, être le parrain*
53 **apagar,** vt, vp, *éteindre [le feu, la lumière] ;
s'éteindre*
5 **apalabrar,** vt, vp, ❖, *décider ou convenir
verbalement*
72 **apalancar,** vt, *lever, soulever avec un levier*
5 **apalear,** vt, *donner des coups de bâton,
battre, rosser*
5 **apandar,** vt, *chiper, rafler, piquer*
5 **apandillar,** vt, vp, *réunir en bande,
se réunir en bande*
5 **apantanar,** vt, vp, *inonder [un terrain]*
5 **apañar,** vt, vp, ❖, *arranger ; disposer ; réparer*
72 **apañuscar,** vt, *chiffonner ; friper ; froisser*
5 **aparar,** vt, vp, ❖, *tendre les mains
(pour recevoir qqch.) ; apprêter*
72 **aparcar,** vt, vi, ❖, *garer, ranger [une voiture]*
5 **aparear,** vt, vp, *accoupler ; apparier*
54 **aparecer,** vi, vp, irr., ❖, *apparaître ; paraître ;
arriver*
5 **aparejar,** vt, vp, ❖, *apprêter, préparer ; disposer*

5 **aparentar,** vt, vi, *feindre, simuler; paraître*

5 **aparroquiar,** vt, vp, *achalander [une boutique];*
se faire une clientèle

5 **apartar,** vt, vp, ❖, *écarter; éloigner*

5 **apasionar,** vt, vp, ❖, *passionner*

5 **apear,** vt, vp, ❖, *descendre; mettre pied à terre*

53 **apechugar,** vi, ❖, *pousser avec la poitrine;*
accepter à contrecœur

21 **apedazar,** vt, *mettre en pièces; rapiécer*

5 **apedrear,** vt, vi, vp, imp., *lancer des pierres,*
lapider; grêler

53 **apegarse,** vp, ❖, *s'attacher à*

5 **apelambrar,** vt, *planer [les cuirs]*

5 **apelar,** vi, vp, ❖, *faire appel, recourir*

5 **apellidar,** vt, vp, *nommer, appeler*

21 **apelmazar,** vt, vp, *comprimer, tasser*

5 **apelotonar,** vt, vp, ❖, *pelotonner*

5 **apenar,** vt, vp, *peiner, faire de la peine;*
s'affliger

72 **apencar,** vi, ❖, fam., *bosser, trimer, se coltiner*

72 **apeñuscar,** vt, vp, *entasser; amonceler*

5 **aperar,** vt, *arranger; réparer; fabriquer*

7 **apercibir,** vt, vp, ❖, *préparer; avertir; percevoir*

38 **apercollar,** vt, irr., *colleter; assommer*

5 **apergaminarse,** vp, *se racornir, se ratatiner*

38 **apergollar,** vt, amér., irr., *arrêter; appréhender*

5 **aperrear,** vt, vp, *lâcher les chiens (sur qqn);*
s'entêter

5 **apesadumbrar; apesarar,** vt, vp, ❖, *attrister;*
s'affliger

5 **apestar,** vt, vi, vp, ❖, *empester; donner/*
attraper la peste

54 **apetecer,** vt, vi, irr., *désirer; plaire;*
avoir envie de

5 **apiadar,** vt, vp, ❖, *apitoyer; être touché*

5 **apicararse,** vp, *devenir un coquin;*
s'encanailler

5 **apilar,** vt, *empiler; entasser*

5 **apimplarse,** vp, fam., *prendre une cuite;*
se soûler

5 **apimpollarse,** vp, *[une plante] bourgeonner*

5 **apiñar,** vt, vp, ❖, *entasser, empiler*

5 **apiolar,** vt, fam., *zigouiller, estourbir*

5 **apiparse; apiporrarse,** vp, fam., *s'empiffrer,*
se bourrer

5 **apisonar,** vt, *damer, tasser; cylindrer*
[une route]

5 **apitonar,** vi, vt, vp, *[les cornes] pousser;*
[les pousses] bourgeonner; se chamailler

72 **aplacar,** vt, vp, *apaiser, calmer*

5 **aplanar,** vt, vp, *aplanir; niveler;*
[un édifice] s'effondrer

5 **aplastar,** vt, vp, ❖, *aplatir, écraser*

5 **aplatanar,** vt, vp, *avachir, ramollir*

7 **aplaudir,** vt, *applaudir*

21 **aplazar,** vt, *ajourner, différer, remettre*

5 **aplebeyar,** vt, vp, *avilir, dégrader;*
devenir grossier

72 **aplicar,** vt, vp, ❖, *appliquer; se consacrer*

5 **aplomar,** vt, vi, vp, *mettre d'aplomb;*
vérifier au fil aplomb; s'effondrer

72 **apocar,** vt, vp, *amoindrir, diminuer; s'humilier*

5 **apocopar,** vt, *faire une apocope*

5 **apodar,** vt, vp, *surnommer,*
donner des sobriquets

5 **apoderar,** vt, vp, ❖, *déléguer; donner pouvoir;*
s'emparer

5 **apolillar,** vt, vp, *ronger [par les mites]; être mité*

5 **apoltronarse,** vp, *fainéanter, devenir paresseux*

21 **apomazar,** vt, *poncer*

60 **aponer,** vt, irr., *mettre en apposition*

5 **apoquinar,** vt, fam., *casquer,*
cracher [de l'argent]

5 **aporismarse,** vp, *former un thrombus*

5 **aporrear,** vt, vp, ❖, *battre, frapper, cogner*

5 **aporrillarse,** vp, *[une articulation] enfler*

5 **aportar,** vi, vt, ❖, *arriver au port, débarquer;*
faire un apport, apporter

5 **aportillar,** vt, vp, *faire une brèche*
[dans un mur]; s'écrouler

5 **aposentar,** vt, vp, ❖, *loger, héberger; s'installer*

38 **apostar,** vt, vi, vp, irr., ❖, *parier; poster;*
rivaliser (avec qqn); se poster [en un lieu]

5 **apostatar,** vi, ❖, *apostasier*

5 **apostemar,** vt, vp, *causer un apostème à;*
abcéder

5 **apostillar,** vt, vp, *apostiller; se couvrir de croûtes*

5 **apostrofar,** vt, *apostropher*

5 **apoyar,** vt, vi, vp, ❖, *appuyer; soutenir;*
reposer sur

5 **apreciar,** vt, vp, ❖, *apprécier, estimer;*
évaluer (qqch.)

6 **aprehender,** vt, *appréhender; saisir*

5 **apremiar,** vt, *contraindre; presser, activer*

6 **aprender,** vt, ❖, *apprendre*

5 **apresar,** vt, *saisir; arraisonner [un bateau]*

5 **aprestar,** vt, vp, ❖, *apprêter*

5 **apresurar,** vt, vp, ❖, *presser, hâter; s'empresser*

56 **apretar,** vt, vi, vp, irr., ❖, *serrer, presser;*
[la pluie] redoubler

5 **apretujar,** vt, vp, serrer très fort; se tasser

72 **apriscar,** vt, vp, garder, rentrer au bercail

5 **aprisionar,** vt, ❖, emprisonner, enchaîner

5 **aproar,** vi, mettre le cap

38 **aprobar,** vt, irr., ❖, approuver; être reçu [à un examen]

5 **aprontar,** vt, préparer rapidement; payer comptant

5 **apropiar,** vt, vp, ❖, approprier, adapter; s'emparer

5 **aprovechar,** vi, vt, vp, ❖, profiter à; mettre à profit; en profiter

5 **aprovisionar,** vt, ❖, approvisionner, ravitailler

5 **aproximar,** vt, vp, ❖, approcher

5 **apulgarar,** vi, presser avec le pouce

5 **apuntalar,** vt, étayer

5 **apuntar,** vt, vi, vp, ❖, pointer, braquer [une arme]; s'inscrire

5 **apuntillar,** vt, achever, donner le coup de grâce

5 **apuñalar,** vt, poignarder

5 **apuñar,** vt, vi, empoigner; frapper à coups de poing

5 **apurar,** vt, vp, ❖, épurer, purifier, s'affliger

5 **aquejar,** vt, peiner, chagriner

5 **aquietar,** vt, vp, ❖, apaiser, rassurer; se calmer

5 **aquilatar,** vt, déterminer le titre [de l'or et l'argent]; estimer la valeur [d'un diamant]

21 **arabizar,** vi, vp, arabiser

5 **arañar,** vt, vp, griffer; égratigner

5 **arar,** vt, labourer

5 **arbitrar,** vt, vi, vp, arbitrer; agir librement; s'ingénier à

5 **arbolar,** vt, vp, arborer [les drapeaux]; mâter [un bateau]; battre pavillon [d'un pays]

54 **arborecer,** vi, irr., pousser, [un arbre] croître

21 **arborizar,** vt, arboriser

39 **arcaizar,** vi, vt, employer des archaïsmes; rendre archaïque

5 **archivar,** vt, archiver, classer

5 **arcillar,** vt, glaiser

6 **arder,** vi, vt, vp, ❖, brûler; griller

5 **arenar,** vt, ensabler; sabler

72 **arencar,** vt, saurer, saurir

53 **arengar,** vi, vt, haranguer

5 **argayar,** vi, [un terrain] s'ébouler

5 **argentar,** vt, argenter; orner d'argent

45 **argüir,** vt, vi, irr., ❖, arguer, prouver, déduire; argumenter

5 **argumentar,** vt, vi, ❖, alléguer; argumenter, discuter

72 **aricar,** vt, faire un léger labour

54 **aridecer,** vt, vi, vp, irr., rendre aride; devenir aride

21 **aristocratizar,** vt, vp, aristocratiser

5 **armar,** vt, vp, ❖, armer

21 **armonizar,** vt, vi, ❖, harmoniser; être en harmonie

21 **aromatizar,** vt, aromatiser

5 **arpegiar,** vi, arpéger

5 **arponar; arponear,** vt, harponner

5 **arquear,** vt, vi, vp, arquer, cambrer; avoir des nausées; se courber

5 **arracimarse,** vp, s'assembler, se réunir en grappes

53 **arraigar,** vi, vt, vp, ❖, s'enraciner, prendre racine

5 **arramblar,** vt, vp, ❖, ensabler [un terrain inondé]; rafler

72 **arrancar,** vt, vi, vp, ❖, arracher [une plante]; démarrer [une voiture]; se décider

5 **arranchar,** vt, vi, vp, ranger, longer [la côte]; se grouper

5 **arrasar,** vt, vi, vp, ❖, aplanir; raser; [le ciel] s'éclaircir

5 **arrastrar,** vt, vi, vp, ❖, traîner; ramper

5 **arrear,** vt, vi, exciter, stimuler [les bêtes]; parer, dépêcher

5 **arrebatar,** vt, vp, ❖, enlever, arracher; s'emporter

5 **arrebolar,** vt, vp, rougir, teindre en rouge

21 **arrebozar,** vt, vp, ❖, enrober [avec du sucre, de la farine...]; dissimuler adroitement

5 **arrebujar,** vt, vp, chiffonner, friper; s'envelopper [dans une cape, une couverture...]

5 **arreciar,** vt, vi, vp, donner force et vigueur; prendre de la force

8 **arrecir,** vp, déf., irr., ❖, engourdir, être transi de froid

5 **arredrar,** vt, vp, écarter, séparer; faire peur, effrayer

5 **arreglar,** vt, vp, ❖, régler, arranger

5 **arregostarse,** vp, ❖, prendre goût à; être alléché

72 **arrejacar,** vt, herser, biner [une terre ensemencée]

5 **arrejerar,** vt, mouiller en patte d'oie [les bateaux]

5 **arrellanarse,** vp, ❖, s'asseoir commodément

53 **arremangar,** vt, vp, retrousser, relever [ses manches]

5 **arrematar,** vt, parachever

6 **arremeter,** vt, vi, ❖, assaillir; foncer sur;
s'en prendre

5 **arremolinarse,** vp, ❖, tournoyer, tourbillonner;
[les gens] s'entasser

5 **arrempujar,** vt, pousser

56 **arrendar,** vt, irr., louer, affermer;
attacher [un cheval] par la bride

76 **arrepentirse,** vp, irr., ❖, se repentir

5 **arrequesonarse,** vp, [le lait] se cailler

5 **arrestar,** vt, vp, ❖, arrêter, mettre aux arrêts,
se lancer

43 **arriar,** vt, vp, amener/baisser [le pavillon],
être inondé

5 **arribar,** vi, vp, ❖, accoster, arriver [un navire
à son port]

53 **arriesgar,** vt, vp, ❖, risquer, hasarder; s'exposer à

5 **arrimar,** vt, vp, ❖, approcher; appuyer

5 **arrinconar,** vt, vp, ❖, mettre (qqch.) dans
un coin, au rancart

5 **arriostrar,** vt, étayer

21 **arrizar,** vt, prendre des ris, arriser [les voiles];
attacher

5 **arrobar,** vt, vp, ravir, charmer; tomber en extase

5 **arrocinar,** vt, vp, abrutir, abêtir; s'amouracher

5 **arrodillar,** vt, vi, vp, s'agenouiller;
mettre à genoux

5 **arrodrigonar,** vt, échalasser [la vigne]

53 **arrogarse,** vp, s'arroger; s'approprier indûment

5 **arrojar,** vt, vp, ❖, lancer; jeter

5 **arrollar,** vt, enrouler, rouler; emporter; renverser

21 **arromanzar,** vt, traduire en castillan

5 **arromar,** vt, vp, émousser; épointer

21 **arronzar,** vt, vi, soulever avec des leviers;
[un navire] être trop sous le vent

5 **arropar,** vt, vp, ❖, couvrir; emmitoufler; protéger

5 **arrostrar,** vt, vi, vp, ❖, affronter, braver; souffrir,
accepter; se mesurer, tenir tête (à qqn)

5 **arroyar,** vt, vp, raviner; former des rigoles

9 **arruar,** vi, [le sanglier] nasiller

5 **arrufar,** vt, vi, vp, tonturer [un navire];
se mettre en colère

53 **arrugar,** vt, vp, rider; chiffonner, froisser

5 **arruinar,** vt, vp, ruiner

5 **arrullar,** vt, vp, [le pigeon] roucouler, endormir
[un enfant] en chantant;
[les amoureux] roucouler

5 **arrumar,** vt, vp, arrimer [un bateau];
[le ciel] se couvrir

5 **arrumbar,** vt, vi, vp, mettre au rebut;
fixer la route; faire le point

5 **arrunflar,** vt, vp, avoir/former une longue
[avec un jeu de cartes]

5 **artesonar,** vt, orner de caissons [un plafond];
lambrisser

5 **articular,** vt, vp, articuler

53 **artigar,** vt, écobuer, défricher [une terre]

5 **artillar,** vt, vp, munir d'artillerie [un vaisseau,
une place forte]

5 **asaetear,** vt, ❖, cribler ou percer de flèches

5 **asalariar,** vt, salarier

5 **asaltar,** vt, assaillir, attaquer, prendre d'assaut

5 **asar,** vt, vp, ❖, rôtir, griller

29 **ascender,** vi, vt, irr., ❖, monter, s'élever;
promouvoir

5 **asear,** vt, vp, laver, nettoyer; faire sa toilette

5 **asechar,** vt, tendre/dresser des embûches,
des pièges

5 **asedar,** vt, affiner; rendre soyeux

5 **asediar,** vt, ❖, assiéger; harceler

5 **asegurar,** vt, vp, ❖, assurer

5 **asemejar,** vt, vi, vp, ❖, rendre semblable;
ressembler

5 **asenderear,** vt, tracer des sentiers; harceler

56 **asentar,** vt, vi, vp, irr., ❖, asseoir; convenir;
se fixer

76 **asentir,** vi, irr., ❖, acquiescer, donner
son assentiment

21 **aseptizar,** vt, aseptiser

5 **aserenar,** vt, vp, tranquilliser, rasséréner

5 **aseriarse,** vp, devenir sérieux, grave

56 **aserrar,** vt, irr., scier

5 **aserruchar,** vt, amér., scier [avec une égoïne]

5 **asesar,** vt, vi, assagir, rendre sage/sensé;
s'assagir, devenir sage/sensé

5 **asesinar,** vt, assassiner; tuer

5 **asesorar,** vt, vp, ❖, conseiller;
prendre conseil

56 **asestar,** vt, irr., braquer, pointer [une arme]

5 **aseverar,** vt, assurer, affirmer

5 **asfaltar,** vt, asphalter

5 **asfixiar,** vt, vp, asphyxier, étouffer

5 **asignar,** vt, assigner, attribuer

5 **asilar,** vt, vp, donner/trouver asile

5 **asimilar,** vt, vi, vp, ❖, assimiler; ressembler à

14 **asir,** vt, vi, vp, irr., ❖, prendre, saisir
[avec la main]; s'accrocher

7 **asistir,** vt, vi, ❖, assister (qqn); être présent

5 **asnear,** vi, dire des âneries

5 **asociar,** vt, vp, ❖, associer

5 **asolanar,** vt, vp, brûler, griller

38 **asolar,** vt, vp, irr., dévaster, ravager;
[un liquide] déposer

38 **asoldar,** vt, vp, irr., prendre à sa solde;
se mettre à la solde

5 **asolear,** vt, vp, exposer au soleil; se hâler,
se brunir

5 **asomar,** vi, vt, vp, ❖, apparaître; se montrer;
montrer

5 **asombrar,** vt, vp, ❖, ombrager; s'étonner

5 **asonantar,** vi, vt, ❖, être assonant; faire rimer

38 **asonar,** vi, irr., produire une assonance

5 **asordar,** vt, assourdir

5 **asotanar,** vt, creuser une cave

5 **aspar,** vt, vp, ❖, dévider, mettre en écheveau
[du fil]; crucifier

5 **asperjar,** vt, asperger

5 **aspirar,** vt, vi, ❖, aspirer, inspirer [de l'air];
aspirer (à qqch.)

5 **asquear,** vt, vi, vp, ❖, dégoûter, écœurer

5 **astillar,** vt, casser, fendre [du bois]

32 **astringir,** vt, astreindre; resserrer

7 **asumir,** vt, assumer

5 **asurar,** vt, vp, laisser brûler [un plat]; hâler,
[les plantes par le soleil] dessécher;
inquiéter, tourmenter

72 **asurcar,** vt, sillonner

5 **asustar,** vt, vp, ❖, effrayer, faire peur;
avoir peur

5 **atabalear,** vi, tambouriner; [le cheval]
marteler le sol

5 **atablar,** vt, aplanir, herser [une terre]

72 **atacar,** vt, vp, ❖, attaquer; ronger

53 **atafagar,** vt, vp, suffoquer; étourdir;
être surchargé de travail

5 **atagallar,** vi, navig., faire force des voiles

5 **atajar,** vi, vt, vp, ❖, prendre un raccourci,
barrer la route; arrêter; s'interrompre

5 **atalajar,** vt, atteler, harnacher [des chevaux]

5 **atalayar,** vt, guetter; épier, observer

78 **atañer,** vi, déf., irr., concerner, incomber

5 **atar,** vt, vp, ❖, attacher; lier; ficeler

5 **atarantar,** vt, vp, étourdir; être pris
d'étourdissements

21 **atarazar,** vt, mordre, déchirer avec les dents

54 **atardecer,** vi, imp., irr., [le jour] décliner, tomber

5 **atarear,** vt, vp, ❖, donner un travail; s'affairer

5 **atarquinar,** vt, vp, couvrir de fange;
s'embourber

53 **atarugar,** vt, vp, cheviller; rester court,
s'embrouiller

72 **atascar,** vt, vp, ❖, boucher, engorger;
s'embourber

43 **ataviar,** vt, vp, ❖, parer, orner; se préparer

5 **atediar,** vt, vp, ennuyer

21 **atemorizar,** vt, vp, ❖, effrayer; intimider

5 **atemperar,** vt, vp, tempérer, modérer;
s'accommoder

21 **atenazar,** vt, ❖, tenailler; tourmenter

29 **atender,** vt, vi, irr., 2 p.p., ❖, s'occuper de;
accueillir; faire attention

5 **atenebrarse,** vp, s'assombrir; s'enténébrer

4 **atenerse,** vp, irr., ❖, s'en tenir à; s'en référer à

5 **atentar,** vi, ❖, attenter à

9 **atenuar,** vt, atténuer; diminuer

8 **aterir,** vt, vp, déf., ❖, transir; être transi de froid

5 **aterrajar,** vt, fileter, tarauder

56 **aterrar,** vt, vi, vp, irr., ❖, jeter à terre;
atterrer, terrifier; aborder; s'effrayer

21 **aterrizar,** vi, ❖, atterrir

5 **aterronar,** vt, vp, mettre en morceaux [un champ]

21 **aterrorizar,** vt, vp, ❖, terroriser, terrifier;
être terrorisé

5 **atesorar,** vt, amasser, thésauriser;
réunir des qualités

5 **atestar,** vt, ❖, attester, témoigner

17 **atestiguar,** vt, ❖, témoigner; attester; déposer

21 **atezar,** vt, vp, [la peau] brunir, hâler; noircir;
polir

5 **atiborrar,** vt, vp, ❖, bourrer; se gaver, s'empiffrer

5 **atiesar,** vt, vp, raidir; tendre

5 **atildar,** vt, vp, accentuer; mettre les tildes;
se parer

5 **atinar,** vi, vt, ❖, trouver [ce qu'on cherche];
découvrir

5 **atinconar,** vt, étayer

5 **atiplar,** vt, vp, élever la voix; passer à l'aigu

5 **atirantar,** vt, raidir; tendre

5 **atisbar,** vt, guetter; regarder, observer

21 **atizar,** vt, vp, tisonner, attiser [le feu]

5 **atizonar,** vt, vp, encastrer [une poutre dans
un mur]; se nieller; [le blé] se moucheter

5 **atochar,** vt, vp, bourrer de sparte; remplir;
plaquer [une voile]

5 **atocinar,** vt, vp, dépecer [un porc];
fam., tuer (qqn); se fâcher

5 **atollar,** vi, vp, ❖, s'embourber, s'enliser

5 **atolondrar,** vt, vp, étourdir; perdre la tête

21 **atomizar,** vt, atomiser

5 **atontar,** vt, vp, étourdir, abrutir; être étourdi,
s'abêtir

5 **atorar,** vt, vi, vp, engorger; obstruer

5 **atormentar,** vt, vp, ❖, tourmenter; torturer

5 **atornillar,** vt, visser *amér.,* déranger; harceler

5 **atortolar,** vt, vp, troubler, faire perdre la tête; s'éprendre

5 **atortujar,** vt, aplatir; presser

53 **atosigar,** vt, vp, empoisonner; harceler; être obsédé

72 **atracar,** vt, vi, vp, ❖, amarrer [un bateau]; voler [à main armée]

79 **atraer,** vt, irr., ❖, attirer

53 **atrafagar,** vi, vp, se fatiguer, s'éreinter

5 **atragantarse,** vp, ❖, s'étrangler; avaler de travers

12 **atraillar,** vt, vp, harder, ameuter [les chiens]

5 **atrampar,** vt, vp, prendre au piège; [un conduit] s'engorger; s'empêtrer (dans qqch.)

72 **atrancar,** vt, vp, ❖, barrer, barricader; [un mécanisme] se boucher, s'obstruer, se coincer

5 **atrapar,** vt, attraper; décrocher

5 **atrasar,** vt, vi, vp, retarder, prendre du retard; être en retard

56 **atravesar,** vt, vp, irr., ❖, mettre en travers; s'interposer

83 **atreverse,** vp, irr., ❖, oser; manquer de respect

45 **atribuir,** vt, vp, irr., ❖, attribuer

5 **atribular,** vt, vp, ❖, affliger, attrister; être affligé

72 **atrincar,** vt, *amér.,* attacher

5 **atrincherar,** vt, vp, ❖, retrancher

5 **atrochar,** vi, couper [par des chemins de traverse]; se retrancher

5 **atrofiar,** vt, vp, atrophier

38 **atronar,** vt, vp, irr., assourdir; étourdir

5 **atropar,** vt, vp, rassembler; attrouper

5 **atropellar,** vt, vi, vp, ❖, renverser; bousculer

5 **atufar,** vt, vi, vp, ❖, fâcher; sentir mauvais; s'étouffer

7 **aturdir,** vt, vp, étourdir; stupéfier

5 **aturrullar; aturullar,** vt, vp, ❖, démonter; s'embrouiller

5 **atusar,** vt, vp, tondre [les cheveux]; se pomponner

5 **augurar,** vt, augurer; prédire

15 **aullar,** vi, hurler

5 **aumentar,** vt, vi, vp, ❖, augmenter; croître

15 **aunar,** vt, vp, ❖, unir, allier; unifier

15 **aupar,** vt, vp, hisser, lever; porter aux nues

5 **aureolar,** vt, auréoler, nimber

72 **aurificar,** vt, aurifier

5 **auscultar,** vt, ausculter

5 **ausentar,** vt, vp, ❖, éloigner, faire partir; s'absenter

5 **auspiciar,** vt, protéger; patronner; encourager

72 **autenticar,** vt, authentiquer; légaliser

72 **autentificar,** vt, authentifier

5 **autoeditar,** vt, faire de la microédition

5 **autofinanciarse,** vp, s'autofinancer

43 **autografiar,** vt, autographier

21 **automatizar,** vt, automatiser

5 **autopsiar,** vt, autopsier

21 **autorizar,** vt, vp, ❖, autoriser; authentifier; accréditer

5 **autorregularse,** vp, se régler automatiquement

5 **autosugestionarse,** vp, pratiquer l'autosuggestion

5 **auxiliar,** vt, aider; assister; porter secours

5 **avahar,** vt, vi, vp, chauffer [à la vapeur]; réchauffer [ses mains] de son haleine

5 **avalar,** vt, avaliser; donner son aval ou sa caution à

5 **avalorar,** vt, valoriser; évaluer; encourager

9 **avaluar,** vt, évaluer, estimer

54 **avanecerse,** vp, irr., [les fruits] se dessécher

21 **avanzar,** vt, vi, vp, ❖, avancer; prendre de l'âge

5 **avasallar,** vt, vp, asservir, soumettre

5 **avecinar,** vt, vp, domicilier

5 **avecindar,** vt, vp, ❖, domicilier; s'établir, élire domicile

5 **avejentar,** vt, vp, vieillir prématurément

53 **avejigar,** vt, vi, vp, former des ampoules; [la peinture] cloquer

5 **avellanar,** vt, vp, fraiser; se rider, se ratatiner

5 **avenar,** vt, drainer

82 **avenir,** vt, vi, vp, irr., ❖, accorder; advenir; s'entendre

5 **aventajar,** vt, vp, ❖, avantager, favoriser; surpasser

56 **aventar,** vt, vp, irr., éventer, mettre les voiles

5 **aventurar,** vt, vp, ❖, aventurer; risquer, hasarder

16 **avergonzar,** vt, vp, irr., ❖, faire honte; avoir honte

43 **averiar,** vt, vp, avarier; tomber en panne

17 **averiguar,** vt, vp, ❖, vérifier; s'entendre (avec qqn)

21 **avezar,** vt, vp, ❖, accoutumer; habituer; s'accoutumer

43 **aviar,** vt, vp, ❖, arranger; préparer

5 **avillanar,** vt, vp, avilir; abaisser; encanailler

5 **avinagrar,** vt, vp, aigrir; [le vin] tourner au vinaigre

5 **avisar,** vt, ❖, aviser, avertir ; annoncer ;
    mettre en garde
5 **avispar,** vt, vp, aiguillonner ; se réveiller
5 **avistar,** vt, vp, apercevoir, découvrir ; se réunir
5 **avituallar,** vt, ravitailler
5 **avivar,** vt, vi, vp, aviver ; exciter ;
    reprendre des forces
5 **avizorar,** vt, guetter, épier
72 **avocar,** vt, ❖, évoquer [une affaire] ;
    se saisir [d'une cause]
21 **axiomatizar,** vt, axiomatiser
5 **ayudar,** vt, vp, ❖, aider
5 **ayunar,** vi, jeûner
5 **azacanear,** vi, travailler dur, trimer
5 **azafranar,** vt, safraner
5 **azarar,** vt, vp, faire rougir, faire honte ; rougir,
    avoir honte
5 **azararse,** vp, amér., s'irriter, se fâcher ; rougir
5 **azoar,** vt, vp, azoter
53 **azogar,** vt, vp, étamer [les miroirs] ;
    être surexcité
38 **azolar,** vt, irr., dégrossir à la hache [le bois]
5 **azorrarse,** vp, s'assoupir ; avoir la tête lourde
5 **azotar,** vt, vp, ❖, fouetter, fesser ; se flageller
5 **azucarar,** vt, vp, sucrer, adoucir ; se cristalliser
5 **azufrar,** vt, soufrer
5 **azular,** vt, bleuter, bleuir
5 **azulear,** vi, ❖, être bleu ; bleuir ; tirer sur le bleu
5 **azulejar,** vt, carreler ; revêtir d'azulejos
2 **azuzar,** vt, exciter [les chiens] ; irriter,
    mettre en colère

B

5 **babear,** vi, [les animaux] baver, écumer ;
    faire le joli cœur
5 **babosear,** vt, vi, baver ; faire le joli cœur
5 **bachatear,** vi, amér., se divertir, s'amuser
5 **bachear,** vt, boucher les trous [sur les routes]
5 **bachillerar,** vt, vp, admettre au baccalauréat ;
    obtenir le baccalauréat
5 **bachillerear,** vi, palabrer ; bavarder à tort
    et à travers
5 **bailar,** vi, vt, ❖, danser
5 **bailotear,** vi, fam., dansotter, gigoter
5 **bajar,** vi, vt, vp, ❖, descendre ; baisser ;
    s'humilier
5 **balacear,** vt, amér., blesser/tuer par balles

5 **baladrar,** vi, hurler, crier
5 **baladronear,** vi, faire le fanfaron
5 **balancear,** vi, vt, vp, ❖, balancer ; hésiter ;
    équilibrer
5 **balar,** vi, ❖, bêler
5 **balastar,** vt, ballaster
5 **balbucear,** vi, vt, balbutier
8 **balbucir,** vi, vt, déf., balbutier
21 **balcanizar,** vt, balkaniser
5 **balconear,** vi, amér., regarder par la fenêtre/
    du balcon
5 **baldar,** vt, vp, ❖, estropier ; s'éreinter
5 **baldear,** vt, laver à grande eau ; écoper
5 **baldonar,** vt, outrager
5 **baldosar,** vt, carreler ; daller
5 **balear,** vt, vp, amér., blesser/tuer par balles
5 **balitar,** vi, bêler sans arrêt
21 **balizar,** vt, baliser
5 **bambolear,** vi, vp, ❖, osciller ; branler ;
    ballotter ; vaciller
5 **bandear,** vt, vp, traverser [d'un côté à l'autre] ;
    transpercer [qqn]
5 **banderillear,** vt, planter des banderilles
5 **banquetear,** vt, vi, vp, donner des banquets ;
    banqueter
5 **bañar,** vt, vp, ❖, baigner
5 **baquear,** vi, se laisser porter par le courant
5 **barajar,** vt, vi, vp, ❖, battre, mêler
    [les cartes] ; s'embrouiller
5 **baratear,** vt, solder, brader, vendre à perte
5 **barbear,** vt, vi, [les animaux] atteindre
    avec le menton ; faire la barbe
5 **barbechar,** vt, labourer [une terre pour
    l'aérer] ; mettre en jachère [une terre]
5 **barbotar ; barbotear,** vi, vt, marmotter,
    marmonner, bredouiller
5 **barbullar,** vi, bafouiller, bredouiller
5 **bardar,** vt, hérisser de ronces [un mur,
    une clôture]
5 **barloventear,** vi, louvoyer ; bourlinguer
21 **barnizar,** vt, vernir
5 **barquear,** vt, vi, traverser en barque
    [une rivière] ; se déplacer en barque
5 **barrenar,** vt, percer, forer ; déjouer, torpiller
    [un projet]
6 **barrer,** vt, balayer
5 **barretear,** vt, barrer, renforcer avec des barres
    [un coffre, une malle]
5 **barritar,** vi, barrir
5 **barruntar,** vt, pressentir ; prévoir

5 **barzonear**, vi, *flâner, se balader*

5 **basar**, vt, vp, ❖, *baser, fonder; appuyer*

5 **bascular**, vi, *basculer*

5 **basquear**, vi, vt, *avoir la nausée; donner la nausée*

5 **bastar**, vi, vp, ❖, *suffire; se suffire*

5 **bastardear**, vi, vt, ❖, *s'abâtardir, dégénérer; abâtardir*

5 **bastear**, vt, *bâtir; faufiler*

5 **bastimentar**, vt, *approvisionner*

5 **bastonear**, vt, *bâtonner*

5 **batallar**, vi, ❖, *batailler, combattre*

5 **batanear**, vt, *rosser, tanner le cuir (à qqn)*

5 **batear**, vt, vi, *amér., frapper avec la batte [une balle]*

7 **batir**, vt, vi, vp, ❖, *battre, frapper; palpiter*

5 **batojar**, vt, *gauler [les arbres]*

21 **bautizar**, vt, *baptiser*

72 **bazucar**, vt, *remuer, agiter*

5 **bazuquear**, vt, *remuer, agiter [un liquide]; secouer*

72 **beatificar**, vt, *béatifier*

6 **beber**, vi, vt, vp, ❖, *boire*

5 **beborrotear**, vi, *fam., siroter, buvoter*

72 **becar**, vt, *accorder une bourse (à qqn)*

5 **becerrear**, vi, *brailler, beugler*

5 **befar**, vt, vi, *bafouer, railler; [le cheval] remuer les lèvres*

56 **beldar**, vt, irr., *éventer, vanner [les céréales]*

5 **bellaquear**, vi, *friponner, se conduire très mal*

61 **bendecir**, vt, irr., 2 p.p., *bénir*

5 **beneficiar**, vt, vp, ❖, *faire du bien, bénéficier; tirer profit*

5 **bermejear**, vi, *tirer sur le vermeil/le rouge*

5 **berrear**, vi, *mugir, beugler; brailler*

5 **besar**, vt, vp, ❖, *baiser [les mains], embrasser; effleurer*

21 **bestializarse**, vp, *se bestialiser*

5 **besuquear**, vt, *fam., bécoter*

64 **bienquerer**, vt, irr., 2 p.p., *estimer, apprécier*

5 **bienquistar**, vt, vp, ❖, *mettre d'accord, réconcilier*

7 **bienvivir**, vi, *vivre à l'aise [honnêtement ou dans l'aisance]*

72 **bifurcarse**, vp, *bifurquer*

5 **bigardear**, vi, *fam., courir la prétantaine; battre le pavé*

5 **binar**, vt, vi, *biner*

43 **biografiar**, vt, *écrire la biographie (de qqn)*

5 **birlar**, vt, *rabattre [au jeu de quilles]; chiper; ratiboiser*

5 **bisar**, vt, *bisser*

5 **bisbisar; bisbisear**, vt, *fam., marmotter; murmurer, chuchoter*

72 **bisecar**, vt, *bissecter*

5 **biselar**, vt, *biseauter*

5 **bizarrear**, vi, *montrer du courage; se montrer généreux*

72 **bizcar**, vi, vt, *loucher*

5 **bizcochar**, vt, *biscuiter, recuire [le pain]*

5 **bizmar**, vt, vp, *emplâtrer; s'appliquer des emplâtres*

5 **bizquear**, vi, *loucher, bigler*

5 **blandear**, vi, vt, vp, *faiblir, fléchir; dissuader, influencer*

8 **blandir**, vt, *brandir [une arme]*

5 **blanquear**, vt, vi, *blanchir, chauler [un mur]; devenir blanc , blanchoyer*

54 **blanquecer**, vt, irr., *blanchir, décaper [les métaux]*

5 **blasfemar**, vi, ❖, *blasphémer*

5 **blasonar**, vt, vi, ❖, *blasonner; tirer vanité, se vanter*

5 **blindar**, vt, *blinder*

5 **bloquear**, vt, *bloquer, faire le blocus*

5 **bobear**, vi, *faire/dire des bêtises*

5 **bobinar**, vt, *embobiner, bobiner*

5 **bocadear**, vt, *découper (qqch.) avec les dents*

5 **bocelar**, vt, *tailler en tore*

5 **bocinar**, vi, *corner, klaxonner*

53 **bogar**, vi, *voguer; ramer; nager*

5 **boicotear**, vt, *boycotter*

5 **bojar**, vt, vi, *étirer, polir [le cuir]; mesurer le périmètre [d'une île]*

21 **bolchevizar**, vt, *bolchéviser*

5 **bollar**, vt, *plomber [une étoffe]; cabosser, bosseler*

5 **bombardear**, vt, *bombarder*

5 **bombear**, vt, *pomper [un liquide]; vanter exagérément*

72 **bonificar**, vt, vp, *bonifier, améliorer*

5 **boquear**, vi, vt, *ouvrir la bouche [pour parler]; expirer, agoniser; proférer [un mot]*

5 **borbollar**, vi, *[l'eau] bouillonner*

5 **borboritar; borbotar; borbotear**, vi, *bouillonner, barboter*

5 **bordar**, vt, ❖, *broder, fignoler*

5 **bordear**, vi, vt, *louvoyer; longer; border; côtoyer*

5 **bordonear,** vi, donner des coups de bourdon ;
vagabonder, mendier

5 **bornear,** vt, vi, vp, [un bateau] tourner ; virer ;
gauchir [le bois]

5 **borrachear,** vi, se livrer à l'ivrognerie

5 **borrajear,** vt, griffonner, barbouiller

5 **borrar,** vt, vp, ❖, biffer ; barrer ; effacer

5 **borronear,** vt, griffonner, barbouiller

5 **bosquejar,** vt, ébaucher, esquisser

21 **bostezar,** vi, ❖, bâiller

5 **botar,** vt, vi, ❖, lancer ; jeter dehors ;
lancer [un bateau] ; [la balle] rebondir

5 **boxear,** vi, boxer

5 **boyar,** vi, [un bateau] être renfloué
ou remis à flot ; flotter

5 **bracear,** vi, agiter les bras ; nager la brasse ;
brasser

5 **bramar,** vi, ❖, [un bovin] mugir ; beugler ;
[le cerf] bramer ; [l'éléphant] barrir

5 **bravear,** vi, faire le bravache

5 **brear,** vt, ❖, rosser ; malmener ; maltraiter

53 **bregar,** vi, vt, ❖, lutter ; trimer ; pétrir
[d'une certaine façon]

5 **brillar,** vi, ❖, briller

72 **brincar,** vt, ❖, bondir, sauter

5 **brindar,** vi, vt, vp, ❖, porter un toast ; offrir ;
se proposer

5 **bromar,** vt, ronger [le bois]

5 **bromear,** vi, vp, plaisanter, blaguer

5 **broncear,** vt, vp, bronzer

5 **brotar,** vi, vt, ❖, [les plantes] germer,
pousser ; produire

5 **brujear,** vi, se livrer à la sorcellerie

18 **bruñir,** vt, irr., brunir, polir [un métal] ; lustrer

21 **brutalizarse,** vp, s'abrutir ; brutaliser

21 **bruzar,** vt, brosser

5 **bucear,** vi, ❖, nager sous l'eau ;
faire de la plongée sous-marine

5 **bufar,** vi, vp, ❖, [un taureau] souffler ;
écumer de colère ; [un mur] se boursoufler

5 **bufonear,** vi, vp, bouffonner ; se moquer

18 **bullir,** vi, vt, vp, irr., ❖, [un liquide] bouillir ;
remuer

5 **burbujear,** vi, [un liquide] bouillonner ; pétiller

5 **burilar,** vt, ❖, buriner ; graver au burin

5 **burlar,** vt, vi, vp, ❖, plaisanter ; tromper ;
se moquer

21 **burocratizar,** vt, bureaucratiser

72 **buscar,** vt, vp, ❖, chercher, rechercher ;
se débrouiller

21 **buzar,** vi, [une couche de terrain, un filon]
s'affaisser

C

53 **cabalgar,** vi, vt, ❖, monter à cheval ;
chevaucher ; enfourcher [un cheval] ;
saillir, couvrir [la femelle]

5 **cabecear,** vi, vt, branler ou hocher la tête ;
couper [le vin avec du vin vieux
pour le corser] ; tranchefiler [un livre]

19 **caber,** vi, vt, irr., ❖, entrer, tenir ; contenir ;
admettre

5 **cabildear,** vi, intriguer [dans une assemblée]

5 **cablear,** vt, câbler

43 **cablegrafiar,** vt, vi, câbler [un message]

5 **cabrear,** vt, vp, ❖, fam., emmerder ;
se mettre en rogne, se fâcher
vi, amér., faire des cabrioles

5 **cabrillear,** vi, [la mer] moutonner ;
scintiller, briller

5 **cabriolar,** vi, cabrioler, faire des cabrioles

5 **cacarear,** vi, vt, [les poules] caqueter ;
crier sur les toits

5 **cacear,** vt, remuer avec la louche

5 **cachar,** vt, briser, casser, mettre en pièces ;
amér., encorner, donner un coup de corne

5 **cachear,** vt, fouiller [un détenu, un suspect] ;
amér., donner un coup de corne

5 **cachetear,** vt, gifler

5 **cachifollar,** vt, confondre, donner un camouflet ;
fam., humilier (qqn)

5 **cachipodar,** vt, tailler superficiellement [un arbre]

5 **cachondear** , vp, ❖, fam., plaisanter ;
se moquer (de qqn)

72 **caducar,** vi, être périmé, expirer ;
retomber en enfance

20 **caer,** vi, vt, vp, irr., ❖, tomber ; abattre ;
s'écrouler

53 **cagar,** vi, vt, vp, ❖, fam., chier ; gâcher,
saboter (qqch.) ; avoir la trouille

5 **calabacear,** vt, vp, fam., coller, recaler
[à un examen]

5 **calafatear,** vt, calfater [un bateau] ; calfeutrer

5 **calandrar,** vt, calandrer [un tissu, un papier]

5 **calar,** vt, vi, vp, ❖, [un liquide] tremper,
traverser ; couper [un melon] ;
percer à jour ; caler

72 **calcar,** vt, calquer, décalquer;
fouler, presser du pied

72 **calcificar,** vt, vp, calcifier

5 **calcinar,** vt, vp, calciner

43 **calcografiar,** vt, chalcographier

5 **calcular,** vt, calculer

5 **caldear,** vt, vp, chauffer, réchauffer

56 **calentar,** vt, vp, irr., ⋄, chauffer; faire chauffer;
fam., taper sur les nerfs

5 **calibrar,** vt, calibrer; aléser; jauger

72 **calificar,** vt, vp, ⋄, qualifier; ennoblir,
accréditer

43 **caligrafiar,** vt, calligraphier

5 **callar,** vt, vi, vp, ⋄, taire; passer sous silence;
se taire

5 **callejear,** vi, flâner; battre le pavé

5 **calmar,** vt, vi, vp, calmer, apaiser; être calme

5 **calumniar,** vt, calomnier

21 **calzar,** vt, vp, ⋄, chausser; mettre ou porter
[des chaussures, des gants...]

5 **camaronear,** vi, amér., pêcher des crevettes

5 **cambiar,** vt, vi, vp, ⋄, changer; échanger

5 **camelar,** vt, baratiner, faire du boniment;
enjôler

5 **caminar,** vi, vt, ⋄, marcher, cheminer;
voyager; parcourir

5 **camorrear,** vi, amér., chercher la bagarre

5 **campanear,** vt, sonner les cloches

5 **campanillear,** vi, carillonner

5 **campar,** vi, ⋄, exceller, briller, se distinguer;
camper

5 **campear,** vi, [les troupeaux] aller paître
dans les champs

5 **camuflar,** vt, vp, camoufler

21 **canalizar,** vt, canaliser

5 **cancanear,** vi, flâner, traînasser;
amér., bégayer

5 **cancelar,** vt, annuler; décommander

5 **cancerar,** vi, vt, vp, rendre cancéreux;
mortifier; avoir le cancer

5 **canchear,** vi, escalader les rochers;
amér., musarder

5 **candonguear,** vt, vi, taquiner (qqn);
tirer au flanc

5 **canjear,** vt, ⋄, échanger

21 **canonizar,** vt, canoniser (qqn); approuver,
encourager

5 **cansar,** vt, vp, ⋄, fatiguer; lasser, ennuyer

5 **cantaletear,** vt, amér., rabâcher, répéter,
seriner (qqch.)

5 **cantar,** vi, vt, ⋄, chanter, célébrer;
annoncer [aux cartes]

5 **canturrear; canturriar,** vi, chantonner,
fredonner

5 **cañonear,** vt, vp, canonner

5 **capacitar,** vt, vp, ⋄, former, instruire;
être habilité

5 **capar,** vt, châtrer, castrer

5 **capear,** vt, écarter [le taureau avec la cape];
se tirer d'affaire; [un bateau] braver
la tempête

21 **capitalizar,** vt, capitaliser

5 **capitanear,** vt, commander [une troupe];
diriger [des gens]

5 **capitular,** vi, vt, ⋄, capituler; chapitrer,
réprimander

5 **capotar,** vi, capoter

5 **capsular,** vt, capsuler

5 **captar,** vt, vp, capter, captiver; saisir

5 **capturar,** vt, capturer

5 **caracolear,** vi, [les chevaux] caracoler

21 **caracterizar,** vt, vp, ⋄, caractériser;
honorer (qqn); se grimer

5 **carambolear,** vi, caramboler [au billard]

21 **caramelizar,** vt, vp, caraméliser

5 **carbonar,** vt, vp, charbonner

5 **carbonatar,** vt, vp, carbonater

21 **carbonizar,** vt, vp, carboniser

5 **carburar,** vt, vp, carburer

5 **carcajear,** vi, vp, ⋄, rire aux éclats

6 **carcomer,** vt, vp, [le bois] ronger;
[la santé] consumer; se vermouler

5 **cardar,** vt, carder [la laine], crêper [les cheveux]

5 **carear,** vt, vi, vp, confronter [des personnes],
s'affronter

54 **carecer,** vi, irr., ⋄, manquer; être dépourvu

5 **carenar,** vt, caréner, radouber

53 **cargar,** vt, vi, vp, ⋄, charger [un bateau,
un véhicule...]

5 **cariar,** vt, vp, carier

21 **caricaturizar,** vt, caricaturer

5 **carmenar,** vt, vp, démêler; peigner [la laine,
les cheveux]

5 **carnear,** vt, amér., abattre et dépecer une bête

5 **carraspear,** vi, se racler la gorge; être enroué

5 **carretear,** vt, charroyer, charrier

5 **carrochar,** vi, [les insectes] pondre

21 **carrozar,** vt, carrosser

5 **cartear,** vi, vp, se défausser [aux cartes];
correspondre

43 **cartografiar**, vt, cartographier

5 **casar**, vi, vt, vp, ❖, se marier; marier; s'accorder

72 **cascar**, vt, vi, vp, casser, fêler; se briser;
   fam., bavarder

72 **caseificar**, vt, caséifier

5 **castañetear**, vt, vi, jouer des castagnettes;
   claquer [des dents]

21 **castellanizar**, vt, hispaniser [un mot]

53 **castigar**, vt, ❖, châtier, punir; affliger,
   malmener

5 **castrar**, vt, vp, châtrer, castrer;
   [une plaie] cicatriser

21 **catalizar**, vt, catalyser

53 **catalogar**, vt, ❖, cataloguer

5 **catapultar**, vt, catapulter

5 **catar**, vt, goûter, déguster

5 **catear**, vt, chercher, guetter; recaler
   [à un examen]; prospecter [une mine]

21 **catequizar**, vt, ❖, catéchiser

21 **catolizar**, vt, convertir au catholicisme

5 **caucionar**, vt, cautionner, garantir

5 **causar**, vt, causer; occasionner

5 **cautelar**, vt, vp, prémunir; préserver

21 **cauterizar**, vt, cautériser; corriger sévèrement
   [un vice]

5 **cautivar**, vt, vi, ❖, capturer, faire prisonnier;
   captiver

5 **cavar**, vt, vi, ❖, creuser, bêcher; s'enfoncer,
   pénétrer

5 **cavilar**, vt, vi, ❖, réfléchir, méditer,
   se creuser la tête

21 **cazar**, vt, ❖, chasser [les animaux];
   attraper, obtenir

5 **cebar**, vt, vi, vp, ❖, engraisser, gaver
   [les animaux]

5 **cecear**, vi, vt, zézayer; héler (pour appeler qqn)

6 **ceder**, vt, vi, ❖, céder, abandonner;
   se soumettre

66 **cegar**, vi, vt, vp, irr., ❖, devenir aveugle;
   aveugler

5 **cejar**, vi, ❖, reculer; renoncer; céder

5 **celar**, vt, vp, surveiller, veiller au respect
   des lois; celer

5 **celebrar**, vt, vi, célébrer; se réjouir; fêter;
   officier

5 **cellisquear**, vi, imp., tomber de la neige fondue

5 **cementar**, vt, cimenter; cémenter [un métal]

5 **cenar**, vi, vt, dîner; prendre le dîner

5 **cencerrear**, vi, sonnailler, tintinnabuler

5 **censar**, vi, recenser

5 **censurar**, vt, ❖, censurer; blâmer

5 **centellear**, vi, scintiller; étinceler

5 **centonar**, vt, entasser [des choses];
   compiler [une œuvre littéraire]

21 **centralizar**, vt, vp, centraliser

5 **centrar**, vt, vi, vp, ❖, centrer; pointer
   [une arme à feu]; concentrer

53 **centrifugar**, vt, centrifuger

72 **centuplicar**, vt, vp, centupler

68 **ceñir**, vt, vp, irr., ❖, serrer, ceindre;
   se restreindre

5 **cepillar**, vt, vp, brosser [les costumes];
   raboter

72 **cercar**, vt, vp, clôturer, clore; assiéger,
   encercler

5 **cercenar**, vt, couper, élaguer; rogner,
   raccourcir

5 **cerchar**, vt, marcotter, provigner [la vigne]

5 **cerciorar**, vt, vp, ❖, assurer, certifier;
   s'assurer [d'un fait]

29 **cerner**, vt, vi, vp, imp., irr., ❖, bluter
   [la farine], tamiser; [la vigne, le blé]
   être en fleur; épurer [les pensées];
   bruiner; se balancer

5 **cerotear**, vt, empoisser, poisser [le fil]

56 **cerrar**, vt, vi, vp, irr., ❖, fermer; boucler; clore

72 **certificar**, vt, vp, certifier, assurer

5 **cesar**, vi, ❖, cesser; démettre de ses fonctions

5 **chacharear**, vi, fam., babiller; bavarder;
   papoter

5 **chacotear**, vi, ❖, chahuter, blaguer, plaisanter

5 **chafar**, vt, vp, écraser, aplatir;
   froisser, chiffonner

5 **chafarrinar**, vt, barbouiller, souiller

5 **chaflanar**, vt, chanfreiner

5 **chalanear**, vt, maquignonner [dans les affaires];
   amér., dresser des chevaux

5 **chalar**, vt, vp, affoler, rendre fou;
   s'amouracher

5 **chamarilear**, vt, échanger, troquer; brocanter

5 **champurrar**, vt, mélanger [des liqueurs]

5 **chamullar**, vi, parler, causer; baragouiner

72 **chamuscar**, vt, vp, flamber; roussir

72 **chancar**, vt, amér., broyer; concasser
   [les minéraux]

5 **chancear**, vi, vp, ❖, plaisanter, blaguer

5 **chancletear**, vi, être en savates

5 **chanelar**, vi, piger, comprendre

53 **changar**, vi, casser; détruire

5 **chapalear**, vi, barboter, patauger

5 **chapar,** vt, ❖, plaquer ; lâcher, sortir
[une vérité, une injure]

5 **chaparrear,** vi, imp., pleuvoir à verse

5 **chapear,** vt, vi, ❖, plaquer [revêtir de plaques] ;
locher [un fer à cheval]

5 **chapodar,** vt, élaguer, émonder [un arbre]

5 **chapotear,** vt, vi, ❖, mouiller, humecter
[avec une éponge] ; barboter, patauger

5 **chapucear,** vt, fam., bâcler, saboter
[faire un travail vite et mal]

5 **chapurrar ; chapurrear,** vt, vi, fam.,
baragouiner, écorcher [parler mal
une langue]

21 **chapuzar,** vt, vi, vp, ❖, plonger ; se baigner

5 **chaquetear,** vi, retourner sa veste,
tourner casaque ; s'échapper, se dégonfler

5 **charlar,** vi, bavarder, causer

5 **charolar,** vt, vernir [le cuir]

5 **charranear,** vi, se conduire comme un mufle/
un voyou

72 **chascar,** vi, vt, faire claquer [la langue,
le fouet] ; croquer [un aliment dur]

5 **chasquear,** vt, vi, vp, jouer des tours ;
[le bois] craquer ; être déçu

5 **chatear,** vi, fam., prendre un verre
[avec des amis] ; chatter [sur Internet]

5 **chequear,** vt, vp, vérifier, contrôler/faire
un bilan de santé

5 **chicanear,** vt, chicaner, se servir de ruses

5 **chichear,** vi, vt, siffler ; crier chut (à qqn)

5 **chichonear,** vt, amér., plaisanter, blaguer

5 **chiclear,** vi, amér., mâcher de la gomme,
mastiquer

5 **chicolear,** vi, conter fleurette, flirter

5 **chiflar,** vi, vt, vp, ❖, siffler ; railler, persifler
(qqn) ; se toquer de, aimer à la folie

5 **chillar,** vi, vt, crier, pousser des cris ; siffler,
conspuer

5 **chinchar,** vt, fam., enquiquiner, casser les pieds

53 **chingar,** vt, vp, fam., embêter ; picoler, baiser

5 **chiquear,** vt, vp, amér., flatter, cajoler ;
se dandiner

5 **chirigotear,** vi, vp, fam., plaisanter, badiner

5 **chirlar,** vi, fam., brailler, criailler

43 **chirriar,** vi, [une porte, une roue] grincer ;
[les oiseaux] piailler

5 **chismear ; chismorrear,** vi, cancaner, potiner

5 **chispear,** vi, imp., pleuviner ; étinceler,
scintiller

5 **chisporrotear,** vi, pétiller ; [le feu] crépiter

5 **chistar,** vi, parler, ouvrir la bouche ; répliquer

5 **chivar,** vt, vp, ❖, casser les pieds ;
cafarder, s'embêter

5 **chivatear,** vt, vi, vp, amér., moucharder, cafarder

72 **chocar,** vi, vt, ❖, se heurter ; choquer, fâcher

5 **chocarrear,** vi, vp, faire de grosses plaisanteries

5 **chochear,** vi, ❖, radoter, devenir gâteux

5 **chorrear,** vi, vt, [un liquide] couler, ruisseler ;
dégouliner

5 **chozpar,** vi, cabrioler, [les animaux] sauter

5 **chuchear,** vi, chuchoter ; chasser aux appeaux

5 **chufletear,** vi, plaisanter ; railler

5 **chulear,** vt, vp, railler ; se moquer ;
fam., crâner, frimer

5 **chupar,** vt, vi, vp, sucer ; se lécher ; maigrir

5 **chupetear,** vt, vi, suçoter

5 **churrasquear,** vi, amér., manger, préparer
une grillade

72 **churruscar,** vt, vp, brûler, [le pain,
un ragoût...] roussir

5 **chutar,** vi, vp, shooter, tirer [au football] ;
se shooter

43 **ciar,** vi, ❖, reculer ; scier [ramer à rebours] ;
renoncer

5 **cicatear,** vi, lésiner

21 **cicatrizar,** vt, vi, vp, cicatriser

5 **ciclar,** vt, polir [les pierres précieuses]

5 **cifrar,** vt, vp, ❖, chiffrer ; résumer ; s'élever à

5 **cilindrar,** vt, cylindrer

5 **cimbrar,** vt, vp, faire vibrer [un objet flexible] ;
se plier

56 **cimentar,** vt, irr., ❖, cimenter

5 **cincelar,** vt, ciseler

5 **cinchar,** vt, vi, sangler [une bête] ;
cercler [un tonneau]

43 **cinematografiar,** vt, cinématographier

5 **cinglar,** vt, godiller ; cingler, forger [le fer]

5 **cintilar,** vt, briller, scintiller

45 **circuir,** vt, irr., entourer ; enceindre

5 **circular,** vi, ❖, circuler

5 **circuncidar,** vt, 2 p.p., circoncire

5 **circundar,** vt, environner ; entourer

76 **circunferir,** vt, irr., circonscrire, limiter

53 **circunnavegar,** vt, circumnaviguer

7 **circunscribir,** vt, vp, p.p., ❖, circonscrire ;
se limiter

5 **circunstanciar,** vt, circonstancier

5 **circunvalar,** vt, entourer, ceindre

38 **circunvolar,** vt, irr., voler autour de

72 **ciscar,** vt, vp, ❖, salir, souiller ; fam., chier

212

5 **citar,** vt, vp, ❖, donner/prendre rendez-vous

21 **civilizar,** vt, vp, civiliser

5 **cizallar,** vt, cisailler

5 **cizañar,** vt, semer la discorde, la zizanie

5 **clamar,** vt, vi, ❖, clamer, crier; implorer

5 **clamorear,** vt, vi, ❖, réclamer, implorer; sonner [le glas]

5 **clarear,** vt, vi, vp, imp., éclairer; éclaircir; [le jour] poindre

54 **clarecer,** vi, imp., irr., poindre, [le jour] se lever

72 **clarificar,** vt, vp, clarifier, éclaircir

72 **clasificar,** vt, ❖, classer, trier

72 **claudicar,** vi, boiter, clocher; céder, se soumettre

5 **claustrar,** vt, cloîtrer, claustrer

5 **clausular,** vt, clore [une période, un discours]; terminer

5 **clausurar,** vt, clôturer, clore; fermer

5 **clavar,** vt, vp, ❖, clouer; enfoncer, planter; fixer [le regard]

5 **clavetear,** vt, clouter; ferrer

21 **climatizar,** vt, climatiser

5 **clisar,** vt, clicher

21 **clisterizar,** vt, vp, clystériser

5 **cloquear,** vi, vt, [les poules] glousser; harponner [le thon]

21 **cloroformizar,** vt, chloroformer

5 **clorurar,** vt, chlorurer, chlorer

5 **coaccionar,** vt, contraindre

5 **coacervar,** vt, entasser, amonceler

5 **coadunar,** vt, vp, unir; mêler

5 **coadyuvar,** vt, vi, ❖, contribuer, aider

5 **coagular,** vt, vp, coaguler

53 **coaligarse,** vp, se coaliser

5 **coartar,** vt, limiter; resserrer; restreindre

5 **cobardear,** vi, être/se montrer lâche

5 **cobijar,** vt, vp, ❖, couvrir, abriter; héberger; protéger

5 **cobrar,** vt, vp, ❖, toucher; encaisser; être payé; se payer

5 **cobrear,** vt, cuivrer

5 **cocear,** vi, ruer; résister, regimber

22 **cocer,** vt, vi, vp, irr., ❖, cuire; bouillir; se consumer

5 **cocinar,** vt, vi, cuisiner; se mêler des affaires d'autrui

5 **codear,** vi, vt, vp, ❖, jouer des coudes; coudoyer; côtoyer; tromper

5 **codiciar,** vt, convoiter

72 **codificar,** vt, codifier, coder

49 **coercer,** vt, contraindre; contenir

7 **coexistir,** vi, ❖, coexister

29 **coextenderse,** vp, irr., s'étendre conjointement

23 **coger,** vt, vi, vp, ❖, saisir, prendre; attraper; tenir

5 **cohabitar,** vt, cohabiter

5 **cohechar,** vt, suborner, corrompre; faire un dernier labour

5 **coheredar,** vt, cohériter

63 **cohibir,** vt, vp, ❖, réprimer; intimider

5 **cohonestar,** vt, présenter [une action] sous un jour favorable

7 **coincidir,** vi, ❖, coïncider; se rencontrer

5 **coitar,** vi, réaliser le coït; copuler

5 **cojear,** vi, ❖, boiter, clocher

5 **colaborar,** vi, ❖, collaborer

5 **colacionar,** vt, collationner

38 **colar,** vt, vi, vp, irr., ❖, passer; filtrer; se glisser

5 **colchar,** vt, matelasser; capitonner

5 **colear,** vi, vt, remuer la queue; retenir par la queue [le taureau]

5 **coleccionar,** vt, collectionner

5 **colectar,** vt, collecter

21 **colectivizar,** vt, collectiviser

5 **colegiarse,** vp, s'associer, se réunir en corporation

36 **colegir,** vt, irr., ❖, réunir, rassembler; déduire

24 **colgar,** vt, vi, vp, irr., ❖, pendre; suspendre

5 **colicuar,** vt, vp, fondre; liquéfier

54 **colicuecer,** vt, irr., fondre, liquéfier

53 **coligarse,** vp, ❖, se coaliser

5 **colindar,** vi, ❖, être contigu

5 **colisionar,** vt, collisionner

5 **colmar,** vt, ❖, combler

5 **colmatar,** vt, colmater

72 **colocar,** vt, vp, ❖, placer; mettre, poser

21 **colonizar,** vt, coloniser

5 **colorar,** vt, vp, colorer, colorier

5 **colorear,** vt, vi, vp, ❖, colorer, colorier; rougir

8 **colorir,** vt, vi, déf., colorier, colorer

7 **coludir,** vi, colluder

5 **columbrar,** vt, apercevoir de loin; prévoir, conjecturer

5 **columpiar,** vt, vp, balancer; faire osciller

5 **comadrear,** vi, fam., faire de commérages, cancaner

5 **comandar,** vt, commander

5 **comanditar,** vt, commanditer

72 **comarcar,** vi, vt, confiner, être limitrophe; planter en échiquier [des arbres]

5 **combar,** vt, vp, courber, tordre, ployer

7 **combatir**, vi, vt, vp, ❖, combattre; lutter

5 **combinar**, vt, vp, ❖, combiner

55 **comedirse**, vp, irr., ❖, se contenir, se modérer

5 **comentar**, vt, commenter

37 **comenzar**, vt, vi, irr., ❖, commencer; se mettre à

6 **comer**, vi, vt, ❖, manger

21 **comercializar**, vt, commercialiser

5 **comerciar**, vi, ❖, commercer

6 **cometer**, vt, commettre

5 **comisar**, vt, confisquer, saisir

72 **comiscar**, vt, grignoter, mangeotter

5 **comisionar**, vt, commissionner, mandater

5 **compactar**, vt, vp, compacter

54 **compadecer**, vt, vp, irr., ❖, compatir à

5 **compadrar**, vi, sympathiser, se lier d'amitié

5 **compaginar**, vt, vp, ❖, assembler, réunir; s'accorder

5 **comparar**, vt, ❖, comparer

54 **comparecer**, vi, irr. comparaître

7 **compartir**, vt, ❖, répartir; partager; copartager

5 **compasar**, vt, compasser; marquer la mesure

6 **compeler**, vt, 2 p.p., ❖, contraindre, forcer, obliger

5 **compendiar**, vt, abréger, résumer

5 **compenetrarse**, vp, se compénétrer; se pénétrer

5 **compensar**, vt, vi, vp, ❖, compenser; dédommager

6 **competer**, vi, être de la compétence de

55 **competir**, vi, vp, irr., ❖, concourir, être en concurrence

5 **compilar**, vt, compiler

57 **complacer**, vt, vp, irr., ❖, complaire; plaire; être agréable

5 **complementar**, vt, vp, compléter; se compléter

5 **completar**, vt, ❖, compléter; parfaire

72 **complicar**, vt, vp, ❖, compliquer; s'embrouiller

5 **complotar**, vt, vi, comploter

60 **componer**, vt, vi, vp, irr., ❖, composer; arranger

5 **comportar**, vt, vp, supporter, tolérer; se conduire

5 **comprar**, vt, ❖, acheter

6 **comprender**, vt, vp, 2 p.p., ❖, comprendre; inclure

7 **comprimir**, vt, vp, 2 p.p., ❖, comprimer; réprimer

38 **comprobar**, vt, irr., ❖, constater, vérifier; établir

6 **comprometer**, vt, vp, ❖, compromettre

5 **compulsar**, vt, compulser; collationner, comparer

32 **compungir**, vt, vp, affliger, attrister

21 **computadorizar; computarizar**, vt, informatiser

5 **computar**, vt, ❖, computer; calculer; compter

53 **comulgar**, vt, vi, ❖, donner la communion; communier

72 **comunicar**, vt, vi, vp, ❖, communiquer

5 **concadenar; concatenar**, vt, enchaîner

55 **concebir**, vi, vt, irr., ❖, concevoir

6 **conceder**, vt, concéder, accorder (qqch.)

5 **concelebrar**, vt, concélébrer

5 **concentrar**, vt, vp, ❖, concentrer

9 **conceptuar**, vt, ❖, estimer; juger; considérer

33 **concernir**, vi, déf., irr., ❖, concerner; avoir rapport à

56 **concertar**, vt, vi, vp, irr., ❖, concerter; concorder

5 **conchabar**, vt, vp, ❖, associer, grouper; se liguer

5 **concienciar**, vt, vp, faire prendre conscience

5 **conciliar**, vt, vp, ❖, concilier

5 **concitar**, vt, vp, inciter; exciter

45 **concluir**, vt, vi, vp, irr., 2 p.p., ❖, terminer, achever, finir; conclure

6 **concomerse**, vp, hausser les épaules; se ronger d'impatience

38 **concordar**, vt, vi, irr., ❖, accorder; concilier; concorder

5 **concretar**, vt, vp, ❖, concrétiser; se limiter

72 **conculcar**, vt, fouler aux pieds, piétiner; enfreindre

7 **concurrir**, vi, ❖, concourir, contribuer; se rendre à [un lieu]

5 **concursar**, vt, concourir [à un concours]

28 **condecir**, vi, irr., convenir, concorder

5 **condecorar**, vt, décorer; investir (qqn)

5 **condenar**, vt, vp, ❖, condamner; damner; irriter

5 **condensar**, vt, vp, ❖, condenser

29 **condescender**, vi, irr., ❖, condescendre

5 **condicionar**, vi, vt, ❖, convenir, cadrer; conditionner

5 **condimentar**, vt, assaisonner; épicer; condimenter

50 **condolerse**, vp, irr., ❖, s'apitoyer; compatir

5 **condonar**, vt, remettre [une peine, une dette]

62 **conducir**, vt, vi, vp, irr., ❖, conduire

5 **conectar**, vt, ❖, connecter, brancher

5 **conexionar,** vt, vp, établir des connexions
5 **confabularse,** vp, ✧, se concerter, s'entendre ; comploter
5 **confeccionar,** vt, confectionner
5 **confederar,** vt, vp, ✧, confédérer
5 **conferenciar,** vi, conférer ; s'entretenir
76 **conferir,** vt, vi, irr., ✧, conférer ; attribuer ; examiner
56 **confesar,** vt, vp, irr., 2 p.p., ✧, confesser, avouer
43 **confiar,** vi, vt, vp, ✧, avoir confiance ; confier
5 **configurar,** vt, configurer
5 **confinar,** vi, vt, vp, ✧, confiner ; exiler, reléguer (qqn)
5 **confirmar,** vt, vp, ✧, confirmer
72 **confiscar,** vt, confisquer
5 **confitar,** vt, confire ; adoucir, atténuer
5 **conflagrar,** vt, enflammer ; incendier
45 **confluir,** vi, irr., ✧, [des routes, des rivières] confluer, se rejoindre
5 **conformar,** vt, vi, vp, ✧, conformer ; être d'accord
5 **confortar,** vt, vp, réconforter
5 **confraternar,** vi, fraterniser
21 **confraternizar,** vi, fraterniser
5 **confrontar,** vt, vi, vp, ✧, confronter ; confiner ; se faire face
7 **confundir,** vt, vp, 2 p.p., ✧, confondre ; se tromper
5 **confutar,** vt, réfuter
5 **congelar,** vt, vp, congeler
5 **congeniar,** vi, ✧, sympathiser ; s'accorder
5 **congestionar,** vt, vp, congestionner
5 **conglomerar,** vt, vp, conglomérer
5 **conglutinar,** vt, vp, conglutiner
5 **congraciar,** vt, vp, ✧, gagner, conquérir (qqn) ; s'attirer les bonnes grâces (de qqn)
5 **congratular,** vt, vp, ✧, congratuler ; se féliciter
53 **congregar,** vt, vp, réunir, rassembler
5 **conjeturar,** vt, ✧, conjecturer
53 **conjugar,** vt, ✧, conjuguer
5 **conjuramentar,** vt, vp, assermenter ; prêter serment
5 **conjurar,** vi, vt, vp, ✧, conjurer ; comploter
5 **conllevar,** vt, partager [les peines, les charges de qqn] ; supporter, endurer
5 **conmemorar,** vt, commémorer
5 **conminar,** vt, ✧, menacer ; enjoindre, intimer
5 **conmocionar,** vt, commotionner
50 **conmover,** vt, vp, irr., émouvoir ; ébranler, perturber

5 **conmutar,** vt, ✧, commuer [une peine]
21 **connaturalizarse,** vp, s'habituer, s'acclimater, s'adapter
5 **connotar,** vt, se rapporter, avoir un lien étroit
25 **conocer,** vt, vp, irr., ✧, connaître ; savoir ; reconnaître
5 **conquistar,** vt, vp, conquérir
5 **consagrar,** vt, vp, ✧, consacrer [un prêtre] ; sacrer [un roi]
75 **conseguir,** vt, irr., ✧, obtenir ; réussir ; parvenir
76 **consentir,** vt, vi, vp, irr., ✧, consentir, tolérer ; se fendre
5 **conservar,** vt, vp, ✧, conserver
5 **considerar,** vt, vp, ✧, considérer
5 **consignar,** vt, ✧, consigner
7 **consistir,** vi, ✧, consister
38 **consolar,** vt, vp, irr., ✧, consoler
5 **consolidar,** vt, vp, consolider
38 **consonar,** vi, irr., mus., consonner ; rimer
5 **conspirar,** vi, ✧, conspirer
5 **constar,** vi, ✧, être certain/sûr ; figurer, apparaître
5 **constatar,** vt, constater
5 **constelar,** vt, consteller
5 **consternar,** vt, vp, ✧, consterner ; être consterné
5 **constipar,** vt, vp, prendre froid ; s'enrhumer
21 **constitucionalizar,** vt, constitutionnaliser
45 **constituir,** vt, vp, irr., ✧, constituer ; disposer, établir
68 **constreñir,** vt, irr., ✧, contraindre, obliger, forcer
45 **construir,** vt, irr., ✧, construire, bâtir
5 **consultar,** vt, ✧, consulter
5 **consumar,** vt, consommer [le mariage, un crime, un sacrifice]
7 **consumir,** vt, vp, 2 p.p., ✧, consumer ; consommer
21 **contabilizar,** vt, comptabiliser
5 **contactar,** vi, vt, contacter
5 **contagiar,** vt, vp, ✧, contaminer
5 **contaminar,** vt, vp, ✧, contaminer ; polluer
38 **contar,** vt, vi, irr., ✧, compter ; raconter ; calculer
5 **contemplar,** vt, ✧, contempler ; avoir des égards (pour qqn) ; envisager [une possibilité]
21 **contemporizar,** vi, ✧, temporiser, être accommodant

29 **contender,** vi, irr., ❖, lutter, se battre; rivaliser
4 **contener,** vt, vp, irr., ❖, contenir; retenir
5 **contentar,** vt, vp, ❖, contenter
5 **contestar,** vt, vi, ❖, répondre; contester
9 **contextuar,** vt, attester, appuyer de textes
5 **contingentar,** vt, contingenter
9 **continuar,** vt, vi, vp, ❖, continuer, poursuivre
5 **contonearse,** vp, se dandiner, se déhancher
5 **contornar; contornear,** vt, contourner, chantourner
5 **contorsionarse,** vp, se contorsionner
72 **contraatacar,** vt, contre-attaquer
5 **contrabalancear,** vt, contre-balancer; compenser
61 **contradecir,** vt, vp, irr., ❖, contredire
79 **contraer,** vt, vp, irr., ❖, contracter; attraper [une maladie]
44 **contrahacer,** vt, vp, irr., contrefaire
72 **contraindicar,** vt, contre-indiquer
5 **contramandar,** vt, contremander
56 **contramanifestar,** vi, irr., contre-manifester
72 **contramarcar,** vt, contremarquer
5 **contraminar,** vt, contre-miner; déjouer [un plan]
5 **contrapasar,** vi, déserter; passer à l'ennemi
5 **contrapesar,** vt, ❖, contre-balancer
60 **contraponer,** vt, vp, irr., ❖, opposer; confronter
43 **contrariar,** vt, vp, contrarier
5 **contrarrestar,** vt, contrecarrer, faire obstacle; résister
5 **contraseñar,** vt, contremarquer
5 **contrastar,** vt, vi, ❖, contrôler; contraster
5 **contratar,** vt, ❖, commercer; passer un contrat; embaucher, engager
82 **contravenir,** vt, irr., ❖, contrevenir
45 **contribuir,** vt, vi, irr., ❖, contribuer
5 **contristar,** vt, vp, affliger
5 **controlar,** vt, contrôler
76 **controvertir,** vi, vt, irr., controverser; contester
7 **contundir,** vt, vp, 2 p.p., contusionner, meurtrir
5 **conturbar,** vt, vp, troubler; inquiéter; alarmer
54 **convalecer,** vi, irr., ❖, entrer/être en convalescence
5 **convalidar,** vt, valider; ratifier, confirmer
49 **convencer,** vt, vp, 2 p.p., ❖, convaincre
82 **convenir,** vi, vp, irr., ❖, convenir; tomber d'accord
23 **converger,** vi, ❖, converger
32 **convergir,** vi, converger

5 **conversar,** vi, ❖, converser, parler; s'entretenir
76 **convertir,** vt, vp, irr., ❖, changer, convertir
5 **convidar,** vt, vp, ❖, convier, inviter; inciter
7 **convivir,** vi, ❖, vivre en commun, cohabiter
72 **convocar,** vt, ❖, convoquer
5 **convoyar,** vt, convoyer
5 **convulsionar,** vt, convulsionner; convulser
5 **cooperar,** vi, ❖, coopérer
5 **cooptar,** vt, coopter
5 **coordinar,** vt, coordonner
5 **copar,** vt, accaparer, rafler; couper la retraite à
5 **copear,** vi, fam., boire/prendre un verre; picoler, chopiner
5 **copiar,** vt, ❖, copier
5 **coplear,** composer des chansons; chanter des chansons
62 **coproducir,** vt, irr., coproduire
5 **copular,** vi, vp, unir, copuler; s'accoupler
5 **coquear,** vi, amér., mâcher de la coca
5 **coquetear,** vi, ❖, faire la coquette; flirter
21 **coquizar,** vt, cokéfier
5 **corcovar,** vt, courber, plier
5 **corcovear,** vi, faire des courbettes
5 **corear,** vt, composer des chœurs; faire chorus
43 **coreografiar,** vt, chorégraphier
5 **corlar; corlear,** vt, vernir à l'or; dorer [l'argent]
5 **cornear,** vt, donner des coups de corne, encorner
5 **coronar,** vt, vp, ❖, couronner
21 **corporeizar,** vt, vp, prendre corps, se matérialiser
36 **corregir,** vt, vp, irr., 2 p.p., ❖, corriger
5 **correlacionar,** vt, mettre en rapport, relier
6 **correr,** vi, vt, vp, ❖, courir; faire courir; se pousser
6 **corresponder,** vi, vt, vp, ❖, communiquer; payer en retour; se correspondre
5 **corretear,** vi, battre le pavé; flâner; courailler
5 **corroborar,** vt, vp, corroborer; fortifier [un convalescent]
70 **corroer,** vt, vp, irr., corroder, ronger
6 **corromper,** vt, vi, vp, 2 p.p., corrompre; sentir mauvais
5 **cortar,** vt, vp, ❖, couper, trancher; se troubler
5 **cortejar,** vt, courtiser, faire la cour
72 **coruscar,** vi, briller, étinceler
5 **cosechar,** vi, vt, faire la récolte; moissonner, récolter

6 **coser**, vt, ❖, coudre ; transpercer de coups de couteau

5 **cosquillar ; cosquillear**, vt, chatouiller

38 **costar**, vi, irr., coûter ; valoir

5 **costear**, vt, vp, payer, financer ; côtoyer, longer [la côte]

5 **cotejar**, vt, ❖, confronter, comparer ; collationner [des textes]

5 **cotillear**, vi, *fam.*, cancaner, potiner

21 **cotizar**, vt, vi, vp, coter [en bourse] ; cotiser ; être coté

5 **cotorrear**, vi, *fam.*, jacasser, jaser

5 **craquear**, vt, faire du cracking

5 **crear**, vt, créer ; faire élever [à une charge, à une dignité]

54 **crecer**, vi, vp, croître, augmenter [de taille] ; grandir ; se redresser

26 **creer**, vt, vp, irr., ❖, croire ; se croire

5 **crepitar**, vi, crépiter

43 **criar**, vt, vp, ❖, allaiter, nourrir [un enfant, un animal] ; créer ; grandir, être élevé

5 **cribar**, vt, cribler

5 **criminar**, vt, incriminer

5 **crispar**, vt, vp, crisper ; taper sur les nerfs

21 **cristalizar**, vi, vt, vp, ❖, cristalliser

5 **cristianar**, vt, baptiser

21 **cristianizar**, vt, christianiser

72 **criticar**, vt, critiquer

5 **croar**, vi, [la grenouille] coasser

5 **crocitar**, vi, [le corbeau] croasser

5 **cromar**, vt, chromer

43 **cromolitografiar**, vt, chromolithographier

5 **cronometrar**, vt, chronométrer

5 **crotorar**, vi, [la cigogne] claqueter, craqueter

72 **crucificar**, vt, crucifier

7 **crujir**, vi, craquer ; grincer ; crisser

21 **cruzar**, vt, vi, vp, ❖, croiser ; traverser

5 **cuadrar**, vt, vi, vp, ❖, donner la forme d'un carré ; carrer ; cadrer

5 **cuadricular**, vt, quadriller ; graticuler

72 **cuadruplicar**, vt, quadrupler

5 **cuajar**, vt, vi, vp, coaguler ; cailler ; [une affaire] bien tourner

72 **cualificar**, vt, qualifier

43 **cuantiar**, vt, évaluer, estimer

72 **cuantificar**, vi, quantifier

5 **cuartar**, vt, quartager

5 **cuartear**, vt, vi, vp, diviser en quatre, partager ; [un mur] se lézarder

5 **cuartelar**, vt, écarteler [un écu, un blason]

5 **cuatrodoblar**, vt, quadrupler

72 **cubicar**, vt, cuber

5 **cubilar**, vi, parquer [le bétail]

5 **cubiletear**, vi, ruser, intriguer

7 **cubrir**, vt, vp, p.p., ❖, couvrir ; revêtir ; cacher

72 **cucar**, vt, cligner de l'œil ; annoncer l'approche du gibier

5 **cucharetear**, vi, remuer avec une cuiller

5 **cuchichear**, vi, chuchoter

43 **cuchichiar**, vi, [la perdrix] cacaber

5 **cuestionar**, vt, controverser ; débattre

5 **cuidar**, vt, vi, vp, ❖, soigner ; prendre soin

5 **culear**, vi, *fam.*, remuer le derrière ; *fam., amér.*, forniquer, baiser

5 **culebrear**, vi, serpenter, zigzaguer

5 **culminar**, vi, ❖, culminer

21 **culpabilizar**, vt, vp, culpabiliser

5 **culpar**, vt, vp, ❖, inculper [d'un délit] ; s'accuser

5 **cultivar**, vt, cultiver ; entretenir

5 **cumplimentar**, vt, complimenter

7 **cumplir**, vt, vi, vp, ❖, accomplir ; tenir sa parole ; avoir l'âge, être en âge

7 **cundir**, vi, ❖, se répandre, se propager ; avancer/progresser [dans son travail]

5 **cunear**, vt, vp, bercer

5 **curar**, vi, vt, vp, ❖, guérir ; soigner

5 **curiosear**, vi, vt, ❖, se mêler des affaires d'autrui ; fouiner, épier

5 **currar ; currelar**, vi, *fam.*, bosser, trimer

72 **curruscar**, vi, croustiller

5 **cursar**, vt, suivre des cours ; faire ses études

7 **curtir**, vt, vp, ❖, tanner, corroyer [le cuir] ; s'endurcir

5 **curvar**, vt, vp, courber ; cintrer

5 **custodiar**, vt, garder, surveiller ; défendre, protéger

D

43 **dactilografiar**, vt, dactylographier

5 **damasquinar**, vt, damasquiner

5 **damnificar**, vt, endommager

21 **danzar**, vt, vi, danser ; se mêler d'une affaire

5 **dañar**, vt, vp, ❖, léser (qqn) ; nuire à ; abîmer, endommager

27 **dar**, vt, vi, vp, irr., ❖, donner ; frapper ; se rendre

5 **datar,** vt, vi, ❖, dater
5 **deambular,** vi, ❖, déambuler
7 **debatir,** vt, vp, débattre, discuter
5 **debelar,** vt, vaincre, réduire [un ennemi]
6 **deber,** vt, vp, ❖, devoir; se devoir, être dû
5 **debilitar,** vt, vp, affaiblir, débiliter; faiblir
5 **debitar,** vt, amér., débiter
5 **debutar,** vi, [un acteur] débuter
20 **decaer,** vi, irr., ❖, déchoir; dépérir; décliner
72 **decalcificar,** vt, décalcifier
5 **decampar,** vi, décamper, lever le camp
5 **decantar,** vt, ❖, [un liquide] décanter; vanter, célébrer
5 **decapar,** vt, décaper
5 **decapitar,** vt, décapiter
5 **decapsular,** vt, décapsuler
5 **decepcionar,** vt, décevoir, désillusionner
7 **decidir,** vt, vp, ❖, décider
28 **decir,** vt, vp, irr., ❖, dire; affirmer
5 **declamar,** vi, vp, déclamer
5 **declarar,** vt, vi, vp, ❖, déclarer; déposer; avouer
5 **declinar,** vt, vi, ❖, décliner; être en pente; s'incliner
5 **decolorar,** vt, vp, décolorer
5 **decomisar,** vt, confisquer, saisir
5 **decorar,** vt, décorer
54 **decrecer,** vi, irr., ❖, décroître; diminuer
5 **decrepitar,** vi, décrépiter
5 **decretar,** vt, décréter
72 **decuplicar,** vt, décupler
72 **dedicar,** vt, vp, ❖, dédier, consacrer; s'adonner
62 **deducir,** vt, irr., ❖, déduire, rabattre; alléguer
72 **defalcar,** vt, défalquer
72 **defecar,** vt, vi, déféquer
29 **defender,** vt, vp, irr., ❖, défendre; plaider
76 **deferir,** vt, vi, irr., déférer; s'en remettre à
7 **definir,** vt, définir; décider
53 **deflagrar,** vi, déflagrer, s'enflammer
5 **defoliar,** vt, défolier
5 **deforestar,** vt, déboiser, défricher
5 **deformar,** vt, vp, déformer
5 **defraudar,** vt, ❖, frustrer, décevoir; frauder
5 **degenerar,** vi, ❖, dégénérer; s'abâtardir
7 **deglutir,** vt, déglutir
38 **degollar,** vt, irr., égorger; décapiter; décoller
5 **degradar,** vt, vp, dégrader; avilir
5 **degustar,** vt, déguster
72 **deificar,** vt, vp, déifier; diviniser
5 **dejar,** vt, vp, ❖, laisser, lâcher; se laisser aller

5 **delatar,** vt, ❖, dénoncer
53 **delegar,** vt, ❖, déléguer
5 **deleitar,** vt, ❖, vp, délecter, charmer; enchanter
5 **deletrear,** vi, vt, épeler; déchiffrer
5 **deliberar,** vi, vt, ❖, délibérer; décider après mûre réflexion
5 **delimitar,** vt, délimiter
5 **delinear,** vt, dessiner [des plans], délinéer
30 **delinquir,** vi, commettre un délit
5 **delirar,** vi, ❖, délirer
7 **deludir,** vt, tromper, abuser
5 **demacrar,** vt, vp, amaigrir; maigrir, s'émacier
5 **demandar,** vt, ❖, poursuivre, demander [en justice]
72 **demarcar,** vt, délimiter; déterminer la route d'un navire
21 **democratizar,** vt, vp, démocratiser
50 **demoler,** vt, irr., démolir, détruire
5 **demorar,** vt, vi, ❖, retarder; demeurer; tarder
38 **demostrar,** vt, irr., ❖, démontrer; prouver
5 **demudar,** vt, vp, changer; altérer; déguiser
66 **denegar,** vt, irr., refuser, dénier; débouter
7 **denegrir,** vt, vp, noircir
5 **denigrar,** vt, dénigrer; injurier
5 **denominar,** vt, vp, dénommer, nommer
38 **denostar,** vt, vp, irr., injurier gravement, insulter
5 **denotar,** vt, dénoter, indiquer, signifier
72 **densificar,** vt, vp, épaissir; rendre plus dense
56 **dentar,** vt, vi, irr., denter [une scie]; faire ses dents
5 **dentellar,** vi, claquer des dents
5 **dentellear,** vt, mordiller
5 **denudar,** vt, vp, dénuder
5 **denunciar,** vt, vp, dénoncer
5 **deparar,** vt, procurer, accorder
7 **departir,** vi, ❖, deviser; causer
5 **depauperar,** vt, vp, appauvrir; affaiblir, exténuer
6 **depender,** vi, ❖, dépendre
5 **depilar,** vt, vp, dépiler, épiler
5 **deplorar,** vt, déplorer
60 **deponer,** vt, vi, irr., ❖, déposer [un objet, en justice]; destituer (qqn); aller à la selle
5 **deportar,** vt, ❖, déporter
5 **depositar,** vt, vp, ❖, déposer, mettre en dépôt; se fonder
5 **depravar,** vt, vp, dépraver
72 **deprecar,** vt, supplier, prier instamment
5 **depreciar,** vt, déprécier

5 **depredar**, vt, piller, saccager

7 **deprimir**, vt, vp, déprimer

5 **depurar**, vt, vp, épurer, dépurer, purifier ;
réhabiliter

5 **derivar**, vi, vt, vp, ⬧, dériver, découler ;
acheminer

53 **derogar**, vt, déroger ; abroger, abolir

5 **derramar**, vt, vp, ⬧, répandre ; verser

5 **derrapar**, vi, [un véhicule] déraper

66 **derrengar**, vt, vp, irr., éreinter, casser les reins ;
tordre

55 **derretir**, vt, vp, irr., ⬧, fondre, dissoudre ;
gaspiller

5 **derribar**, vt, vp, ⬧, abattre, renverser ;
se jeter à terre

72 **derrocar**, vt, ⬧, précipiter [du haut d'un rocher] ;
démolir

5 **derrochar**, vt, gaspiller ; dilapider ; dissiper

5 **derrotar**, vt, vp, battre, vaincre ;
dévier, dérouter

5 **derrubiar**, vt, vp, affouiller ; éroder ; creuser

45 **derruir**, vt, irr., démolir, détruire, ruiner

5 **derrumbar**, vt, vp, abattre, faire crouler ;
s'effondrer

54 **desabastecer**, vt, vp, irr., démunir,
désapprovisionner

5 **desabollar**, vt, débosseler ; redresser

5 **desabonarse**, vp, se désabonner

5 **desabotonar**, vt, vi, vp, déboutonner ;
éclore, s'épanouir

53 **desabrigar**, vt, vp, mettre/laisser à découvert ;
découvrir

8 **desabrir**, vt, vp, déf., ⬧, affadir ; mécontenter,
fâcher

5 **desabrochar**, vt, vp, déboutonner ; dégrafer

5 **desacalorarse**, vp, se rafraîchir ; s'apaiser,
se calmer

5 **desacatar**, vt, vp, marquer le respect (à qqn)

5 **desacelerar**, vt, décélérer

56 **desacertar**, vi, irr., ⬧, se tromper ;
faire fausse route

5 **desaclimatar**, vt, vp, désacclimater

5 **desacomodar**, vt, vp, incommoder, gêner ;
congédier ; quitter/perdre son emploi

5 **desacompañar**, vt, quitter, fausser compagnie
(à qqn)

5 **desaconsejar**, vt, déconseiller

5 **desacoplar**, vt, désaccoupler ; découpler

38 **desacordar**, vt, vp, irr., désaccorder ;
oublier (qqch.)

5 **desacostumbrar**, vt, vp, ⬧, désaccoutumer

21 **desacralizar**, vt, désacraliser

5 **desacreditar**, vt, vp, ⬧, discréditer, déconsidérer

5 **desactivar**, vt, désamorcer ; désactiver

5 **desacuartelar**, vt, déconsigner [les soldats]

5 **desadeudar**, vt, vp, libérer (qqn) d'une dette ;
se libérer/s'acquitter de ses dettes

5 **desadoquinar**, vt, dépaver

54 **desadormecer**, vt, vp, irr., réveiller ; dégourdir

76 **desadvertir**, vt, irr., ne pas remarquer

56 **desaferrar**, vt, vp, irr., détacher ;
lever [l'ancre]

43 **desafiar**, vt, vp, ⬧, défier, provoquer [en duel] ;
braver

5 **desafilar**, vt, vp, émousser [une arme, un outil]

5 **desafinar**, vi, vp, désaccorder [un instrument] ;
chanter faux

38 **desaforar**, vt, vp, irr., léser (qqn) [dans ses
droits] ; outrepasser ses droits

5 **desagarrar**, vt, lâcher ; détacher

5 **desagraciar**, vt, enlaidir ; dépouiller
de son charme

5 **desagradar**, vi, vp, déplaire ; être désagréable

54 **desagradecer**, vt, irr., être ingrat

5 **desagraviar**, vt, vp, réparer [une offense],
dédommager

53 **desagregar**, vt, vp, désagréger ; émietter

17 **desaguar**, vt, vi, vp, ⬧, épuiser, tarir, assécher ;
[une rivière] déboucher ; vomir ;
fam., uriner

12 **desahijar**, vt, vp, sevrer [les petits animaux] ;
essaimer

53 **desahogar**, vt, vp, ⬧, soulager, réconforter ;
se mettre à l'aise

5 **desahuciar**, vt, vp, décourager ; [un malade]
condamner ; donner congé [à un locataire]

15 **desahumar**, vt, désenfumer

12 **desainar**, vt, vp, dégraisser

12 **desairar**, vt, ⬧, dédaigner ; mépriser, éconduire

5 **desajustar**, vt, vp, désajuster, dérégler ;
se dédire

5 **desalabear**, vt, dégauchir [une pièce de bois],
aplanir

5 **desalar**, vt, vi, vp, dessaler [de la morue] ;
couper les ailes ; se dépêcher, se hâter

5 **desalbardar**, vt, débâter

56 **desalentar**, vt, vi, vp, irr., essouffler,
mettre hors d'haleine ; décourager, abattre

5 **desalinear**, vt, vp, désaligner ; rompre
l'alignement

5 **desaliñar**, vt, vp, froisser, chiffonner

5 **desalmidonar**, vt, désempeser

5 **desalojar**, vt, vi, ❖, déloger; déménager

5 **desalquilar**, vt, vp, donner congé [à un locataire], [un appartement] être libre

5 **desalquitranar**, vt, dégoudronner

5 **desalterar**, vt, apaiser, calmer, tranquilliser

5 **desamar**, vt, cesser d'aimer; haïr, détester (qqn)

5 **desamarrar**, vt, vp, larguer les amarres, démarrer

5 **desambientar**, vt, désorienter

5 **desamorar**, vt, vp, se détacher; cesser d'aimer

21 **desamortizar**, vt, désamortir

5 **desamparar**, vt, abandonner; délaisser (qqn)

5 **desamueblar**, vt, démeubler

5 **desanclar; desancorar**, vt, lever l'ancre

13 **desandar**, vt, irr., rebrousser chemin

5 **desangrar**, vt, vp, saigner abondamment

5 **desanidar**, vi, vt, dénicher, quitter son nid; déloger

5 **desanimar**, vt, décourager; démoraliser

5 **desanudar**, vt, dénouer; démêler

5 **desaparear**, vt, désaccoupler; déparier; désappareiller

54 **desaparecer**, vt, vi, vp, irr., ❖, disparaître

5 **desaparejar**, vt, vp, déharnacher; dégréer [un bateau]

5 **desapasionar**, vt, vp, dépassionner; se guérir d'une passion

5 **desaplomar**, vt, vp, faire perdre l'aplomb; perdre son aplomb

5 **desapoderar**, vt, vp, ❖, déposséder

5 **desapolillar**, vt, vp, chasser les mites; prendre l'air

80 **desaporcar**, vt, irr., déchausser [un arbre]

5 **desapreciar**, vt, mésestimer; déprécier

56 **desapretar**, vt, vp, irr., desserrer

38 **desaprobar**, vt, irr., désapprouver; désavouer

5 **desaprovechar**, vt, vi, gaspiller (qqch.); perdre son acquis

5 **desapuntalar**, vt, enlever les étançons ou les étais

5 **desapuntar**, vt, découdre; dépointer

5 **desarbolar**, vt, démâter [un navire]

5 **desarenar**, vt, dessabler, désensabler

5 **desarmar**, vt, vi, vp, désarmer; démonter [un mécanisme]

21 **desarmonizar**, vt, désharmoniser

53 **desarraigar**, vt, vp, ❖, déraciner

5 **desarreglar**, vt, vp, dérégler; déranger

56 **desarrendar**, vt, irr., débrider, ôter la bride [à un cheval]; annuler [un bail]

5 **desarrimar**, vt, écarter, éloigner; dissuader

5 **desarrollar**, vt, vp, développer; dérouler; déployer

5 **desarropar**, vt, vp, dévêtir; se découvrir [dans son lit]

53 **desarrugar**, vt, vp, défroisser, défriper

5 **desarrumar**, vt, navig., désarrimer

5 **desarticular**, vt, vp, désarticuler; démembrer [un parti]

5 **desartillar**, vt, désarmer [un navire, une forteresse]

5 **desarzonar**, vt, désarçonner

5 **desasear**, vt, salir, tenir malproprement

14 **desasir**, vt, vp, irr., ❖, lâcher, détacher; se dessaisir

7 **desasistir**, vt, abandonner, délaisser

66 **desasosegar**, vt, vp, irr., inquiéter, troubler; agiter

5 **desatar**, vt, vp, ❖, détacher, défaire; dénouer; déficeler

72 **desatascar**, vt, vp, désembourber, débourber; déboucher

29 **desatender**, vt, irr., ne pas prêter attention

5 **desatinar**, vt, vi, vp, troubler; déraisonner; perdre la tête

5 **desatollar**, vt, vp, désembourber

5 **desatornillar**, vt, dévisser

72 **desatracar**, vt, vi, vp, [une embarcation] déborder; prendre le large

12 **desatraillar**, vt, découpler, lâcher [les chiens]

72 **desatrancar**, vt, débarrer [une porte]; déboucher [un puits, un tuyau]

7 **desaturdir**, vt, vp, dissiper un étourdissement; reprendre ses esprits, revenir à soi

21 **desautorizar**, vt, vp, désavouer; désapprouver

82 **desavenir**, vt, vp, irr., ❖, brouiller, fâcher

43 **desaviar**, vt, vp, dévoyer; fourvoyer; démunir

5 **desayunar**, vi, vt, vp, ❖, déjeuner; avoir la première nouvelle [d'une chose]

53 **desazogar**, vt, ôter le mercure ou le tain [d'une glace]

5 **desazonar**, vt, vp, affadir, rendre insipide; fâcher, irriter

72 **desbancar**, vt, ❖, faire sauter la banque; évincer, supplanter

5 **desbandarse**, vp, se débander, s'enfuir en désordre

5 **desbarajustar**, vt, déranger; fam., chambarder

5 **desbaratar,** vt, vi, vp, démantibuler ;
    déraisonner ; s'emporter
5 **desbarbar,** vt, vp, ébarber, *fam.,* raser
5 **desbarbillar,** vt, ébarber
5 **desbardar,** vt, enlever les ronces [d'un mur]
5 **desbarrar,** vi, glisser ; déraisonner, dérailler
5 **desbastar,** vt, vp, dégrossir, ébaucher ;
    civiliser [un rustre]
21 **desbautizar,** vt, débaptiser
6 **desbeber,** vi, *fam.,* pisser, uriner
5 **desbecerrar,** vt, sevrer [les veaux]
5 **desbenzolar,** vt, débenzoler
5 **desbloquear,** vt, débloquer
72 **desbocar,** vt, vi, vp, égueuler ; déboucher,
    se jeter ; [un cheval] s'emballer
5 **desbordar,** vi, vp, ❖, déborder ; s'emporter
5 **desborrar,** vt, épincer, épinceter [le drap]
5 **desbotonar,** vt, démoucheter [un fleuret] ;
    amér., déboutonner, ébourgeonner
5 **desbravar,** vt, vi, vp, dresser, dompter
    [le bétail] ; s'apprivoiser
54 **desbravecer,** vi, vp, irr., s'apprivoiser ; se calmer
5 **desbridar,** vt, débrider
5 **desbriznar,** vt, hacher [la viande] ; émietter ;
    recueillir les stigmates du safran
21 **desbrozar,** vt, débroussailler, défricher,
    essarter [un bois] ; désherber
5 **desbullar,** vt, écailler ; ouvrir [les huîtres]
5 **descabalar,** vt, vp, ❖, dépareiller ; entamer ;
    être dépareillé ; être entamé
53 **descabalgar,** vi, vt, ❖, descendre [de cheval] ;
    mettre pied à terre
5 **descabellar,** vt, vp, dépeigner, écheveler ;
    être dépeigné ; être échevelé
21 **descabezar,** vt, vi, vp, ❖, décapiter, étêter
    [un clou, un arbre] ; s'égrener ;
    se casser la tête
5 **descabritar,** vt, sevrer [les chevreaux]
5 **descacharrar,** vt, vp, casser ; gâcher
5 **descaderar,** vt, vp, déhancher ;
    se démettre la hanche
5 **descadillar,** vt, énouer [la laine]
54 **descaecer,** vi, irr., décliner
12 **descafeinar,** vt, décaféiner
5 **descafilar,** vt, décrotter [les briques, les tuiles]
21 **descalabazarse,** vp, *fam.,* se casser,
    se creuser la tête
5 **descalabrar,** vt, vp, ❖, blesser ou casser la tête ;
    malmener, maltraiter, causer préjudice
5 **descalaminar,** vt, décalaminer

72 **descalcificar,** vt, vp, décalcifier
72 **descalificar,** vt, disqualifier
21 **descalzar,** vt, vp, déchausser, ôter ses
    chaussures
5 **descamar,** vt, vp, desquamer
5 **descambiar,** vt, rendre un achat ;
    annuler un échange
5 **descaminar,** vt, vp, dérouter, égarer
5 **descampar,** vi, imp., cesser de pleuvoir
5 **descansar,** vt, vi, ❖, reposer ; éprouver
    un soulagement
5 **descanterar,** vt, entamer un pain
5 **descantillar,** vt, vp, ébrécher ; défalquer
5 **descañonar,** vt, vp, plumer [les oiseaux] ;
    raser à contre-poil
5 **descapirotar,** vt, vp, décapuchonner ;
    déchaperonner [les oiseaux]
21 **descapitalizar,** vt, vp, décapitaliser ;
    être décapitalisé
5 **descapotar,** vt, décapoter [une voiture]
5 **descararse,** vp, ❖, être insolent
5 **descarbonatar,** vt, décarbonater
5 **descarburar,** vt, décarburer
53 **descargar,** vt, vi, vp, ❖, décharger ;
    [une rivière] déboucher ; crever [les nuages]
5 **descarnar,** vt, vp, décharner
43 **descarriar,** vt, vp, ❖, égarer, fourvoyer ;
    écarter [du devoir]
5 **descarrilar,** vi, vp, [un train] dérailler
5 **descartar,** vt, vp, ❖, écarter ; éliminer ; rejeter
5 **descasar,** vt, vp, démarier, annuler
    [le mariage] ; divorcer
72 **descascar,** vt, vp, écorcer, décortiquer ; se briser
5 **descascarar,** vt, vp, écorcer, éplucher ;
    perdre sa peau
5 **descascarillar,** vt, vp, décortiquer ; s'écailler
5 **descaspar,** vt, enlever les pellicules
5 **descastar,** vt, exterminer [un animal nuisible]
5 **descebar,** vt, désamorcer [une arme]
29 **descender,** vi, vt, irr., ❖, descendre
21 **descentralizar,** vt, décentraliser
5 **descentrar,** vt, vp, décentrer, désaxer
5 **descepar,** vt, vp, déraciner, essoucher ;
    déjaler [l'ancre]
72 **descercar,** vt, abattre une clôture/une muraille ;
    lever/faire lever le siège
5 **descerebrar,** vt, décérébrer
21 **descerezar,** vt, dépulper, décortiquer [le café]
5 **descerrajar,** vt, forcer [une serrure] ;
    fam., tirer [un coup de feu]

5 **deschavetarse,** vp, *fam., amér.,* perdre la boule

5 **descifrar,** vt, déchiffrer ; décrypter ; décoder

5 **descimbrar,** vt, décintrer

5 **descinchar,** vt, dessangler

72 **desclasificar,** vt, déclasser

5 **desclavar,** vt, ❖, déclouer

5 **descoagular,** vt, vp, décoaguler

5 **descobajar,** vt, égrapper, égrener [les grappes de raisin]

72 **descocar,** vt, vp, écheniller ; *fam.,* être effronté

72 **descodificar,** vt, vp, décoder

5 **descogotar,** vt, assommer ; décorner/écorner [un cerf]

5 **descojonarse,** vp, *fam.,* se poiler

5 **descolar,** vt, couper la queue à, écouer

5 **descolchar,** vt, décommettre, détordre [un câble]

24 **descolgar,** vt, vp, irr., ❖, décrocher, dépendre

38 **descollar,** vi, vp, irr., ❖, surpasser, dominer ; se distinguer

5 **descolmillar,** vt, arracher/casser les canines [d'un animal]

72 **descolocar,** vt, vp, déplacer ; déconcerter

21 **descolonizar,** vt, décoloniser

5 **descolorar,** vt, vp, décolorer, défraîchir

7 **descolorir,** vt, vp, déf., décolorer

5 **descombrar,** vt, dégager, désencombrer ; débarrasser

55 **descomedirse,** vp, irr., dépasser les bornes ; être insolent, manquer de respect

5 **descompensar,** vt, vp, décompenser, déséquilibrer ; être déséquilibré

60 **descomponer,** vt, vp, irr., ❖, déranger, mettre en désordre ; se décomposer

7 **descomprimir,** vt, décomprimer

53 **descomulgar,** vt, excommunier

9 **desconceptuar,** vt, vp, discréditer

56 **desconcertar,** vt, vp, irr., déconcerter ; se démettre

5 **desconectar,** vt, désembrayer ; débrancher, déconnecter

43 **desconfiar,** vi, ❖, se défier, se méfier ; perdre confiance

5 **desconformar,** vi, être en désaccord

5 **descongelar,** vt, décongeler, dégeler, dégivrer

5 **descongestionar,** vt, décongestionner

5 **descongojar,** vt, consoler, apaiser

25 **desconocer,** vt, vp, irr., ne pas se rappeler (qqch.) ; ne pas connaître

5 **desconsiderar,** vt, mésestimer, déconsidérer

38 **desconsolar,** vt, vi, irr., affliger, navrer, désoler

5 **descontagiar,** vt, désinfecter, assainir

5 **descontaminar,** vt, décontaminer, dépolluer

38 **descontar,** vt, irr., ❖, déduire, rabattre, retenir

5 **descontentar,** vt, vp, mécontenter, fâcher

82 **desconvenir,** vi, vp, irr., ne pas convenir, diverger

72 **desconvocar,** vt, annuler [une grève, des élections]

5 **descorazonar,** vt, vp, décourager ; effrayer

5 **descorchar,** vt, démascler, écorcer [les chênes-lièges] ; déboucher [une bouteille] ; forcer

38 **descordar,** vt, irr., ôter les cordes [d'un instrument]

38 **descornar,** vt, vp, irr., décorner ; *fam.,* se casser la tête

5 **descoronar,** vt, découronner

6 **descorrer,** vt, vi, vp, rebrousser chemin ; tirer [le verrou] ; [un liquide] s'écouler

21 **descortezar,** vt, vp, écorcer, décortiquer ; se dégrossir

6 **descoser,** vt, vp, découdre

5 **descostillar,** vt, vp, rompre les côtes à ; tomber sur le dos

5 **descostrar,** vt, désencroûter

5 **descotar,** vt, échancrer, décolleter

5 **descoyuntar,** vt, vp, disloquer ; luxer, déboîter

5 **descremar,** vt, écrémer

5 **descrestar,** vt, écrêter, couper la crête

7 **describir,** vt, p.p. décrire ; dépeindre

5 **descrismar,** vt, vp, *fam.,* assommer ; se casser la tête

21 **descristianizar,** vt, déchristianiser

21 **descruzar,** vt, décroiser

5 **descuadernar,** vt, vp, dérelier [un livre] ; déranger

5 **descuadrillarse,** vp, s'épointer, se démettre la hanche

5 **descuajar,** vt, vp, décoaguler ; se liquéfier

21 **descuartizar,** vt, écarteler, dépecer ; *fam.,* mettre en pièces

7 **descubrir,** vt, vp, p.p., ❖, découvrir ; dévoiler ; révéler

5 **descuerar,** vt, écorcher, enlever [la peau] ; *amér.,* critiquer

5 **descuernar,** vt, décorner

5 **descuidar,** vt, vi, vp, ❖, négliger, oublier ; se distraire

5 **descular,** vt, vp, défoncer ; crever le fond

61 **desdecir**, vi, vp, irr., ✧, être indigne de ;
   se dédire
56 **desdentar**, vt, irr., édenter
5 **desdeñar**, vt, ✧, dédaigner, mépriser
5 **desdevanar**, vt, vp, désembobiner
5 **desdibujarse**, vp, s'effacer, s'estomper
5 **desdoblar**, vt, vp, ✧, déplier ; dédoubler
5 **desdorar**, vt, vp, dédorer ; déshonorer
5 **desear**, vt, désirer ; souhaiter
72 **desecar**, vt, vp, dessécher ; assécher
5 **desechar**, vt, ✧, rejeter, chasser ; dédaigner
21 **deselectrizar**, vt, décharger [de l'électricité]
5 **desellar**, vt, décacheter [une lettre,
   un paquet] ; desceller
5 **desembalar**, vt, déballer
5 **desembaldosar**, vt, décarreler
5 **desembalsar**, vt, déverser [d'un barrage]
5 **desembalsamar**, vt, désembaumer
21 **desembarazar**, vt, vp, ✧, débarrasser,
   tirer d'embarras
72 **desembarcar**, vt, vi, vp, ✧, débarquer ;
   [un escalier] aboutir
53 **desembargar**, vt, débarrasser ; lever l'embargo
72 **desembarrancar**, vt, vi, remettre à flot ; renflouer
5 **desembarrar**, vt, décrotter, enlever la boue
15 **desembaular**, vt, sortir ; déballer ;
   s'ouvrir à (qqn) de
54 **desembebecerse**, vp, irr., déchanter ;
   reprendre ses sens, revenir à soi
5 **desembelesarse**, vp, se reprendre,
   reprendre ses esprits
72 **desembocar**, vi, ✧, déboucher ;
   [un cours d'eau] se jeter
5 **desembojar**, vt, décoconner
5 **desembolsar**, vt, débourser, verser ; dépenser
5 **desemborrachar**, vt, vp, dessoûler
72 **desemboscarse**, vp, sortir d'un bois,
   d'un fourré
5 **desembotar**, vt, vp, dégourdir
53 **desembragar**, vt, débrayer
54 **desembravecer**, vt, vp, irr., apprivoiser,
   domestiquer
5 **desembrear**, vt, dégoudronner
53 **desembriagar**, vt, vp, dégriser, désenivrer
5 **desembridar**, vt, débrider [un cheval]
5 **desembrollar**, vt, fam., débrouiller, éclaircir
5 **desembrujar**, vt, désensorceler,
   délivrer d'un sortilège
5 **desembuchar**, vt, [les oiseaux] dégorger ;
   vider son sac

5 **desemejar**, vi, vt, différer ; être dissemblable ;
   défigurer
72 **desempacar**, vt, vp, déballer ; s'apaiser
5 **desempachar**, vt, vp, soulager, dégager
   [l'estomac] ; s'enhardir, perdre sa timidité
53 **desempalagar**, vt, vp, donner bonne bouche ;
   surmonter son dégoût
5 **desempalmar**, vt, déconnecter
5 **desempañar**, vt, démailloter [un enfant] ;
   enlever la buée [d'une glace, d'un objet
   verni]
5 **desempapelar**, vt, enlever le papier
   (qui enveloppe qqch.)
5 **desempaquetar**, vt, dépaqueter, déballer
5 **desemparejar**, vt, vp, dépareiller
5 **desemparvar**, vt, entasser [le grain sur l'aire]
5 **desempastar**, vt, déplomber [une dent]
5 **desempatar**, vt, départager ; ballotter,
   procéder à un nouveau tour de scrutin
56 **desempedrar**, vt, irr., dépaver
5 **desempeñar**, vt, vp, ✧, retirer une chose
   mise en gage ; se désendetter ;
   se tirer d'affaire
21 **desemperezar**, vi, vp, se dégourdir ;
   secouer sa paresse
5 **desempernar**, vt, déboulonner
5 **desemplumar**, vt, plumer ; déplumer
5 **desempolvar**, vt, vp, épousseter ; tirer de l'oubli
5 **desemponzoñar**, vt, désempoisonner
5 **desempotrar**, vt, desceller
5 **desempuñar**, vt, lâcher
53 **desencabalgar**, vt, démonter [une pièce
   d'artillerie]
5 **desencabestrar**, vt, dépêtrer [une bête] ;
   désentraver
5 **desencadenar**, vt, vp, déchaîner,
   désenchaîner ; déferler
5 **desencajar**, vt, vp, déboîter ; décrocher ;
   [le visage] se décomposer
5 **desencajonar**, vt, sortir d'une caisse ; décoffrer
5 **desencallar**, vt, vi, renflouer ; remettre à flot
5 **desencantar**, vt, vp, désenchanter ; être déçu
5 **desencapillar**, vt, vp, décapeler
5 **desencapotar**, vt, vp, enlever le manteau ;
   découvrir
5 **desencarcelar**, vt, désemprisonner ;
   libérer ; relâcher
53 **desencargar**, vt, annuler, décommander
5 **desencarnar**, vt, vp, désincarner ;
   se défaire d'une inclination

5 **desencarpetar,** vt, sortir un document
    [d'un dossier]
5 **desencasquillar,** vt, désenrayer [une arme]
53 **desencenagar,** vt, désenvaser
56 **desencerrar,** vt, irr., relâcher; mettre en liberté
5 **desenchufar,** vt, débrancher
5 **desenclavar,** vt, déclouer, débloquer;
    arracher (qqn violemment de sa place)
5 **desenclavijar,** vt, décheviller; séparer;
    désassembler
5 **desencobrar,** vt, décuivrer
5 **desencofrar,** vt, décoffrer
23 **desencoger,** vt, vp, tendre [un tissu];
    s'enhardir, se dégourdir
5 **desencolar,** vt, vp, décoller; se décoller
21 **desencolerizar,** vt, vp, apaiser, calmer; décolérer
5 **desencordelar,** vt, déficeler; délier; détacher
5 **desencorvar,** vt, redresser
5 **desencrespar,** vt, vp, défriser
5 **desencuadernar,** vt, vp, enlever la reliure; dérelier
5 **desendemoniar; desendiablar,** vt, exorciser
5 **desendiosar,** vt, remettre à sa place;
    fam., rabattre le caquet (à qqn)
5 **desenfadar,** vt, vp, calmer, apaiser; rasséréner
5 **desenfilar,** vt, vp, défiler [militaire];
    mettre à couvert
72 **desenfocar,** vt, photogr., faire perdre la mise
    au point; mal envisager [un problème]
5 **desenfrenar,** vt, vp, ✧, débrider,
    ôter la bride/le mors; s'emporter
5 **desenfundar,** vt, dégainer,
    sortir de sa housse/du fourreau
54 **desenfurecer,** vt, vp, irr., apaiser,
    calmer (qqn en colère)
5 **desenfurruñar,** vt, vp, calmer, apaiser
53 **desengalgar,** vt, désenrayer [une charrette]
5 **desenganchar,** vt, vp, décrocher; détacher;
    dételer
5 **desengañar,** vt, vp, ✧, détromper, désabuser
21 **desengarzar,** vt, vp, désenfiler [des perles]
5 **desengastar,** vt, dessertir, désenchâsser
    [une pierre précieuse]
5 **desengomar,** vt, dégommer [les tissus]
5 **desengoznar,** vt, dégonder,
    arracher les gonds
5 **desengranar,** vt, désengrener
5 **desengrasar,** vt, vi, dégraisser [les laines];
    fam., maigrir
5 **desenguantarse,** vp, se déganter
5 **desenhebrar,** vt, désenfiler [une aiguille]

5 **desenhornar,** vt, défourner, désenfourner
21 **desenjaezar,** vt, déharnacher
5 **desenjalmar,** vt, débâter
5 **desenjaular,** vt, faire sortir d'une cage;
    mettre en liberté
5 **desenladrillar,** vt, décarreler [des briques]
21 **desenlazar,** vt, vp, désenlacer, dénouer
5 **desenlodar,** vt, débourber, décrotter
5 **desenlosar,** vt, dédaller, décarreler
5 **desenlutar,** vt, vp, faire quitter le deuil;
    quitter le deuil
5 **desenmarañar,** vt, démêler, débrouiller
5 **desenmascarar,** vt, vp, démasquer
54 **desenmohecer,** vt, vp, irr., dérouiller
54 **desenmudecer,** vi, vt, irr., délier la langue;
    rendre la parole (à qqn)
5 **desenojar,** vt, vp, calmer, apaiser; se distraire
5 **desenredar,** vt, vp, ✧, démêler, débrouiller;
    s'en sortir
5 **desenrollar,** vt, vp, dérouler
72 **desenroscar,** vt, dévisser
54 **desenrudecer,** vt, vp, irr., dégrossir; affiner;
    polir
5 **desensamblar,** vt, vp, désassembler
5 **desensañar,** vt, vp, calmer, apaiser [la fureur]
5 **desensartar,** vt, défiler, désenfiler
5 **desenseñar,** vt, corriger un enseignement
    défectueux
21 **desensibilizar,** vt, désensibiliser
5 **desensillar,** vt, desseller [un cheval]
54 **desensoberbecer,** vt, vp, irr., rabattre l'orgueil
    (de qqn); humilier
5 **desentablar,** vt, arracher [des planches];
    déranger; troubler [le cours d'une affaire];
    mettre fin à une amitié
53 **desentalingar,** vt, navig., détacher le câble
    de l'ancre
5 **desentarimar,** vt, défaire un plancher
29 **desentenderse,** vp, irr., ✧, se désintéresser
56 **desenterrar,** vt, irr., ✧, déterrer, exhumer
5 **desentonar,** vt, vi, vp, ✧, détonner,
    chanter faux; élever la voix
5 **desentornillar,** vt, dévisser
54 **desentorpecer,** vt, vp, irr., dégourdir; se dégourdir
5 **desentrañar,** vt, vp, percer, élucider
    [un mystère, un secret]; se dépouiller
5 **desentrenar,** vt, vp, manquer d'entraînement
21 **desentronizar,** vt, détrôner; faire baisser
    dans l'estime (de qqn)
54 **desentumecer,** vt, vp, irr., dégourdir; se dégourdir

7 **desentumir,** vt, vp, dégourdir; se dégourdir

5 **desenvainar,** vt, dégainer [une arme blanche];
[le chat] sortir les griffes

53 **desenvergar,** vt, désenverguer, déverguer
[une voile]

84 **desenvolver,** vt, vi, irr., défaire; développer;
dérouler

21 **desenzarzar,** vt, vp, dégager des ronces

5 **desequilibrar,** vt, vp, déséquilibrer, désaxer

5 **desertar,** vi, ◇, déserter

72 **desertificar,** vt, vp, désertifier

5 **desescombrar,** vt, enlever les décombres,
déblayer

5 **deseslabonar,** vt, démailler [une chaîne]

5 **desespaldar,** vt, vp, casser les reins à;
éreinter; échiner

21 **desespañolizar,** vt, faire perdre le caractère
espagnol (à qqn ou à qqch.)

5 **desesperar,** vt, vi, vp, ◇, désespérer,
réduire au désespoir; être désespéré

21 **desestabilizar,** vt, déstabiliser

72 **desestancar,** vt, donner libre cours [aux eaux]

5 **desestimar,** vt, mésestimer, mépriser;
débouter

72 **desfalcar,** vt, détourner, défalquer; déduire

54 **desfallecer,** vt, vi, irr., ◇, défaillir; s'évanouir

5 **desfasar,** vt, déphaser

54 **desfavorecer,** vt, irr., défavoriser, désavantager

5 **desfibrar,** vt, défibrer

5 **desfigurar,** vt, vp, défigurer; altérer;
contrefaire; se troubler

5 **desfilachar,** vt, effilocher

5 **desfilar,** vi, défiler

5 **desflemar,** vi, vt, expulser les flegmes;
séparer les flegmes

5 **desflorar,** vt, déflorer; défleurir; faner, flétrir

54 **desflorecer,** vi, vp, irr., défleurir;
perdre la fleur

53 **desfogar,** vt, vi, vp, ◇, donner libre cours à;
éteindre; faiblir, [une tempête] se calmer

5 **desfondar,** vt, vp, défoncer [une barrique,
une caisse, une terre]

5 **desformar,** vt, déformer

54 **desfortalecer,** vt, irr., démanteler
[une forteresse]

5 **desfosforar,** vt, déphosphorer

86 **desfruncir,** vt, défroncer

5 **desgajar,** vt, vp, ◇, arracher, disloquer;
s'écarter

5 **desganar,** vt, vp, couper, perdre l'appétit

5 **desgañitarse,** vp, s'égosiller, s'époumoner

5 **desgargantarse,** vp, fam., s'égosiller,
s'époumoner

5 **desgargolar,** vt, égrener [le lin/le chanvre]

5 **desgaritar,** vi, vt, vp, [un bateau] perdre
sa route; dériver

5 **desgarrar,** vt, vp, déchirer; lacérer

5 **desgastar,** vt, vp, user, gâter

5 **desglasar,** vt, déglacer [un papier]

5 **desglosar,** vt, supprimer des notes
[d'un texte]; détacher des feuillets [d'un livre]

56 **desgobernar,** vt, vp, irr., dérégler; perturber;
mal gouverner [un bateau]

5 **desgomar,** vt, dégommer

21 **desgoznar,** vt, vp, dégonder; déboîter

5 **desgraciar,** vt, vp, abîmer, esquinter; blesser;
tourner mal

5 **desgramar,** vt, arracher le chiendent

5 **desgranar,** vt, vp, égrener; égrapper

5 **desgrasar,** vt, dégraisser, dessuinter;
dégorger [la laine]

5 **desgravar,** vt, dégrever

5 **desgreñar,** vt, vp, écheveler, ébouriffer
[les cheveux]; fam., se crêper le chignon

54 **desguarnecer,** vt, irr., dégarnir; déharnacher

21 **desguazar,** vt, vp, dégrossir [le bois];
démolir [un bateau]

5 **desguindar,** vt, vp, amener [une voile];
se laisser glisser

21 **desguinzar,** vt, défiler [du papier]

5 **deshabitar,** vt, dépeupler [une ville];
quitter [un logement]

9 **deshabituar,** vt, vp, déshabituer

44 **deshacer,** vt, vp, irr., ◇, défaire; détruire;
s'user

5 **deshebillar,** vt, déboucler; dégrafer

5 **deshebrar,** vt, effiler, effilocher [un tissu]

21 **deshechizar,** vt, désensorceler

56 **deshelar,** vt, vp, irr., dégeler, déglacer,
dégivrer

56 **desherbar,** vt, irr., désherber

5 **desheredar,** vt, vp, déshériter

5 **deshermanar,** vt, vp, désassortir, dépareiller;
manquer à ses devoirs de frère

56 **desherrar,** vt, vp, irr., déferrer [un cheval];
ôter les fers [à un prisonnier]

5 **desherrumbrar,** vt, dérouiller

5 **deshidratar,** vt, vp, déshydrater

5 **deshidrogenar,** vt, déshydrogéner

5 **deshilachar,** vt, vp, effiler, effilocher; effranger

5 **deshilar**, vt, vi, vp, effiler, effilocher
5 **deshilvanar**, vt, vp, défaufiler, débâtir
72 **deshincar**, vt, vp, enlever, arracher
5 **deshinchar**, vt, vp, désenfler; dégonfler
   [un ballon]
21 **deshipnotizar**, vt, réveiller
72 **deshipotecar**, vt, déshypothéquer
5 **deshojar**, vt, vp, effeuiller
5 **deshollejar**, vt, peler, écosser
5 **deshollinar**, vt, ramoner [les cheminées];
   fam., observer, épier
5 **deshonorar**, vt, vp, déshonorer;
   destituer [d'une charge]
5 **deshonrar**, vt, vp, déshonorer [son nom];
   outrager, insulter
5 **deshornar**, vt, défourner
5 **deshuesar**, vt, désosser; dénoyauter
21 **deshumanizar**, vt, vp, déshumaniser
54 **deshumedecer**, vt, vi, irr., déshumidifier
5 **designar**, vt,✧, former le projet; désigner;
   indiquer
5 **desigualar**, vt, vp, rendre inégal; déniveler;
   surpasser
5 **desilusionar**, vt, vp, désillusionner; décevoir;
   déchanter
5 **desimantar**, vt, vp, désaimanter
60 **desimponer**, vt, irr., imprim., changer l'imposition
5 **desimpresionar**, vt, vp,✧, détromper, désabuser
5 **desincorporar**, vt, vp, isoler; séparer;
   désincorporer
5 **desincrustar**, vt, désencroûter, détartrer;
   désincruster
5 **desinfectar**, vt, vp, désinfecter
5 **desinflamar**, vt, vp, désenflammer;
   résoudre [une inflammation]
5 **desinflar**, vt, vp, dégonfler
5 **desinformar**, vt, désinformer
5 **desinsectar**, vt, désinsectiser
5 **desintegrar**, vt, désintégrer
5 **desinteresarse**, vp,✧, se désintéresser
72 **desintoxicar**, vt, désintoxiquer
7 **desistir**, vi,✧, renoncer, se désister
5 **desjarretar**, vt, couper les jarrets
   [à un animal]; fam., affaiblir
53 **desjugar**, vt, vp, presser, extraire le jus
5 **desjuntar**, vt, vp, séparer, disjoindre
5 **deslabonar**, vt, vp, démailler [une chaîne]
5 **deslastrar**, vt, délester
5 **deslavar**, vt, laver superficiellement;
   délaver; déteindre

21 **deslavazar**, vt, délaver; rendre insipide
   [un mets]
21 **deslazar**, vt, dénouer
53 **deslechugar**, vt, ébourgeonner, épamprer;
   sarcler
67 **desleír**, vt, vp, irr.,✧, délayer; détremper
56 **deslendrar**, vt, irr., délenter, enlever les lentes
17 **deslenguar**, vt, vp, couper la langue;
   parler insolemment
43 **desliar**, vt, vp, délier, détacher;
   défaire [un paquet]
53 **desligar**, vt, vp,✧, délier, dénouer, détacher;
   démêler
5 **deslindar**, vt, borner, délimiter;
   préciser, expliquer
5 **desliñar**, vt, épinceter [les draps]
21 **deslizar**, vt, vi, vp,✧, glisser; se faufiler,
   s'échapper
5 **deslomar**, vt, vp, éreinter [fouler ou rompre
   les reins]; s'échiner
48 **deslucir**, vt, vp, irr.,✧, abîmer, gâcher;
   discréditer
5 **deslumbrar**, vt, vp, éblouir, aveugler; fasciner
5 **deslustrar**, vt, vp, délustrer, ternir;
   déglacer [le papier]
5 **desmadejar**, vt, vp, affaiblir; se dégingander
5 **desmadrar**, vt, vp, sevrer [les animaux];
   dépasser les bornes
21 **desmagnetizar**, vt, démagnétiser
38 **desmajolar**, vt, irr., arracher [les jeunes
   ceps de vigne]; délacer [les chaussures]
21 **desmalezar**, vt, amér., désherber, sarcler
5 **desmallar**, vt, démailler
5 **desmamar**, vt, sevrer
5 **desmamonar**, vt, émonder, ébourgeonner
5 **desmanarse**, vp, se séparer, s'écarter
   du troupeau
5 **desmanear**, vt, vp, désentraver [les bêtes]
53 **desmangar**, vt, vp, démancher
5 **desmantelar**, vt, démanteler; démâter;
   abandonner
5 **desmaquillar**, vt, démaquiller
72 **desmarcar**, vt, vp, démarquer
5 **desmarojar**, vt, émonder [un arbre,
   de plantes parasites]
5 **desmatar**, vt, défricher, débroussailler
5 **desmayar**, vt, vi, vp, causer un évanouissement,
   faire défaillir; s'évanouir
55 **desmedirse**, vp, irr., dépasser les bornes
   ou la mesure

5 **desmedrar,** vt, vi, vp, détériorer ;
déchoir, dépérir

5 **desmejorar,** vt, vi, vp, détériorer ;
perdre la santé

5 **desmelenar,** vt, vp, écheveler, dépeigner ;
s'emballer

56 **desmembrar,** vt, vp, irr., démembrer ;
disloquer

5 **desmemoriarse,** vp, oublier, perdre la mémoire

76 **desmentir,** vt, vi, vp, irr., ❖, démentir ;
cacher, déguiser

21 **desmenuzar,** vt, vp, émietter ; hacher menu ;
examiner minutieusement, éplucher

5 **desmeollar,** vt, enlever/extraire la moelle

54 **desmerecer,** vt, vi, irr., ❖, démériter ;
être inférieur, perdre de sa valeur

5 **desmesurar,** vt, vp, dérégler, déranger ;
dépasser les bornes ou la mesure

5 **desmigajar,** vt, vp, émietter, réduire en miettes

53 **desmigar,** vt, émietter [du pain]

21 **desmilitarizar,** vt, démilitariser

21 **desmineralizar,** vt, déminéraliser

72 **desmitificar,** vt, démythifier

5 **desmochar,** vt, étêter, écimer [les arbres] ;
écorner [les bêtes]

53 **desmogar,** vi, muer, [les cervidés] changer
les cornes

5 **desmoldar,** vt, démouler

21 **desmonetizar,** vt, démonétiser

5 **desmontar,** vt, vi, vp, ❖, déboiser, défricher ;
démonter ; démolir ; mettre pied à terre

5 **desmoñar,** vt, vp, fam., enlever/défaire
le chignon ; se crêper le chignon

21 **desmoralizar,** vt, vp, démoraliser

5 **desmoronar,** vt, vp, ébouler ; faire s'écrouler ;
abattre

5 **desmotar,** vt, épinceter, énouer [un tissu] ;
égrener [le coton]

5 **desmotivar,** vt, démotiver

21 **desmovilizar,** vt, démobiliser

72 **desmultiplicar,** vt, démultiplier

21 **desnacionalizar,** vt, vp, dénationaliser

53 **desnarigar,** vt, vp, arracher ou écraser le nez
(à qqn)

5 **desnatar,** vt, écrémer

21 **desnaturalizar,** vt, vp, dénaturaliser ; dénaturer

72 **desnazificar,** vt, vp, dénazifier

21 **desnicotinizar,** vt, vp, dénicotiniser

72 **desnitrificar,** vt, dénitrifier

5 **desnivelar,** vt, déniveler

72 **desnucar,** vt, vp, rompre la nuque/le cou ;
se casser le cou

21 **desnuclearizar,** vt, dénucléariser

5 **desnudar,** vt, vp, ❖, déshabiller, dévêtir ;
dépouiller, dénuder

7 **desnutrirse,** vp, être atteint de dénutrition

54 **desobedecer,** vt, irr., désobéir

45 **desobstruir,** vt, irr., désobstruer ; vider,
évacuer

5 **desocupar,** vt, vp, débarrasser,
évacuer [un lieu] ; vider

21 **desodorizar,** vt, désodoriser

51 **desoír,** vt, irr., faire la sourde oreille ;
ne pas écouter

5 **desojar,** vt, vp, casser le chas [d'une aiguille],
s'user [la vue]

38 **desolar,** vt, irr., désoler ; ravager

38 **desoldar,** vt, vp, irr., dessouder

38 **desollar,** vt, vp, irr., écorcher, dépouiller

5 **desopilar,** vt, vp, désopiler

5 **desopinar,** vt, discréditer

7 **desoprimir,** vt, libérer de l'oppression

5 **desorbitar,** vt, vp, grossir, exagérer ;
quitter son orbite

5 **desordenar,** vt, vp, mettre en désordre ;
se dérégler

5 **desorejar,** vt, couper les oreilles

21 **desorganizar,** vt, vp, désorganiser

5 **desorientar,** vt, vp, ❖, désorienter ;
désordonner

5 **desorillar,** vt, couper la lisière [d'une étoffe]

5 **desortijar,** vt, vp, sarcler [des jeunes plantes]

31 **desosar,** vt, irr., désosser

5 **desovar,** vi, frayer, [les poissons] pondre

5 **desovillar,** vt, vp, dépelotonner ;
débrouiller, démêler

5 **desoxidar,** vt, vp, désoxyder ;
décaper [un métal]

5 **desoxigenar,** vt, vp, désoxygéner

5 **despabilar,** vt, vp, dégourdir ; se dépêcher ;
se réveiller

5 **despachar,** vt, vi, vp, ❖, vendre ; dépêcher
[un travail] ; envoyer ; se dépêcher ;
fam., dire ce que l'on a sur le cœur

5 **despachurrar,** vt, vp, fam., écraser, aplatir ;
éventrer

5 **despajar,** vt, dépailler ; vanner ; cribler,
tamiser [le minerai]

5 **despaldar,** vt, vp, casser les reins à ;
éreinter, échiner

5 **despaldillar**, vt, vp, fouler/démettre l'épaule [d'un animal] ; *fam.*, rosser

5 **despalillar**, vt, écôter [le tabac] ; égrapper [le raisin] ; *fam.*, *amér.*, assommer, tuer (qqn)

5 **despalmar**, vt, caréner [un bateau] ; chanfreiner [un madrier] ; dégazonner

5 **despampanar**, vt, vp, épamprer, essarmenter [la vigne] ; *fam.*, épater

5 **despanzurrar**, vt, vp, *fam.*, éventrer, crever la panse ; aplatir, écrabouiller

5 **despapar**, vi, vt, [un cheval] porter le nez au vent

5 **desparedar**, vt, abattre, démolir [les murs]

5 **desparejar**, vt, vp, dépareiller, désassortir

5 **desparpajar**, vt, vi, vp, déranger, disperser, éparpiller ; *fam.*, parler à tort et à travers

5 **desparramar**, vt, vp, ❖, répandre ; éparpiller, disperser

5 **desparvar**, vt, défaire et retourner les gerbes [des moissons]

5 **despatarrar**, vt, vp, *fam.*, écarter largement les jambes ; épater

5 **despatillar**, vt, entailler [une pièce de bois] ; tailler [les pattes]

5 **despavesar**, vt, moucher [une chandelle] ; souffler les cendres [qui couvrent la braise]

5 **despavonar**, vt, décaper [un métal]

8 **despavorir**, vi, déf., s'effrayer, s'épouvanter, être affolé

5 **despearse**, vp, avoir mal aux pieds [à force de marcher] ; [un cheval] être fourbu

5 **despechar**, vt, vp, désespérer ; sevrer [un bébé]

53 **despechugar**, vt, vp, enlever le blanc [d'une volaille] ; se débrailler

21 **despedazar**, vt, vp, dépecer, déchiqueter

55 **despedir**, vt, vp, irr., ❖, jeter ; licencier, renvoyer ; prendre congé

56 **despedrar**, vt, irr., épierrer

53 **despedregar**, vt, épierrer

53 **despegar**, vt, vi, vp, ❖, décoller, détacher ; [un avion] décoller

5 **despeinar**, vt, vp, décoiffer, dépeigner

5 **despejar**, vt, vp, débarrasser, dégager ; s'éveiller

5 **despellejar**, vt, écorcher, dépouiller ; dire du mal, dire pis que pendre (de qqn)

5 **despelotarse**, vp, *fam.*, s'arrondir ; se mettre à poil ; *fam.*, se débrouiller

5 **despeluznar**, vt, ébouriffer, hérisser

21 **despenalizar**, vt, dépénaliser

5 **despenar**, vt, *amér.*, consoler (qqn) ; *fam.*, tuer (qqn)

5 **despeñar**, vt, vp, ❖, précipiter, jeter [dans un précipice]

5 **despepitar**, vt, vp, ❖, épépiner [les fruits] ; s'égosiller

5 **desperdiciar**, vt, gaspiller ; gâcher ; perdre [son temps]

53 **desperdigar**, vt, vp, ❖, séparer ; désunir ; disperser

54 **desperecerse**, vp, irr., ❖, désirer ardemment (qqch.)

21 **desperezarse**, vp, s'étirer

56 **despernar**, vt, irr., estropier ; couper les jambes

21 **despersonalizar**, vt, dépersonnaliser

56 **despertar**, vt, vi, vp, irr., 2 p.p., ❖, réveiller ; éveiller

5 **despestañar**, vt, vp, arracher les cils (à qqn)

5 **despezonar**, vt, vp, ôter la queue, équeuter [un fruit] ; séparer, désunir [deux choses]

5 **despezuñarse**, vp, [un animal] s'abîmer les sabots ; *amér.*, se hâter ; désirer vivement

72 **despicar**, vt, vp, apaiser, rasséréner ; prendre sa revanche

5 **despichar**, vt, vi, dessécher ; presser ; *fam.*, casser sa pipe

5 **despilfarrar**, vt, vp, gaspiller ; dépenser sans compter

5 **despimpollar**, vt, ébourgeonner ; essarmenter [la vigne]

5 **despinochar**, vt, effeuiller [le maïs] ; ébrancher [les pins]

5 **despintar**, vt, vi, vp, [une peinture] effacer ; délaver ; déparer [à sa famille]

21 **despinzar**, vt, épinceter, énouer [un tissu]

5 **despiojar**, vt, vp, épouiller ; *fam.*, tirer de la misère

5 **despistar**, vt, vp, dépister, dérouter, semer ; s'égarer

57 **desplacer**, vt, irr., déplaire, peiner

5 **desplantar**, vt, vp, dépiquer, déplanter ; perdre l'équilibre

5 **desplatar**, vt, désargenter ; séparer l'argent [d'un autre métal]

5 **desplatear**, vt, vp, *amér.*, désargenter ; soutirer de l'argent

21 **desplazar**, vt, vp, déplacer

66 **desplegar**, vt, vp, irr., déplier ; déployer

5 **despleguetear**, vt, couper les vrilles
[de la vigne]

5 **desplomar**, vt, vp, faire perdre l'aplomb ;
s'écrouler

5 **desplumar**, vt, vp, déplumer, plumer ; dépouiller

38 **despoblar**, vt, vp, irr., ✦, dépeupler ; dégarnir

21 **despoetizar**, vt, dépoétiser

5 **despojar**, vt, vp, ✦, dépouiller, spolier ;
se déshabiller

21 **despolarizar**, vt, dépolariser

21 **despolitizar**, vt, dépolitiser

5 **despolvar**, vt, vp, épousseter, ôter la poussière

5 **despolvorear**, vt, épousseter ; rejeter,
faire disparaître

21 **despopularizar**, vt, vp, dépopulariser ;
perdre sa popularité

5 **desportillar**, vt, vp, ébrécher, égueuler

5 **desposar**, vt, vp, ✦, marier, épouser ;
se fiancer, se marier

26 **desposeer**, vt, vp, irr., ✦, déposséder, spolier

21 **despotizar**, vt, amér., agir en despote,
tyranniser

72 **despotricar**, vi, vp, ✦, fam., parler à tort
et à travers ; déblatérer

5 **despreciar**, vt, vp, mépriser, dédaigner

6 **desprender**, vt, vp, ✦, détacher ;
dégager [un gaz, une odeur]

5 **despreocuparse**, vp, ✦, s'affranchir
d'un préjugé ; se désintéresser, négliger

5 **despresar**, vt, amér., dépecer, découper
[un animal]

5 **desprestigiar**, vt, vp, faire perdre le prestige,
discréditer ; perdre son prestige

5 **desproporcionar**, vt, disproportionner

26 **desproveer**, vt, vp, irr., 2 p.p., ✦, démunir,
dépourvoir

5 **despulpar**, vt, dépulper

5 **despumar**, vt, écumer

5 **despuntar**, vt, vi, vp, ✦, épointer
[casser la pointe] ; bourgeonner

5 **desquebrajar**, vt, vp, fendiller

5 **desquejar**, vt, bouturer

64 **desquerer**, vt, cesser d'aimer, ne plus aimer

5 **desquiciar**, vt, vp, dégonder [une porte] ;
ébranler ; bouleverser ; détraquer

5 **desquijarar**, vt, vp, démantibuler

5 **desquijerar**, vt, araser [une planche]

5 **desquitar**, vt, vp, ✦, rattraper [une perte
au jeu] ; dédommager

5 **desramar**, vt, ébrancher, émonder

21 **desratizar**, vt, dératiser

5 **desrielar**, vi, amér., dérailler

5 **desriñonar**, vt, vp, éreinter, casser les reins

21 **desrizar**, vt, vp, défriser [les cheveux] ;
enlever les ris [d'une voile] ; se défriser

5 **desroblar**, vt, dériveter [un clou]

72 **destacar**, vt, vi, vp, ✦, détacher [des troupes] ;
faire ressortir ; briller, se distinguer

5 **destajar**, vt, traiter à forfait [un travail] ;
couper [les cartes]

5 **destallar**, vt, émonder, élaguer

5 **destalonar**, vt, vp, éculer [les chaussures]

5 **destapar**, vt, vp, ✦, déboucher ; découvrir

5 **destapiar**, vt, abattre les murs/la clôture

5 **destaponar**, vt, déboucher

5 **destarar**, vt, tarer, déduire la tare [d'un poids]

21 **destazar**, vt, dépecer, équarrir [les bêtes]

5 **destechar**, vt, enlever le toit/la toiture
[d'une maison]

5 **destejar**, vt, enlever les tuiles [d'un toit] ;
laisser sans abri

6 **destejer**, vt, détisser ; défaire

5 **destellar**, vi, vt, scintiller, briller, étinceler ;
émettre [des rayons de lumière]

5 **destemplar**, vt, vp, déranger, dérégler ;
faire infuser ; [l'acier] se détremper ;
s'emporter

68 **desteñir**, vt, vp, irr., déteindre

5 **desternillarse**, vp, ✦, rire à gorge déployée

56 **desterrar**, vt, vp, irr., ✦, exiler, bannir ;
s'expatrier

5 **desterronar**, vt, émotter

5 **destetar**, vt, vp, sevrer ; être sevré

5 **destilar**, vt, vi, vp, distiller ; suinter ; se filtrer

5 **destinar**, vt, vp, ✦, destiner, désigner
[à un poste] ; se destiner

45 **destituir**, vt, irr., ✦, destituer

22 **destorcer**, vt, vp, irr., détordre ; redresser

5 **destornillar**, vt, vp, dévisser ; perdre le tête,
divaguer

5 **destrabar**, vt, vp, désentraver [les animaux] ;
se dégager

5 **destramar**, vt, défaire la trame [d'un tissu]

21 **destrenzar**, vt, vp, dénatter ; détresser
[les cheveux]

5 **destripar**, vt, étriper, éventrer ;
couper son effet (à qqn)

21 **destrizar**, vt, vp, mettre en pièces ;
se consumer [de chagrin]

80 **destrocar**, vt, irr., annuler un échange

5 **destronar,** vt, détrôner

72 **destroncar,** vt, couper, abattre [un arbre]

21 **destrozar,** vt, vp, mettre en pièces, déchirer, briser

45 **destruir,** vt, vp, irr., détruire; réduire à néant

5 **desubstanciar; desustanciar,** vt, vp, affaiblir, annihiler

5 **desudar,** vt, vp, enlever la sueur; s'éponger

5 **desuerar,** vt, amér., délaiter [le beurre]

5 **desulfurar,** vt, désulfurer

86 **desuncir,** vt, dételer [les bœufs]

7 **desunir,** vt, vp, ✦, désunir; diviser

5 **desuñar,** vt, vp, arracher [les ongles, les racines]; fam., travailler d'arrache-pied, s'acharner [à un travail]

5 **desusar,** vt, vp, perdre l'habitude; passer de mode

5 **desvahar,** vt, argoter [une plante]

5 **desvainar,** vt, écosser [les légumes]

5 **desvalijar,** vt, dévaliser

5 **desvalorar,** vt, dévaloriser; déprécier

21 **desvalorizar,** vt, vp, dévaloriser, dévaluer [une monnaie]

54 **desvanecer,** vt, vp, irr., dissiper; s'évanouir; s'éventer

5 **desvarar,** vt, vi, vp, glisser; déséchouer, renflouer

43 **desvariar,** vi, délirer; déraisonner; divaguer

53 **desvastigar,** vt, émonder, élaguer

5 **desvedar,** vt, lever un interdit; ouvrir la chasse

5 **desvelar,** vt, vp, ✦, empêcher de dormir; se réveiller

5 **desvenar,** vt, enlever les veines [de la viande]; épuiser [un filon]; écôter [les feuilles de tabac]; courber [le mors d'un cheval]

5 **desvencijar,** vt, vp, détraquer, déglinguer; délabrer

5 **desvendar,** vt, vp, débander, ôter un bandeau/bandage

56 **desventar,** vt, irr., aérer

21 **desvergonzarse,** vp, ✦, manquer de respect (à qqn), être insolent ou grossier; se dévergonder

55 **desvestir,** vt, vp, irr., ✦, dévêtir, déshabiller

43 **desviar,** vt, vp, ✦, dévier; détourner

5 **desvincular,** vt, délier; détacher

5 **desvirar,** vt, rogner [la semelle d'une chaussure, un livre qu'on relie]

53 **desvirgar,** vt, déflorer, fam., dépuceler

9 **desvirtuar,** vt, vp, affaiblir [une chose]; dénaturer

21 **desvitalizar,** vt, dévitaliser

72 **desvitrificar,** vt, dévitrifier

7 **desvivirse,** vp, ✦, désirer vivement (qqch.)

5 **desvolcanarse,** vp, amér., s'écrouler, s'effondrer

5 **desyemar,** vt, ébourgeonner

5 **desyerbar,** vt, désherber, sarcler

53 **desyugar,** vt, dételer [les bœufs]

72 **deszulacar,** vt, déluter

5 **deszumar,** vt, vp, presser, exprimer le jus; perdre son jus

5 **detallar,** vt, détailler

5 **detectar,** vt, détecter

4 **detener,** vt, vp, irr., ✦, arrêter, suspendre (qqch.); mettre en état d'arrestation; détenir

5 **detentar,** vt, détenir (qqch.)

23 **deterger,** vt, déterger

5 **deteriorar,** vt, vp, détériorer, abîmer

5 **determinar,** vt, vp, ✦, déterminer, fixer; statuer

5 **detestar,** vt, ✦, détester

5 **detonar,** vi, détoner

5 **detractar,** vt, détracter, dénigrer

79 **detraer,** vt, vp, irr., ✦, détracter, dénigrer; dévier

5 **devalar,** vi, [un bateau] dériver

9 **devaluar,** vt, [une monnaie] dévaluer

5 **devanar,** vt, vp, dévider; bobiner, enrouler

5 **devanear,** vi, divaguer, délirer

5 **devastar,** vt, dévaster; ravager

53 **devengar,** vt, gagner, toucher [un salaire]

82 **devenir,** vi, irr., arriver, survenir, avoir lieu

84 **devolver,** vt, vp, irr., ✦, rendre, restituer; retourner, renvoyer; fam., rendre, vomir

5 **devorar,** vt, dévorer

5 **diablear,** vi, fam., [un enfant] faire le diable

72 **diagnosticar,** vt, diagnostiquer

21 **dializar,** vt, dialyser

53 **dialogar,** vi, vt, dialoguer

5 **diamantar,** vt, diamanter

5 **dibujar,** vt, vp, dessiner

5 **dictaminar,** vi, ✦, opiner, estimer; donner son avis

5 **dictar,** vt, dicter; édicter

5 **diezmar,** vt, décimer; payer la dîme [à l'Église]

5 **difamar,** vt, diffamer

5 **diferenciar,** vt, vi, vp, ✦, différencier; différer

76 **diferir,** vt, vi, irr., ✦, différer

5 **dificultar,** vt, vi, rendre difficile; trouver difficile

45 **difluir,** vi, irr., diffluer, se répandre

5 **difractar,** vt, vp, diffracter

5 **difuminar,** vt, vp, estomper

7 **difundir,** vt, vp, 2 p.p., ✧, diffuser, répandre ; divulguer

76 **digerir,** vt, irr., digérer ; avaler [une offense] ; assimiler

21 **digitilizar,** vt, digitaliser, numériser

5 **dignarse,** vp, ✧, daigner, avoir la bonté de

5 **dilapidar,** vt, dilapider

5 **dilatar,** vt, vi, vp, ✧, dilater ; retarder ; s'attarder

5 **diligenciar,** vt, diligenter ; faire suivre son cours [à une affaire]

5 **dilucidar,** vt, élucider

45 **diluir,** vt, vp, irr., ✧, diluer, délayer

5 **diluviar,** vi, imp., pleuvoir à verse/à torrents

5 **dimanar,** vi, ✧, [l'eau] couler, jaillir ; provenir, émaner

7 **dimitir,** vt, vi, ✧, démissionner, se démettre

5 **dinamitar,** vt, dynamiter

5 **diñar,** vt, vp, fam., donner ; casser sa pipe ; se barrer

5 **diplomar,** vt, vp, diplômer

53 **diptongar,** vt, ✧, diphtonguer

5 **diputar,** vt, ✧, députer, déléguer, mandater

32 **dirigir,** vt, vp, ✧, diriger ; adresser ; réaliser, mettre en scène

7 **dirimir,** vt, dirimer, annuler ; trancher, régler

33 **discernir,** vt, irr., ✧, discerner ; nommer à une tutelle

5 **disciplinar,** vt, vp, discipliner ; appliquer la discipline

9 **discontinuar,** vt, discontinuer

38 **discordar,** vi, irr., ✧, discorder ; être en désaccord

5 **discrepar,** vi, ✧, diverger ; différer d'opinion

5 **discretear,** vi, faire de l'esprit ; chuchoter

5 **discriminar,** vt, discriminer

5 **disculpar,** vt, vp, ✧, disculper ; excuser

7 **discurrir,** vi, vt, ✧, penser, réfléchir ; parcourir, aller ; imaginer ; [les liquides] couler

5 **discursear,** vi, faire des discours, pérorer

7 **discutir,** vt, vi, ✧, discuter ; disputer

72 **disecar,** vt, disséquer ; empailler [des animaux morts]

5 **diseminar,** vt, vp, ✧, disséminer

76 **disentir,** vi, irr., ✧, dissentir ; différer (d'opinion avec qqn)

5 **diseñar,** vt, dessiner

5 **disertar,** vi, ✧, disserter

21 **disfrazar,** vt, vp, ✧, déguiser, travestir, masquer

5 **disfrutar,** vt, vi, ✧, profiter (de qqch.) ; jouir, tirer plaisir

5 **disfumar,** vt, estomper

53 **disgregar,** vt, vp, ✧, désagréger

5 **disgustar,** vt, vp, ✧, déplaire, contrarier ; se fâcher

7 **disidir,** vi, faire dissidence, se séparer

5 **disimilar,** vt, vp, dissimiler

5 **disimular,** vt, vi, irr., ✧, dissimuler, feindre d'ignorer

5 **disipar,** vt, vp, ✧, dissiper ; s'évaporer

72 **dislocar,** vt, vp, disloquer ; déboîter, luxer

45 **disminuir,** vt, vi, vp, irr., ✧, diminuer ; décroître

5 **disociar,** vt, vp, dissocier

84 **disolver,** vt, vp, irr., ✧, dissoudre, disperser, désunir

38 **disonar,** vi, irr., ✧, dissoner ; différer ; détonner

5 **disparar,** vt, vi, vp, ✧, tirer [un coup de feu] ; faire feu

5 **disparatar,** vi, déraisonner ; dire des sottises

5 **dispensar,** vt, vp, ✧, dispenser ; accorder ; excuser

5 **dispersar,** vt, vp, ✧, disperser

57 **displacer,** vt, irr., déplaire

60 **disponer,** vt, vi, vp, irr., ✧, disposer, ordonner

5 **disputar,** vt, vi, vp, ✧, disputer (qqch.) ; discuter

5 **distanciar,** vt, vp, ✧, éloigner, écarter

5 **distar,** vi, ✧, être distant/éloigné/différent

29 **distender,** vt, vp, irr., distendre

34 **distinguir,** vt, vp, ✧, distinguer ; rendre hommage

5 **distorsionar,** vt, dénaturer

79 **distraer,** vt, vp, irr., ✧, distraire ; amuser ; détourner

45 **distribuir,** vt, vp, irr., ✧, distribuer

5 **disturbar,** vt, perturber, troubler

7 **disuadir,** vt, ✧, dissuader

53 **divagar,** vi, ✧, divaguer

32 **divergir,** vi, diverger

72 **diversificar,** vt, vp, diversifier

76 **divertir,** vt, vp, irr., ✧, divertir, amuser ; se distraire

7 **dividir,** vt, vp, 2 p.p., ✧, diviser, partager ; se séparer (de qqn)

21 **divinizar,** vt, diviniser ; déifier ; sanctifier

5 **divisar,** vt, distinguer, apercevoir

5 **divorciar,** vt, vp, ✧, divorcer

53 **divulgar,** vt, vp, ❖, divulguer; ébruiter; se répandre

5 **dobladillar,** vt, ourler [un vêtement]

5 **doblar,** vt, vi, vp, ❖, plier; doubler; sonner le glas

53 **doblegar,** vt, vp, plier; assouplir; fléchir

5 **doctorar,** vt, vp, conférer; obtenir le doctorat

5 **doctorear,** vi, fam., pontifier, faire l'important

5 **doctrinar,** vt, instruire, endoctriner

5 **documentar,** vt, vp, documenter

21 **dogmatizar,** vt, vi, dogmatiser

38 **dolar,** vt, irr., doler

50 **doler,** vi, vp, irr., ❖, avoir mal, faire mal; coûter; se repentir; compatir

5 **domar,** vt, dompter, dresser [un animal]

5 **domeñar,** vt, dompter; dominer (qqn)

72 **domesticar,** vt, vp, apprivoiser, domestiquer

5 **domiciliar,** vt, vp, ❖, domicilier

5 **dominar,** vt, vi, vp, ❖, dominer, maîtriser; contenir; surplomber

5 **donar,** vt, faire un don; offrir

5 **dopar,** vt, vp, doper

5 **dorar,** vt, vp, dorer

35 **dormir,** vi, vt, vp, irr., ❖, dormir, endormir

5 **dormitar,** vi, sommeiller, somnoler

72 **dosificar,** vt, doser

5 **dotar,** vt, ❖, doter; pourvoir; affecter

5 **dovelar,** vt, tailler des pierres en voussoir

53 **dragar,** vt, draguer

21 **dramatizar,** vt, dramatiser

5 **drapear,** vt, vp, draper

5 **drenar,** vt, drainer

5 **driblar,** vt, vi, dribbler [dans divers sports]

21 **drizar,** vt, navig., hisser les vergues

53 **drogar,** vt, droguer; doper

5 **duchar,** vt, vp, doucher

5 **dudar,** vi, vt, ❖, douter; hésiter; mettre en doute

72 **dulcificar,** vt, vp, adoucir, dulcifier

5 **dulzurar,** vt, dessaler; édulcorer

72 **duplicar,** vt, vp, doubler; multiplier par deux; reproduire

5 **durar,** vi, ❖, durer; se prolonger; rester, demeurer

E

5 **echar,** vt, vi, vp, ❖, jeter, lancer; expulser (qqn); congédier; se verser; s'étendre

5 **eclipsar,** vt, vp, éclipser

5 **eclosionar,** vi, éclore [une fleur]

21 **economizar,** vt, économiser

72 **edificar,** vt, ❖, édifier, bâtir, construire

5 **editar,** vt, ❖, éditer

72 **educar,** vt, vp, ❖, éduquer; élever

61 **educir,** vt, irr., déduire

5 **edulcorar,** vt, édulcorer

9 **efectuar,** vt, vp, effectuer, réaliser; avoir lieu

54 **eflorecerse,** vp, irr., s'effleurir; tomber en efflorescence

5 **egresar,** vi, sortir d'une école [après avoir terminé ses études]

5 **ejecutar,** vt, exécuter [une œuvre d'art, un condamné]; jouer [au théâtre]

43 **ejecutoriar,** vt, confirmer [un jugement]; contrôler

21 **ejemplarizar,** vt, donner l'exemple

72 **ejemplificar,** vt, démontrer/illustrer par des exemples

49 **ejercer,** vt, vi, ❖, exercer; faire usage de

5 **ejercitar,** vt, vp, ❖, exercer [un art, une profession]; entraîner (qqn)

5 **elaborar,** vt, élaborer

72 **electrificar,** vt, électrifier

21 **electrizar,** vt, vp, électriser

5 **electrocutar,** vt, vp, électrocuter

21 **electrolizar,** vt, électrolyser

36 **elegir,** vt, irr., 2 p.p., ❖, choisir; élire

5 **elevar,** vt, vp, ❖, élever; monter; s'enorgueillir

7 **elidir,** vt, élider

5 **eliminar,** vt, vp, ❖, éliminer

5 **elogiar,** vt, louer, faire l'éloge de

5 **elucidar,** vt, élucider

5 **elucubrar,** vt, élucubrer

5 **eludir,** vt, éluder

5 **emanar,** vi, vt, ❖, émaner

5 **emancipar,** vt, vp, ❖, émanciper; affranchir

5 **emascular,** vt, émasculer

5 **embadurnar,** vt, vp, ❖, barbouiller; enduire

8 **embaír,** vt, déf., irr., tromper, duper, abuser

5 **embalar,** vt, vi, vp, emballer

5 **embaldosar,** vt, daller, carreler

5 **emballenar,** vt, baleiner

5 **embalsamar,** vt, vp, embaumer

5 **embalsar,** vt, vi, vp, retenir [l'eau]; former une mare

5 **embanastar,** vt, vp, mettre dans une corbeille

72 **embancarse,** vp, s'échouer; amér., s'embourber

21 **embarazar,** vt, vp, ❖, embarrasser; gêner;
être embarrassé

54 **embarbecer,** vi, irr., commencer à avoir
de la barbe

5 **embarbillar,** vt, vi, embrever

72 **embarcar,** vt, vp, ❖, embarquer

5 **embardar,** vt, garnir de ronces
[la crête d'un mur]

53 **embargar,** vt, embarrasser, gêner; saisir;
séquestrer

21 **embarnizar,** vt, vernir

72 **embarrancar,** vi, vt, vp, s'échouer; s'embourber

5 **embarrar,** vt, vp, crotter; couvrir de boue

5 **embarrilar,** vt, encaquer [des harengs];
entonner

5 **embarullar,** vt, embrouiller; amér., bâcler

5 **embastar,** vt, bâtir, faufiler; piquer
[un matelas]; bâter [une bête de somme]

54 **embastecer,** vi, vp, irr., engraisser;
devenir grossier

72 **embaucar,** vt, ❖, leurrer, tromper, duper;
séduire

15 **embaular,** vt, mettre dans une malle;
fam., s'empiffrer

21 **embazar,** vt, vi, vp, embarrasser;
se charger [l'estomac]

54 **embebecer,** vt, vp, irr., ❖, ravir, fasciner;
s'extasier

6 **embeber,** vt, vi, vp, ❖, absorber [un liquide];
imbiber; rétrécir

72 **embelecar,** vt, tromper, leurrer, enjôler

5 **embelesar,** vt, vp, ❖, ravir; éblouir

54 **embellaquecerse,** vp, irr., devenir fripon

54 **embellecer,** vt, vp, irr., embellir; parer, orner

54 **embermejecer,** vt, vi, vp, irr., teindre en rouge;
rougir, faire rougir [de honte]

5 **emberrincharse,** vp, fam., piquer une colère

55 **embestir,** vt, vi, irr., ❖, assaillir, attaquer;
charger

5 **embetunar,** vt, cirer [les chaussures]; bitumer

72 **embicar,** vt, apiquer [le vergues];
lofer [venir au vent]

5 **embijar,** vt, colorer ou peindre en rouge

72 **embizcar,** vi, vp, loucher, devenir bigle

54 **emblandecer,** vt, vp, irr., ramollir, amollir;
s'attendrir

54 **emblanquecer,** vt, vp, irr., blanchir

5 **embobar,** vt, vp, ❖, ébahir, enjôler;
rester bouche bée

54 **embobecer,** vt, vp, irr., rendre stupide, abêtir

72 **embocar,** vt, vp, ❖, mettre [dans la bouche];
fourrer; emboucher [un instrument]

53 **embodegar,** vt, encaver, mettre en cave

5 **embolar,** vt, vp, bouler [des cornes
d'un taureau]; cirer [les chaussures]

5 **embolismar,** vt, cancaner, potiner

5 **embolsar,** vt, vp, embourser; empocher,
toucher [de l'argent]

5 **embonar,** vt, améliorer, bonifier;
fertiliser [la terre]

53 **emboñigar,** vt, bouser, enduire, couvrir de bouse

5 **emboquillar,** vt, garnir d'un bout filtre
[une cigarette]; ouvrir [une mine, un tunnel]

5 **emborrachar,** vt, vp, ❖, enivrer; soûler

5 **emborrar,** vt, rembourrer, embourrer

72 **emborrascar,** vt, vp, irriter; [le temps] se gâter;
se fâcher

21 **emborrazar,** vt, barder [une volaille]

72 **emborricarse,** vp, fam., être troublé;
s'amouracher

21 **emborrizar,** vt, drousser [la laine];
paner [viande, poisson]

5 **emborronar,** vt, barbouiller; griffonner, gribouiller

5 **emborrullarse,** vp, fam., se chamailler
[bruyamment]

72 **emboscar,** vt, vp, ❖, embusquer

54 **embosquecer,** vi, irr., se boiser [un terrain]

5 **embotar,** vt, vp, émousser; engourdir

5 **embotellar,** vt, vp, embouteiller;
apprendre [par cœur]

5 **embotijar,** vt, vp, mettre dans des cruches;
fam., prendre du ventre, s'enfler; se fâcher

5 **embovedar,** vt, voûter

5 **embozalar,** vt, museler

21 **embozar,** vt, vp, ❖, cacher, dissimuler (qqch.);
cacher le bas de son visage

53 **embragar,** vt, vi, vp, embrayer;
attacher [un colis avec un brayer]

54 **embravecer,** vt, vp, irr., ❖, irriter, rendre furieux

5 **embrear,** vt, goudronner

53 **embriagar,** vt, vp, ❖, enivrer, soûler

5 **embridar,** vt, brider [un cheval]

72 **embrocar,** vt, vp, transvaser [un liquide];
renverser; clouer [une semelle]

5 **embrochalar,** vt, enchevêtrer

5 **embrollar,** vt, vp, embrouiller; brouiller

5 **embromar,** vt, vp, mystifier; berner;
se moquer; amér., ennuyer, faire du tort

5 **embroquetar,** vt, mettre à la broche
[une volaille]

5 **embrujar,** vt, ensorceler, envoûter

54 **embrutecer,** vt, vp, irr., abrutir, abêtir

5 **embuchar,** vt, vp, gaver [une volaille] ;
fam., engloutir

5 **embudar,** vt, placer un entonnoir ;
rabattre [le gibier]

5 **emburujar,** vt, vp, entasser pêle-mêle ;
amér., s'emmitoufler

7 **embutir,** vt, vp, ❖, faire de la charcuterie ;
fourrer, bourrer ; emboutir [un métal]

23 **emerger,** vi, ❖, émerger, surgir

5 **emigrar,** vi, ❖, émigrer

7 **emitir,** vt, ❖, émettre

5 **emocionar,** vt, vp, ❖, émouvoir, émotionner

72 **empacar,** vt, vi, vp, emballer ;
amér., faire ses valises ; s'entêter, se troubler

5 **empachar,** vt, vp, ❖, charger l'estomac ;
avoir une indigestion

5 **empadrarse,** vp, s'attacher avec excès
à ses parents

5 **empadronar,** vt, vp, recenser [la population
d'une localité]

5 **empajar,** vt, vp, empailler, pailler ;
amér., couvrir [une toiture] de chaumes

53 **empalagar,** vt, vp, ❖, écœurer, dégoûter
[par des aliments] ; ennuyer

5 **empalar,** vt, vp, empaler ;
amér., s'entêter, s'engourdir

21 **empalizar,** vt, palissader

5 **empalmar,** vt, vi, vp, ❖, embrancher ;
correspondre [autobus, trains...]

5 **empanar,** vt, paner, enrober [de chapelure] ;
emblaver

5 **empantanar,** vt, vp, inonder, embourber ;
paralyser [une affaire]

5 **empañar,** vt, vp, embuer [un objet brillant] ;
ternir [la réputation] ; emmailloter

5 **empapar,** vt, vp, ❖, tremper ; imbiber ;
absorber

5 **empapelar,** vt, envelopper [dans du papier] ;
tapisser [les murs]

21 **empapuzar,** vt, vp, ❖, *fam.*, gaver (qqn)
de nourriture

5 **empaquetar,** vt, empaqueter ; entasser
[des gens]

5 **emparamar,** vt, vp, *amér.*, transir, geler ;
tremper

5 **emparchar,** vt, vp, appliquer un emplâtre

5 **emparedar,** vt, vp, emmurer, claquemurer,
cloîtrer

5 **emparejar,** vt, vi, vp, ❖, assortir, accoupler ;
rattraper (qqn) ;
former la paire [deux choses]

56 **emparentar,** vi, vt, irr., ❖, s'apparenter,
s'allier ; apparenter

5 **emparrillar,** vt, griller [sur un barbecue] ;
construire une armature
[dans des fondations]

5 **emparvar,** vt, faire l'airée

5 **empastar,** vt, vp, empâter ; plomber [une dent]

5 **empatar,** vt, vi, vp, ❖, égaliser ; faire match nul

5 **empavesar,** vt, pavoiser ; voiler [occulter
un monument]

5 **empavonar,** vt, vp, bleuir [les métaux] ;
amér., enduire

5 **empecinar,** vt, vp, poisser, empoisser ;
s'obstiner, s'entêter

8 **empedernir,** vt, vp, déf., endurcir ;
devenir insensible

56 **empedrar,** vt, irr., ❖, paver, empierrer

53 **empegar,** vt, poisser, empoisser

5 **empellar,** vt, bousculer, pousser fortement

5 **empelotarse,** vp, *fam.*, s'emmêler ;
fam., amér., se mettre à poil

5 **empenachar,** vt, empanacher

5 **empeñar,** vt, vp, ❖, engager ; s'endetter ;
s'entêter, s'obstiner

5 **empeorar,** vt, vi, vp, empirer, aggraver

54 **empequeñecer,** vt, irr., rapetisser, amoindrir

5 **emperchar,** vt, vp, accrocher, suspendre
[à un portemanteau] ; se prendre au lacet

7 **empercudir,** vt, vp, tacher, salir ; mal laver
le linge

53 **emperdigar,** vt, faire revenir [la viande] ;
cuire à petit feu

5 **emperejilar,** vt, vp, *fam.*, pomponner, parer ;
se mettre sur son trente et un

21 **emperezar,** vi, vt, vp, fainéanter, se laisser
aller à la paresse

5 **empergaminar,** vt, relier en parchemin
[les livres]

5 **empernar,** vt, boulonner

5 **emperrarse,** vp, ❖, s'entêter, s'obstiner

37 **empezar,** vt, vi, irr., ❖, commencer

5 **empicotar,** vt, pilorier, mettre au pilori

5 **empilar,** vt, empiler

5 **empinar,** vt, vp, dresser ; incliner ;
se dresser sur la pointe des pieds

5 **empingorotar,** vt, vp, *fam.*, élever, jucher ;
monter

5 **empiparse,** vp, *fam., amér., s'empiffrer*

5 **empitonar,** vt, *encorner*

5 **empizarrar,** vt, *ardoiser*

5 **emplastar,** vt, vp, *emplâtrer; farder, maquiller*

54 **emplastecer,** vt, irr., *abreuver [une toile], apprêter*

21 **emplazar,** vt, *assigner un rendez-vous (à qqn), citer; convoquer; placer*

5 **emplear,** vt, vp, ❖, *employer*

54 **emplebeyecer,** vt, irr., *donner un caractère plébéien*

5 **emplomar,** vt, *plomber [recouvrir de plomb]; plomber [un colis par la douane]; amér., plomber [une dent]*

5 **emplumar,** vt, vi, vp, *emplumer; empenner [une flèche]; se couvrir de plumes*

54 **emplumecer,** vi, irr., *se couvrir de plumes*

54 **empobrecer,** vt, vi, vp, irr., *appauvrir*

54 **empodrecer,** vi, vp, irr., *pourrir*

5 **empollar,** vt, vi, vp, *[les oiseaux] couver; potasser, bûcher [une question, une matière]; [les abeilles] pondre le couvain*

5 **empolvar,** vt, vp, *couvrir de poussière; se poudrer*

5 **empolvorar,** vt, *couvrir de poussière*

21 **empolvorizar,** vt, *couvrir de poussière*

5 **emponzoñar,** vt, vp, ❖, *empoisonner, envenimer*

5 **empopar,** vi, vp, *navig., naviguer vent arrière*

80 **emporcar,** vt, vp, irr., *fam., cochonner, salir*

5 **emporrarse,** vp, *fam., fumer [des joints]*

5 **empotrar,** vt, ❖, *sceller; encastrer*

21 **empozar,** vt, vi, vp, *mettre, jeter dans un puits; rouir [le chanvre]; amér., [l'eau] stagner; tomber dans l'oubli*

21 **empradizar,** vt, vp, *convertir en pré*

6 **emprender,** vt, ❖, *entreprendre*

5 **empreñar,** vt, vp, *féconder [une femelle]; devenir grosse*

5 **emprimar,** vt, *recarder [la laine]; apprêter [une toile]*

5 **empujar,** vt, vi, ❖, *pousser; bousculer; chasser [d'un emploi]*

5 **empuñar,** vt, *empoigner; saisir*

5 **emular,** vt, vp, ❖, *rivaliser (avec qqn)*

5 **emulsionar,** vt, ❖, *émulsionner*

5 **enaceitar,** vt, vp, *huiler; devenir huileux/rance*

5 **enacerar,** vt, *durcir, donner la dureté de l'acier*

17 **enaguar,** vt, *noyer [un vin, une sauce]*

21 **enaguazar,** vt, vp, *inonder [une terre]*

5 **enajenar,** vt, vp, ❖, *aliéner; mettre hors de soi; perdre le contrôle de soi*

5 **enalbar,** vt, *chauffer [le fer] à blanc*

5 **enalbardar,** vt, *bâter [une bête de somme]; paner; barder*

54 **enaltecer,** vt, vp, irr., *exalter, louer*

5 **enamorar,** vt, vp, ❖, *énamourer; courtiser; tomber amoureux, s'éprendre (de qqn)*

72 **enamoricarse; enamoriscarse,** vp, ❖, *fam., s'amouracher*

5 **enanchar,** vt, *fam., élargir*

5 **enarbolar,** vt, vp, *arborer [le drapeau]; se fâcher*

72 **enarcar,** vt, vp, *arquer, courber; cercler [les tonneaux]*

54 **enardecer,** vt, vp, irr., *échauffer, exciter*

5 **enarenar,** vt, vp, *sabler, ensabler; engraver*

5 **enastar,** vt, *emmancher [une arme d'hast]*

53 **encabalgar,** vi, vt, vp, *être à cheval; pourvoir de chevaux*

5 **encaballar,** vt, vi, vp, *embrocher, emboîter [les tuiles]; chevaucher [texte mal aligné]*

5 **encabestrar,** vt, vp, *enchevêtrer [mettre le licou]*

21 **encabezar,** vt, vp, *recenser; établir le rôle [des contributions]; être en tête*

5 **encabritarse,** vp, *[les chevaux] se cabrer; [un avion] monter en chandelle*

5 **encabronar,** vt, vp, *fam., irriter, exaspérer; rendre furieux*

5 **encachar,** vt, vp, *construire un radier*

5 **encadenar,** vt, *enchaîner*

5 **encajar,** vt, vi, vp, ❖, *emboîter; encastrer; joindre; s'introduire*

5 **encajonar,** vt, vp, *encaisser, mettre dans une caisse; faire un coffrage*

21 **encalabozar,** vt, *fam., mettre au cachot; coffrer*

5 **encalabrinar,** vt, vp, ❖, *étourdir, entêter; exciter*

5 **encalar,** vt, ❖, *blanchir à la chaux; chauler*

5 **encallar,** vi, vp, ❖, *échouer; être dans une impasse*

54 **encallecer,** vi, vp, irr., *devenir calleux; s'endurcir*

5 **encalmarse,** vp, *[le vent] se calmer; [le temps] se rasséréner*

54 **encalvecer,** vi, irr., *devenir chauve*

5 **encamar,** vt, vp, *coucher, étendre; s'aliter*

5 **encambijar,** vt, *canaliser les eaux*

5 **encaminar,** vt, vp, ❖, *acheminer (qqn); diriger, montrer le chemin; se mettre en route*

5 **encamisar**, vt, vp, mettre la chemise (à qqn);
   mettre une housse

5 **encamotarse**, vp, *fam., amér.*, s'amouracher

5 **encampanar**, vt, vp, élever, hausser;
   s'évaser, s'élargir

5 **encanalar**, vt, vp, canaliser [un cours d'eau];
   [un bateau] s'engager dans un canal

21 **encanalizar**, vt, canaliser [un cours d'eau]

5 **encanallar**, vt, vp, encanailler

5 **encanastar**, vt, mettre dans une corbeille

5 **encancerarse**, vp, devenir cancéreux

54 **encandecer**, vt, irr., chauffer à blanc

5 **encandelar**, vi, fleurir en chatons

5 **encandilar**, vt, vp, éblouir; briller, s'allumer

54 **encanecer**, vi, vt, vp, irr., ✥, [les cheveux]
   blanchir, grisonner; vieillir (qqn)

5 **encanijar**, vt, vp, rendre chétif, malingre; dépérir

5 **encanillar**, vt, bobiner, embobiner [le fil]

5 **encantar**, vt, enchanter, ravir

5 **encanutar**, vt, vp, enrouler [en forme de tuyau];
   introduire [dans un tube]

5 **encañar**, vt, vi, conduire, canaliser [l'eau];
   drainer [un terrain]

5 **encañonar**, vt, vi, introduire dans un tuyau;
   canaliser [les eaux]; braquer [une arme]

5 **encapachar**, vt, mettre dans un cabas

5 **encapillar**, vt, vp, capeler; élargir [une galerie];
   passer [un vêtement par la tête]

5 **encapirotar**, vt, vp, encapuchonner;
   chaperonner [un faucon]

5 **encapotar**, vt, vp, couvrir d'un manteau;
   se couvrir

5 **encapricharse**, vp, ✥, s'obstiner, s'entêter,
   s'enticher

5 **encapsular**, vt, capsuler

5 **encapuchar**, vt, vp, encapuchonner

21 **encapuzar**, vt, vp, encapuchonner

5 **encaramar**, vt, vp, ✥, élever; jucher; hisser

5 **encarar**, vi, vt, vp, ✥, affronter; braquer
   [une arme à feu]

5 **encarcelar**, vt, emprisonner, incarcérer,
   écrouer; sceller [une pièce de bois/de fer]

54 **encarecer**, vt, vi, vp, irr., renchérir
   [une marchandise]; enchérir

53 **encargar**, vt, vp, ✥, charger; commander

5 **encariñar**, vt, vp, ✥, faire aimer;
   s'attacher (à qqn)

5 **encarnar**, vt, vi, vp, incarner; [un ongle]
   s'incarner; personnifier

54 **encarnecer**, vi, irr., grossir, engraisser; s'étoffer

21 **encarnizar**, vt, vp, ✥, [un chien] acharner;
   déchaîner

5 **encarpetar**, vt, ranger [dans un dossier];
   amér., enterrer [une affaire]

5 **encarrilar**, vt, vp, acheminer, diriger;
   se coincer [un cordage]

5 **encarroñar**, vt, vp, corrompre, pourrir,
   décomposer

5 **encarrujarse**, vp, se tordre, se tortiller
   [le fil, les cheveux]

5 **encartar**, vt, vp, ✥, condamner [par contumace];
   inscrire [sur le rôle des contributions]

5 **encartonar**, vt, cartonner

5 **encascabelar**, vt, vp, orner; garnir de grelots

5 **encascotar**, vt, garnir de gravats [une cavité]

5 **encasillar**, vt, vp, ✥, inscrire [dans des cases];
   classer, ordonner

5 **encasquetar**, vt, vp, enfoncer sur la tête;
   se mettre ou se fourrer dans la tête

5 **encasquillar**, vt, vp, s'enrayer [une arme à feu];
   amér., ferrer [un cheval]

5 **encastillar**, vt, vp, ✥, fortifier [une place];
   se retrancher

5 **encastrar**, vt, encastrer;
   endenter [deux pièces]

5 **encauchar**, vt, caoutchouter

5 **encausar**, vt, traduire en justice,
   mettre en accusation

72 **encausticar**, vt, encaustiquer

21 **encauzar**, vt, ✥, diriger, endiguer, canaliser

5 **encebadar**, vt, vp, gaver d'orge/d'avoine
   [un cheval]

5 **encebollar**, vt, assaisonner [avec beaucoup]
   d'oignons

54 **enceguecer**, vt, vi, vp, irr., aveugler

5 **encelar**, vt, vp, rendre jaloux; devenir jaloux

5 **encellar**, vt, mettre en forme,
   mettre à égoutter [le fromage]

53 **encenagarse**, vp, ✥, s'embourber;
   se livrer [aux vices]

29 **encender**, vt, vp, irr., ✥, allumer; enflammer;
   incendier

21 **encenizar**, vt, vp, couvrir de cendres

56 **encentar**, vt, vp, irr., entamer,
   couper le premier morceau

5 **encepar**, vt, vi, vp, mettre le carcan
   [à un prisonnier]; s'enraciner

5 **encerar**, vt, vi, vp, cirer, tacher de cire;
   dorer [les moissons]

5 **encerotar**, vt, poisser [le fil]

56 **encerrar,** vt, vp, irr., ✧, enfermer (qqn ou qqch.);
    interner [un aliéné]; se cloîtrer
5 **encespedar,** vt, gazonner, engazonner
5 **encestar,** vt, vi, mettre dans un panier;
    faire un panier [au basket]
72 **enchalecar,** vt, empocher, mettre dans
    sa poche; amér., mettre une camisole
    de force
5 **enchancletar,** vt, vp, chausser [des mules]
5 **enchapar,** vt, plaquer
72 **encharcar,** vt, vp, ✧, inonder, détremper
    [le sol]; être inondé
5 **enchicharse,** vp, amér., s'enivrer
    [avec de la chicha]
5 **enchilar,** vt, vp, amér., assaisonner
    [au piment]; s'irriter
5 **enchinar,** vt, cailllouter, empierrer;
    amér., friser [les cheveux]
5 **enchinarrar,** vt, empierrer de gros cailloux
5 **enchiquerar,** vt, mettre au toril;
    fam., coffrer, emprisonner
5 **enchironar,** vt, fam., coffrer, emprisonner
5 **enchivarse,** vp, amér., se fâcher tout rouge
5 **enchufar,** vt, vi, vp, brancher [un appareil];
    raccorder [deux tuyaux]; se raccorder;
    fam., pistonner (qqn)
5 **encimar,** vt, vi, vp, mettre au-dessus,
    surélever; amér., ajouter
5 **encintar,** vt, enrubanner; faire la bordure
    [d'un trottoir]
5 **encismar,** vt, provoquer un schisme
5 **encizañar,** vt, semer la discorde; semer la zizanie
5 **enclaustrar,** vt, vp, cloîtrer
5 **enclavar,** vt, clouer; enclouer [un cheval];
    enclaver
5 **enclavijar,** vt, cheviller
80 **enclocar,** vi, vp, irr., vouloir couver;
    se mettre à couver
5 **encobrar,** vt, cuivrer
5 **encocorar,** vt, fam., ennuyer, embêter
5 **encofrar,** vt, coffrer [une galerie, pour le béton]
23 **encoger,** vt, vi, vp, ✧, rétrécir, rapetisser;
    se serrer
5 **encolar,** vt, vp, coller; encoller [du papier peint]
21 **encolerizar,** vt, vp, irriter, mettre en colère
56 **encomendar,** vt, vi, vp, irr., ✧, charger (qqn
    de faire qqch.); se recommander (à qqn)
5 **encomiar,** vt, louer, vanter, louanger
5 **encompadrar,** vi, fam., devenir copains,
    fraterniser

5 **enconar,** vt, vp, ✧, enflammer, envenimer;
    irriter
38 **encontrar,** vt, vi, vp, irr., ✧, trouver; heurter;
    rencontrer
5 **encopetar,** vt, vp, élever, rehausser;
    prendre des grands airs
5 **encorajinar,** vt, vp, entrer en fureur,
    se mettre en rage
38 **encorar,** vt, vi, vp, irr., couvrir de cuir;
    se cicatriser
5 **encorchar,** vt, boucher [les bouteilles];
    récolter [un essaim d'abeilles]
5 **encorchetar,** vt, mettre des agrafes; agrafer;
    cramponner [des pierres]
38 **encordar,** vt, vp, irr., corder; s'encorder
5 **encordelar,** vt, cordeler, ficeler
5 **encordonar,** vt, garnir de cordons
21 **encorozar,** vt, mettre la cagoule
    [à un condamné]
5 **encorralar,** vt, parquer [le bétail]
5 **encorsetar,** vt, vp, corseter
5 **encorvar,** vt, vp, courber; plier (qqch.);
    voûter [une personne]
5 **encostalar,** vt, ensacher
5 **encostrar,** vt, vi, vp, encroûter [un gâteau,
    un mur]
38 **encovar,** vt, vp, irr., enfermer; cacher
5 **encrasar,** vt, vp, [un liquide] épaissir; fumer,
    fertiliser [la terre]
5 **encrespar,** vt, vp, friser; hérisser [les cheveux];
    [la mer] s'agiter
5 **encristalar,** vt, vitrer
54 **encrudecer,** vt, vi, vp, irr., durcir, irriter;
    [le temps] refroidir
5 **encuadernar,** vt, ✧, relier
5 **encuadrar,** vt, ✧, encadrer; cadrer; embrigader
5 **encubar,** vt, encuver; cuveler en rond
    [l'intérieur d'un puits]
7 **encubrir,** vt, vp, p.p., cacher, dissimuler; receler
5 **encuerar,** vt, vp, amér., déshabiller;
    dépouiller [au jeu]
5 **encuestar,** vt, vi, enquêter; interroger; sonder
5 **encumbrar,** vt, vp, ✧, élever; exalter, vanter;
    s'enorgueillir
5 **encunar,** vt, mettre au berceau; encorner
7 **encurtir,** vt, confire dans du vinaigre
5 **endemoniar,** vt, vp, ensorceler; irriter, enrager
56 **endentar,** vt, irr., endenter [une roue
    et un pignon]
54 **endentecer,** vi, irr., [un enfant] faire ses dents

21 **enderezar**, vt, vi, vp, redresser; se diriger

5 **endeudarse**, vp, s'endetter; se reconnaître débiteur

5 **endiablar**, vt, vp, ensorceler; se mettre en colère

53 **endilgar**, vt, *fam.*, acheminer, expédier

5 **endiñar**, vt, flanquer, donner [une gifle]

5 **endiosar**, vt, vp, déifier, diviniser; s'enorgueillir

53 **endomingarse**, vp, s'endimancher

5 **endosar**, vt, endosser

5 **endoselar**, vt, couvrir d'un dais

21 **endulzar**, vt, vp, sucrer; édulcorer; adoucir

5 **endurar**, vt, vp, endurcir; économiser; endurer

54 **endurecer**, vt, vp, irr., ❖, durcir; endurcir

5 **enemistar**, vt, vp, ❖, brouiller (avec qqn); fâcher

5 **enervar**, vt, vp, énerver; affaiblir

5 **enfadar**, vt, vp, ❖, agacer, contrarier; fâcher, mettre en colère

5 **enfaldar**, vt, vp, relever, retrousser [les jupes]; élaguer, couper des basses branches

53 **enfangar**, vt, vp, couvrir de fange; s'embourber

5 **enfardar**, vt, vp, emballer, empaqueter [des marchandises]

5 **enfardelar**, vt, confectionner des ballots; emballer

21 **enfatizar**, vt, vi, donner de l'emphase; s'exprimer avec emphase

5 **enfermar**, vi, vt, ❖, tomber malade; rendre malade

21 **enfervorizar**, vt, vp, encourager, stimuler; prendre courage

5 **enfeudar**, vt, inféoder, ensaisiner

5 **enfiestarse**, vp, *amér.*, être en fête, se divertir

5 **enfilar**, vt, vi, ❖, mettre à la file; enfiler; aligner

5 **enfistolarse**, vp, [une plaie] dégénérer en fistule

54 **enflaquecer**, vt, vi, vp, irr., amaigrir; faiblir; dépérir

5 **enflautar**, vt, *fam.*, tromper; berner; enjôler

5 **enflorar**, vt, fleurir, orner de fleurs

72 **enfocar**, vt, ❖, *photogr.*, mettre au point; envisager [une question]

72 **enfoscar**, vt, vp, crépir [un mur]; se rembrunir; devenir sombre

72 **enfrascar**, vt, vp, ❖, mettre en flacon

5 **enfrenar**, vt, vp, brider, dresser [un cheval]; réfréner, contenir

5 **enfrentar**, vt, vi, vp, ❖, affronter; placer de front; s'opposer

43 **enfriar**, vt, vi, vp, refroidir, rafraîchir; prendre froid

5 **enfrontar**, vt, vi, affronter

5 **enfundar**, vt, mettre dans une housse; engainer

54 **enfurecer**, vt, irr., ❖, rendre furieux; se déchaîner

5 **enfurruñarse**, vp, *fam.*, se fâcher, bougonner; [le ciel] se couvrir

7 **enfurtir**, vt, vp, fouler [le drap]; feutrer

5 **engaitar**, vt, *fam.*, duper, tromper, embobiner

5 **engalanar**, vt, vp, ❖, parer; décorer; s'habiller [avec élégance]

53 **engalgar**, vt, mettre sur la piste [un chien]; [un véhicule] freiner

5 **enganchar**, vt, vi, vp, ❖, accrocher; atteler [les animaux]; enrôler

5 **engañar**, vt, vp, ❖, tromper; s'illusionner

5 **engarabitar**, vi, vp, grimper

5 **engargolar**, vt, assembler à tenon et mortaise

5 **engarrafar**, vt, vp, accrocher, agripper

5 **engarrotar**, vt, vp, garrotter; engourdir [par le froid]

21 **engarzar**, vt, ❖, enfiler [des perles]; enchâsser, sertir

5 **engastar**, vt, ❖, enchâsser, sertir, enchatonner

5 **engatillar**, vt, vp, agrafer [deux plaques métalliques]; cramponner

5 **engatusar**, vt, *fam.*, entortiller, embobiner, enjôler

5 **engavillar**, vt, botteler, gerber

21 **engazar**, vt, teindre le drap; estroper [une poulie]

5 **engendrar**, vt, ❖, engendrer, procréer; occasionner

5 **engibar**, vt, vp, rendre bossu; devenir bossu

5 **englobar**, vt, ❖, englober

5 **engolfar**, vt, vi, vp, ❖, [un bateau] gagner le large; s'abandonner [à une passion]

5 **engolosinar**, vt, vp, ❖, allécher; prendre goût

5 **engomar**, vt, gommer, engommer

5 **engominarse**, vp, se gominer [les cheveux]

5 **engordar**, vt, vi, engraisser; grossir

5 **engoznar**, vt, mettre des gonds

5 **engranar**, vi, engrener; unir, lier

54 **engrandecer**, vt, vp, irr., agrandir; exalter; élever

5 **engrapar**, vt, cramponner, agrafer

5 **engrasar**, vt, vp, graisser, lubrifier; s'encrasser

67 **engreír**, vt, vp, irr., ❖, remplir d'orgueil; s'enorgueillir

72 **engrescar,** vt, vp, pousser à la discorde ;
se quereller

5 **engrifarse,** vp, *fam.*, se camer

5 **engrillar,** vt, vp, emprisonner, mettre aux fers ;
amér., [le cheval] s'encapuchonner

53 **engringarse,** vp, *amér.*, prendre les allures
d'un « gringo » [étranger]

38 **engrosar,** vt, vi, vp, *irr.*, grossir

5 **engrudar,** vt, vp, coller, encoller [le papier] ;
empeser [le linge] ; épaissir

5 **enguachinar,** vt, vp, remplir d'eau ; tremper

5 **engualdrapar,** vt, caparaçonner, housser
[un cheval]

5 **enguantar,** vt, vp, mettre des gants, se ganter

5 **enguatar,** vt, ouater, molletonner

5 **enguijarrar,** vt, caillouter

5 **enguirnaldar,** vt, enguirlander

18 **engullir,** vt, vi, *irr.*, engloutir, dévorer

7 **engurruñir,** vt, vp, froisser ; se rider, se rétrécir

5 **enharinar,** vt, vp, enfariner

5 **enhebrar,** vt, enfiler [une aiguille] ;
fam., débiter, parler sans arrêt

5 **enherbolar,** vt, empoisonner

5 **enhilar,** vt, vi, vp, enfiler [une aiguille] ;
mettre en rang ; lier, enchaîner [ses idées]

5 **enhornar,** vt, enfourner

5 **enjabonar,** vt, savonner ; *fam.*, passer un savon

21 **enjaezar,** vt, harnacher ; orner, parer

53 **enjalbegar,** vt, vp, badigeonner, chauler ;
fam., se farder

5 **enjalmar,** vt, bâter [une bête de somme]

5 **enjambrar,** vt, vi, recueillir un essaim ; essaimer

5 **enjaquimar,** vt, mettre le licou

5 **enjarciar,** vt, gréer [un bateau]

5 **enjaretar,** vt, passer un cordon
[dans une coulisse] ; bâcler [un ouvrage]

5 **enjaular,** vt, mettre en cage ;
fam., coffrer, jeter en prison

5 **enjebar,** vt, aluner [une étoffe] ; blanchir [un mur]

5 **enjertar,** vt, greffer

53 **enjimelgar,** vt, jumeler [un mât]

5 **enjoyar,** vt, parer de bijoux ; orner ;
enchâsser, sertir

53 **enjuagar,** vt, vp, ❖, rincer

53 **enjugar,** vt, vp, 2 p.p., ❖, sécher ;
éponger [la sueur, les larmes]

5 **enjuiciar,** vt, juger [une affaire] ;
mettre en accusation

5 **enlabiar,** vt, embobiner, entortiller, embrasser

5 **enladrillar,** vt, carreler

5 **enlagunar,** vt, vp, inonder [un terrain] ;
se couvrir d'eau

5 **enlardar,** vt, graisser, enduire de lard

5 **enlatar,** vt, mettre [des conserves] en boîte ;
amér., latter

21 **enlazar,** vt, vp, ❖, enlacer ; relier ;
s'enchaîner [les événements]

5 **enlegamar,** vt, procéder au limonage

53 **enligar,** vt, vp, engluer

5 **enllantar,** vt, garnir de jantes

54 **enlobreguecer,** vt, vp, *irr.*, assombrir, obscurcir

5 **enlodar,** vt, crotter, embouer ;
traîner dans la boue, avilir

21 **enlodazar,** vt, crotter, embouer ;
traîner dans la boue, avilir

5 **enlomar,** vt, vp, endosser [un livre] ;
[un cheval] courber/bomber l'échine

54 **enloquecer,** vt, vi, *irr.*, ❖, rendre fou ;
devenir fou

5 **enlosar,** vt, carreler, daller

48 **enlucir,** vt, *irr.*, plâtrer, badigeonner, crépir,
enduire

54 **enlustrecer,** vt, *irr.*, lustrer

5 **enlutar,** vt, vp, endeuiller ; porter le deuil

5 **enmaderar,** vt, poser les boiseries ;
édifier la charpente

5 **enmadrarse,** vp, [un enfant] s'attacher
à l'excès à sa mère

54 **enmalecer,** vt, vp, *irr.*, abîmer ;
se couvrir de broussailles

5 **enmallarse,** vp, se prendre dans les mailles
d'un filet

53 **enmangar,** vt, emmancher [un outil]

5 **enmantar,** vt, vp, couvrir, envelopper
[d'une couverture]

5 **enmarañar,** vt, vp, [le ciel] emmêler ;
embrouiller ; se couvrir

5 **enmararse,** vp, *navig.*, [un bateau] gagner
le large

72 **enmarcar,** vt, encadrer

5 **enmaridar,** vi, vp, prendre mari ; se marier

54 **enmarillecerse,** vp, *irr.*, jaunir, pâlir

5 **enmaromar,** vt, attacher, lier [un animal]

5 **enmascarar,** vt, vp, ❖, masquer [se couvrir
le visage] ; camoufler

5 **enmasillar,** vt, mastiquer, enduire de mastic

56 **enmelar,** vt, *irr.*, emmieller ; adoucir ;
[les abeilles] faire leur miel

56 **enmendar,** vt, vp, *irr.*, ❖, corriger, amender ;
réparer

54 **enmohecer,** vt, vp, irr., moisir; rouiller

54 **enmollecer,** vt, vp, irr., ramollir

5 **enmontarse,** vp, *amér.*, prendre le maquis;
se boiser

5 **enmoquetar,** vt, poser de la moquette

21 **enmordazar,** vt, museler

54 **enmudecer,** vt, vi, irr., faire taire;
devenir muet

54 **ennegrecer,** vt, vp, irr., noircir, teindre en noir

54 **ennoblecer,** vt, vp, irr., anoblir; être fait noble

5 **enojar,** vt, vp,◇, irriter, mettre en colère;
se fâcher

54 **enorgullecer,** vt, vp, irr.,◇, enorgueillir

5 **enquiciar,** vt, vp, mettre sur ses gonds
[une porte]

5 **enquillotrar,** vt, vp, enorgueillir;
fam., s'amouracher

5 **enquistarse,** vp, s'enkyster; s'incruster

5 **enrabiar,** vt, vp, mettre en colère; faire enrager

39 **enraizar,** vi, vp,◇, s'enraciner, prendre racine

5 **enramar,** vt, vi, vp, couvrir de branchages;
pousser des branches

5 **enranciar,** vt, vp, faire rancir; rancir

54 **enrarecer,** vt, vi, vp, irr., raréfier; devenir rare

5 **enrasar,** vt, araser, mettre à niveau; égaliser

5 **enrayar,** vt, [une roue] enrayer

5 **enredar,** vt, vi, vp,◇, prendre au filet;
embrouiller, emmêler

5 **enrejar,** vt, grillager; fam., emprisonner;
amér., repriser [le linge]

43 **enriar,** vt, rouir [le chanvre]

5 **enrielar,** vt, vp, laminer [les métaux] en barres;
poser des rails

5 **enripiar,** vt, remplir [une cavité] de gravats

54 **enriquecer,** vt, vi, vp, irr.,◇, enrichir

72 **enriscar,** vt, vp, élever, hausser;
se réfugier [dans un lieu escarpé]

5 **enristrar,** vt, mettre en chapelet [des oignons,
des aulx]; mettre [la lance] au faucre

72 **enrocar,** vt, roquer [aux échecs]

53 **enrodrigar,** vt, tuteurer [les plantes];
échalasser [les vignes]

5 **enrodrigonar,** vt, tuteurer [les plantes];
échalasser [les vignes]

54 **enrojecer,** vt, vp, irr., rougir [au feu];
[le visage] empourprer

5 **enrolar,** vt, vp,◇, enrôler

5 **enrollar,** vt, vp, rouler, enrouler;
empierrer, caillouter

5 **enromar,** vt, vp, émousser

54 **enronquecer,** vt, vp, irr., enrouer

5 **enroñar,** vt, vp, rouiller

72 **enroscar,** vt, vp, enrouler; visser

5 **enrostrar,** vt, *amér.*, reprocher, jeter à la figure

5 **enrubiar,** vt, vp, rendre blond; blondir

53 **enrugar,** vt, rider, rétrécir

54 **enruinecer,** vi, irr., s'avilir; devenir méchant

5 **ensabanar,** vt, vp, envelopper ou recouvrir
[d'un drap]

72 **ensacar,** vt, ensacher

5 **ensalivar,** vt, vp, humecter de salive

5 **ensalmar,** vt, vp, rebouter;
guérir [au moyen de prières]

5 **ensalobrarse,** vp, [l'eau] devenir saumâtre

21 **ensalzar,** vt, vp, louer, exalter, glorifier;
se vanter

5 **ensambenitar,** vt, revêtir du san-benito
[aux condamnés par l'Inquisition]

5 **ensamblar,** vt, assembler

5 **ensanchar,** vt, vi, vp, élargir, évaser;
s'enorgueillir

54 **ensandecer,** vi, vp, irr., devenir stupide;
s'abêtir

56 **ensangrentar,** vt, vp, irr.,◇, ensanglanter;
se couvrir [de sang]

5 **ensañar,** vt, vp,◇, irriter, rendre furieux;
s'acharner (sur qqn)

56 **ensarmentar,** vt, irr., provigner

54 **ensarnecer,** vi, irr., se couvrir de gale

5 **ensartar,** vt, vp, enfiler [des perles];
embrocher; amér., se mettre dans le pétrin

5 **ensayar,** vt, vp,◇, essayer;
répéter [un spectacle]

5 **ensebar,** vt, suiffer, enduire de suif

5 **ensenar,** vt, vp, [une embarcation] s'abriter
dans une crique

5 **enseñar,** vt, vp,◇, enseigner, apprendre;
indiquer, montrer, faire voir; s'habituer

5 **enseñorear,** vt, vp,◇, maîtriser;
se rendre maître

5 **enserar,** vt, clisser [une bouteille...]

5 **enseriarse,** vp, amér., devenir grave,
se rembrunir

5 **ensilar,** vt, ensiler, mettre en silo

5 **ensillar,** vt, seller [un cheval]

54 **ensilvecerse,** vp, irr., [un champ] tomber
en friche

5 **ensimismarse,** vp,◇, s'absorber
[dans ses pensées];
amér., s'enorgueillir, faire l'important

54 **ensoberbecer,** vt, vp, irr., ❖, enorgueillir;
[le mer] s'agiter

53 **ensogar,** vt, ficeler; clisser [une bouteille]

54 **ensombrecer,** vt, vp, irr., assombrir; noircir

5 **ensopar,** vt, vp, tremper [le pain dans
du bouillon...]; amér., tremper [jusqu'aux os]

54 **ensordecer,** vt, vi, vp, irr., assourdir;
rendre sourd; devenir sourd;
faire la sourde oreille

5 **ensortijar,** vt, vp, boucler, friser [les cheveux]

5 **ensuciar,** vt, vp, ❖, salir, encrasser;
fam., faire ses besoins

72 **entabicar,** vt, cloisonner

5 **entablar,** vt, vi, vp, couvrir, clôturer
[avec des planches];
entamer [une conversation];
amér., faire partie nulle

5 **entablerarse,** vp, [le taureau] s'acculer
à la barrière

5 **entablillar,** vt, éclisser [un bras]

5 **entalamar,** vt, bâcher [une voiture]

53 **entalegar,** vt, vp, ensacher;
économiser, mettre de côté

53 **entalingar,** vt, étalinguer

5 **entallar,** vt, vi, vp, entailler; graver; mortaiser;
s'ajuster

54 **entallecer,** vi, vp, irr., taller; [les plantes]
germer

5 **entapar,** vt, amér., relier; cartonner ou couvrir
[un livre]

21 **entapizar,** vt, vp, ❖, tapisser [un mur];
recouvrir d'étoffe [un fauteuil]

5 **entapujar,** vt, vp, cacher, dissimuler;
fam., planquer

5 **entarimar,** vt, vp, parqueter, planchéier

5 **entarquinar,** vt, colmater [un terrain
marécageux]; salir de boue

53 **entarugar,** vt, paver de bois

5 **entechar,** vt, couvrir d'un toit

5 **entejar,** vt, couvrir de tuiles

29 **entender,** vt, vp, irr., ❖, comprendre; entendre;
être d'accord; avoir une liaison
[sentimentale]

54 **entenebrecer,** vt, vp, irr., enténébrer; obscurcir

5 **enterar,** vt, vp, ❖, informer; renseigner; instruire

72 **entercarse,** vp, s'obstiner, s'entêter

54 **enternecer,** vt, vp, irr., ❖, attendrir, amollir;
émouvoir

56 **enterrar,** vt, vp, irr., ❖, enterrer, ensevelir

56 **entesar,** vt, irr., raidir; renforcer

5 **entibar,** vi, vt, boiser, coffrer, cuveler

5 **entibiar,** vt, vp, ❖, tiédir, attiédir; modérer,
tempérer

5 **entinar,** vt, encuver, mettre en cuve

5 **entintar,** vt, encrer; tacher d'encre; teindre

5 **entiznar,** vt, noircir; tacher

5 **entoldar,** vt, vp, bâcher; tendre un velum
[au-dessus d'un patio]

21 **entomizar,** vt, lier avec des cordelettes
[des boiseries]

5 **entonar,** vt, vi, vp, ❖, entonner; prendre le ton;
tonifier; harmoniser [les couleurs]

5 **entonelar,** vt, enfutailler, entonner

53 **entongar,** vt, entasser par couches

54 **entontecer,** vt, vi, vp, irr., abrutir; abêtir;
rendre stupide

5 **entorchar,** vt, torsader

5 **entorilar,** vt, mettre au toril [le taureau]

5 **entornar,** vt, vp, entrebâiller;
plisser [les yeux]; s'entrouvrir

54 **entorpecer,** vt, vp, irr., engourdir; alourdir;
gêner

38 **entortar,** vt, vp, irr., tordre; éborgner (qqn)

53 **entosigar,** vt, empoisonner, intoxiquer

5 **entrabar,** vt, amér., entraver, gêner

5 **entrampar,** vt, vp, prendre au piège;
tomber dans un piège; fam., s'endetter

5 **entrañar,** vt, vp, enfouir, introduire; renfermer

5 **entrar,** vi, vt, vp, ❖, entrer, rentrer; pénétrer

7 **entreabrir,** vt, vp, p.p. entrouvrir

5 **entreayudarse,** vp, s'entraider

5 **entrecavar,** vt, bêcher légèrement

56 **entrecerrar,** vt, vp, irr., entrebâiller

72 **entrechocar,** vt, vp, entrechoquer

5 **entrecomar,** vt, mettre entre virgules
[un ou plusieurs mots]

5 **entrecomillar,** vt, mettre entre guillemets

5 **entrecortar,** vt, entrecouper

21 **entrecruzar,** vt, vp, entrecroiser

61 **entredecir,** vt, irr., interdire

53 **entregar,** vt, vp, ❖, livrer, remettre; se rendre;
capituler

5 **entrejuntar,** vt, assembler

21 **entrelazar,** vt, entrelacer

5 **entrelinear,** vt, interligner

48 **entrelucir,** vi, irr., entreluire; transparaître

5 **entremediar,** vt, mettre, placer au milieu (qqch.)

6 **entremeter,** vt, vp, ❖, mêler, entremêler;
s'immiscer dans une affaire

5 **entremezclar,** vt, vp, ❖, entremêler

5 **entrenar,** vt, vp,❖, entraîner

51 **entreoír,** vt, irr., entendre vaguement

5 **entrepelar,** vi, vp, [un cheval] avoir le poil mêlé

5 **entrerrenglonar,** vt, interligner

72 **entresacar,** vt,❖, trier, choisir; éclaircir [un semis, une forêt]

5 **entretallar,** vt, vp, sculpter en bas-relief; graver

6 **entretejer,** vt, brocher [un tissu]; entretisser; entrelacer

4 **entretener,** vt, vp, irr.,❖, distraire, amuser; s'attarder

83 **entrever,** vt, irr., entrevoir

5 **entreverar,** vt, vp, entremêler; amér., s'entrechoquer

5 **entrevistar,** vt, vp,❖, avoir une entrevue (avec qqn)

54 **entristecer,** vt, vp, irr.,❖, attrister, affliger

5 **entrojar,** vt, engranger

6 **entrometer,** vt, vp,❖, mêler, entremêler; s'immiscer dans une affaire

5 **entronar,** vt, vp, introniser; faire l'important

72 **entroncar,** vt, vi, vp,❖, établir un lien de parenté (avec qqn); être apparenté

21 **entronizar,** vt, vp,❖, introniser; exalter; s'enorgueillir

5 **entruchar,** vt, fam., embobiner

5 **entrujar,** vt, mettre [les olives] au grenier; engranger

5 **entubar,** vt, tuber

54 **entullecer,** vt, vi, vp, irr., paralyser [une affaire]; devenir perclus

54 **entumecer,** vt, vp, irr., engourdir; tuméfier; [la mer] s'agiter

7 **entumirse,** vp, [un membre] s'engourdir

72 **entunicar,** vt, apprêter pour peindre [un mur]

7 **entupir,** vt, vp, obstruer, engorger; presser, comprimer

5 **enturbiar,** vt, vp, troubler [l'eau, le vin]; embrouiller

5 **entusiasmar,** vt, vp,❖, enthousiasmer

5 **enuclear,** vt, énucléer

5 **enumerar,** vt, énumérer

5 **enunciar,** vt, énoncer

5 **envainar,** vt, engainer; rengainer

5 **envalentonar,** vt, vp,❖, enhardir; encourager

54 **envanecer,** vt, vp, irr.,❖, enorgueillir, tirer vanité

5 **envarar,** vt, vp, engourdir [un membre]; engoncer

5 **envasar,** vt,❖, mettre en bouteilles [un liquide]; emballer; fam., boire avec excès

5 **envedijarse,** vp, s'embrouiller, s'emmêler

54 **envejecer,** vt, vi, vp, irr.,❖, vieillir

5 **envenenar,** vt, vp,❖, empoisonner

5 **enverar,** vi, dorer, [les fruits] mûrir

54 **enverdecer,** vi, irr., verdir

53 **envergar,** vt, enverguer

43 **enviar,** vt,❖, envoyer; expédier

5 **enviciar,** vt, vi, vp,❖, vicier, corrompre, débaucher; se dépraver

5 **envidar,** vt, renvier [aux cartes]

5 **envidiar,** vt, envier, jalouser; désirer

53 **envigar,** vt, vi, placer les poutres [d'un édifice]

54 **envilecer,** vt, vp, irr., avilir; déshonorer

5 **envinagrar,** vt, vinaigrer

5 **envinar,** vt, rougir [l'eau avec du vin]

72 **enviscar,** vt, vp, engluer, enduire de glu; fam., s'empêtrer

5 **enviudar,** vi, devenir veuf

84 **envolver,** vt, vp, irr.,❖, envelopper, emballer; se couvrir

5 **enyerbar,** vt, vp, enherber; amér., ensorceler

5 **enyesar,** vt, plâtrer

5 **enyetar,** vt, amér., porter malheur

53 **enyugar,** vt, atteler [les bœufs]

5 **enyuntar,** vt, atteler [les bœufs]

12 **enzainarse,** vp, regarder de travers

21 **enzarzar,** vt, vp,❖, couvrir de ronces; semer la discorde; s'empêtrer

5 **enzunchar,** vt, fretter, cercler [une caisse, un colis]

54 **enzurdecer,** vi, irr., devenir gaucher

21 **enzurizar,** vt, brouiller; semer la discorde

5 **enzurronar,** vt, mettre dans une besace; fam., fourrer

53 **epilogar,** vt, résumer, abréger [un ouvrage]

5 **epitomar,** vt, abréger

5 **equidistar,** vi,❖, être équidistant

5 **equilibrar,** vt, vp, équilibrer

5 **equipar,** vt, vp,❖, équiper

5 **equiparar,** vt,❖, comparer

5 **equiponderar,** vi, être du même poids

81 **equivaler,** vi, irr.,❖, équivaloir

72 **equivocar,** vt, vp,❖, tromper; faire erreur

21 **ergotizar,** vi, ergoter

40 **erguir,** vt, vp, irr., lever; dresser [la tête]; se rengorger

32 **erigir,** vt, vp,❖, ériger, édifier

21 **erizar,** vt, vp, hérisser

53 **erogar,** vt, distribuer, répartir [des fonds] ;
   amér., dépenser
5 **erosionar,** vt, vp, éroder, user
72 **erradicar,** vt, déraciner, extirper
41 **errar,** vt, vi, vp, irr., ❖, manquer, rater ; errer
5 **eructar,** vi, éructer
21 **esbozar,** vt, ébaucher, esquisser
5 **escabechar,** vt, vp, mariner, faire tremper
   dans une marinade ; *fam.*, tuer
18 **escabullirse,** vp, irr., ❖, glisser des mains ;
   s'esquiver
5 **escachar,** vt, écraser, écrabouiller
5 **escacharrar,** vt, vp, casser ; abîmer,
   détériorer (qqch.)
5 **escalar,** vt, escalader ; entrer [dans un lieu]
   par effraction
5 **escaldar,** vt, vp, échauder ; chauffer à blanc
5 **escalfar,** vt, pocher [les œufs]
5 **escalonar,** vt, échelonner ; étaler [un paiement] ;
   étager
5 **escalpar,** vt, scalper
5 **escamar,** vt, vp, ❖, écailler ;
   fam., rendre méfiant ; se méfier
5 **escamondar,** vi, émonder, élaguer ;
   nettoyer à fond
5 **escamotear,** vt, escamoter
5 **escampar,** vt, vi, imp., cesser de pleuvoir
5 **escamujar,** vt, émonder,
   élaguer [surtout les oliviers]
5 **escanciar,** vt, vi, verser à boire ; boire du vin
21 **escandalizar,** vt, vp, ❖, scandaliser
5 **escandallar,** vt, sonder [la mer] ;
   contrôler [les marchandises]
7 **escandir,** vt, scander [un vers]
5 **escantillar,** vt, prendre une mesure
   [en partant d'une ligne fixe]
5 **escapar,** vt, vi, vp, ❖, faire courir ventre
   à terre ; échapper [à un danger] ; s'évader
5 **escaquearse,** vp, *fam.*, se débiner
5 **escarabajear,** vi, gesticuler ; se démener ;
   griffonner ; *fam.*, tracasser
5 **escaramucear,** vi, escarmoucher
21 **escaramuzar,** vi, escarmoucher
5 **escarapelar,** vt, vi, vp, *amér.*, écorcer,
   décortiquer ; avoir la chair de poule
5 **escarbar,** vt, vp, ❖, gratter [le sol] ;
   fouiller [la terre]
5 **escarchar,** vt, imp., givrer ; geler blanc
5 **escardar,** vt, échardonner, sarcler ; trier
5 **escardillar,** vt, échardonner

5 **escariar,** vt, aléser [un trou]
72 **escarificar,** vt, scarifier
21 **escarizar,** vt, enlever l'escarre [d'une plaie]
56 **escarmentar,** vt, vi, irr., ❖, donner une sévère
   leçon ; apprendre à ses dépens
54 **escarnecer,** vt, irr., bafouer, railler
5 **escarolar,** vt, fraiser, plisser
5 **escarpar,** vt, gratter, râper [une sculpture] ;
   couper en pente raide
5 **escarrancharse,** vp, écarter les jambes
21 **escarzar,** vt, arquer [un bâton] au moyen
   de cordes ; châtrer [les ruches]
5 **escasear,** vt, vi, donner chichement
   [et de mauvaise grâce] ;
   manquer, devenir rare (qqch.)
5 **escatimar,** vt, mesurer, lésiner [sur ce qu'on donne]
5 **escayolar,** vt, plâtrer, mettre [un bras]
   dans le plâtre
72 **escenificar,** vt, adapter [pour le théâtre,
   le cinéma] ; mettre en scène
7 **escindir,** vt, vp, ❖, scinder
54 **esclarecer,** vt, vi, imp., irr., éclairer ;
   [le jour] se lever
21 **esclavizar,** vt, réduire en esclavage
5 **esclerosar,** vt, vp, scléroser
5 **escobar,** vt, balayer
5 **escobillar,** vt, brosser
22 **escocer,** vi, vp, irr., brûler, cuire [donner
   une sensation de brûlure]
5 **escodar,** vt, smiller
5 **escofinar,** vt, râper
23 **escoger,** vt, ❖, choisir ; trier
21 **escolarizar,** vt, scolariser
5 **escoliar,** vt, annoter
5 **escollar,** vi, vp, échouer
5 **escoltar,** vt, escorter ; convoyer
5 **escombrar,** vt, décombrer ; déblayer
6 **esconder,** vt, vp, ❖, cacher, dissimuler
5 **escoñar,** vt, vp, *fam.*, amocher, bousiller ;
   s'esquinter
5 **escopetear,** vt, tirailler [un chasseur] ;
   fam., échanger des injures
5 **escoplear,** vt, mortaiser
5 **escorar,** vt, vi, vp, accorer ; [un bateau] gîter,
   s'incliner
5 **escorchar,** vt, écorcher
5 **escoriar,** vt, excorier [la peau]
72 **escorificar,** vt, scorifier
21 **escorzar,** vt, dessiner/peindre en raccourci
5 **escotar,** vt, vi, échancrer, décolleter [une robe]

7 **escribir,** vt, vi, vp, p.p., ❖, écrire ; s'inscrire
5 **escriturar,** vt, passer un contrat
   [par-devant notaire]
21 **escrupulizar,** vi, ❖, avoir des scrupules
5 **escrutar,** vt, scruter
5 **escuadrar,** vt, équarrir [une pièce de bois] ;
   équerrer
5 **escuadronar,** vt, [les soldats] former
   en escadrons
5 **escuchar,** vt, vp, ❖, écouter, entendre
5 **escudar,** vt, vp, ❖, couvrir d'un bouclier ;
   protéger
5 **escuderear,** vt, servir d'écuyer
5 **escudillar,** vt, verser dans une écuelle ;
   tremper [la soupe]
5 **escudriñar,** vt, ❖, scruter ; fouiller du regard,
   observer
72 **esculcar,** vt, épier, guetter, chercher à savoir ;
   fouiller
7 **esculpir,** vt, ❖, sculpter ; graver
7 **escupir,** vi, vt, ❖, cracher ; rejeter (qqch.)
   avec dégoût
7 **escurrir,** vt, vi, vp, ❖, égoutter ; se défiler ; glisser
21 **esdrujulizar,** vt, mettre l'accent
   [sur l'antépénultième syllabe d'un mot]
5 **esfacelarse,** vp, se sphacéler ;
   se gangrener [un tissu]
42 **esforzar,** vt, vi, vp, irr., ❖, donner de la force ;
   encourager ; prendre courage ; s'efforcer
5 **esfumar,** vt, vp, ❖, estomper ; disparaître,
   se volatiliser
5 **esfuminar,** vt, estomper
43 **esgrafiar,** vt, égratigner
7 **esgrimir,** vt, manier [l'épée] ;
   se servir [de menaces]
21 **esguazar,** vt, guéer ; passer à gué
5 **eslabonar,** vt, vp, enchaîner
21 **eslavizar,** vt, slaviser
53 **eslingar,** vt, élinguer
5 **esmaltar,** vt, ❖, émailler
5 **esmerar,** vt, vp, ❖, polir, faire briller ;
   s'appliquer [à un travail]
5 **esmerilar,** vt, polir [à l'émeri] ;
   roder [les soupapes d'un moteur]
5 **esnifar,** vt, fam., sniffer
5 **espabilar,** vt, vp, dégourdir ; se réveiller
5 **espachurrar,** vt, vp, fam., écraser, écrabouiller
5 **espaciar,** vt, vp, espacer ; répandre ;
   échelonner
5 **espalar,** vt, vi, déblayer la neige à la pelle

5 **espaldear,** vt, [les vagues] battre la poupe
   d'un navire
5 **espaldonarse,** vp, se protéger, se retrancher
5 **espantar,** vt, vi, vp, ❖, effrayer, épouvanter,
   faire peur
5 **españolear,** vt, vp, faire une propagande
   exagérée de l'Espagne
21 **españolizar,** vt, vp, espagnoliser [un mot] ;
   adopter les coutumes espagnoles
7 **esparcir,** vt, vp, ❖, éparpiller, répandre, disperser
72 **esparrancarse,** vp, fam., écarter les jambes
5 **espatarrarse,** vp, fam., écarter les jambes
21 **especializar,** vt, vi, vp, ❖, spécialiser
72 **especificar,** vt, spécifier
5 **especular,** vt, vi, ❖, observer, regarder
   avec attention ; spéculer, trafiquer
5 **espejear,** vi, miroiter ; reluire
21 **espeluzar,** vt, ébouriffer, hérisser
5 **espeluznar,** vt, vp, effrayer, faire dresser
   les cheveux sur la tête
21 **esperanzar,** vt, donner de l'espoir (à qqn)
5 **esperar,** vt, vp, ❖, attendre ; espérer
5 **espesar,** vt, vp, épaissir, lier [un liquide] ;
   rendre dense
5 **espetar,** vt, embrocher ; fam., débiter,
   asséner (qqch. de désagréable)
43 **espiar,** vt, vi, épier, guetter, espionner ;
   touer, chabler
5 **espichar,** vt, vi, vp, piquer ;
   fam., mourir, claquer ; amér., maigrir
53 **espigar,** vt, vi, vp, glaner ; faire un tenon ;
   [les céréales] monter en épi
5 **espinar,** vt, vi, vp, piquer ; épiner [les arbres] ;
   blesser
5 **espirar,** vt, vi, exhaler [une odeur] ;
   prendre haleine ; expirer
21 **espiritualizar,** vt, vp, spiritualiser
5 **espitar,** vt, mettre une cannette [à un tonneau]
6 **esplender,** vi, resplendir
5 **espolear,** vt, éperonner ; aiguillonner, stimuler
5 **espoliar,** vt, spolier, dépouiller
5 **espolvorear,** vt, vp, ❖, épousseter ; saupoudrer
5 **esponjar,** vt, vi, vp, rendre spongieux ;
   fam., se rengorger
5 **esportear,** vt, transporter avec des couffes
5 **esposar,** vt, emmenotter, mettre les menottes
   [à un prisonnier]
5 **esprintar,** vi, sprinter
53 **espulgar,** vt, vp, épouiller, épucer ;
   éplucher, examiner minutieusement

5 **espumajear**, vi, écumer, rejeter de l'écume

5 **espumar**, vt, vi, écumer, ôter l'écume;
dégraisser

5 **espurrear**, vt, arroser avec la bouche; asperger

43 **espurriar**, vt, arroser avec la bouche; asperger

5 **esputar**, vt, cracher, expectorer

21 **esquematizar**, vt, schématiser

43 **esquiar**, vi, skier

5 **esquilar**, vi, tondre

5 **esquilmar**, vt, récolter; épuiser [le sol];
fam., tondre, saigner (qqn) à blanc

5 **esquinar**, vt, vi, vp, former un coin; placer
en coin; équarrir [une poutre]

21 **esquinzar**, vt, défiler [les chiffons]

5 **esquivar**, vt, vp, esquiver, éviter habilement;
se dérober

21 **estabilizar**, vt, stabiliser

54 **establecer**, vt, vp, irr., ⬧, établir; ordonner,
décréter; s'établir [le lieu de résidence]

5 **estabular**, vt, stabuler

72 **estacar**, vt, vp, attacher [une bête] à un pieu;
palissader

5 **estacionar**, vt, vp, stationner, garer;
demeurer immobile

5 **estafar**, vt, ⬧, escroquer, filouter

5 **estallar**, vi, vt, ⬧, éclater, exploser;
faire éclater

5 **estambrar**, vt, tordre [la laine]

5 **estampar**, vt, ⬧, estamper [un métal];
imprimer [un tissu]; graver; étamper

5 **estampillar**, vt, estampiller

72 **estancar**, vt, vp, ⬧, arrêter (le cours de qqch.);
étancher [un liquide]; stagner; s'enliser

21 **estandarizar**, vt, standardiser

5 **estantalar**, vt, étayer

5 **estañar**, vt, étamer, rétamer

5 **estaquear**, vt, *amér.*, clouer au sol [des cuirs]

5 **estaquillar**, vt, cheviller [un talon de soulier]

2 **estar**, vi, vp, irr., ⬧, être; se trouver dans
un lieu; aller [bien /mal]

86 **estarcir**, vt, poncer [un dessin]; peindre
[au pochoir]

72 **estatificar**, vt, étatiser

21 **estatizar**, vt, étatiser

9 **estatuar**, vt, orner de statues

45 **estatuir**, vt, irr., statuer

43 **estenografiar**, vt, sténographier

5 **esterar**, vt, recouvrir de tapis

5 **estercolar**, vt, vi, fumer [les terres];
[les animaux] fienter

5 **estereotipar**, vt, stéréotyper

72 **esterificar**, vt, estérifier

21 **esterilizar**, vt, stériliser

21 **estezar**, vt, tanner à sec

5 **estibar**, vt, tasser, bourrer; arrimer, estiver
[une cargaison]

21 **estigmatizar**, vt, stigmatiser

5 **estilar**, vi, vp, user, employer; être d'usage;
être à la mode

21 **estilizar**, vt, styliser

5 **estimar**, vt, vp, ⬧, estimer, apprécier, évaluer

5 **estimular**, vt, ⬧, stimuler, encourager;
aiguillonner

5 **estipendiar**, vt, rémunérer, stipendier

5 **estipular**, vt, stipuler

5 **estirar**, vt, vp, ⬧, étirer, allonger

5 **estofar**, vt, broder en application;
étuver, faire cuire à l'étuvée

53 **estomagar**, vt, dégoûter, écœurer;
rester sur l'estomac

5 **estoquear**, vt, estoquer, estocader

5 **estorbar**, vt, vp, gêner, empêcher

5 **estornudar**, vi, éternuer

5 **estovar**, vt, étuver

53 **estragar**, vt, vp, ⬧, gâter, corrompre; ravager

5 **estrangular**, vt, vp, étrangler

5 **estraperlear**, vi, ⬧, *fam.*, faire du marché noir

72 **estratificar**, vt, vp, stratifier

5 **estrechar**, vt, vp, ⬧, rétrécir; serrer, resserrer;
étreindre

66 **estregar**, vt, vp, irr., ⬧, frotter

5 **estrellar**, vt, vp, ⬧, écraser, briser;
mettre en pièces

54 **estremecer**, vt, vp, irr., ⬧, émouvoir, ébranler;
sursauter

5 **estrenar**, vt, vp, ⬧, étrenner;
donner la première [d'un spectacle];
passer en exclusivité [un film]

68 **estreñir**, vt, vp, irr., constiper; devenir constipé

43 **estriar**, vt, vp, strier, canneler

5 **estribar**, vi, vp, ⬧, reposer, s'appuyer
(sur qqch. de solide)

5 **estropear**, vt, vp, abîmer, gâcher; estropier

5 **estructurar**, vt, structurer

5 **estrujar**, vt, vp, presser, pressurer; serrer

72 **estucar**, vt, stuquer

5 **estudiar**, vt, vp, ⬧, étudier

5 **estuprar**, vt, commettre le stupre

72 **eterificar**, vt, éthérifier, estérifier

21 **eterizar**, vt, éthériser

21 **eternizar,** vt, vp, *éterniser*

21 **etimologizar,** vt, *faire de l'étymologie*

5 **etiquetar,** vt, *étiqueter*

39 **europeizar,** vt, vp, *européaniser*

5 **evacuar,** vt, *évacuer*

7 **evadir,** vt, vp, ✳, *fuir; éviter,
éluder [une difficulté]; s'évader*

9 **evaluar,** vt, ✳, *évaluer, estimer*

21 **evangelizar,** vt, *évangéliser*

5 **evaporar,** vt, vp, *évaporer*

21 **evaporizar,** vt, vi, vp, *vaporiser*

5 **evidenciar,** vt, *rendre évident*

5 **evitar,** vt, vp, *éviter*

72 **evocar,** vt, *évoquer*

5 **evolucionar,** vi, *évoluer*

5 **exacerbar,** vt, vp, *exacerber, irriter, exaspérer*

5 **exagerar,** vt, ✳, *exagérer*

5 **exaltar,** vt, vp, *exalter; s'emporter*

5 **examinar,** vt, vp, ✳, *examiner;
passer un examen*

5 **exasperar,** vt, vp, *exaspérer; s'irriter, s'énerver*

5 **excarcelar,** vt, vp, *libérer [un prisonnier];
sortir de prison*

5 **excavar,** vt, *creuser, excaver; faire des fouilles;
déchausser [les plantes]*

6 **exceder,** vt, vi, vp, ✳, *excéder, dépasser,
surpasser; dépasser les bornes*

9 **exceptuar,** vt, vp, ✳, *excepter, faire exception;
être excepté*

5 **excitar,** vt, vp, ✳, *exciter*

5 **exclamar,** vi, *s'exclamer, s'écrier*

45 **excluir,** vt, irr., 2 p.p., ✳, *exclure*

53 **excomulgar,** vt, *excommunier*

5 **excoriar,** vt, vp, *excorier*

5 **excrementar,** vt, *déféquer*

5 **excretar,** vt, *excréter*

5 **exculpar,** vt, vp, ✳, *disculper*

5 **excusar,** vt, vp, ✳, *excuser, disculper*

5 **execrar,** vt, *exécrer*

5 **exfoliar,** vt, vp, *exfolier*

5 **exhalar,** vt, vp, *exhaler*

5 **exheredar,** vt, *exhéréder, déshériter*

7 **exhibir,** vt, vp, *exhiber, exposer*

5 **exhortar,** vt, ✳, *exhorter*

5 **exhumar,** vt, ✳, *exhumer*

32 **exigir,** vt, *exiger*

5 **exiliar,** vt, vp, *exiler*

7 **eximir,** vt, vp, 2 p.p., ✳, *exempter, libérer
[d'une charge]; dispenser; délivrer, décharger*

7 **existir,** vi, *exister*

5 **exonerar,** vt, vp, ✳, *exonérer*

21 **exorcizar,** vt, *exorciser*

5 **exornar,** vt, vp, *orner, embellir, parer*

7 **expandir,** vt, vp, *étendre, élargir, dilater,
répandre*

5 **expansionar,** vt, vp, ✳, *étendre, développer,
dilater; s'épancher, se confier*

43 **expatriar,** vt, vp, *expatrier*

5 **expectorar,** vt, *expectorer*

5 **expedientar,** vt, *instruire [un procès]*

55 **expedir,** vt, irr., *expédier, régler [une affaire];
délivrer [un passeport];
envoyer [un message]*

6 **expeler,** vt, 2 p.p., ✳, *expulser,
rejeter [une matière]*

6 **expender,** vt, *dépenser; débiter; écouler*

5 **experimentar,** vt, *expérimenter; éprouver
[une sensation]; subir [une défaite]*

43 **expiar,** vt, *expier; purger [une peine]*

5 **expirar,** vi, *expirer, mourir;
[un délai] s'achever*

5 **explanar,** vt, *aplanir; niveler [un terrain];
expliquer [une situation]*

5 **explayar,** vt, vp, ✳, *étendre; élargir; déployer*

72 **explicar,** vt, vp, *expliquer*

5 **explicitar,** vt, *expliciter*

5 **explicotear,** vt, vp, *fam., expliquer [avec calme
et clarté]*

5 **explorar,** vt, *explorer*

5 **explosionar,** vt, vi, *faire exploser; exploser*

5 **explotar,** vt, vi, *exploiter; [une bombe] exploser*

5 **expoliar,** vt, *spolier*

60 **exponer,** vt, vi, vp, irr., ✳, *exposer*

5 **exportar,** vt, *exporter*

5 **expresar,** vt, vp, 2 p.p., ✳, *exprimer [une idée]*

7 **exprimir,** vt, *presser [le jus]*

5 **expropiar,** vt, *exproprier*

5 **expugnar,** vt, *prendre d'assaut [une ville]*

5 **expulsar,** vt, ✳, *expulser*

53 **expurgar,** vt, ✳, *expurger*

43 **extasiar,** vt, vp, *enthousiasmer; s'extasier*

29 **extender,** vt, vp, irr., 2 p.p., ✳, *étendre,
délivrer [un certificat]; se propager*

9 **extenuar,** vt, vp, *exténuer*

21 **exteriorizar,** vt, vp, *extérioriser*

5 **exterminar,** vt, *exterminer*

34 **extinguir,** vt, vp, 2 p.p., *éteindre*

5 **extirpar,** vt, *extirper*

5 **extornar,** vt, *comm., passer du passif à l'actif*

5 **extorsionar,** vt, *extorquer*

5 **extractar,** vt, résumer ; abréger
5 **extraditar,** vt, extrader
79 **extraer,** vt, irr., ⬦, extraire
5 **extralimitarse,** vp, ⬦, outrepasser ses droits ;
    dépasser les bornes
21 **extranjerizar,** vt, vp, intégrer des coutumes
    étrangères
5 **extrañar,** vt, vp, ⬦, s'étonner ; être surpris ;
    regretter (qqn ou qqch.)
5 **extrapolar,** vt, extrapoler
5 **extravasarse,** vp, [un liquide] s'extravaser
5 **extravenar,** vt, vp, extraire du sang [des veines] ;
    [le sang] s'extravaser
43 **extraviar,** vt, vp, ⬦, égarer, fourvoyer (qqn) ;
    se perdre
5 **extremar,** vt, vp, ⬦, pousser à l'extrême ;
    se surpasser
7 **extrudir,** vt, extruder
5 **exudar,** vi, vt, exsuder
5 **exulcerar,** vt, vp, exulcérer
5 **exultar,** vi, exulter
5 **eyacular,** vt, éjaculer
5 **eyectar,** vt, éjecter

F

72 **fabricar,** vt, fabriquer, construire, bâtir
5 **fabular,** vt, vi, parler sans fondement ; fabuler
5 **fachear,** vt, vi, mettre en panne [une voile]
5 **fachendear,** vi, fam., prendre des grands airs ;
    crâner
5 **facilitar,** vt, faciliter ; fournir, procurer
5 **facturar,** vt, facturer ; enregistrer [des bagages]
5 **facultar,** vt, ⬦, autoriser, habiliter
5 **faenar,** vt, vi, abattre [des bêtes de boucherie] ;
    pêcher
5 **fagocitar,** vt, phagocyter
5 **fajar,** vt, vp, ⬦, mettre une ceinture ; bander ;
    emmailloter
5 **faldear,** vt, côtoyer [une montagne] ;
    longer [une colline]
5 **fallar,** vt, vi, ⬦, prononcer une sentence ;
    rater, manquer
54 **fallecer,** vi, irr., ⬦, mourir, décéder
7 **fallir,** vt, déf., manquer (qqch.) ; manquer à
    sa parole
5 **falsear,** vt, vi, dénaturer ; fausser ; fléchir, flancher
72 **falsificar,** vt, falsifier, contrefaire

5 **faltar,** vi, ⬦, manquer, faire défaut ;
    faillir [à son devoir] ;
    manquer de respect (à qqn) ; rester à faire
21 **familiarizar,** vt, vp, ⬦, familiariser
21 **fanatizar,** vt, fanatiser
5 **fanfarronear,** vi, fanfaronner, faire le fanfaron ;
    se vanter
5 **fantasear,** vi, vt, rêvasser ; rêver ;
    imaginer [des choses illusoires]
5 **fardar,** vt, vi, vp, équiper, habiller ;
    fam., se nipper, crâner
5 **farfullar,** vt, fam., bredouiller ; bâcler,
    bousiller [un ouvrage]
5 **farolear,** vi, fam., bluffer, faire de l'esbroufe
5 **farrear,** vi, amér., se divertir, faire la bombe
5 **fascinar,** vt, fasciner, charmer ;
    jeter un maléfice (à qqn)
5 **fastidiar,** vt, vp, ⬦, dégoûter ; ennuyer ;
    fam., enquiquiner
53 **fatigar,** vt, vp, ⬦, fatiguer, lasser
54 **favorecer,** vt, vp, irr., ⬦, favoriser ; servir ;
    aider ; recourir (à qqn ou à qqch.)
5 **fechar,** vt, dater ; composter [un billet]
5 **fecundar,** vt, féconder, fertiliser
21 **federalizar,** vt, fédéraliser
5 **federar,** vt, vp, fédérer
5 **felicitar,** vt, vp, ⬦, féliciter ; souhaiter
54 **fenecer,** vi, irr., mourir, périr ; s'achever, se terminer
5 **feriar,** vt, vi, acheter à la foire ; chômer
5 **fermentar,** vi, vt, fermenter
21 **fertilizar,** vt, fertiliser
21 **fervorizar,** vt, vp, encourager
5 **festejar,** vt, vp, festoyer ; fêter (qqn) ; courtiser ;
    s'amuser
5 **festonear,** vt, festonner
3 **fiar,** vt, vi, vp, ⬦, cautionner ; vendre à crédit ;
    avoir confiance ; se fier
5 **fichar,** vt, vi, ⬦, mettre sur fiche, pointer ;
    engager [un sportif]
5 **figurar,** vt, vi, vp, ⬦, figurer ; feindre ; s'imaginer
5 **fijar,** vt, vp, 2 p.p., ⬦, ficher ; fixer ;
    arrêter [un prix] ; regarder
5 **filetear,** vt, orner de filets ; fileter
5 **filiar,** vt, vp, prendre le signalement ;
    s'affilier, s'enrôler
5 **filmar,** vt, filmer
5 **filosofar,** vi, philosopher
5 **filtrar,** vt, vi, vp, ⬦, filtrer ; s'infiltrer
21 **finalizar,** vt, vi, mettre fin, finir ;
    prendre fin, se terminer

5 **financiar,** vt, *financer*

5 **finar,** vi, vp, *décéder, mourir ;
désirer ardemment*

72 **fincar,** vi, vp, *acheter des propriétés*

32 **fingir,** vt, vp, *feindre, simuler ; faire semblant*

5 **finiquitar,** vt, *solder, liquider [un compte] ;
fam., terminer*

5 **fintar,** vt, vi, *feinter, faire des feintes*

5 **firmar,** vt, vp, ❖, *signer*

21 **fiscalizar,** vt, vi, *contrôler, surveiller*

53 **fisgar,** vt, vi, vp, ❖, *pêcher à la foëne,
harponner ; épier, fouiner ;
railler, se moquer*

5 **fisgonear,** vt, *épier, guetter, fouiner sans cesse*

5 **fisionar,** vt, vp, *fissionner*

5 **flagelar,** vt, vp, *flageller, fustiger*

5 **flamear,** vi, vt, ❖, *flamber, flamboyer ;
ondoyer, flotter au vent*

5 **flanquear,** vt, *flanquer*

5 **flaquear,** vi, ❖, *faiblir ; menacer ruine ; céder*

5 **flechar,** vt, vi, *bander [l'arc] ;
décocher [une flèche] ;
fam., séduire ; s'enticher*

5 **fletar,** vt, vp, *fréter, affréter [un navire] ;
amér., se sauver*

21 **flexibilizar,** vt, vp, *assouplir*

5 **flexionar,** vt, *fléchir*

5 **flipar,** vi, vp, *fam., brancher ; flipper ; s'éclater*

5 **flirtear,** vi, *flirter*

5 **flocular,** vi, *floculer*

5 **flojear,** vi, ❖, *se relâcher ; faiblir, fléchir*

5 **florar,** vi, *fleurir*

5 **flordelisar,** vt, *fleurdeliser*

5 **florear,** vt, vi, *fleurir ; tamiser [la farine]
pour en tirer la fleur*

4 **florecer,** vi, vt, vp, irr., ❖, *fleurir ;
être florissant ; moisir*

5 **floretear,** vt, vi, *orner de fleurs ;
manier le fleuret*

5 **flotar,** vi, *flotter*

9 **fluctuar,** vi, ❖, *fluctuer ; hésiter*

72 **fluidificar,** vt, *fluidifier*

45 **fluir,** vi, irr., ❖, *couler, s'écouler*

21 **focalizar,** vt, *focaliser*

5 **foguear,** vt, vp, *habituer au feu [les hommes,
les chevaux]*

5 **foliar,** vt, *folioter*

5 **follar,** vt, *feuiller, mettre en feuilles ; fam., baiser*

5 **fomentar,** vt, *chauffer ; fomenter, exciter ;
favoriser*

5 **fondear,** vt, vi, vp, *sonder [la profondeur
de l'eau] ; mouiller, jeter l'ancre*

5 **forcejear,** vi, *faire des grands efforts ; se démener*

5 **forestar,** vt, *reboiser*

5 **forjar,** vt, vp, ❖, *forger ; s'imaginer,
se faire [des illusions]*

21 **formalizar,** vt, vp, *achever, terminer ; légaliser ;
se formaliser*

5 **formar,** vt, vi, vp, ❖, *former ; se ranger,
former les rangs ; se faire*

5 **formatear,** vt, *formater*

5 **formular,** vt, vi, *formuler ;
mettre [un corps] en formule*

72 **fornicar,** vi, vt, *forniquer*

5 **forrajear,** vi, vt, *fourrager ; aller au fourrage*

5 **forrar,** vt, vp, ❖, *doubler [mettre une doublure] ;
recouvrir [un fauteuil...] ; fam., s'enrichir*

54 **fortalecer,** vt, vp, irr., *fortifier, donner de la force*

72 **fortificar,** vt, vp, ❖, *fortifier [une ville,
une place forte]*

42 **forzar,** vt, vp, irr., ❖, *forcer [une porte,
un coffre-fort] ; violer [une femme]*

5 **fosar,** vt, *creuser un fossé*

5 **fosfatar,** vt, *phosphater*

54 **fosforecer ; fosforescer,** vi, irr., *être
phosphorescent*

21 **fosilizarse,** vp, *se fossiliser*

60 **fotocomponer,** vt, vi, vp, irr., *photocomposer*

5 **fotocopiar,** vt, *photocopier*

5 **fotograbar,** vt, *photograver*

43 **fotografiar,** vi, vt, vp, *photographier*

43 **fotolitografiar,** vt, *photolithographier*

5 **fracasar,** vi, ❖, *échouer [dans un projet] ;
manquer, rater*

5 **fraccionar,** vt, vp, *fractionner*

5 **fracturar,** vt, vp, *fracturer*

5 **fragmentar,** vt, vp, *fragmenter ; morceler*

17 **fraguar,** vt, vi, *forger [des métaux] ;
inventer [des mensonges]*

5 **franjar ; franjear,** vt, *franger*

5 **franquear,** vt, vp, ❖, *affranchir ; dégager,
franchir*

5 **frasear,** vt, *phraser*

21 **fraternizar,** vi, *fraterniser*

5 **frecuentar,** vt, *fréquenter*

66 **fregar,** vt, irr., *frotter ; récurer [les casseroles] ;
laver [la vaisselle]*

5 **fregotear,** vt, *fam., laver [la vaisselle] à la hâte*

67 **freír,** vt, vp, irr., 2 p.p., ❖, *frire ; faire frire ;
fam., accabler [de questions]*

5 **frenar,** vt, *freiner*
5 **fresar,** vt, *fraiser*
21 **frezar,** vi, vt, [les animaux] *fienter ;*
nettoyer [les ruches] ; [les poissons] *frayer*
72 **fricar,** vt, *frotter*
5 **friccionar,** vt, *frictionner*
21 **frigorizar,** vt, *frigorifier*
5 **frisar,** vt, ◇, *friser, ratiner* [un tissu]
5 **frotar,** vt, vp, ◇, *frotter, frictionner*
72 **fructificar,** vi, *fructifier*
86 **fruncir,** vt, vp, *froncer* [les sourcils] ;
plisser [le front, une étoffe]
5 **frustrar,** vt, vp, *frustrer, décevoir ; échouer ;*
être déçu
5 **fucilar,** vi, imp., *faire des éclairs* [de chaleur] ;
fulgurer, scintiller
53 **fugarse,** vp, ◇, *s'enfuir, s'échapper*
32 **fulgir,** vi, *briller, étinceler*
5 **fulgurar,** vi, *fulgurer, resplendir*
5 **fullear,** vi, *tricher* [au jeu]
5 **fulminar,** vt, vi, ◇, *foudroyer, fulminer*
5 **fumar,** vi, vt, vp, ◇, *fumer ;*
fam., gaspiller, sécher [les cours]
53 **fumigar,** vt, *désinfecter* [par fumigation]
5 **funcionar,** vi, *fonctionner*
5 **fundamentar,** vt, ◇, *fonder, jeter les fondations*
[d'un édifice] ; *baser* [sur des arguments]
5 **fundar,** vt, vp, ◇, *fonder* [une institution] ;
s'appuyer [sur des arguments]
7 **fundir,** vt, vp, ◇, *fondre* [un métal, de la cire] ;
griller [une ampoule]
32 **fungir,** vi, *exercer une fonction*
5 **fusilar,** vt, *fusiller ; fam., plagier*
5 **fusionar,** vt, vp, *fusionner*
53 **fustigar,** vt, *fustiger*

G

5 **gafar,** vt, *gaffer, accrocher ;*
fam., porter la poisse
5 **gaguear,** vi, *bégayer*
5 **galantear,** vt, *courtiser ; conter fleurette*
5 **galardonar,** vt, ◇, *récompenser*
5 **galibar,** vt, *gabarier*
5 **gallardear,** vi, vp, *se vanter ; crâner*
5 **gallear,** vt, vi, *cocher, couvrir* [les poules] ;
fam., monter sur ses grands chevaux
5 **gallofear,** vi, *mendier, vagabonder*

5 **galonear,** vt, *galonner*
5 **galopar ; galopear,** vi, *galoper*
21 **galvanizar,** vt, *galvaniser*
5 **gambetear,** vi, *gambader ; faire des entrechats ;*
[un cheval] *faire des courbettes*
5 **ganar,** vt, vi, vp, ◇, *gagner ; surpasser ; mériter*
5 **gandulear,** vi, *fainéanter, paresser*
5 **gangosear,** vi, *nasiller*
5 **gangrenarse,** vp, *se gangrener*
5 **ganguear,** vi, *nasiller, parler du nez*
5 **gansear,** vi, *fam., dire des sottises*
18 **gañir,** vi, irr., [le renard] *glapir ;*
[les oiseaux] *croasser*
5 **garabatear,** vi, vt, *accrocher, harponner ;*
griffonner ; fam., tergiverser
8 **garantir,** vt, déf., *garantir*
21 **garantizar,** vt, *garantir, se porter garant*
5 **garapiñar,** vt, *glacer, congeler ;*
praliner [les amandes]
5 **garbear,** vt, vi, vp, *se rengorger ;*
fam., faire un tour/une virée
5 **garbillar,** vt, *cribler* [le minerai] ;
vanner [le grain]
5 **garfear,** vi, *crocher ; saisir avec un crochet*
5 **gargajear,** vi, *cracher, graillonner*
5 **gargantear,** vi, vt, *faire des roulades*
[en chantant] ; *estroper*
21 **gargarizar,** vi, *se gargariser*
5 **garlar,** vi, *fam., papoter, bavarder*
5 **garrafiñar,** vt, *fam., agripper, arracher*
5 **garrapatear,** vi, vt, *gribouiller, griffonner*
5 **garrapiñar,** vt, *praliner* [les amandes]
5 **garrar,** vi, *navig.,* [un navire] *chasser sur ses ancres*
5 **garrear,** vi, vt, *navig.,* [un navire] *chasser*
sur ses ancres ; amér., vivre aux crochets
(de qqn)
5 **garrochear,** vt, *piquer, aiguillonner*
[les taureaux]
5 **garrotear,** vt, *amér., bâtonner*
9 **garuar,** vi, imp., *amér., bruiner*
5 **gasear,** vt, *gazéifier, gazer*
72 **gasificar,** vt, *gazéifier*
5 **gastar,** vt, vp, ◇, *dépenser* [de l'argent] ;
plaisanter ; s'user, fam., se porter, se faire
5 **gatear,** vi, vt, *grimper ; fam., marcher*
à quatre pattes ; [le chat] *griffer*
5 **gayar,** vt, *orner avec des bandes*
[d'une autre couleur]
72 **gelificar,** vt, *gélifier*
55 **gemir,** vi, irr., *gémir, geindre*

21 **generalizar**, vt, vp, généraliser

5 **generar**, vt, engendrer; entraîner

21 **germanizar**, vt, vp, germaniser

5 **germinar**, vi, germer

5 **gestar**, vt, vp, concevoir; se préparer

5 **gestear**, vi, grimacer

5 **gesticular**, vi, grimacer; gesticuler

5 **gestionar**, vt, vi, faire des démarches;
gérer [une affaire]

5 **gibar**, vt, rendre bossu;
fam., ennuyer, importuner

5 **gimotear**, vi, fam., pleurnicher, geindre

5 **girar**, vi, vt, ◇, tourner; virer [une somme];
braquer [une voiture]

5 **gitanear**, vi, cajoler, enjôler

5 **glasear**, vt, glacer, lustrer

43 **gloriar**, vt, vp, ◇, glorifier

72 **glorificar**, vt, vp, glorifier

5 **glosar**, vt, gloser, annoter, commenter

5 **glotonear**, vi, manger gloutonnement;
s'empiffrer

56 **gobernar**, vt, vi, vp, irr., ◇, gouverner;
conduire, diriger

5 **gofrar**, vt, gaufrer [le cuir, les étoffes]

5 **golear**, vt, marquer de nombreux buts
[lors d'un match de football]

5 **golfear**, vi, fam., vagabonder;
se conduire en voyou

5 **golosinar; golosinear**, vi, manger des friandises

5 **golpear**, vt, vi, ◇, frapper

5 **golpetear**, vt, vi, frapper à coups répétés;
tapoter

21 **gongorizar**, vi, gongoriser; parler/écrire
avec recherche

5 **gorgojarse; gorgojearse**, vp, [les semences]
se charançonner

5 **gorgoritear**, vi, faire des roulades

5 **gorgotear**, vi, gargouiller

5 **gorjear**, vi, vp, [les oiseaux] gazouiller;
[les enfants] babiller

5 **gorrear**, vi, vivre en parasite,
aux dépens d'autrui

5 **gorronear**, vi, vivre en parasite

5 **gotear**, vi, imp., ◇, dégoutter, tomber
goutte à goutte; pleuviner

5 **goterear**, vi, imp., tomber à grosses gouttes
[en début d'orage]

21 **gozar**, vt, vi, vp, ◇, jouir; posséder; se complaire

5 **grabar**, vt, vp, ◇, graver; enregistrer

5 **gracejar**, vi, plaisanter

5 **gradar**, vt, herser

9 **graduar**, vt, vp, ◇, graduer; conférer
[un grade]; être reçu [à un examen]

5 **grafilar**, vt, moleter

5 **grajear**, vi, croasser

5 **granar**, vi, vt, grener

5 **granear**, vt, semer [du grain];
greneler [le cuir]; grener

21 **granizar**, vi, imp., grêler

5 **granjear**, vt, vp, ◇, trafiquer; navig., gagner
le vent; acquérir; attirer

5 **granular**, vt, vp, granuler; se couvrir
de boutons

5 **grapar**, vt, agrafer

5 **gratar**, vt, brunir [de l'or, de l'argent]

72 **gratificar**, vt, gratifier

5 **gratinar**, vt, gratiner

5 **gravar**, vt, vp, ◇, peser [sur une chose];
grever, imposer [une charge]

5 **gravitar**, vi, ◇, graviter; reposer,
s'appuyer (sur qqch.)

5 **graznar**, vi, [le corbeau] croasser;
[l'oie] cacarder; [le hibou] huer

5 **grillarse**, vp, germer; fam., péter les plombs

5 **grisear**, vi, grisonner

5 **gritar**, vi, vt, crier; huer, siffler

45 **gruir**, vi, irr., [la grue] craqueter; craquer

7 **grujir**, vt, gréser [le verre]

18 **gruñir**, vi, irr., grogner; grommeler; grincer

5 **guachapear**, vt, vi, patouiller
[dans une flaque d'eau]; fam., bâcler

5 **guadañar**, vt, faucher

5 **gualdrapear**, vt, vi, fouetter, claquer
[les voiles contre les mâts]

5 **guantear**, vt, amér., gifler, souffleter

5 **guapear**, vi, fam., avoir du cran, faire le beau;
amér., faire le fanfaron

5 **guardar**, vt, vp, ◇, garder; surveiller;
observer, respecter [la loi, un usage];
se garder (de faire qqch.)

54 **guarecer**, vt, vp, irr., ◇, protéger; abriter;
chercher asile

54 **guarnecer**, vt, irr., ◇, garnir; revêtir; équiper;
crépir; être en garnison

5 **guarnicionar**, vt, mettre une garnison
[dans une place forte]

8 **guarnir**, vt, irr., garnir; disposer [les palans
des agrès, pour la manœuvre d'un navire]

5 **guarrear**, vi, faire des cochonneries

5 **guasearse**, vp, ◇, fam., blaguer; se moquer

5 **guatear,** vt, *ouater*

5 **guayabear,** vt, *amér., mentir*

5 **guayar,** vt, vp, *amér., râper [du fromage] ; rayer (qqch.)*

5 **guerrear,** vi, vt, ❖, *guerroyer ; faire la guerre*

5 **guerrillear,** vi, *se livrer à la guérilla*

43 **guiar,** vt, vp, ❖, *guider ; conduire ; diriger ; se laisser guider*

5 **guillarse,** vp, *s'enfuir, décamper ; se toquer de*

5 **guillotinar,** vt, *guillotiner ; couper au massicot*

5 **guinchar,** vt, *piquer/blesser [avec la pointe d'un bâton]*

5 **guindar,** vt, vp, *guinder, hisser ; fam., pendre (qqn)*

5 **guiñar,** vt, vi, vp, *cligner [de l'œil] ; se faire des clins d'œil*

5 **guipar,** vt, *fam., voir, apercevoir ; reluquer*

5 **guisar,** vt, *cuisiner ; préparer, accommoder*

5 **guisotear,** vi, vt, *fam., faire la popote ; fricoter*

5 **guitar,** vt, *coudre [avec de la ficelle]*

5 **guitonear,** vi, *vagabonder*

5 **gulusmear,** vi, *renifler les plats ; fouiner*

5 **gusanear,** vi, *fourmiller, grouiller*

5 **gustar,** vt, vi, ❖, *goûter ; aimer ; plaire*

H

3 **haber,** vt, vi, vp, imp., irr., ❖, *avoir, posséder ; y avoir*

5 **habilitar,** vt, vp, ❖, *habiliter ; commanditer ; pourvoir*

5 **habitar,** vt, vi, ❖, *habiter*

9 **habituar,** vt, vp, ❖, *habituer*

5 **hablar,** vt, vi, vp, ❖, *parler ; se fréquenter*

56 **hacendar,** vt, vp, irr., ❖, *donner, distribuer [des terres] ; s'établir [en un lieu]*

44 **hacer,** vt, vi, vp, imp., irr., ❖, *faire ; créer ; fabriquer ; faire [froid/chaud]*

5 **hachar,** vt, *couper à la hache*

5 **hachear,** vt, vi, *dégrossir à la hache ; donner des coups de hache*

5 **hacinar,** vt, vp, *entasser [les gerbes pour faire une meule] ; se presser*

53 **halagar,** vt, *flatter ; aduler*

5 **halar,** vt, *haler*

5 **hallar,** vt, vp, ❖, *trouver ; rencontrer*

5 **hambrear,** vt, vi, *affamer ; avoir faim*

5 **haraganear,** vi, *fainéanter, paresser*

5 **harinear,** vi, imp., *amér., bruiner*

21 **harmonizar,** vt, *harmoniser*

5 **haronear,** vi, *paresser, fainéanter*

5 **hartar,** vi, vp, 2 p.p., ❖, *rassasier ; fatiguer ; ennuyer ; se gaver*

43 **hastiar,** vt, vp, ❖, *dégoûter, écœurer ; ennuyer*

5 **hatajar,** vt, vp, *diviser [en troupeau] ; se disperser [en petits groupes]*

5 **hatear,** vi, *fam., faire son baluchon ; distribuer les provisions aux bergers*

39 **hebraizar,** vi, *hébraïser*

21 **hechizar,** vt, *ensorceler, envoûter*

29 **heder,** vi, irr., *puer ; ennuyer, fatiguer*

56 **helar,** vt, vi, vp, imp., irr., ❖, *geler, glacer ; congeler [les liquides] ; mourir de froid*

21 **helenizar,** vt, vp, *helléniser*

5 **helitransportar,** vt, *héliporter*

55 **henchir,** vt, vp, irr., ❖, *emplir, remplir ; gonfler ; se bourrer*

29 **hender,** vt, vp, irr., *fendre*

33 **hendir,** vt, irr., *fendre*

72 **henificar,** vt, *faner*

68 **heñir,** vt, irr., *pétrir*

5 **herbajar,** vt, vi, *herbager ; paître*

56 **herbar,** vt, irr., *apprêter, tanner [les peaux avec du redoul]*

54 **herbecer,** vi, irr., *[l'herbe] pousser ; se couvrir d'herbe*

21 **herborizar,** vi, *herboriser*

5 **heredar,** vt, ❖, *hériter*

76 **herir,** vt, vp, irr., ❖, *blesser ; coquer ; heurter*

5 **hermanar,** vt, vp, ❖, *unir ; assortir ; jumeler ; fraterniser*

5 **hermosear,** vi, vp, *embellir*

5 **herniarse,** vp, *développer une hernie ; se tuer au travail*

72 **heroificar,** vt, *héroïser*

56 **herrar,** vt, irr., ❖, *ferrer [un cheval] ; marquer au fer [le bétail]*

5 **herretear,** vt, *ferrer [un lacet, une aiguillette]*

5 **herrumbrar,** vt, vp, *rouiller*

76 **hervir,** vi, vt, irr., ❖, *bouillir ; [la mer] bouillonner ; grouiller, fourmiller*

5 **hibernar,** vi, *hiberner*

5 **hibridar,** vt, *hybrider*

5 **hidratar,** vt, vp, *hydrater*

5 **hidrogenar,** vt, *hydrogéner*

21 **hidrolizar,** vt, *hydrolyser*

21 **higienizar,** vt, *soumettre aux règles d'hygiène*

5 **hijear,** vi, *amér.,* bourgeonner

5 **hilar,** vt,✧, filer [la laine] ; inférer ; réfléchir ;
raisonner

5 **hilvanar,** vt, faufiler, bâtir ;
tramer [une histoire] ; bâcler

5 **himplar,** vi, [la panthère/l'once] rugir

72 **hincar,** vt, vp,✧, ficher, fixer ; planter

5 **hinchar,** vt, vp,✧, enfler, gonfler

5 **hipar,** vi,✧, hoqueter ; avoir le hoquet ;
[un chien] haleter

21 **hiperbolizar,** vi, hyperboliser

5 **hipertrofiarse,** vp, s'hypertrophier

5 **hiperventilar,** vt, vi, hyperventiler

21 **hipnotizar,** vt, hypnotiser

72 **hipotecar,** vt, hypothéquer

5 **hisopar; hisopear,** vt, asperger
[avec le goupillon]

21 **hispanizar,** vt, vp, hispaniser

5 **historiar,** vt, composer/raconter/écrire
[des histoires] ; faire l'historique

72 **hocicar,** vt, vi,✧, fouiller ; vermiller,
vermillonner ; se bécoter ;
tomber·sur le nez ; piquer du nez

5 **hojaldrar,** vt, feuilleter

5 **hojear,** vt, vi, feuilleter [un livre, un journal] ;
[un métal] se feuilleter

24 **holgar,** vi, vp, irr.,✧, se reposer ; être oisif ;
se divertir

5 **holgazanear,** vi, paresser, fainéanter

38 **hollar,** vt, irr., fouler aux pieds ; piétiner ; mépriser

5 **holografiar,** vt, holographier

5 **hombrear,** vi, vp,✧, se donner des airs
d'homme ; vouloir égaler (qqn)

5 **homenajear,** vt, rendre hommage

21 **homogeneizar,** vt, homogénéiser

53 **homologar,** vt, homologuer

5 **hondear,** vt, vi, sonder ; alléger,
décharger [une embarcation]

5 **honestar,** vt, honorer

5 **honorar,** vt, honorer

5 **honrar,** vt, vp,✧, honorer ; faire honneur

5 **horadar,** vt, percer [de part en part] ; forer ;
perforer

5 **hormiguear,** vi, fourmiller ; grouiller

5 **hormigonar,** vt, bétonner

5 **hornaguear,** vt, extraire de la houille

5 **hornear,** vt, vi, mettre au four ;
exercer la profession de fournier

5 **horripilar,** vt, vp, horripiler ; sentir les cheveux
se dresser sur la tête

21 **horrorizar,** vt, vp,✧, horrifier, épouvanter ;
frémir d'horreur

5 **hospedar,** vt, vi, vp, loger, héberger ;
prendre pension

21 **hospitalizar,** vt, hospitaliser

53 **hostigar,** vt, fustiger, flageller ; harceler ;
persécuter

21 **hostilizar,** vt, attaquer, harceler [l'ennemi]

5 **hoyar,** vt, *amér.,* faire des trous [pour planter]

21 **hozar,** vt, vi, fouiller, vermiller, vermillonner

5 **huchear,** vi, vt, hucher, huer ;
lancer [les chiens] en criant

5 **huevar,** vi, [les oiseaux] commencer à pondre

45 **huir,** vi, vt, vp, irr.,✧, fuir, s'enfuir

5 **humanar,** vt, vp,✧, humaniser ;
rendre plus affable

21 **humanizar,** vt, vp, humaniser

5 **humear,** vi, vt, vp, fumer ;
exhaler [de la fumée, de la vapeur] ;
amér., fumiger

5 **humectar,** vt, vp, humecter, humidifier

54 **humedecer,** vt, vp, irr.,✧, humecter, humidifier

72 **humidificar,** vt, humecter, humidifier

5 **humillar,** vt, vp,✧, humilier ; baisser, prosterner

7 **hundir,** vi, vp,✧, enfoncer ; [un bateau] couler ;
accabler ; ruiner

5 **huracanarse,** vp, [le vent] augmenter
de violence

53 **hurgar,** vt,✧, remuer ; toucher ; taquiner

5 **hurgonear,** vt, tisonner, fourgonner [le feu]

5 **hurguetear,** vt, *amér.,* fureter, fouiller

5 **huronear,** vi, fureter, fouiner

5 **hurtar,** vt, vp,✧, voler, dérober ; tromper ;
emporter les terres [par la mer, une crue]

5 **husmear,** vt, vi, flairer, fouiner ; sentir,
être faisandé

I

21 **idealizar,** vt, idéaliser

5 **idear,** vt, imaginer, inventer

72 **identificar,** vt, vp,✧, identifier

21 **ideologizar,** vt, vp, idéologiser

21 **idiotizar,** vt, rendre idiot, abêtir

5 **idolatrar,** vt, vi,✧, idolâtrer

5 **ignorar,** vt, ignorer

5 **igualar,** vt, vi, vp,✧, égaler ; égaliser ; être égal

5 **ijadear,** vt, haleter, être essoufflé

21 **ilegalizar,** vt, *illégaliser*

5 **ilegitimar,** vt, *rendre illégitime,*
déclarer illégitime

5 **iluminar,** vt, vp, *éclairer, illuminer*

5 **ilusionar,** vt, vp, *illusionner*

5 **ilustrar,** vt, vp, ✧, *éclairer [l'esprit] ;*
éclaircir [un point] ; illustrer

5 **imaginar,** vt, vi, vp, *imaginer*

5 **imanar,** vt, vp, *aimanter*

5 **imantar,** vt, vp, *aimanter*

72 **imbricar,** vt, *imbriquer*

45 **imbuir,** vt, irr., ✧, *inspirer, inculquer*

5 **imitar,** vt, ✧, *imiter*

5 **impacientar,** vt, vp, ✧, *impatienter*

5 **impactar,** vt, *heurter, percuter ; choquer*

7 **impartir,** vt, *impartir, accorder ; donner*

55 **impedir,** vt, irr., *empêcher*

6 **impeler,** vt, ✧, *pousser ; exciter, stimuler*

5 **imperar,** vi, *exercer la dignité impériale ;*
régner ; dominer

21 **impermeabilizar,** vt, ✧, *imperméabiliser*

21 **impersonalizar,** vt, *donner la forme*
impersonnelle [à un verbe]

5 **impetrar,** vt, ✧, *impétrer ;*
obtenir [ce qu'on sollicite]

5 **implantar,** vt, vp, *implanter*

72 **implicar,** vt, vp, ✧, *impliquer ; empêcher*

5 **implorar,** vt, *implorer*

60 **imponer,** vt, vi, vp, irr., ✧, *imposer ; en imposer*
(à qqn) ; s'instruire, se renseigner

5 **importar,** vi, vt, ✧, *importer, avoir*
de l'importance ; importer [de l'étranger] ;
valoir, coûter

5 **importunar,** vt, ✧, *importuner*

5 **imposibilitar,** vt, ✧, *rendre impossible ;*
empêcher

72 **imprecar,** vt, *proférer des imprécations*

5 **impregnar,** vt, vp, ✧, *imprégner*

5 **impresionar,** vt, vp, *impressionner ;*
être impressionné

5 **imprimar,** vt, *apprêter [une toile]*

7 **imprimir,** vt, 2 p.p., ✧, *imprimer*

5 **improvisar,** vt, *improviser*

5 **impugnar,** vt, *attaquer ; contredire, réfuter*

5 **impulsar,** vt, ✧, *pousser, inciter ; stimuler*

72 **impurificar,** vt, *souiller, rendre impur*

5 **imputar,** vt, ✧, *imputer ; accuser (qqn de qqch.)*

5 **inaugurar,** vt, *inaugurer*

5 **incapacitar,** vt, ✧, *inhabiliter ;*
déclarer incapable

5 **incautarse,** vp, ✧, *séquestrer, mettre sous*
séquestre ; saisir, confisquer

5 **incendiar,** vt, vp, *incendier*

56 **incensar,** vt, irr., *encenser*

5 **incentivar,** vt, *stimuler ; encourager*

7 **incidir,** vi, vt, ✧, *tomber [sur une faute,*
une erreur] ; inciser

5 **incinerar,** vt, *incinérer*

5 **incitar,** vt, ✧, *inciter, pousser (à faire qqch.)*

5 **inclinar,** vt, vi, vp, ✧, *incliner ; ressembler ;*
se pencher

45 **incluir,** vt, irr., 2 p.p., ✧, *inclure ; insérer ;*
impliquer

5 **incoar,** vt, *commencer, intenter [un procès]*

5 **incomodar,** vt, vp, *incommoder, gêner ;*
fâcher, vexer

72 **incomunicar,** vt, vp, *mettre au secret ;*
priver de communication ; isoler

5 **incordiar,** vt, *importuner, déranger, gêner*

5 **incorporar,** vt, vp, ✧, *incorporer, intégrer ;*
dresser, redresser [le corps, le buste]

5 **incrasar,** vt, *engraisser*

5 **incrementar,** vt, ✧, *augmenter, accroître*

5 **increpar,** vt, *réprimander ; apostropher*

5 **incriminar,** vt, *incriminer, accuser ;*
exagérer [une faute, un défaut]

5 **incrustar,** vt, vp, ✧, *incruster*

5 **incubar,** vi, vt, *couver ; incuber*

72 **inculcar,** vt, vp, ✧, *serrer [une chose contre*
une autre] ; inculquer [une idée]

5 **inculpar,** vt, ✧, *accuser, inculper*

7 **incumbir,** vi, ✧, *incomber*

7 **incumplir,** vt, *ne pas accomplir*

7 **incurrir,** vi, 2 p.p., ✧, *encourir ;*
commettre [une faute, une erreur]

5 **incursionar,** vi, *faire des incursions*

53 **indagar,** vt, *rechercher, s'enquérir ; enquêter*

21 **indemnizar,** vt, vp, ✧, *indemniser, dédommager*

21 **independizar,** vt, vp, ✧, *donner l'indépendance ;*
émanciper ; devenir indépendant

5 **indexar,** vt, *indexer*

72 **indicar,** vt, *indiquer, désigner*

5 **indiciar,** vt, *indiquer, laisser entrevoir ;*
soupçonner

5 **indigestarse,** vp, ✧, *avoir une indigestion ;*
fam., déplaire (à qqn)

5 **indignar,** vt, vp, ✧, *indigner*

5 **indisciplinarse,** vp, *manquer à la discipline*

60 **indisponer,** vt, vp, irr., ✧, *indisposer, déranger,*
incommoder

21 **individualizar,** vt, individualiser
9 **individuar,** vt, individualiser
21 **indizar,** vt, indexer
62 **inducir,** vt, irr., ❖, induire; pousser;
    persuader (qqn)
5 **indultar,** vt, ❖, gracier [un condamné];
    exempter (qqn d'une obligation)
5 **indurar,** vt, indurer
21 **industrializar,** vt, vp, industrialiser
5 **industriar,** vt, vp, instruire; agencer; combiner;
    s'ingénier
5 **inervar,** vt, innerver
5 **infamar,** vt, vp, diffamer (qqn);
    se rendre infâme
5 **infartar,** vt, vp, provoquer un infarctus;
    s'engorger
9 **infatuar,** vt, vp, ❖, infatuer, rendre fat
    ou arrogant
5 **infeccionar,** vt, infecter
5 **infectar,** vt, vp, infecter
76 **inferir,** vt, irr., ❖, inférer, déduire,
    tirer une conséquence
5 **infestar,** vt, vp, ❖, infester, infecter;
    être infecté
5 **infeudar,** vt, inféoder
5 **inficionar,** vt, vp, ❖, infecter, corrompre
5 **infiltrar,** vt, vp, ❖, faire une infiltration;
    insinuer; s'infiltrer
5 **infirmar,** vt, infirmer, déclarer nul
5 **inflamar,** vt, vp, ❖, enflammer
5 **inflar,** vt, vp, ❖, gonfler, enfler;
    grossir, exagérer
32 **infligir,** vt, infliger
5 **influenciar,** vt, influencer
45 **influir,** vt, vi, irr., ❖, influencer; influer
5 **informar,** vt, vi, vp, ❖, informer, instruire;
    plaider
21 **informatizar,** vt, vp, informatiser
21 **infrautilizar,** vt, sous-utiliser
5 **infravalorar,** vt, sous-estimer, sous-évaluer
32 **infringir,** vt, enfreindre, transgresser
7 **infundir,** vt, 2 p.p., ❖, inspirer, communiquer
5 **ingeniar,** vt, vp, ❖, inventer, imaginer;
    s'ingénier
76 **ingerir,** vt, irr., 2 p.p., ❖, ingérer
5 **ingresar,** vi, vt, ❖, entrer, rentrer; déposer,
    verser [à la banque]
5 **ingurgitar,** vt, ingurgiter
5 **inhabilitar,** vt, vp, ❖, déclarer (qqn) incapable;
    devenir inhabile

5 **inhalar,** vt, inhaler
7 **inhibir,** vt, vp, ❖, inhiber; empêcher
5 **inhumar,** vt, inhumer
5 **iniciar,** vt, vp, ❖, initier; commencer, entamer,
    amorcer
76 **injerir,** vt, vp, irr., ❖, insérer, introduire;
    s'ingérer
5 **injertar,** vt, 2 p.p., ❖, greffer
5 **injuriar,** vt, injurier, outrager, endommager
21 **inmaterializar,** vt, immatérialiser
32 **inmergir,** vt, immerger
5 **inmigrar,** vi, immigrer
45 **inmiscuir,** vt, vp, irr., ❖, mêler, mélanger;
    s'immiscer
5 **inmolar,** vt, vp, ❖, immoler
21 **inmortalizar,** vt, vp, immortaliser
21 **inmovilizar,** vt, vp, immobiliser
21 **inmunizar,** vt, immuniser
5 **inmutar,** vt, vp, altérer; changer; se troubler
5 **innovar,** vt, innover
5 **inocular,** vt, vp, inoculer
5 **inquietar,** vt, vp, ❖, inquiéter
10 **inquirir,** vt, irr., s'enquérir de; enquêter sur
5 **insalivar,** vt, imprégner de salive
7 **inscribir,** vt, vp, p.p., ❖, inscrire
5 **inseminar,** vt, inséminer
21 **insensibilizar,** vt, vp, insensibiliser
5 **insertar,** vt, vp, 2 p.p., ❖, insérer
5 **insidiar,** vt, tendre des pièges, des embûches
9 **insinuar,** vt, vp, ❖, insinuer; suggérer
7 **insistir,** vi, ❖, insister
5 **insolar,** vt, vp, insoler; attraper un coup
    de soleil
5 **insolentar,** vt, vp, ❖, rendre insolent;
    se montrer insolent
21 **insonorizar,** vt, insonoriser
5 **inspeccionar,** vt, inspecter
5 **inspirar,** vt, vi, vp, ❖, inspirer; aspirer
5 **instalar,** vt, vp, ❖, installer
5 **instar,** vt, vi, ❖, insister; prier instamment;
    presser; être pressé
5 **instaurar,** vt, instaurer
53 **instigar,** vt, ❖, inciter
5 **instilar,** vt, instiller
21 **institucionalizar,** vt, vp, institutionnaliser
45 **instituir,** vt, irr., instituer, établir
45 **instruir,** vt, vp, irr., ❖, instruire
21 **instrumentalizar,** vt, instrumenter
5 **instrumentar,** vt, instrumenter; orchestrer
5 **insubordinar,** vt, vp, ❖, soulever, révolter

5 **insuflar,** vt, *insuffler*
5 **insultar,** vt, vp, *insulter*
7 **insumir,** vt, *investir [de l'argent]*
5 **insurreccionar,** vt, vp, ❖, *soulever, révolter ; s'insurger*
5 **integrar,** vt, ❖, *composer ; constituer ; intégrer*
21 **intelectualizar,** vt, *intellectualiser*
72 **intensificar,** vt, vp, *intensifier*
5 **intentar,** vt, ❖, *avoir l'intention, tenter ; intenter [une action]*
5 **interaccionar,** vi, *interagir*
5 **intercalar,** vt, ❖, *intercaler*
5 **intercambiar,** vt, *échanger*
6 **interceder,** vi, ❖, *intercéder*
5 **interceptar,** vt, *intercepter ; barrer*
72 **intercomunicar,** vt, *faire communiquer*
5 **interconectar,** vt, *interconnecter*
5 **interesar,** vi, vt, vp, ❖, *intéresser*
76 **interferir,** vt, vi, vp, irr., ❖, *interférer ; brouiller [une émission]*
21 **interiorizar,** vt, vp, *intérioriser*
5 **interlinear,** vt, *interligner*
5 **intermediar,** vi, *intervenir ; arbitrer [entre plusieurs personnes]*
21 **internacionalizar,** vt, *internationaliser*
5 **internar,** vt, vi, vp, ❖, *interner ; pénétrer ; s'infiltrer*
5 **interpaginar,** vt, *interfolier*
5 **interpelar,** vt, *interpeller*
5 **interpolar,** vt, ❖, *interpoler*
60 **interponer,** vt, vp, irr., ❖, *interposer ; interjeter [un appel]*
5 **interpretar,** vt, ❖, *interpréter*
53 **interrogar,** vt, ❖, *interroger*
7 **interrumpir,** vt, *interrompre*
82 **intervenir,** vt, vi, irr., ❖, *intervenir ; contrôler [un compte]*
5 **intimar,** vt, vi, vp, ❖, *intimer ; se lier d'amitié ; devenir intime*
5 **intimidar,** vt, vp, *intimider*
5 **intitular,** vt, vp, *intituler*
72 **intoxicar,** vt, vp, *intoxiquer ; faire de l'intox*
21 **intranquilizar,** vt, vp, *inquiéter ; troubler*
53 **intrigar,** vi, vt, *intriguer*
72 **intrincar,** vt, vp, *emmêler, embrouiller*
62 **introducir,** vt, vp, irr., ❖, *introduire ; s'immiscer*
5 **intubar,** vt, *intuber*
45 **intuir,** vt, irr., *deviner ; pressentir*
5 **inundar,** vt, vp, ❖, *inonder*
21 **inutilizar,** vt, vp, *inutiliser ; rendre/devenir inutile*

7 **invadir,** vt, *envahir*
5 **invaginar,** vt, *invaginer*
5 **invalidar,** vt, *invalider ; infirmer*
5 **inventar,** vt, *inventer*
43 **inventariar,** vt, *inventorier, faire l'inventaire*
56 **invernar,** vi, irr., ❖, *hiverner*
76 **invertir,** vt, irr., 2 p.p., ❖, *intervenir ; inverser*
53 **investigar,** vt, *faire des recherches ; enquêter sur*
55 **investir,** vt, irr., ❖, *investir [d'une dignité]*
5 **invitar,** vt, ❖, *inviter*
72 **invocar,** vt, *invoquer*
5 **involucrar,** vt, ❖, *insérer [des disgressions dans un ouvrage] ; compromettre (qqn dans une affaire]*
5 **inyectar,** vt, vp, ❖, *injecter*
21 **ionizar,** vt, *ioniser*
46 **ir,** vi, vp, irr., ❖, *aller ; se diriger [vers] ; s'en aller*
5 **irisar,** vt, vi, *iriser*
21 **ironizar,** vt, *ironiser*
5 **irradiar,** vt, vi, *irradier*
5 **irreverenciar,** vt, *traiter avec irrévérence*
53 **irrigar,** vt, *irriguer*
5 **irritar,** vt, vp, ❖, *irriter ; exciter ; se mettre en colère*
53 **irrogar,** vt, vp, *causer, occasionner [des dommages]*
45 **irruir,** vt, irr., *attaquer impétueusement ; envahir*
7 **irrumpir,** vi, ❖, *faire irruption*
21 **islamizar,** vt, vi, vp, *islamiser*
21 **italianizar,** vt, vp, *italianiser*
5 **iterar,** vt, *réitérer, itérer*
21 **izar,** vt, *hisser*
5 **izquierdear,** vi, *déraisonner ; fam., dérailler*

5 **jabalconar,** vt, vi, *soutenir [avec des jambes de force] ; étançonner*
5 **jabardear,** vi, *essaimer*
5 **jabonar,** vt, *savonner*
5 **jacalear,** vt, *amér., cancaner*
5 **jactarse,** vp, ❖, *se vanter, se targuer*
5 **jadear,** vi, *haleter*
21 **jaezar,** vt, *harnacher*
5 **jaharrar,** vt, *crépir [un mur]*

5 **jalar,** vt, vi, vp, *fam.*, haler; bouffer;
   amér., se soûler; s'en aller
53 **jalbegar,** vt, vp, blanchir [les murs, à la chaux];
   badigeonner; farder [le visage]
5 **jalear,** vt, vp, exciter [les chiens];
   acclamer [les chanteurs]
5 **jalonar,** vt, jalonner
5 **jaquear,** vt, mettre en échec; harceler
5 **jaranear,** vi, *fam.*, faire la fête, s'amuser
5 **jarciar,** vt, gréer [un bateau]
5 **jaropear,** vt, *fam.*, droguer;
   médicamenter [un malade]
5 **jarrear,** vi, imp., pleuvoir à verse
5 **jaspear,** vt, ◇, jasper
21 **jerarquizar,** vt, hiérarchiser
53 **jeringar,** vt, vp, injecter [avec une seringue];
   fam., raser, ennuyer
5 **jesusear,** vi, *fam.*, répéter souvent le nom de Jésus
5 **jinetear,** vi, vt, se promener [à cheval];
   amér., dompter [les chevaux]
5 **jipar,** vi, hoqueter
43 **jipiar,** vi, hoqueter, geindre
6 **joder,** vt, vi, vp, *fam.*, baiser;
   emmerder; foutre en l'air
5 **jornalear,** vi, travailler à la journée
5 **jorobar,** vt, vp, *fam.*, casser les pieds,
   faire suer, raser
5 **jorrar,** vt, traîner; remorquer
5 **jubilar,** vt, vi, vp, ◇, mettre à la retraite;
   jubiler; prendre sa retraite
39 **judaizar,** vi, judaïser
5 **juerguearse,** vp, *fam.*, faire la noce, la bringue
47 **jugar,** vi, vt, vp, irr., ◇, jouer; parier;
   être en cause
5 **juguetear,** vi, s'amuser, folâtrer, batifoler
5 **juntar,** vt, vp, 2 p.p., ◇, joindre,
   unir [des choses]; assembler
5 **juramentar,** vt, vp, assermenter;
   faire prêter serment
5 **jurar,** vt, vi, ◇, jurer, prêter serment; blasphémer
5 **justar,** vi, jouter
72 **justificar,** vt, vp, ◇, justifier
5 **justipreciar,** vt, apprécier, évaluer [une chose]
53 **juzgar,** vt, ◇, juger

K

5 **kilometrar,** vt, kilométrer

L

21 **labializar,** vt, labialiser
5 **laborar,** vt, vi, ◇, travailler, œuvrer; intriguer
5 **laborear,** vt, vi, travailler
5 **labrar,** vt, vi, ◇, travailler [la pierre, le bois]
5 **lacear,** vt, enrubanner; lacer;
   amér., attraper au lasso
5 **lacerar,** vt, vi, vp, lacérer, déchirer; souffrir;
   se meurtrir
5 **lacrar,** vt, vp, cacheter [à la cire];
   rendre malade; contaminer
5 **lactar,** vt, vi, allaiter; téter; se nourrir au lait
5 **ladear,** vt, vi, vp, ◇, pencher, incliner;
   dévier du droit chemin
5 **ladrar,** vi, vt, ◇, [les chiens] aboyer, japper;
   apostropher (qqn)
5 **ladrillar,** vt, briqueter, carreler
5 **ladronear,** vi, voler
5 **lagrimar,** vi, pleurer
5 **lagrimear,** vi, larmoyer
21 **laicizar,** vt, laïciser
5 **lamentar,** vt, vi, vp, ◇, déplorer, regretter;
   se lamenter
6 **lamer** vt, vp, lécher
5 **laminar,** vt, laminer;
   lamer [recouvrir de lames de métal]
72 **lamiscar,** vt, *fam.*, lécher avidement
5 **lampacear,** vt, fauberter
5 **lampar,** vi, vp, brûler d'envie (de qqch.)
5 **lamprear,** vt, faire cuire un rôti
   [dans du vin sucré et épicé]
5 **lancear,** vt, blesser à coups de lance
5 **lancinar,** vt, vi, vp, piquer, déchirer;
   lanciner, élancer
54 **languidecer,** vi, irr., ◇, languir
21 **lanzar,** vt, vp, ◇, lancer, jeter;
   larguer [un parachutiste]
5 **lañar,** vt, cramponner
5 **lapidar,** vt, lapider
72 **lapidificar,** vt, vp, lapidifier
21 **lapizar,** vt, crayonner
5 **laquear,** vt, laquer
5 **lardear,** vt, graisser, beurrer; larder
53 **largar,** vt, vp, ◇, lâcher; chasser;
   fam., prendre le large, filer
5 **lastimar,** vt, vp, ◇, blesser, faire mal;
   plaindre, s'apitoyer
5 **lastrar,** vt, vp, lester

5 **latiguear,** vi, *faire claquer le fouet*

21 **latinizar,** vt, vi, *latiniser ; abuser d'expressions latines*

7 **latir,** vi, vt, *[le cœur, le pouls] battre ; aboyer ; glapir*

5 **laudar,** vt, *rendre une sentence arbitrale*

5 **laurear,** vt, *couronner [de lauriers] ; récompenser*

5 **lavar,** vt, vp, ⬦, *laver*

5 **laxar,** vt, vp, *relâcher, détendre ; prendre un laxatif*

5 **layar,** vt, *bêcher*

21 **lazar,** vt, *prendre au lasso ; lacer*

26 **leer,** vt, irr., ⬦, *lire*

5 **legajar,** vt, *amér., attacher/mettre en liasse*

21 **legalizar,** vt, *légaliser*

53 **legar,** vt, ⬦, *léguer [un héritage, une œuvre] ; déléguer (qqn)*

5 **legislar,** vi, *légiférer*

5 **legitimar,** vt, *légitimer*

5 **legrar,** vt, *ruginer ; faire un curetage*

5 **lengüetear,** vi, *faire claquer la langue [en mangeant] ; amér., bavarder*

72 **lenificar,** vt, *lénifier*

72 **lentificar,** vt, *ralentir*

5 **lesionar,** vt, vp, *blesser, faire du mal ; léser, faire tort*

5 **leudar,** vt, vp, *mêler le levain [à la pâte] ; [la pâte du pain] lever*

5 **levantar,** vt, vi, vp, ⬦, *lever ; s'élever ; se lever ; se dresser*

5 **levar,** vt, vp, *lever [l'ancre] ; mettre à la voile*

53 **levigar,** vt, *léviger*

5 **levitar,** vi, *être en lévitation*

21 **lexicalizar,** vt, vp, *lexicaliser*

43 **liar,** vt, vp, ⬦, *lier, attacher ; s'envelopper ; fam., avoir une liaison*

5 **libelar,** vt, *libeller ; présenter [une requête]*

21 **liberalizar,** vt, vp, *libéraliser ; libérer ; devenir libéral*

5 **liberar,** vt, ⬦, *libérer [d'une obligation]*

5 **libertar,** vt, vp, *délivrer ; libérer ; affranchir*

5 **librar,** vt, vi, vp, ⬦, *sauver ; libérer ; accoucher ; éviter*

5 **licenciar,** vt, vp, ⬦, *licencier, congédier ; passer sa licence*

5 **licitar,** vt, *enchérir ; soumissionner*

5 **licuar,** vt, vp, *liquéfier ; liquater*

5 **liderar,** vt, *diriger/être à la tête [d'un groupe, d'un parti]*

5 **lidiar,** vi, vt, ⬦, *batailler ; combattre [un taureau]*

53 **ligar,** vt, vi, vp, ⬦, *lier, attacher ; grouper des cartes [de même couleur] ; fam., draguer*

72 **lignificar,** vt, vp, *lignifier [se convertir en bois]*

5 **lijar,** vt, *polir [avec du papier de verre]*

5 **limar,** vt, *limer ; polir*

5 **limitar,** vt, vi, vp, ⬦, *limiter, borner ; confiner*

5 **limosnear,** vi, *mendier, demander l'aumône*

5 **limpiar,** vt, vp, ⬦, *nettoyer ; essuyer ; ramoner*

5 **linchar,** vt, *lyncher*

5 **lindar,** vi, ⬦, *se toucher [deux propriétés] ; être contigu ; être limitrophe*

5 **linear,** vt, *ligner ; esquisser*

21 **liofilizar,** vt, *lyophiliser*

5 **liquidar,** vt, vp, *liquéfier ; liquider, solder ; se liquéfier*

5 **lisiar,** vt, vp, *blesser ; estropier*

5 **lisonjear,** vt, vp, ⬦, *flatter ; charmer*

5 **listar,** vt, *inscrire sur une liste ; lister*

5 **listear,** vt, *rayer*

5 **listonar,** vt, *poser des liteaux*

53 **litigar,** vt, vi, ⬦, *plaider ; être en litige ; se disputer*

43 **litofotografiar,** vt, *photolithographier*

43 **litografiar,** vt, *lithographier*

54 **lividecer,** vi, irr., *devenir livide*

5 **lixiviar,** vt, *lixivier*

53 **llagar,** vt, vp, *blesser ; ulcérer ; faire une plaie*

5 **llamar,** vt, vi, vp, ⬦, *appeler ; frapper, sonner [à une porte] ; se nommer*

5 **llamear,** vi, *flamber ; flamboyer*

5 **llanear,** vi, *marcher/rouler en terrain plat*

53 **llegar,** vi, vt, vp, ⬦, *arriver ; approcher ; aller ; se rendre*

5 **llenar,** vt, vi, vp, ⬦, *remplir ; se salir ; fam., se rassasier*

5 **llevar,** vt, vp, ⬦, *emporter, emmener*

5 **llorar,** vi, vt, ⬦, *pleurer ; déplorer ; regretter*

5 **lloriquear,** vt, *pleurnicher*

50 **llover,** vi, vt, vp, imp., irr., ⬦, *pleuvoir ; faire pleuvoir*

5 **lloviznar,** vi, imp., *bruiner*

5 **loar,** vt, vp, ⬦, *louer, vanter, faire l'éloge de*

54 **lobreguecer,** vt, vi, imp., irr., *obscurcir, assombrir ; faire nuit*

21 **localizar,** vt, vp, ⬦, *localiser ; trouver ; situer ; repérer*

5 **lograr,** vt, vp, ⬦, *obtenir ; remporter ; réussir*

5 **lomear,** vi, *[le cheval] remuer la croupe*

5 **loquear,** vi, *divaguer ; dire/faire des folies*

5 **losar,** vt, *daller ; paver ; carreler*

5 **lotear**, vt, parceller ; partager en lots
72 **lubricar**, vt, lubrifier
48 **lucir**, vi, vt, vp, irr., ◇, briller, luire ;
se distinguer ; éclairer, illuminer ; se parer
5 **lucrar**, vt, vp, ◇, gagner, obtenir ; profiter ;
s'enrichir
5 **luchar**, vi, ◇, lutter
7 **ludir**, vt, ◇, frotter
5 **lujuriar**, vi, s'adonner à la luxure ;
[les animaux] s'accoupler
5 **lustrar**, vt, lustrer, cirer ; purifier par la lustration
5 **luxar**, vt, vp, luxer ; se luxer

M

21 **macadamizar**, vt, macadamiser
5 **macear**, vt, battre ; frapper
5 **macerar**, vt, vp, macérer ; mariner ; se mortifier
72 **machacar**, vt, vi, ◇, piler, broyer ;
rabâcher [la même chose]
5 **machar**, vt, vp, piler, broyer ; amér., se soûler
5 **machear**, vt, vi, féconder [une femelle]
5 **machetear**, vt, vp, frapper avec une machette ;
planter des pieux ; amér., s'obstiner
5 **machihembrar**, vt, assembler [à tenon
et mortaise] ; emboîter
72 **machucar**, vt, écraser [un objet] ; meurtrir
[un fruit] ; bosseler
21 **macizar**, vt, vi, boucher [un trou]
5 **macular**, vt, maculer, souiller ;
ternir une réputation
53 **madrugar**, vi, se lever très tôt ; être en avance ;
ne pas s'endormir [sur ses intérêts]
5 **madurar**, vt, vi, [les fruits] mûrir ;
méditer [une idée, un projet]
21 **magnetizar**, vt, magnétiser, fasciner
72 **magnificar**, vt, vp, magnifier
5 **magrear**, vt, fam., peloter, tripoter
5 **magullar**, vt, vp, meurtrir, contusionner
21 **mahometizar**, vi, mahométiser
5 **majadear**, vi, vt, parquer [le bétail] ;
fumer la terre
5 **majar**, vt, piler, broyer ;
fam., embêter, importuner
5 **malacostumbrar**, vt, mal éduquer ; gâter
5 **malaxar**, vt, malaxer
5 **malbaratar**, vt, vendre au rabais ; gaspiller ;
fam., bazarder

5 **malcasar**, vt, vp, mal marier ;
faire un mauvais mariage
6 **malcomer**, vt, manger mal/insuffisamment
43 **malcriar**, vt, gâter [les enfants] ;
donner une mauvaise éducation
61 **maldecir**, vt, vi, irr., 2 p.p., ◇, maudire ; médire
5 **malear**, vt, vp, ◇, abîmer, corrompre ; se pervertir
5 **maleficiar**, vt, faire du mal, ensorceler
29 **malentender**, vt, irr., mal interpréter ;
comprendre de travers
5 **malgastar**, vt, ◇, gaspiller [son argent] ;
perdre [son temps]
76 **malherir**, vt, irr., blesser grièvement
5 **malhumorar**, vt, vp, mettre (qqn) de mauvaise
humeur
5 **maliciar**, vt, vp, ◇, soupçonner ; se méfier
5 **malinterpretar**, vt, mal interpréter
5 **mallar**, vi, mailler
6 **malmeter**, vt, ◇, induire/pousser au mal ;
gaspiller
5 **malograr**, vt, vp, perdre [son temps,
une occasion] ; échouer
5 **malparar**, vt, maltraiter ; mettre en piteux état
7 **malparir**, vi, avorter
64 **malquerer**, vt, irr., 2 p.p., détester (qqn ou qqch.)
5 **malquistar**, vt, vp, ◇, fâcher, brouiller
5 **malrotar**, vt, gaspiller, dissiper [une fortune]
5 **maltear**, vt, malter
79 **maltraer**, vt, irr., maltraiter ; mortifier
5 **maltratar**, vt, vp, ◇, maltraiter, malmener,
rudoyer (qqn) ; abîmer, endommager (qqch.)
6 **malvender**, vt, mévendre
5 **malversar**, vt, détourner [des fonds] ;
commettre des malversations
7 **malvivir**, vi, vivre mal ; subsister
5 **mamar**, vt, vp, ◇, téter, sucer ; acquérir ou
apprendre [dès l'enfance] ; fam., se soûler
5 **mampostear**, vt, maçonner
5 **manar**, vi, vt, ◇, jaillir ; sourdre,
[un liquide] couler ; abonder
72 **mancar**, vt, vp, estropier ; devenir manchot
5 **mancillar**, vt, vp, souiller, tacher ; faner, flétrir
5 **mancomunar**, vt, vp, ◇, réunir, associer ;
solidariser
38 **mancornar**, vt, irr., terrasser [les jeunes
taureaux] ; entraver
5 **manchar**, vt, vp, ◇, tacher, salir ;
ternir une réputation
5 **mandar**, vt, vi, vp, ◇, ordonner, envoyer ;
commander ; ne pas être impotent

5 **mandilar,** vt, bouchonner, frotter [un cheval]
72 **manducar,** vi, vt, *fam.*, manger, bouffer,
     becqueter
5 **manear,** vt, vp, entraver [un cheval]
5 **manejar,** vt, vp, manier, diriger ; conduire ;
     se débrouiller
53 **mangar,** vt, vp, *fam.*, demander ; mendier ;
     chiper, chaparder
5 **mangonear,** vi, vt, ✧, *fam.*, se mêler de tout ;
     commander
5 **maniatar,** vt, lier les mains (à qqn)
56 **manifestar,** vt, vp, irr., 2 p.p., ✧, manifester
5 **maniobrar,** vi, manœuvrer
5 **manipular,** vt, ✧, manipuler
8 **manir,** vt, vi, déf., irr., faisander [le gibier]
5 **manosear,** vt, tripoter (qqch.)
5 **manotear,** vt, vi, frapper ; taper [avec la main] ;
     gesticuler
5 **manquear,** vi, faire preuve de maladresse
5 **mantear,** vt, vi, berner
4 **mantener,** vt, vp, irr., ✧, nourrir, maintenir ;
     rester ferme
5 **manufacturar,** vt, manufacturer
7 **manumitir,** vt, 2 p.p., affranchir [un esclave]
7 **manuscribir,** vt, p.p., écrire à la main
4 **manutener,** vt, irr., maintenir ; protéger
5 **mañanear,** vi, être matinal
5 **mañear,** vt, vi, agir avec adresse ; s'ingénier
5 **mapear,** vt, établir une carte génique ;
     dresser une carte topographique
5 **maquear,** vt, vp, laquer, vernir [un meuble]
5 **maquetar,** vt, maquetter
5 **maquillar,** vt, vp, maquiller
5 **maquinar,** vt, ✧, machiner, tramer
21 **maquinizar,** vt, mécaniser
5 **maravillar,** vt, vp, ✧, surprendre, émerveiller,
     étonner
72 **marcar,** vt, vi, vp, ✧, marquer, composer
     un numéro [de téléphone]
5 **marcear,** vt, vi, imp., tondre [les bêtes] ;
     faire un temps du mois de mars
5 **marchamar,** vt, plomber, marquer
     [les marchandises à la douane]
5 **marchar,** vi, vp, ✧, marcher ; partir ; s'en aller
7 **marchitar,** vt, vp, 2 p.p., faner, flétrir
5 **marear,** vt, vi, vp, diriger, gouverner
     [une embarcation] ; *fam.*, ennuyer ;
     avoir le mal de mer/le vertige
53 **margar,** vt, marner
5 **marginar,** vt, marginer ; laisser une marge ; ignorer

5 **maridar,** vi, vt, se marier ; vivre maritalement
5 **marinar,** vt, *cuis.*, mariner ; [un navire
     saisi] amariner ; former l'équipage
5 **marinear,** vi, naviguer
72 **mariscar,** vt, pêcher [des fruits de mer]
5 **marranear,** vt, vi, salir, *fam.*, cochonner ;
     amér., tromper
5 **marrar,** vi, manquer, rater ;
     s'écarter [du droit chemin]
5 **martillar,** vt, vp, marteler ; *fam.*, tourmenter ;
     avoir martel en tête
5 **martillear,** vt, marteler ; tourmenter
21 **martirizar,** vt, vp, martyriser ; se tourmenter ;
     s'affliger
5 **masacrar,** vt, massacrer
72 **mascar,** vt, vp, mâcher, mastiquer ;
     fam., mâchonner
5 **mascujar,** vt, mâchonner ; maugréer
21 **masculinizar,** vt, masculiniser
5 **mascullar,** vt, *fam.*, mâchonner, marmonner
72 **masificar,** vt, massifier (qqch.)
72 **masticar,** vt, vi, mastiquer, mâcher ; ruminer,
     réfléchir
5 **masturbar,** vt, vp, masturber
5 **matar,** vt, vp, ✧, tuer
21 **materializar,** vt, vp, matérialiser ;
     devenir matérialiste
21 **matizar,** vt, ✧, nuancer
5 **matonear,** vi, *amér.*, jouer au maton/au dur
5 **matraquear,** vt, vi, *fam.*, faire un bruit incessant
     [avec la crécelle] ; importuner
5 **matricular,** vt, vp, ✧, matriculer ; immatriculer ;
     inscrire
5 **matrimoniar,** vi, se marier
15 **maullar,** vi, miauler
21 **maximizar,** vt, maximiser ; maximaliser
5 **mayear,** vi, imp., faire un temps de mois de mai
5 **mayordomear,** vt, gouverner ou administrer
     [une propriété]
21 **maznar,** vt, pétrir [avec les mains] ;
     battre [le fer chaud]
5 **mear,** vi, vt, vp, *fam.*, pisser ; uriner
21 **mecanizar,** vt, vp, mécaniser ; motoriser ;
     usiner
43 **mecanografiar,** vt, dactylographier
49 **mecer,** vt, vp, ✧, agiter ; bercer ; balancer
5 **mechar,** vt, larder [la viande]
5 **mediar,** vi, ✧, arriver à la moitié ; intervenir
21 **mediatizar,** vt, médiatiser
5 **medicamentar,** vt, médicamenter

72 **medicar**, vt, administrer,
   prescrire [des médicaments]
5 **medicinar**, vt, vp, médicamenter ; soigner
   avec des médicaments
55 **medir**, vt, vp, irr., ❖, mesurer
5 **meditar**, vt, vi, ❖, méditer
5 **medrar**, vi, ❖, [les plantes, les animaux]
   croître, pousser ; prospérer
5 **mejorar**, vt, vi, vp, ❖, améliorer ; aller mieux ;
   se rétablir
21 **melancolizar**, vt, vp, attrister ; sombrer
   dans la mélancolie
5 **melindrear**, vi, minauder ; faire des manières
5 **mellar**, vt, vp, ébrécher ;
   porter atteinte/préjudice ; perdre ses dents
5 **memorar**, vt, vp, rappeler (qqch. à qqn) ;
   remémorer
21 **memorizar**, vt, mémoriser
5 **mencionar**, vt, mentionner
53 **mendigar**, vt, mendier
5 **menear**, vt, vp, remuer ; manier ; diriger ; bouger
17 **menguar**, vi, vt, diminuer, décroître, rétrécir ;
   décliner
5 **menoscabar**, vt, vp, diminuer ; amoindrir ;
   porter atteinte ; discréditer
5 **menospreciar**, vt, mépriser ; dédaigner ;
   sous-estimer
9 **menstruar**, vi, avoir ses règles
21 **mensualizar**, vi, mensualiser
5 **mensurar**, vt, mesurer
21 **mentalizar**, vt, vp, sensibiliser ; faire prendre
   conscience ; se faire à l'idée
56 **mentar**, vt, irr., mentionner ; nommer
76 **mentir**, vi, vt, irr., mentir ; tromper ;
   manquer [à la parole donnée]
5 **menudear**, vt, vi, répéter ; amér., vendre au
   détail ; se succéder [rapidement]
5 **merar**, vt, mélanger [deux liquides]
5 **mercadear**, vi, commercer, trafiquer
21 **mercantilizar**, vt, inspirer le mercantilisme ;
   commercialiser
72 **mercar**, vt, vp, acheter
21 **mercerizar**, vt, merceriser
54 **merecer**, vt, vi, irr., ❖, mériter ; valoir ;
   être méritant
56 **merendar**, vi, vt, vp, irr., goûter ;
   fam., ne faire qu'une bouchée (de qqch.)
53 **merengar**, vt, meringuer
5 **mermar**, vi, vt, vp, ❖, diminuer ; amenuiser ;
   entamer [une réputation]

5 **merodear**, vi, ❖, marauder
21 **mestizar**, vt, métisser
5 **mesurar**, vt, vp, ❖, modérer ; mesurer
21 **metaforizar**, vt, métaphoriser
21 **metalizar**, vt, métalliser
5 **metamorfosear**, vt, vp, métamorphoser
21 **meteorizar**, vt, vp, méd., météoriser
6 **meter**, vt, vp, ❖, introduire ; mettre
21 **metodizar**, vt, ordonner ; organiser ;
   disposer méthodiquement
72 **metrificar**, vi, vt, versifier
5 **mezclar**, vt, vp, ❖, mélanger ; mêler
5 **mezquinar**, vt, donner chichement
   et de mauvaise grâce
5 **microfilmar**, vt, microfilmer
53 **migar**, vt, émietter [du pain] ; mettre du pain
   émietté [dans un liquide]
5 **migrar**, vi, migrer ; émigrer
5 **militar**, vi, ❖, militer ; servir dans l'armée
21 **militarizar**, vt, militariser
5 **mimar**, vt, dorloter, cajoler ; gâter [un enfant]
5 **mimbrear**, vi, vp, plier ; se mouvoir
   avec souplesse
43 **mimeografiar**, vt, polycopier
5 **minar**, vt, miner ; s'évertuer, faire des efforts
   (pour obtenir qqch.)
21 **mineralizar**, vt, vp, minéraliser
21 **miniaturizar**, vt, miniaturiser
21 **minimizar**, vt, minimiser
5 **minorar**, vt, vp, diminuer ; amoindrir
5 **minusvalorar**, vt, sous-estimer ; déprécier
5 **minutar**, vt, minuter [un acte]
5 **mirar**, vt, vp, ❖, regarder, observer
5 **miserear**, vi, fam., crier misère ;
   vivre chichement
72 **mistificar**, vt, mystifier
72 **mitificar**, vt, mythifier
53 **mitigar**, vt, vp, mitiger ; adoucir ; tempérer
5 **mixturar**, vt, mélanger ; mixtionner
38 **moblar**, vt, irr., meubler
72 **mocar**, vt, vp, moucher
5 **mocear**, vi, faire le/la jeune
5 **mochar**, vt, donner des coups de tête ; étêter
5 **modelar**, vt, vp, modeler ;
   s'adapter à un modèle
5 **moderar**, vt, vp, ❖, modérer
21 **modernizar**, vt, vp, moderniser
72 **modificar**, vt, vp, modifier
5 **modorrar**, vt, vp, donner le tournis ;
   [les fruits] blettir

5 **modular**, vt, vi, moduler

5 **mofar**, vi, vp, ◇, railler; se moquer (de qqn)

54 **mohecer**, vt, vp, irr., moisir

5 **mojar**, vt, vi, vp, ◇, mouiller; tremper;
   fam., poignarder

5 **mojonar**, vt, borner

5 **moldar**, vt, mouler

5 **moldear**, vt, mouler, modeler

5 **moldurar**, vt, moulurer

50 **moler**, vt, vp, irr., ◇, moudre, broyer; fatiguer,
   maltraiter; *fam.*, rouer de coups

5 **molestar**, vt, vp, ◇, déranger, gêner

5 **moletear**, vt, moleter

72 **molificar**, vt, vp, amollir

5 **mollear**, vi, mollir, céder

5 **molliznar; molliznear**, vi, imp., bruiner

5 **molturar**, vt, moudre

5 **momear**, vi, grimacer

72 **momificar**, vt, vp, momifier

5 **mondar**, vt, ◇, monder; nettoyer; émonder;
   éplucher; se tordre [de rire]

5 **monear**, vi, faire des grimaces/des singeries

5 **monedar; monedear**, vt, monnayer

21 **monetizar**, vt, monétiser

21 **monitorizar**, vt, monitoriser

53 **monologar**, vi, monologuer

21 **monopolizar**, vt, monopoliser

5 **montar**, vi, vt, vp, ◇, monter; chevaucher

5 **montear**, vt, faire une battue, rabattre
   [le gibier]; *archit.*, tracer une épure

5 **moquear**, vi, avoir le nez qui coule

21 **moralizar**, vt, vi, vp, moraliser

5 **morar**, vi, ◇, demeurer; habiter

50 **morder**, vt, vi, vp, irr., mordre

72 **mordicar**, vt, mordre; picoter

72 **mordiscar**, vt, mordiller

5 **mordisquear**, vt, mordiller

5 **morfar**, vt, *amér., fam.*, manger, bouffer

5 **morigerar**, vt, vp, modérer;
   tempérer [les passions]

35 **morir**, vi, vp, irr., ◇, mourir; [le feu,
   une flamme] s'éteindre;
   [une rivière] se jeter

72 **mortificar**, vt, vp, ◇, mortifier; affliger;
   maltraiter

5 **moscardear**, vi, [les abeilles] pondre

5 **mosconear**, vt, vi, importuner, ennuyer;
   faire l'âne

5 **mosquear**, vt, vi, vp, chasser les mouches;
   émoucher; *fam.*, prendre la mouche

38 **mostrar**, vt, vp, irr., montrer

5 **motear**, vt, vi, moucheter [un tissu]

5 **motejar**, vt, ◇, affubler d'un surnom

5 **motivar**, vt, ◇, motiver, encourager

21 **motorizar**, vt, motoriser

50 **mover**, vt, vi, vp, irr., ◇, remuer; mouvoir;
   bouger; [les plantes] bourgeonner

21 **movilizar**, vt, mobiliser

5 **muchachear**, vi, agir en gamin; faire l'enfant

5 **mudar**, vt, vp, ◇, changer; muer; déménager

32 **mugir**, vi, mugir

5 **muletear**, vt, toréer avec la muleta

18 **mullir**, vt, irr., arçonner, battre la laine

5 **multar**, vt, mettre/infliger une amende

72 **multiplicar**, vt, vi, vp, ◇, multiplier

5 **mundanear**, vi, être mondain

21 **municipalizar**, vt, municipaliser

5 **murar**, vt, murer, entourer de murs

5 **murmurar**, vi, vt, ◇, murmurer; *fam.*, médire

5 **musitar**, vi, marmotter; susurrer

5 **mustiar**, vt, vp, faner, flétrir

5 **mutar**, vt, vp, modifier; muter

5 **mutilar**, vt, vp, mutiler

N

5 **nacarar**, vt, nacrer

54 **nacer**, vi, irr., 2 p.p., ◇, naître;
   [une plante, la barbe] pousser; germer

21 **nacionalizar**, vt, vp, ◇, nationaliser;
   se faire nationaliser

5 **nadar**, vi, ◇, nager

21 **narcotizar**, vt, vp, narcotiser

5 **narrar**, vt, raconter, narrer

21 **nasalizar**, vt, nasaliser

21 **naturalizar**, vt, vp, ◇, naturaliser; se naturaliser

53 **naufragar**, vi, naufrager, faire naufrage;
   échouer [dans une affaire]

53 **navegar**, vi, vt, ◇, naviguer

5 **neblinear**, vi, imp., *amér.*, bruiner

5 **necear**, vi, dire des sottises;
   s'entêter stupidement

5 **necesitar**, vt, vi, ◇, nécessiter; obliger;
   avoir besoin de

66 **negar**, vt, vp, irr., ◇, nier, démentir;
   se refuser (à faire qqch.)

5 **negociar**, vi, vt, ◇, négocier; faire du commerce

5 **negrear**, vi, tirer sur le noir

21 **neutralizar**, vt, vp, neutraliser;
se déclarer neutre

56 **nevar**, vi, vt, imp., irr., neiger; blanchir

72 **neviscar**, vi, imp., neiger légèrement

72 **nidificar**, vi, nidifier

5 **nielar**, vt, nieller [un métal]

5 **nimbar**, vt, nimber

5 **ningunear**, vt, mépriser, dédaigner

5 **niñear**, vi, faire l'enfant

5 **niquelar**, vt, nickeler

72 **nitrificar**, vt, vp, nitrifier

5 **nivelar**, vt, vp, ❖, niveler

5 **nombrar**, vt, ❖, nommer; désigner

5 **nominar**, vt, nominer; dénommer

5 **noquear**, vt, mettre knock-out [en boxe]

21 **normalizar**, vt, normaliser

5 **notar**, vt, ❖, noter; remarquer;
sentir [le froid, la chaleur]

5 **noticiar**, vt, informer, faire savoir

72 **notificar**, vt, ❖, notifier

5 **novar**, vt, dr., nover

5 **novelar**, vt, vi, romancer; écrire des romans

21 **novelizar**, vt, romancer

5 **nublar**, vt, vp, assombrir, cacher;
[le ciel] s'obscurcir

5 **numerar**, vt, nombrer, dénombrer; numéroter

7 **nutrir**, vt, vp, ❖, nourrir

O

72 **obcecar**, vt, vp, ❖, aveugler;
priver de discernement; s'obstiner

54 **obedecer**, vt, vi, irr., ❖, obéir

5 **objetar**, vt, objecter

5 **objetivar**, vt, objectiver

53 **obligar**, vt, vp, ❖, obliger

5 **obliterar**, vt, vp, oblitérer

5 **obnubilar**, vt, vp, obnubiler; fasciner

5 **obrar**, vt, vi, ❖, faire, exécuter [un travail];
bâtir; agir

54 **obscurecer**, vt, vi, vp, imp., irr., obscurcir;
commencer à faire nuit

5 **obsequiar**, vt, ❖, offrir, faire cadeau; courtiser

5 **observar**, vt, vp, observer

5 **obsesionar**, vt, vp, ❖, obséder; être obsédé

21 **obstaculizar**, vt, barrer; entraver; faire obstacle

5 **obstar**, vi, imp., ❖, empêcher; faire obstacle;
[une chose à une autre] s'opposer

5 **obstinarse**, vp, ❖, s'obstiner

45 **obstruir**, vt, vp, irr., obstruer, boucher;
faire obstruction

5 **obtemperar**, vt, obtempérer

4 **obtener**, vt, irr., ❖, obtenir

5 **obturar**, vt, obturer

5 **obviar**, vt, éviter, écarter [un obstacle]; empêcher

5 **ocasionar**, vt, occasionner, causer; exposer;
mettre en danger

21 **occidentalizar**, vt, occidentaliser

45 **ocluir**, vt, vp, irr., fermer; occlure

5 **ocultar**, vt, vp, ❖, cacher; occulter

5 **ocupar**, vt, vp, ❖, occuper; s'occuper

7 **ocurrir**, vi, vp, ❖, arriver, survenir;
venir à l'esprit /à l'idée

5 **odiar**, vt, vp, ❖, haïr, détester

6 **ofender**, vt, vp, ❖, blesser, offenser

21 **oficializar**, vt, officialiser

5 **oficiar**, vt, vi, ❖, officier; célébrer

54 **ofrecer**, vt, vp, irr., ❖, offrir; se proposer

5 **ofrendar**, vt, ❖, faire une offrande

72 **ofuscar**, vt, vp, éblouir; offusquer; aveugler;
troubler

51 **oír**, vt, irr., ❖, entendre, écouter

5 **ojear**, vt, fixer, regarder attentivement;
rabattre [le gibier]; jeter le mauvais œil

5 **ojetear**, vt, faire des œillets [sur un tissu]

5 **olear**, vt, vi, administrer l'extrême onction;
[la mer] former des vagues

52 **oler**, vt, vi, vp, irr., ❖, sentir; flairer; subodorer

5 **olfatear**, vt, flairer

72 **oliscar**, vt, vi, flairer; fureter;
[la viande] commencer à sentir

5 **olisquear**, vt, fam., renifler

21 **olorizar**, vt, odorer; embaumer; parfumer

5 **olvidar**, vt, vp, ❖, oublier

7 **omitir**, vt, vp, 2 p.p., omettre

5 **ondear**, vt, ondoyer, onduler;
[le linge, les cheveux] flotter

5 **ondular**, vi, vt, [les cheveux] onduler;
[le blé] ondoyer

72 **opacar**, vt, vp, amér., obscurcir

21 **opalizar**, vt, opaliser

5 **operar**, vt, vi, vp, ❖, opérer

5 **opinar**, vi, ❖, penser; donner son opinion

60 **oponer**, vt, vp, irr., ❖, opposer

5 **opositar**, vi, ❖, passer un concours

7 **oprimir**, vt, 2 p.p., ❖, presser; oppresser

5 **oprobiar**, vt, déshonorer; couvrir d'opprobre

5 **optar**, vt, vi, ❖, opter; choisir

21 **optimizar,** vt, optimiser, optimaliser

5 **opugnar,** vt, attaquer, assaillir; s'opposer

5 **orar,** vi, vt, ⸭, parler en public; prier

5 **orbitar,** vi, orbiter, tourner en orbite

5 **ordenar,** vt, vp, ⸭, ordonner; commander;
être ordonné

5 **ordeñar,** vt, traire [les vaches];
cueillir à la main [les olives]

5 **orear,** vt, vp, aérer, rafraîchir; sécher à l'air

21 **organizar,** vt, vp, ⸭, organiser; accorder [l'orgue]

21 **orientalizar,** vt, orientaliser

5 **orientar,** vt, vp, ⸭, orienter, exposer; se repérer

5 **originar,** vt, vp, causer, provoquer;
tirer son origine

5 **orillar,** vt, vi, vp, régler [une affaire],
border [un tissu]; atteindre le bord

5 **orinar,** vi, vt, vp, uriner

5 **ornamentar,** vt, ornementer

5 **ornar,** vt, vp, orner; parer

5 **orquestar,** vt, orchestrer

43 **ortografiar,** vt, orthographier

5 **orvallar,** vi, imp., bruiner

21 **orzar,** vi, ⸭, navig., lofer, venir au vent [un bateau]

5 **osar,** vi, vt, oser

5 **oscilar,** vi, ⸭, osciller; hésiter

54 **oscurecer,** vt, vi, vp, imp., irr., obscurcir;
commencer à faire nuit

72 **osificar,** vt, vp, ossifier

5 **ostentar,** vt, montrer; étaler; arborer

5 **otear,** vt, guetter; observer; scruter

5 **otoñar,** vi, vp, passer l'automne;
[la terre] s'ameublir

53 **otorgar,** vt, octroyer, concéder; accorder

5 **ovacionar,** vt, ovationner, faire une ovation

5 **ovalar,** vt, donner une forme ovale

21 **ovalizar,** vt, ovaliser

5 **ovar,** vi, [les oiseaux] pondre

5 **ovillar,** vi, vp, mettre en pelote, pelotonner

5 **ovular,** vi, ovuler

5 **oxidar,** vt, vp, oxyder

5 **oxigenar,** vt, vp, oxygéner

21 **ozonizar,** vt, ozoniser, ozoner

P

54 **pacer,** vi, vt, irr., paître; brouter; ronger (qqch.)

72 **pacificar,** vt, vi, vp, pacifier; rechercher
la paix; apaiser

5 **pactar,** vt, ⸭, pactiser

54 **padecer,** vt, irr., ⸭, souffrir [d'une douleur];
éprouver, subir

21 **paganizar,** vt, vi, paganiser

53 **pagar,** vt, vp, ⸭, payer; acquitter; dédommager

5 **paginar,** vt, paginer

5 **pairar,** vi, navig., mettre en panne

5 **pajarear,** vi, vt, chasser des oiseaux;
errer, vagabonder

5 **palabrear,** vi, palabrer

5 **paladear,** vt, vi, vp, ⸭, savourer, déguster;
[un nourrisson] manifester le désir de téter

5 **palanquear,** vt, soulever avec un levier;
amér., fam., pistonner (qqn)

21 **palatalizar,** vt, vi, vp, ling., palataliser

5 **palear,** vt, pelleter

5 **paletear,** vt, ramer gauchement [une barque]

5 **paliar,** vt, ⸭, pallier

54 **palidecer,** vi, irr., ⸭, pâlir

5 **paliquear,** vi, fam., bavarder, causer

5 **palmar,** vi, fam., casser sa pipe, passer l'arme
à gauche

5 **palmear,** vi, vt, vp, applaudir, battre des mains;
haler [une barque] à la main

5 **palmotear,** vi, battre des mains

5 **palpar,** vt, vi, ⸭, palper; tâter;
tâtonner [dans le noir]

5 **palpitar,** vi, vp, palpiter;
amér., pressentir (qqch.)

5 **pandear,** vi, vp, pencher, gauchir;
[un mur] se bomber

5 **panderetear,** vi, jouer du tambourin

21 **panegirizar,** vt, faire le panégyrique (de qqn)

72 **panificar,** vt, panifier

5 **papar,** vt, avaler [de la soupe, une bouillie];
manger [sans mâcher]

5 **papear,** vi, balbutier, bégayer

5 **papelear,** vi, paperasser

5 **papelonear,** vi, fam., faire l'important;
faire de l'esbroufe

5 **paquear,** vt, [un franc-tireur] tirailler

21 **parabolizar,** vt, vi, paraboliser, symboliser

5 **parafinar,** vt, paraffiner

5 **parafrasear,** vt, paraphraser

15 **parahusar,** vt, forer [avec une drille]

5 **paralelar,** vt, comparer, mettre en parallèle

21 **paralizar,** vt, vp, paralyser

21 **paralogizar,** vt, vp, paralogiser, déraisonner

5 **paramentar,** vt, parer, orner, paramenter

5 **parangonar,** vt, comparer; parangonner

5 **parapetar,** vt, vp, ❖, protéger avec un parapet ;
    se retrancher
5 **parar,** vi, vt, vp, ❖, arrêter
5 **parcelar,** vt, parceller, lotir
5 **parchar,** vt, amér., rapiécer, raccommoder
5 **parchear,** vt, rapiécer ; mettre une rustine
5 **parear,** vt, apparier, appareiller ; assortir
54 **parecer,** vi, vp, imp., irr., ❖, paraître ;
    apparaître ; ressembler ; sembler
7 **parir,** vi, vt, accoucher, mettre bas, enfanter
5 **parlamentar,** vi, parlementer
5 **parlar,** vi, vt, parler [de choses et d'autres],
    bavarder
5 **parlotear,** vi, fam., papoter, bavarder
5 **parodiar,** vt, parodier
5 **parpadear,** vi, ciller, cligner des yeux ;
    [lumière] clignoter ; [une étoile] scintiller
5 **parquear,** vt, amér., garer, ranger, stationner
5 **parrafear,** vi, causer, bavarder
5 **parrandear,** vi, fam., faire la fête
5 **partear,** vt, accoucher
5 **participar,** vi, vt, ❖, prendre part ; participer ;
    communiquer
21 **particularizar,** vt, vp, ❖, particulariser ;
    distinguer ; singulariser
7 **partir,** vt, vi, vp, ❖, partager ; partir ; s'en aller
5 **pasaportar,** vt, délivrer un passeport
5 **pasar,** vt, vi, imp., 2 p.p., ❖, passer, franchir ;
    survenir, arriver
5 **pasear,** vi, vt, vp, ❖, promener
5 **pasmar,** vt, vi, vp, ❖, glacer ; ébahir, stupéfier ;
    faire tomber en pâmoison
5 **pasquinar,** vt, satiriser, railler
5 **pastar,** vt, vi, paître
5 **pastelear,** vi, temporiser ;
    ménager la chèvre et le chou
21 **pasteurizar,** vt, pasteuriser
5 **pastorear,** vt, paître, pâturer
5 **patalear,** vi, trépigner ; gigoter
5 **patear,** vi, vt, fam., piétiner ; trépigner
5 **patentar,** vt, breveter, patenter
21 **patentizar,** vt, rendre évident/patent
5 **patinar,** vi, vt, patiner ; [un véhicule] déraper
56 **patiquebrar,** vt, vp, irr., casser une patte
    [à un animal]
5 **patrocinar,** vt, patronner ; sponsoriser
5 **patronear,** vt, gouverner une embarcation
5 **patrullar,** vi, patrouiller
5 **patullar,** vi, marcher bruyamment ;
    fam., se démener

5 **pausar,** vi, interrompre ; arrêter
5 **pavimentar,** vt, paver
5 **pavonear,** vi, vp, ❖, parader ; se pavaner
5 **payasear,** vi, faire des clowneries
72 **pecar,** vi, ❖, pécher
5 **pechar,** vt, vi, ❖, payer un tribut ;
    assumer [une charge] ;
    amér., fam., escroquer (qqn)
5 **pedalear,** vi, pédaler
5 **pedantear,** vi, faire le pédant
55 **pedir,** vt, irr., ❖, demander ; commander
6 **peer,** vi, vp, fam., péter
53 **pegar,** vt, vi, vp, ❖, coller ; mettre [le feu] ;
    s'attraper, être contagieux
5 **pegotear,** vi, fam., faire le pique-assiette,
    écornifler
5 **peguntar,** vt, marquer le bétail [à la poix]
5 **peinar,** vt, vp, peigner, coiffer
5 **pelar,** vt, vp, peler, éplucher ;
    se faire couper [les cheveux]
5 **pelear,** vi, vp, ❖, combattre ; se battre
5 **pelechar,** vi, vt, se couvrir [de poil, de plumes] ;
    muer ; fam., se remplumer
5 **peligrar,** vi, ❖, être en danger ; péricliter
72 **pellizcar,** vt, vp, ❖, pincer ; prendre une pincée
    (de qqch.)
5 **pelotear,** vt, vi, vp, vérifier [un compte] ;
    faire des balles ; amér., traverser une rivière
5 **peluquear,** vt, amér., couper les cheveux
21 **penalizar,** vt, pénaliser
5 **penar,** vt, vi, vp, ❖, punir, condamner ;
    souffrir ; s'affliger
5 **pendenciar,** vi, se quereller
6 **pender,** vi, ❖, pendre ;
    [un procès] être en suspens
5 **pendonear,** vi, fam., traîner dans les rues
5 **penetrar,** vt, vi, vp, ❖, pénétrer
5 **penitenciar,** vt, imposer une pénitence
56 **pensar,** vt, vi, irr., ❖, penser, réfléchir
5 **pensionar,** vt, pensionner
5 **peraltar,** vt, surhausser [un arc, une voûte] ;
    relever [une route]
5 **percatar,** vi, vp, ❖, s'apercevoir, se douter
    (de qqch.) ; être sur ses gardes
7 **percibir,** vt, ❖, percevoir [de l'argent] ;
    comprendre
7 **percudir,** vt, salir ; tacher
7 **percutir,** vt, percuter
29 **perder,** vt, vi, vp, irr., ❖, perdre ; déchoir
5 **perdonar,** vt, pardonner

5 **perdurar**, vi, *durer longtemps*
54 **perecer**, vi, vp, irr., ❖, *périr; mourir*
5 **peregrinar**, vi, ❖, *aller en pèlerinage; voyager [en terre étrangère]*
21 **perennizar**, vt, *pérenniser*
5 **perfeccionar**, vt, vp, *perfectionner*
5 **perfilar**, vt, vp, *profiler*
5 **perforar**, vt, *perforer; percer*
5 **perfumar**, vt, vi, vp, ❖, *parfumer; embaumer*
5 **perfumear**, vt, *répandre des parfums*
5 **pergeñar**, vt, *fam., arranger, agencer, disposer habilement*
5 **periclitar**, vi, *péricliter*
5 **perifrasear**, vi, *périphraser*
5 **periquear**, vi, *[une femme] courir le guilledou*
5 **peritar**, vt, *expertiser*
72 **perjudicar**, vt, ❖, *nuire; léser*
5 **perjurar**, vi, vp, *se parjurer; jurer souvent*
54 **permanecer**, vi, irr., ❖, *demeurer; rester*
7 **permitir**, vt, vp, *permettre*
5 **permutar**, vt, ❖, *permuter*
56 **perniquebrar**, vt, vp, irr., *casser une jambe*
5 **pernoctar**, vi, *découcher, passer la nuit ailleurs*
5 **perorar**, vi, *parler, prononcer un discours; fam., pérorer*
5 **perpetrar**, vt, *perpétrer*
9 **perpetuar**, vt, vp, ❖, *perpétuer*
75 **perseguir**, vt, irr., ❖, *poursuivre*
5 **perseverar**, vi, ❖, *persévérer*
5 **persignar**, vt, vp, *faire le signe de la croix; se signer*
7 **persistir**, vi, ❖, *persister*
21 **personalizar**, vt, vi, *personnaliser*
5 **personarse**, vp, ❖, *se présenter [en personne]*
72 **personificar**, vt, *personnifier*
7 **persuadir**, vt, vp, ❖, *persuader*
54 **pertenecer**, vi, irr., ❖, *appartenir*
5 **pertrechar**, vt, vp, ❖, *munir, pourvoir; approvisionner*
5 **perturbar**, vt, vp, *perturber; troubler*
76 **pervertir**, vt, irr., *pervertir*
7 **pervivir**, vi, *survivre*
5 **pesar**, vt, vp, ❖, *peser; regretter; se peser*
72 **pescar**, vt, ❖, *pêcher*
5 **pespuntar; pespuntear**, vt, *piquer, coudre [en point arrière]*
5 **pesquisar**, vt, *rechercher; perquisitionner*
5 **pestañear**, vi, *cligner des yeux, ciller*
5 **petardear**, vt, *pétarder; fam., escroquer, soutirer [de l'argent]*

5 **peticionar**, vt, *amér., faire une pétition*
72 **petrificar**, vt, vp, *pétrifier*
5 **petrolear**, vt, *pulvériser (qqch. avec du pétrole)*
5 **piafar**, vi, *piaffer*
43 **piar**, vi, ❖, *piailler, piauler; pépier*
72 **picar**, vt, vi, vp, ❖, *[le poisson] piquer, mordre; [le soleil] brûler; se miter*
5 **picardear**, vt, vi, vp, *corrompre; se pervertir; faire des bêtises*
5 **picotear**, vt, vi, vp, *becqueter; picoter, picorer*
5 **pigmentar**, vt, *pigmenter*
5 **pignorar**, vt, *engager, mettre en gage*
5 **pilar**, vt, *piler; broyer*
5 **pillar**, vt, ❖, *piller, voler; surprendre, renverser [par une voiture]; fam., choper [un rhume]; piger [une blague]*
5 **pillear**, vi, *fam., friponner; mener une vie de vaurien*
5 **pilotar; pilotear**, vt, *piloter*
5 **pimentar**, vt, *poivrer; pimenter*
5 **pimplar**, vt, vp, *fam., pinter, picoler*
5 **pimpollear**, vt, vp, *[une plante] pousser des rejetons*
5 **pincelar**, vt, *peindre*
5 **pinchar**, vt, vi, vp, ❖, *piquer; crever [un pneu]*
5 **pindonguear**, vi, *fam., vadrouiller; courir les rues*
5 **pintar**, vt, vi, vp, ❖, *peindre; prendre couleur; [les fruits] mûrir; se maquiller*
5 **pintear**, vi, imp., *bruiner*
5 **pintiparar**, vt, *rendre semblable; fam., comparer*
5 **pintorrear**, vt, vp, *fam., peinturlurer*
21 **pinzar**, vt, *pincer*
43 **pipiar**, vi, *pépier, piauler*
5 **pirar**, vi, vp, *s'en aller, déguerpir; fam., se tirer; sécher les cours*
5 **piratear**, vi, *pirater*
5 **pirograbar**, vt, *pyrograver*
5 **piropear**, vt, *fam., dire des galanteries [à une femme], faire des compliments*
5 **pirrarse**, vp, ❖, *fam., raffoler (de qqch.)*
5 **piruetear**, vi, *pirouetter*
5 **pisar**, vt, vi, vp, ❖, *marcher sur; être l'un sur l'autre [deux étages]*
5 **pisonear**, vt, *damer, tasser*
5 **pisotear**, vt, *fouler aux pieds, piétiner; humilier*
5 **pitar**, vi, vt, *siffler [avec un sifflet]; marcher, gazer; filer*
5 **pitorrearse**, vp, ❖, *se moquer de (qqn)*
5 **pivotar**, vi, *pivoter*

72 **pizcar**, vt, vp, pincer

57 **placer**, vi, irr., plaire

53 **plagar**, vt, vp, ✧, couvrir; remplir; bourrer; infester

5 **plagiar**, vt, plagier; *amér.*, kidnapper

5 **planchar**, vt, repasser [le linge]

5 **planear**, vt, vi, ✧, faire le plan [d'un ouvrage]; projeter; [un oiseau, un avion] planer

72 **planificar**, vt, planifier

5 **plantar**, vt, vi, vp, ✧, planter, implanter; *fam.*, laisser tomber, plaquer; clouer le bec (à qqn)

5 **plantear**, vt, projeter, organiser; poser [un problème]

72 **plantificar**, vt, vp, établir le plan; *fam.*, flanquer, assener [un coup]; débarquer

18 **plañir**, vi, irr., ✧, gémir, se plaindre; sangloter

5 **plasmar**, vt, ✧, former, façonner

72 **plastificar**, vt, plastifier

5 **platear**, vt, vi, argenter; avoir l'éclat de l'argent

72 **platicar**, vi, vt, causer, converser; dire, colporter

5 **platinar**, vt, platiner

5 **plebiscitar**, vt, plébisciter

66 **plegar**, vt, vp, irr., plier, plisser; se soumettre

5 **pleitear**, vt, vi, ✧, plaider [en justice]

5 **plisar**, vt, plisser

5 **plomar**, vt, plomber; sceller

21 **pluralizar**, vt, *ling.*, pluraliser

38 **poblar**, vi, vt, vp, irr., ✧, peupler

5 **pobretear**, vi, se comporter comme un pauvre

5 **podar**, vt, élaguer, tailler

58 **poder**, vi, vt, irr., ✧, pouvoir; être possible; se pouvoir

59 **podrir**, vt, vp, irr., pourrir; putréfier

21 **poetizar**, vi, vt, faire des vers; poétiser

21 **polarizar**, vt, vp, polariser

21 **polemizar**, vi, polémiquer

5 **policromar**, vt, polychromer

21 **polimerizar**, vt, vp, polymériser

5 **politiquear**, vi, *fam.*, faire de la politique

21 **politizar**, vt, politiser

5 **poltronear**, vi, *fam.*, paresser, fainéanter

5 **polucionar**, vt, vi, polluer

5 **polvorear**, vt, saupoudrer

5 **pompearse**, vp, se pavaner, parader

5 **pomponearse**, vp, *fam.*, se pavaner, parader

5 **ponderar**, vt, ✧, peser, examiner; pondérer

60 **poner**, vt, vp, irr., ✧, mettre, poser; se mettre [à genoux, debout]

5 **pontear**, vt, jeter un pont

72 **pontificar**, vi, pontifier

21 **popularizar**, vt, vp, populariser

5 **pordiosear**, vi, mendier

43 **porfiar**, vi, ✧, s'entêter; s'obstiner; discuter [avec acharnement]

21 **porfirizar**, vt, porphyriser

21 **pormenorizar**, vt, détailler

5 **portar**, vi, vt, vp, ✧, [le gibier par le chien] rapporter; porter; se comporter

5 **portear**, vt, vi, vp, ✧, porter, transporter; claquer [la porte]; [un oiseau migrateur] partir

5 **posar**, vi, vt, vp, ✧, loger (qqn); poser [un fardeau, pour une photo]; [un oiseau] se poser

26 **poseer**, vt, vp, irr., 2 p.p., posséder, détenir; se dominer

5 **posesionar**, vt, vp, ✧, mettre en possession; prendre possession

5 **posibilitar**, vt, faciliter; rendre possible

5 **posicionar**, vi, vp, prendre position

5 **positivar**, vt, positiver; développer, tirer [une photo]

60 **posponer**, vt, irr., ✧, subordonner; laisser de côté

53 **postergar**, vt, ajourner; faire passer après

5 **postinear**, vi, crâner, se donner de grands airs

5 **postrar**, vt, vp, ✧, abattre (qqch.); courber; affaiblir; se prosterner

21 **postsincronizar**, vt, postsynchroniser

5 **postular**, vt, postuler

21 **potabilizar**, vt, rendre potable

5 **potar**, vt, étalonner les poids et mesures; boire

5 **potenciar**, vt, donner de la puissance

72 **practicar**, vt, vi, ✧, pratiquer; faire un stage

5 **prebendar**, vt, vi, vp, conférer une prébende; obtenir une prébende

5 **precaucionarse**, vp, se prémunir, se précautionner

5 **precautelar**, vt, prévenir

6 **precaver**, vt, vp, ✧, prévenir; prévoir; se prémunir

6 **preceder**, vt, vi, ✧, précéder; avoir priorité

9 **preceptuar**, vt, établir/dicter des préceptes

5 **preciar**, vt, vp, ✧, apprécier; être content de soi

5 **precintar**, vt, sceller, plomber [un paquet]; border [les coins d'une malle]

5 **precipitar**, vt, vp, ✧, précipiter

5 **precisar**, vt, vi, préciser; obliger; avoir besoin

55 **preconcebir**, vt, irr., préconcevoir, concevoir à l'avance

21 **preconizar**, vt, préconiser
25 **preconocer**, vt, irr., prévoir, anticiper
61 **predecir**, vt, irr., prédire
7 **predefinir**, vt, prédéfinir
5 **predestinar**, vt, ◈, prédestiner
5 **predeterminar**, vt, prédéterminer,
 déterminer par avance
72 **predicar**, vt, prêcher
60 **predisponer**, vt, vp, irr.,◈, prédisposer
5 **predominar**, vt, vi,◈, prédominer
36 **preelegir**, vt, irr., choisir d'avance; prédestiner
54 **preestablecer**, vt, irr., préétablir
7 **preexistir**, vi, préexister
72 **prefabricar**, vt, préfabriquer
76 **preferir**, vt, vp, irr.,◈, préférer; surpasser;
 se vanter
5 **prefigurar**, vt, préfigurer
5 **prefijar**, vt, préfixer
7 **prefinir**, vt, préfixer
5 **preformar**, vt, préformer
5 **pregonar**, vt, crier; annoncer à haute voix;
 proclamer
5 **preguntar**, vt, vp,◈, interroger, questionner;
 demander
53 **prejuzgar**, vt, préjuger
5 **preludiar**, vi, vt, préluder
5 **premeditar**, vt, préméditer
5 **premiar**, vt, récompenser; décerner un prix
 [dans un concours]
5 **prendar**, vt, vp,◈, prendre un gage;
 gagner la sympathie (de qqn);
 s'éprendre (de qqn)
6 **prender**, vt, vi, vp, 2 p.p.,◈, saisir;
 prendre racine; se parer
5 **prensar**, vt, presser, pressurer
5 **prenunciar**, vt, prédire, présager
5 **preñar**, vt, féconder [une femme];
 couvrir [un animal]
5 **preocupar**, vt, vp,◈, prévenir; préoccuper;
 s'inquiéter; se soucier
5 **preparar**, vt, vp,◈, préparer
5 **preponderar**, vi,◈, peser davantage,
 avoir la prépondérance
60 **preponer**, vt, irr., préférer; placer avant
5 **presagiar**, vt, présager, augurer
7 **prescindir**, vi,◈, se passer/faire abstraction
 (de qqch.)
7 **prescribir**, vt, vi, vp, p.p., prescrire
5 **preseleccionar**, vt, présélectionner
5 **presenciar**, vt, assister à, être présent

5 **presentar**, vt, vp,◈, présenter, proposer
76 **presentir**, vt, irr., pressentir
5 **preservar**, vt, vp,◈, préserver
7 **presidir**, vt,◈, présider
5 **presionar**, vt, vi, presser, appuyer;
 faire pression (sur qqch.)
5 **prestar**, vt, vi, vp,◈, prêter; être utile; s'offrir
5 **prestigiar**, vt, donner du prestige
7 **presumir**, vt, vi, 2 p.p.,◈, présumer;
 se donner de grands airs
60 **presuponer**, vt, irr., présupposer
5 **presupuestar**, vt,◈, budgéter
21 **presurizar**, vt, pressuriser
6 **pretender**, vt, 2 p.p., prétendre; solliciter,
 briguer
5 **pretensar**, vt, précontraindre
7 **preterir**, vt, déf., omettre [sur un testament]
5 **pretextar**, vt, prétexter
54 **prevalecer**, vi, vp, irr.,◈, prévaloir;
 [une plante] prendre racine; prospérer
81 **prevaler**, vi, vp, irr., prévaloir; tirer avantage
72 **prevaricar**, vi, prévariquer; fam., déraisonner
82 **prevenir**, vt, vp, irr.,◈, prévenir; préparer
83 **prever**, vt, irr., prévoir
5 **primar**, vi, prévaloir
5 **primorear**, vi, [un musicien] jouer
 avec virtuosité
5 **principiar**, vt, vp,◈, commencer (qqch.)
53 **pringar**, vt, vi, vp, imp.,◈, graisser; saucer;
 fam., tremper [dans une affaire]; se salir;
 amér., bruiner
5 **privar**, vt, vi, vp,◈, priver, interdire;
 être à la mode
21 **privatizar**, vt, privatiser
5 **privilegiar**, vt, privilégier
38 **probar**, vt, vi, vp, irr.,◈, éprouver;
 essayer [un vêtement];
 goûter [un aliment]; convenir
6 **proceder**, vi,◈, procéder; provenir
5 **procesar**, vt,◈, instruire [un procès];
 inculper (qqn)
5 **proclamar**, vt, vp, proclamer;
 manifester [un sentiment]
5 **procrear**, vt, vi, procréer
5 **procurar**, vt, vi, vp,◈, s'efforcer d'obtenir
 (qqch.); procurer
53 **prodigar**, vt, vp, prodiguer; s'exhiber
62 **producir**, vt, vp, irr.,◈, produire
5 **profanar**, vt, profaner
76 **proferir**, vt, vp, irr., proférer

5 **profesar**, vt, professer

21 **profesionalizar**, vt, vp, professionnaliser

21 **profetizar**, vt, vi, prophétiser

21 **profundizar**, vt, vi, approfondir

5 **programar**, vt, programmer

5 **progresar**, vi, ❖, progresser

63 **prohibir**, vt, ❖, interdire; prohiber; défendre

12 **prohijar**, vt, adopter

21 **proletarizar**, vt, prolétariser

5 **proliferar**, vi, proliférer

53 **prologar**, vt, préfacer [un ouvrage]

53 **prolongar**, vt, vp, ❖, prolonger

5 **promediar**, vt, vi, partager en deux;
   servir de médiateur [dans une affaire]

6 **prometer**, vt, vi, vp, ❖, promettre

5 **promocionar**, vt, vp, promouvoir

50 **promover**, vt, irr., ❖, promouvoir

53 **promulgar**, vt, promulguer

72 **pronosticar**, vt, pronostiquer

5 **pronunciar**, vt, vp, ❖, prononcer;
   se soulever [contre le pouvoir établi]

53 **propagar**, vt, vp, ❖, propager

5 **propalar**, vt, divulguer [une nouvelle, un secret]

5 **propasar**, vt, vp, outrepasser;
   dépasser les bornes

6 **propender**, vi, 2 p.p., ❖, avoir un penchant
   (pour qqch.)

5 **propiciar**, vt, apaiser; rendre propice

5 **propinar**, vt, administrer [un médicament,
   une raclée]

60 **proponer**, vt, vp, irr., ❖, proposer

5 **proporcionar**, vt, vp, ❖, proportionner;
   procurer (qqch.)

5 **propugnar**, vt, défendre, protéger

5 **propulsar**, vt, rejeter; propulser

5 **prorratear**, vt, ❖, partager au prorata

53 **prorrogar**, vt, ❖, proroger; surseoir à

7 **prorrumpir**, vi, ❖, jaillir; éclater [de rire,
   en sanglots]

7 **proscribir**, vt, p.p., proscrire, bannir

75 **proseguir**, vt, irr., ❖, poursuivre, continuer

72 **prosificar**, vt, mettre en prose

5 **prospectar**, vt, prospecter

5 **prosperar**, vt, vi, rendre prospère; prospérer

5 **prosternarse**, vp, ❖, se prosterner

45 **prostituir**, vt, vp, irr., ❖, prostituer

21 **protagonizar**, vt, jouer [un rôle]

23 **proteger**, vt, vp, ❖, protéger

5 **protestar**, vt, vi, ❖, protester [une traite];
   protester, *fam.*, râler

5 **protocolar**, vt, enregistrer [un acte]

21 **protocolizar**, vt, enregistrer [un acte]

26 **proveer**, vt, vp, irr., 2 p.p., ❖, pourvoir;
   approvisionner; fournir

82 **provenir**, vi, irr., ❖, provenir

5 **proverbiar**, vi, *fam.*, abuser des proverbes

5 **providenciar**, vt, prononcer [un arrêt provisoire];
   prendre [des mesures]

72 **provocar**, vt, ❖, provoquer

5 **proyectar**, vt, vp, ❖, projeter

5 **prudenciarse**, vp, ❖, *amér.*, se modérer,
   se maîtriser

21 **psicoanalizar**, vt, vp, psychanalyser

72 **publicar**, vt, vp, publier

59 **pudrir**, vt, vi, vp, irr., ❖, pourrir; putréfier

5 **pugnar**, vi, ❖, lutter; combattre

5 **pujar**, vt, vi, ❖, enchérir; surenchérir

5 **pulimentar**, vt, polir

8 **pulir**, vt, vp, irr., polir, lustrer; parer, orner

5 **pulsar**, vt, vi, appuyer [sur un bouton];
   prendre/battre [le pouls]

5 **pulsear**, vi, faire bras de fer

5 **pulular**, vi, pulluler

21 **pulverizar**, vt, pulvériser

5 **puncionar**, vt, *méd.* ponctionner

32 **pungir**, vt, piquer/exciter

7 **punir**, vt, punir

5 **puntear**, vt, pointiller; coudre;
   pincer [les cordes d'une guitare]

21 **puntualizar**, vt, préciser; raconter,
   décrire en détail; graver [dans la mémoire]

9 **puntuar**, vt, ponctuer

21 **punzar**, vt, pique, lanciner, élancer

53 **purgar**, vt, vi, vp, ❖, purger

72 **purificar**, vt, vp, ❖, purifier

5 **purpurar**, vt, empourprer;
   teindre de couleur pourpre

5 **purpurear**, vi, tirer sur le pourpre

5 **putañear**, vi, *fam.*, putasser, fréquenter
   les prostituées

5 **putear**, vi, *fam.*, putasser; faire chier,
   faire une vacherie (à qqn); se prostituer

Q

5 **quebrajar**, vt, fendiller; fendre

5 **quebrantar**, vt, vp, ❖, briser, casser;
   violer, enfreindre [la loi, une promesse]

56 **quebrar**, vt, vi, vp, irr.,✧, casser, briser, rompre ; faire faillite

5 **quedar**, vi, vp,✧, rester [en un lieu], demeurer [dans l'état] ; devenir [aveugle, sourd]

5 **quejar**, vt, vp,✧, affliger ; se plaindre

5 **quemar**, vt, vi, vp,✧, brûler ; être brûlant

5 **querellarse**, vp,✧, se plaindre ; porter plainte ; se quereller

64 **querer**, vt, vp, irr.,✧, vouloir, désirer ; s'aimer

5 **querochar**, vi, [les abeilles] pondre

21 **quimerizar**, vi, se forger des chimères

72 **quintaesenciar**, vt, quintessencier, raffiner

72 **quintuplicar**, vt, vp, quintupler

5 **quitar**, vt, vp,✧, enlever, ôter ; s'en aller [d'un lieu] ; se débarrasser (de qqn)

R

5 **rabear**, vi, [un chien] agiter/remuer la queue ; [un navire] osciller la poupe

5 **rabiar**, vi,✧, avoir/contracter la rage ; enrager ; rager ; souffrir à crier

5 **rabiatar**, vt, attacher par la queue

5 **rabotear**, vt, couper la queue [aux agneaux]

5 **racanear**, vi, fam., tirer au flanc ; être radin

5 **rachear**, vi, [le vent] souffler par rafales

5 **racimar**, vt, vp, grappiller ; se réunir en grappe

5 **raciocinar**, vi, raisonner ; ratiociner

21 **racionalizar**, vt, rationaliser

5 **racionar**, vt, vp, rationner ; se ravitailler

5 **radiar**, vt, vi,✧, radiodiffuser ; irradier, émettre des radiations

21 **radicalizar**, vt, radicaliser

72 **radicar**, vi, vp,✧, résider, être situé ; s'établir, se domicilier ; s'enraciner

7 **radiodifundir**, vt, 2 p.p., radiodiffuser

32 **radiodirigir**, vt, radiodiriger

43 **radiografiar**, vt, radiographier

5 **radiotelefonear**, vi, radiotéléphoner

43 **radiotelegrafiar**, vt, radiotélégraphier

7 **radiotransmitir**, vt, transmettre par radio

65 **raer**, vt, irr.,✧, racler ; fam., râper, élimer ; extirper [un vice, une mauvaise habitude]

5 **rajar**, vt, vi, vp, couper en tranches, fendre ; fam., se vanter ; se dégonfler

5 **ralear**, vi, vt, vp, s'éclaircir ; devenir moins dense ; se disperser

21 **ralentizar**, vt, ralentir

5 **rallar**, vt, vi, râper ; fam., importuner, raser

72 **ramificar**, vt, vp,✧, ramifier

5 **ramonear**, vi, tailler les branches [d'un arbre] ; [les animaux] brouter aux arbres

5 **ranciar**, vt, vp, faire rancir ; rancir, devenir rance

5 **rapar**, vt, vp, raser [la barbe] ; tondre ras [les cheveux] ; fam., faucher, chiper

5 **rapiñar**, vt, fam., rapiner

5 **raposear**, vi, ruser

5 **raptar**, vt, enlever [une personne]

74 **rarefacer**, vt, vp, irr., raréfier

72 **rarificar**, vt, vp, raréfier

5 **rasar**, vt, raser [le sol] ; rader, mesurer à ras ; effleurer, frôler

72 **rascar**, vt, vp, gratter [avec l'ongle] ; racler

53 **rasgar**, vt, vp, déchirer

5 **rasguear**, vt, vi, faire des arpèges [sur une guitare] ; faire des traits de plume

5 **rasguñar**, vt, égratigner ; esquisser [un dessin]

5 **raspar**, vt, vi, râper, racler [le gosier] ; voler, chiper ; raturer

5 **rastrear**, vt, vi, pister ; suivre à la trace ; [un avion] raser le sol

5 **rastrillar**, vt, ratisser [les allées d'un jardin] ; peigner [le chanvre, le lin]

5 **rastrojar**, vt, chaumer ; déchaumer

5 **ratear**, vt, vi, diminuer [au prorata] ; partager [proportionnellement] ; chaparder

72 **ratificar**, vt, vp,✧, ratifier ; confirmer

5 **rayar**, vt, vi,✧, rayer, raturer ; confiner, être limitrophe

5 **razonar**, vi, vt,✧, raisonner ; justifier

7 **reabrir**, vt, vp, p.p., rouvrir

6 **reabsorber**, vt, vp, réabsorber ; résorber

5 **reaccionar**, vi, réagir

5 **reactivar**, vt, vp, relancer [l'économie] ; réactiver

5 **reacuñar**, vt, refrapper [les monnaies]

5 **readaptar**, vt, réadapter ; reconvenir

7 **readmitir**, vt, réadmettre

5 **reafirmar**, vt, vp, réaffirmer

5 **reagravar**, vt, vp, aggraver de nouveau ; s'aggraver

5 **reagrupar**, vt, regrouper

5 **reajustar**, vt, rajuster ; remanier

21 **realizar**, vt, vp, réaliser, effectuer

5 **realquilar**, vt, sous-louer

21 **realzar**, vt, vp, surélever, relever ; rehausser ; mettre en valeur

5 **reanimar**, vt, vp, ranimer, réanimer ; reprendre des forces

5 **reanudar,** vt, vp, renouer [des relations] ;
   reprendre [des études]

54 **reaparecer,** vt, irr., réapparaître, reparaître

45 **reargüir,** vt, irr., rétorquer [un argument]

5 **rearmar,** vt, vp, réarmer

5 **reasegurar,** vt, réassurer

5 **reasentar,** vt, réinstaller

7 **reasumir,** vt, réassumer

5 **reatar,** vt, rattacher

5 **reavivar,** vt, vp, raviver

5 **rebajar,** vt, vp, ❖, baisser ; rabaisser ;
   rabattre, faire un rabais ; humilier

5 **rebalsar,** vt, vi, vp, retenir les eaux,
   faire un barrage ; stagner

5 **rebanar; rebanear,** vt, couper en tranches, trancher

5 **rebañar,** vt, ramasser [les restes au fond
   d'une assiette]

5 **rebasar,** vt, ❖, dépasser ;
   [un bateau] franchir un écueil

7 **rebatir,** vt, ❖, repousser (qqn) ;
   réfuter [un argument]

5 **rebelarse,** vt, vp, ❖, soulever [contre
   le gouvernement] ; se révolter ; se rebeller

54 **reblandecer,** vt, vp, irr., ramollir

5 **rebobinar,** vt, rembobiner, rebobiner

5 **rebordear,** vt, sertir

5 **rebosar,** vi, vt, vp, ❖, déborder ; regorger

5 **rebotar,** vi, vt, vp, ❖, [une balle] rebondir ;
   river [un clou] ; se troubler

21 **rebozar** vt, vp, ❖, couvrir le visage (de qqn)
   avec sa cape ; enrober ; paner

72 **rebrincar,** vi, bondir, faire des bonds

5 **rebrotar,** vi, [les plantes] repousser

5 **rebufar,** vi, [un animal] s'ébrouer,
   souffler de nouveau

5 **rebujar,** vt, vp, chiffonner ; envelopper
   [sans soin] du linge

18 **rebullir,** vi, vp, irr., bouger ; s'agiter

5 **reburujar,** vt, fam., envelopper pêle-mêle

72 **rebuscar,** vt, rechercher, fouiner ;
   glaner [des épis] ; grappiller [du raisin]

5 **rebuznar,** vi, braire

5 **recabar,** vt, ❖, obtenir [à force d'insistances]

20 **recaer,** vi, irr., ❖, retomber, rechuter ;
   échoir (à qqn)

5 **recalar,** vt, vi, vp, [la pluie] pénétrer, tremper ;
   [un bateau] atterrer, prendre terre

72 **recalcar,** vt, vi, vp, presser, serrer ;
   mettre l'accent (sur qqch.) ;
   [un bateau] donner de la bande

5 **recalcitrar,** vi, reculer ; se montrer récalcitrant

56 **recalentar,** vt, vp, irr., réchauffer, surchauffer ;
   être en chaleur

21 **recalzar,** vt, butter/rechausser [les plantes]

5 **recamar,** vt, broder en relief

5 **recambiar,** vt, rechanger ;
   retourner [une lettre de change]

5 **recapacitar,** vt, vi, ❖, remémorer ;
   réfléchir (à qqch.)

5 **recapitular,** vt, récapituler

53 **recargar,** vt, vp, ❖, recharger ; surcharger ;
   grever [un impôt]

5 **recatar,** vt, vi, vp, ❖, cacher, dissimuler ;
   se méfier

5 **recauchutar,** vt, rechaper, recaoutchouter

5 **recaudar,** vt, recouvrer ; percevoir

5 **recebar,** vt, recharger [une route]

5 **recelar,** vt, vp, ❖, soupçonner, pressentir ;
   se méfier ; mettre en chaleur [une jument]

56 **recentar,** vt, vp, irr., mettre le levain
   [dans la pâte] ; se renouveler

5 **recetar,** vt, ❖, [un médecin] prescrire, ordonner

21 **rechazar,** vt, repousser, rejeter

5 **rechiflar,** vt, vp, siffler longuement ;
   railler, persifler (qqn), se moquer

5 **rechinar,** vi, vp, grincer, crisser ; rechigner

5 **rechistar,** vi, chuchoter ; répliquer

7 **recibir,** vt, vp, ❖, recevoir ; percevoir ;
   admettre [un candidat] ;
   être reçu [à un examen]

5 **reciclar,** vt, recycler

5 **recidivar,** vi, récidiver

72 **reciprocar,** vt, vp, réciproquer ; être réciproque

5 **recitar,** vt, ❖, réciter

5 **reclamar,** vi, vt, vp, ❖, réclamer ; revendiquer ;
   [les oiseaux] appeler

5 **reclinar,** vt, vp, ❖, incliner, appuyer [la tête],
   pencher

45 **recluir,** vt, vp, irr., 2 p.p., incarcérer, enfermer ;
   reclure

5 **reclutar,** vt, recruter

5 **recobrar,** vt, vp, ❖, recouvrer, récupérer ;
   être dédommagé

22 **recocer,** vt, vp, irr., recuire ; cuire longtemps ;
   se consumer

5 **recodar,** vi, vp, [une rivière] former un coude ;
   s'accouder

23 **recoger,** vt, vp, ❖, ranger ; reprendre, cueillir ;
   se retirer

38 **recolar,** vt, irr., filtrer de nouveau

5 **recolectar,** vt, collecter; récolter [des céréales]
56 **recomendar,** vt, vp, irr., ❖, recommander
37 **recomenzar,** vt, irr., recommencer
5 **recompensar,** vt, ❖, récompenser
60 **recomponer,** vt, irr., recomposer; réparer
5 **renconcentrar,** vt, vp, ❖, concentrer
5 **reconciliar,** vt, vp, ❖, réconcilier
62 **reconducir,** vt, irr., reconduire
5 **reconfortar,** vt, réconforter
25 **reconocer,** vt, vp, irr., ❖, reconnaître
5 **reconquistar,** vt, ❖, reconquérir
5 **reconsiderar,** vt, reconsidérer
45 **reconstituir,** vt, vp, irr., reconstituer
45 **reconstruir,** vt, irr., reconstruire
38 **recontar,** vt, irr., recompter
54 **reconvalecer,** vi, irr., entrer de nouveau
en convalescence
82 **reconvenir,** vt, irr., ❖, reprocher
76 **reconvertir,** vt, vp, irr., ❖, reconvertir; recycler
5 **recopilar,** vt, compiler [des documents]
38 **recordar,** vt, vi, vp, irr., rappeler, remémorer;
se rappeler (qqch.); se réveiller
6 **recorrer,** vt, vi, ❖, parcourir, examiner; recourir
5 **recortar,** vt, vp, découper; recouper; rogner;
silhouetter [une figure]; se profiler
6 **recoser,** vt, recoudre, raccommoder
38 **recostar,** vt, vp, irr., ❖, appuyer, pencher
5 **recovar,** vt, acheter [des œufs et volailles]
pour les revendre
5 **recrear,** vt, vp, ❖, recréer; distraire; se distraire
54 **recrecer,** vt, vi, vp, irr., augmenter, accroître;
reprendre courage
43 **recriar,** vt, élever, acclimater [des animaux];
recréer; rédimer, racheter
5 **recriminar,** vt, vp, récriminer;
s'accuser réciproquement
54 **recrudecer,** vi, vp, irr., être en recrudescence,
redoubler d'intensité
72 **rectificar,** vt, vp, rectifier; se corriger
5 **recuadrar,** vt, quadriller;
graticuler [un dessin, une peinture]
7 **recubrir,** vt, ❖, recouvrir
5 **recular,** vi, reculer
5 **recuperar,** vt, vp, récupérer; se remettre
7 **recurrir,** vi, ❖, recourir, faire appel
5 **recusar,** vt, récuser, rejeter
5 **redactar,** vt, rédiger
45 **redargüir,** vt, irr., rétorquer, contester
[un argument]
28 **redecir,** vt, irr., redire, répéter

7 **redefinir,** vt, redéfinir
7 **redescubrir,** vt, vp, p.p., redécouvrir
7 **redhibir,** vt, annuler la vente
[d'un objet défectueux]
7 **redimir,** vt, vp, ❖, racheter [un objet vendu];
libérer [d'une dette]
45 **redistribuir,** vt, irr., redistribuer
5 **redoblar,** vt, vi, vp, redoubler; répéter;
rouler [le tambour]
53 **redoblegar,** vt, recourber, redoubler
5 **redondear,** vt, vp, ❖, arrondir
5 **redorar,** vt, redorer
62 **reducir,** vt, vp, irr., ❖, réduire, ramener
5 **redundar,** vi, ❖, [un liquide] découler, déborder;
rejaillir
72 **reduplicar,** vt, redoubler
72 **reedificar,** vt, réédifier
5 **reeditar,** vt, rééditer
72 **reeducar,** vt, rééduquer
36 **reelegir,** vt, irr., réélire
72 **reembarcar,** vt, vp, rembarquer, réembarquer
53 **reembargar,** vt, ressaisir, séquestrer
5 **reembolsar,** vt, vp, rembourser
21 **reemplazar; remplazar,** vt, ❖, remplacer
6 **reemprender,** vt, reprendre [une action]
5 **reencarnar,** vi, vp, ❖, se réincarner
38 **reencontrar,** vt, vp, irr., rencontrer à nouveau;
retrouver [ses facultés]
5 **reencuadernar,** vt, relier de nouveau
5 **reenganchar,** vt, vp, rengager; réengager;
fam., rempiler
5 **reengendrar,** vt, ❖, réengendrer
5 **reensayar,** vt, essayer de nouveau
43 **reenviar,** vt, renvoyer
43 **reenvidar,** vt, relancer, renchérir [au jeu]
5 **reestrenar,** vt, reprendre à nouveau
[une pièce, un film]
5 **reestructurar,** vt, restructurer; réorganiser
5 **reexaminar,** vt, réexaminer
55 **reexpedir,** vt, irr., réexpédier
5 **reexportar,** vt, réexporter
76 **referir,** vt, vp, irr., ❖, rapporter; se référer
5 **refinar,** vt, raffiner
5 **reflectar,** vi, réfléchir [le son, la lumière];
refléter
5 **reflejar,** vi, vt, vp, ❖, réfléchir [le son,
la lumière]; refléter
5 **reflexionar,** vi, vt, ❖, réfléchir (à qqch.)
54 **reflorecer,** vi, irr., refleurir
45 **refluir,** vi, irr., refluer

5 **refocilar,** vt, vp,✧, réjouir ; réconforter ;
    combler d'aise
38 **reforestar,** vt, reboiser
5 **reformar,** vt, vp,✧, réformer
42 **reforzar,** vt, vp, irr., renforcer ; réconforter
5 **refractar,** vt, vp, réfracter
66 **refregar,** vt, vp, irr.,✧, frotter ; frictionner
67 **refreír,** vt, irr., refrire
5 **refrenar,** vt, vp, réfréner ; serrer la bride
    [à un cheval]
5 **refrendar,** vt, légaliser ; viser [un passeport]
72 **refrescar,** vt, vi, vp,✧, rafraîchir ;
    raviver [des souvenirs] ; prendre des forces
5 **refrigerar,** vt, vp, réfrigérer
32 **refringir,** vt, vp, réfracter
5 **refugiar,** vt, vp,✧, accueillir ; réfugier
32 **refulgir,** vi, resplendir, briller
7 **refundir,** vt, vi, vp,✧, refondre [les métaux] ;
    remanier [une œuvre littéraire]
5 **refunfuñar,** vi, fam., grogner, bougonner,
    ronchonner
5 **refutar,** vt,✧, réfuter
5 **regalar,** vt, vp,✧, offrir, faire cadeau ; se régaler
5 **regañar,** vi, vt, gronder ; se fâcher
66 **regar,** vt, irr.,✧, arroser ; irriguer ; répandre
5 **regatear,** vt, vi, marchander ; chipoter ;
    dribbler [au football]
5 **regatonear,** vt, vendre au détail
5 **regenerar,** vt, vp, régénérer
5 **regentar,** vt, régir ; régenter
56 **regimentar,** vt, irr., enrégimenter
21 **regionalizar,** vt, régionaliser
36 **regir,** vt, vi, vp, irr.,✧, régir, gouverner ;
    être en vigueur
5 **registrar,** vt, vp,✧, fouiller ; examiner ; inscrire
5 **reglamentar,** vt, réglementer
5 **reglar,** vt, vp,✧, régler
5 **regocijar,** vt, vp,✧, réjouir
5 **regodearse,** vp,✧, fam., se délecter
38 **regoldar,** vi, irr., fam., éructer, roter
5 **regresar,** vi,✧, revenir ; retourner
18 **regruñir,** vi, irr., grogner avec force
5 **regular,** vt, mesurer, régler
21 **regularizar,** vt, vp, régulariser
5 **regurgitar,** vi, régurgiter
5 **rehabilitar,** vt, vp,✧, réhabiliter
44 **rehacer,** vt, vp, irr., refaire ; réparer, restaurer
55 **rehenchir,** vt, vp, irr., remplir ; rembourrer
76 **rehervir,** vi, vt, vp, irr., rebouillir ; s'enflammer
12 **rehilar,** vt, vi, retordre [un fil] ; trembler ; vibrer

53 **rehogar,** vt,✧, cuis., faire mijoter à l'étuvée
38 **rehollar,** vt, irr., fouler aux pieds
45 **rehuir,** vt, vi, vp, irr., retirer, écarter ; fuir
54 **rehumedecer,** vt, vp, irr., tremper
15 **rehusar,** vt, refuser
5 **reimplantar,** vt, réimplanter
5 **reimportar,** vt, réimporter
7 **reimprimir,** vt, 2 p.p., réimprimer
5 **reinar,** vi,✧, régner
7 **reincidir,** vi,✧, récidiver
5 **reincorporar,** vt, vp,✧, réincorporer
5 **reingresar,** vi, rentrer
7 **reinscribir,** vt, p.p., réinscrire
5 **reinsertar,** vt, vp, 2 p.p., réinsérer
5 **reinstalar,** vt, vp, réinstaller
5 **reintegrar,** vt, vp,✧, réintégrer, rembourser,
    restituer
67 **reír,** vi, vt, vp, irr.,✧, rire ; railler ; se moquer
5 **reiterar,** vt, vp, réitérer ; répéter
72 **reivindicar,** vt, revendiquer
5 **rejonear,** vt, vi, toréer à cheval
5 **rejuntar,** vt, rejointoyer
54 **rejuvenecer,** vt, vi, vp, irr., rajeunir
5 **relacionar,** vt, vp,✧, rapporter ; raconter ;
    mettre en rapport ; avoir une relation
5 **relajar,** vt, vp,✧, relâcher ; décontracter ;
    détendre
6 **relamer,** vt, vp,✧, relécher ; pourlécher
5 **relampaguear,** vi, imp., faire des éclairs, étinceler
21 **relanzar,** vt, relancer ; repousser
5 **relatar,** vt, raconter, narrer
21 **relativizar,** vt, relativiser
26 **releer,** vt, irr., relire
53 **relegar,** vt, reléguer ; exiler
5 **relevar,** vt, vi, vp,✧, relever, relayer ;
    être en relief ; faire ressortir
53 **religar,** vt, rattacher, relier ;
    allier de nouveau [un métal]
5 **relinchar,** vi, hennir ; pousser des cris de joie
53 **relingar,** vt, vi, ralinguer
5 **rellanar,** vt, vp, aplanir de nouveau ;
    s'asseoir commodément
5 **rellenar,** vt, vp,✧, remplir ; rembourrer, bourrer
48 **relucir,** vi, irr., resplendir, briller ; reluire
5 **relumbrar,** vi, briller, resplendir
5 **remachar,** vt, river, riveter ; rabattre ;
    mettre dans la tête, marteler
5 **remallar,** vt, remailler [un filet]
53 **remangar,** vt, vp, retrousser,
    relever [les manches/un vêtement]

5 **remansarse,** vp, stagner, former une nappe [d'eau]

5 **remar,** vi, ramer

72 **remarcar,** vt, marquer de nouveau

5 **rematar,** vt, vi, ⬧, achever, terminer;
tirer au but

5 **rembolsar,** vt, rembourser

49 **remecer,** vt, vp, secouer, agiter

5 **remedar,** vt, contrefaire, imiter; singer

5 **remediar,** vt, vp, remédier; secourir; empêcher

55 **remedir,** vt, irr., remesurer

5 **remellar,** vt, effleurer, remailler,
remmailler [les peaux]

5 **rememorar,** vt, remémorer

56 **remendar,** vt, irr., raccommoder, rapiécer

5 **remesar,** vt, vp, envoyer [des fonds]

6 **remeter,** vt, remettre; réintroduire

53 **remilgarse,** vp, minauder, faire des manières

21 **remilitarizar,** vt, remilitariser

5 **remirar,** vt, vp, ⬧, examiner attentivement;
apporter un grand soin à ce qu'on fait

7 **remitir,** vt, vi, vp, ⬧, remettre, envoyer;
ajourner; se modérer; s'en remettre

5 **remojar,** vt, vp, ⬧, tremper; *fam.,* arroser

72 **remolcar,** vt, remorquer

50 **remoler,** vt, irr., broyer; moudre très fin

5 **remolinar,** vi, vp, tourbillonner; s'attrouper

5 **remolinear,** vt, vi, vp, tourbillonner;
faire tournoyer

5 **remolonear,** vi, vp, lambiner; *fam.,* tirer au flanc

5 **remontar,** vt, vi, vp, ⬧, effrayer, pourchasser
[le gibier]; remonter [le temps]; s'élever

50 **remorder,** vt, vp, irr., remordre, donner
du remords

5 **remostar,** vi, vt, vp, mettre du moût
[dans le vin]; [le raisin, les fruits] s'écraser

50 **remover,** vt, vp, irr., ⬧, déplacer; remuer

21 **remozar,** vt, vp, rajeunir

5 **rempujar,** vt, *fam.,* pousser

18 **remullir,** vt, irr., ameublir; rendre très moelleux

5 **remunerar,** vt, rémunérer

54 **renacer,** vi, irr., ⬧, renaître

55 **rendir,** vt, vp, irr., ⬧, vaincre [l'ennemi];
se rendre

66 **renegar,** vt, vi, irr., ⬧, renier, désavouer;
blasphémer

38 **renovar,** vt, vp, irr., renouveler, rénover

5 **renquear,** vi, boiter, traîner la jambe;
se déhancher

21 **rentabilizar,** vt, rentabiliser

5 **rentar,** vt, rapporter; renter; *amér.,* louer

5 **renunciar,** vt, ⬧, renoncer

68 **reñir,** vi, vt, irr., ⬧, se quereller, se brouiller;
gronder, réprimander

5 **reobrar,** vi, réagir

5 **reordenar,** vt, réordonner

21 **reorganizar,** vt, vp, réorganiser

5 **reorientar,** vt, réorienter

54 **repacer,** vt, irr., repaître, brouter [l'herbe
d'un pré]

53 **repagar,** vt, surpayer

53 **repanchigarse; repanchingarse,** vp, s'installer
commodément [sur un siège]

53 **repantigarse; repantingarse,** vp, s'installer
commodément [sur un siège]

5 **repapilarse,** vp, s'empiffrer, se gaver

5 **reparar,** vt, vi, vp, ⬧, réparer; remarquer;
se retenir; s'arrêter

7 **repartir,** vt, vp, ⬧, répartir, partager; distribuer

5 **repasar,** vt, vi, ⬧, repasser [en un lieu];
examiner (qqch.); réviser [ses leçons]

43 **repatriar,** vt, vi, vp, rapatrier; être rapatrié

5 **repechar,** vi, monter une côte

5 **repeinar,** vt, repeigner, recoiffer

5 **repelar,** vt, tirer/arracher les cheveux (à qqn)

6 **repeler,** vt, ⬧, repousser; rejeter

5 **repellar,** vt, replâtrer

56 **repensar,** vt, irr., repenser (qqch.); réfléchir

21 **repentizar,** vt, vi, déchiffrer [de la musique];
improviser [un discours]

7 **repercutir,** vi, vt, vp, ⬧, répercuter, retentir;
réverbérer

5 **repesar,** vt, repeser

72 **repescar,** vt, repêcher

55 **repetir,** vt, vi, vp, irr., répéter;
redoubler [une classe];
[le goût des aliments] revenir;
se resservir [d'un plat]

72 **repicar,** vt, vi, vp, repiquer; sonner;
hacher menu; [les cloches] carillonner

5 **repintar,** vt, vp, repeindre; se maquiller

5 **repiquetear,** vt, vp, carillonner; tambouriner

5 **replantar,** vt, replanter

5 **replantear,** vt, tracer [un plan] sur le terrain;
poser à nouveau [un problème]

66 **replegar,** vt, vp, irr., replier

5 **repletar,** vt, vp, remplir; se rassasier

72 **replicar,** vi, vt, répliquer; riposter

38 **repoblar,** vt, vp, irr., ⬧, repeupler; reboiser

5 **repodar,** vt, retailler [des arbres]

5 **repollar,** vi, vp, pommer [les plantes]

60 **reponer,** vt, vp, irr., ❖, remettre ; replacer ;
reprendre [une pièce]

5 **reportar,** vt, vp, refréner ; reporter ; se calmer

5 **reposar,** vi, vt, vp, ❖, reposer ; se délasser

5 **repostar,** vt, vp, approvisionner ; ravitailler
[en vivres] ; faire le plein [d'essence]

6 **reprender,** vt, ❖, reprendre ; réprimander

5 **represar,** vt, vp, endiguer [une eau],
établir un barrage ; contenir

5 **representar,** vt, vp, ❖, représenter

7 **reprimir,** vt, vp, ❖, réprimer, contenir

38 **reprobar,** vt, irr., réprouver, blâmer

5 **reprochar,** vt, vp, reprocher (qqch. à qqn)

62 **reproducir,** vt, vp, irr., reproduire

5 **reptar,** vi, ramper

5 **republicanizar,** vt, vp, républicaniser

5 **repudiar,** vt, répudier

59 **repudrir,** vt, vp, irr., pourrir complètement

5 **repugnar,** vt, vi, vp, répugner ; dégoûter

5 **repujar,** vt, repousser [une plaque métallique]

53 **repulgar,** vt, ourler [un pantalon]

7 **repulir,** vt, vp, repolir ; pomponner

5 **repulsar,** vt, rebuter, rejeter, repousser

5 **repuntar,** vi, [la marée] commencer à monter
ou à descendre

53 **repurgar,** vt, renettoyer,
purifier de nouveau (qqch.)

5 **reputar,** vt, vp, ❖, réputer

56 **requebrar,** vt, irr., concasser, broyer de nouveau ;
faire sa cour, conter fleurette, flatter

5 **requemar,** vt, vp, brûler ; hâler, [les plantes]
dessécher ; se consumer

76 **requerir,** vt, irr., ❖, requérir ; intimer ; exiger

5 **requintar,** vt, vi, surenchérir ; surpasser ;
mus., quinter

5 **requisar,** vt, réquisitionner

5 **resabiar,** vt, vp, rendre vicieux ; devenir vicieux

72 **resacar,** vt, haler [un câble]

73 **resalir,** vi, irr., saillir ; *archit.*, être en saillie

5 **resallar,** vt, sarcler de nouveau

5 **resaltar,** vi, ❖, ressortir ; rebondir ; se détacher

5 **resaludar,** vt, rendre le salut,
répondre au salut (de qqn)

5 **resanar,** vt, redorer, réparer [une dorure] ;
retaper ; restaurer

86 **resarcir,** vt, vp, ❖, dédommager, indemniser

5 **resbalar,** vi, vp, ❖, glisser ; faire un faux pas

5 **rescaldar,** vt, échauder

5 **rescatar,** vt, vp, ❖, racheter ; sauver (qqn) ;
récupérer ; libérer

7 **rescindir,** vt, résilier, résoudre,
rescinder [un contrat]

72 **resecar,** vt, vp, réséquer, dessécher

5 **resellar,** vt, vp, refrapper [la monnaie] ;
passer d'un parti à un autre

56 **resembrar,** vt, irr., ressemer, réensemencer

76 **resentirse,** vp, irr., ❖, se ressentir ; se fâcher

5 **reseñar,** vt, rédiger un signalement ;
faire le compte-rendu

5 **reservar,** vt, vp, ❖, réserver

43 **resfriar,** vt, vi, vp, ❖, refroidir ; s'enrhumer

5 **resguardar,** vt, vp, ❖, défendre ; garantir ;
protéger

5 **residenciar,** vt, demander des comptes
[sur une gestion, sur un mandat]

7 **residir,** vi, ❖, résider

5 **resignar,** vt, vp, ❖, résigner

5 **resinar,** vt, résiner

7 **resistir,** vi, vt, vp, ❖, résister

38 **resollar,** vi, irr., respirer bruyamment ;
fam., donner signe de vie

84 **resolver,** vt, vp, irr., ❖, résoudre

38 **resonar,** vi, irr., ❖, résonner

5 **resoplar,** vi, ❖, souffler bruyamment

6 **resorber,** vt, vp, résorber

5 **respaldar,** vt, vp, ❖, endosser [un document] ;
garantir, cautionner ; s'adosser

5 **respectar,** vi, concerner, se rapporter

5 **respetar,** vt, vi, vp, respecter

53 **respigar,** vt, glaner

53 **respingar,** vi, regimber

5 **respirar,** vi, vt, respirer

54 **resplandecer,** vi, irr., ❖, resplendir

6 **responder,** vt, vi, ❖, répondre

21 **responsabilizar,** vt, vp, ❖, responsabiliser

5 **resquebrajar,** vt, vp, fissurer ; fendiller ; craqueler

5 **resquemar,** vt, vi, vp, piquer, brûler [la langue,
le palais] ; peiner

54 **restablecer,** vt, vp, irr., ❖, rétablir ; se remettre

5 **restallar,** vi, vt, claquer [un fouet] ; craquer

5 **restañar,** vt, vi, vp, rétamer ;
étancher [un liquide] ; s'arrêter

5 **restar,** vt, vi, ❖, soustraire, retrancher ; ôter ;
rester

5 **restaurar,** vt, restaurer

45 **restituir,** vt, vp, irr., ❖, restituer ; rendre

66 **restregar,** vt, irr., ❖, frotter vigoureusement

32 **restringir,** vt, ❖, restreindre

18 **restriñir,** vt, irr., resserrer

5 **resucitar,** vt, vi, ❖, ressusciter

5 **resudar,** vi, vp, suer légèrement; exsuder
5 **resultar,** vi, imp., ❖, résulter; finir par être; s'ensuivre
7 **resumir,** vt, vp, ❖, résumer
32 **resurgir,** vi, ❖, ressurgir, réapparaître
72 **retacar,** vt, billarder, queuter [au billard]
5 **retajar,** vt, tailler en rond
5 **retallar,** vt, vi, retoucher [une gravure]; [des rejetons] pousser
54 **retallecer,** vi, irr., repousser; [des rejetons] pousser
5 **retar,** vt, ❖, défier, provoquer
5 **retardar,** vt, vp, retarder
5 **retasar,** vt, taxer de nouveau; réévaluer
5 **retejar,** vt, réparer [les toits]
56 **retemblar,** vi, irr., trembler fortement
4 **retener,** vt, vp, irr., ❖, retenir
5 **retesar,** vt, tendre, raidir
5 **retirar,** vt, vi, vp, ❖, retirer; ressembler, avoir l'air; prendre sa retraite
72 **retocar,** vt, vp, retoucher; restaurer [un tableau]; se refaire [le maquillage]
5 **retomar,** vt, reprendre
5 **retoñar,** vi, [des rejetons] repousser
54 **retoñecer,** vi, irr., [des rejetons] repousser
22 **retorcer,** vt, vp, irr., 2 p.p., ❖, retordre; rétorquer [un argument]; se tordre fortement
5 **retornar,** vt, vi, vp, ❖, retourner, revenir; restituer; retordre
5 **retortijar,** vi, vt, tortiller, boucler
21 **retozar,** vi, vt, folâtrer, batifoler; gambader
5 **retractar,** vt, vp, ❖, rétracter; se dédire
79 **retraer,** vt, vp, irr., ❖, rapporter; dissuader; renoncer [à un dessein]; retraire
5 **retranquear,** vt, bornoyer; construire en retrait [une maison]
7 **retransmitir,** vt, retransmettre [une émission]
5 **retrasar,** vt, vi, vp, ❖, retarder; être en retard
5 **retratar,** vt, vp, ❖, faire le portrait; portraiturer; photographier
5 **retrechar,** vi, [le cheval] reculer
5 **retreparse,** vp, ❖, se renverser [en arrière] sur son siège
45 **retribuir,** vt, irr., rétribuer
6 **retroceder,** vi, ❖, reculer; rétrograder
5 **retrodatar,** vt, antidater
5 **retrogradar,** vt, rétrograder
38 **retronar,** vi, irr., retentir avec fracas
79 **retrotraer,** vt, vp, irr., dr., fixer rétroactivement
6 **retrovender,** vt, dr., vendre à réméré

5 **retumbar,** vi, ❖, retentir
7 **retundir,** vt, ragréer [une façade]; répercuter [une affection]
72 **reunificar,** vt, vp, réunifier
69 **reunir,** vt, vp, ❖, réunir, rassembler
5 **reuntar,** vt, oindre; enduire de nouveau
5 **revacunar,** vt, vp, revacciner
5 **revalidar,** vt, vp, revalider; passer l'examen de fin d'études
21 **revalorizar,** vt, revaloriser
9 **revaluar,** vt, réévaluer
54 **revejecer,** vi, vp, irr., vieillir prématurément
5 **revelar,** vt, vp, révéler, photogr., développer
6 **reveler,** vt, méd., révulser
5 **revenar,** vi, [un arbre] produire des jeunes pousses
6 **revender,** vt, revendre
82 **revenir,** vi, vp, irr., revenir, retourner; se rétrécir
56 **reventar,** vi, vt, vp, irr., ❖, crever, éclater; mourir d'envie (pour qqch.); s'éreinter
5 **reverberar,** vi, réverbérer
54 **reverdecer,** vi, vt, irr., reverdir
5 **reverenciar,** vt, révérer
29 **reverter,** vi, irr., déborder
76 **revertir,** vi, irr., ❖, retourner, faire retour
55 **revestir,** vt, vp, irr., ❖, revêtir
21 **revigorizar,** vt, revigorer
5 **revirar,** vt, vi, vp, détourner, dévier; répliquer, soulever (qqn contre qqch.)
5 **revisar,** vt, réviser; vérifier; contrôler [les billets]
5 **revistar,** vt, passer en revue
21 **revitalizar,** vt, revitaliser
72 **revivificar,** vt, revivifier
7 **revivir,** vi, revivre; revenir à soi
72 **revocar,** vt, vi, révoquer; refouler
80 **revolcar,** vt, vp, irr., ❖, renverser, rouler par terre; se vautrer, se rouler
5 **revolear,** vi, vt, voltiger, voleter; amér., faire tournoyer
5 **revolotear,** vi, vt, voleter, voltiger
5 **revolucionar,** vt, révolutionner
84 **revolver,** vt, vi, vp, irr., ❖, remuer; envelopper; rebrousser chemin; se retourner
53 **rezagar,** vt, vp, laisser en arrière; retarder
21 **rezar,** vt, vi, ❖, dire/réciter des prières; prier
53 **rezongar,** vi, vt, grogner, ronchonner
5 **rezumar,** vt, vi, vp, ❖, suinter, suer
5 **ribetear,** vt, border, mettre un liséré

21 **ridiculizar**, vt, ridiculiser
5 **rielar**, vi, brasiller, scintiller
5 **rifar**, vt, vi, vp, mettre en loterie,
    tirer au sort ; se quereller ;
    [une voile] se déchirer
5 **rilar**, vi, vp, trembler, grelotter
5 **rimar**, vi, vt, ❖, rimer ; faire rimer
5 **ripiar**, vt, remplir de gravats
5 **ritmar**, vt, rythmer
21 **rivalizar**, vi, ❖, rivaliser
21 **rizar**, vt, vp, friser
5 **robar**, vt, voler ; dérober
5 **roblar**, vt, river [un clou]
5 **roblonar**, vt, riveter
21 **robotizar**, vt, robotiser
54 **robustecer**, vt, vp, irr., fortifier ;
    rendre robuste
43 **rociar**, vi, imp., [la rosée] tomber ; bruiner ;
    asperger ; éclabousser
38 **rodar**, vi, vt, irr., ❖, rouler ; rôder ;
    tourner [un film]
5 **rodear**, vi, vt, vp, ❖, entourer, encercler ;
    contourner
53 **rodrigar**, vt, tuteurer [une plante] ;
    échalasser [les vignes]
70 **roer**, vt, vp, irr., ❖, ronger
24 **rogar**, vt, irr., ❖, prier ; supplier
5 **rojear**, vi, rougeoyer
5 **rolar**, vi, [le vent] tourner
5 **romancear**, vt, traduire en roman [langue]
21 **romanizar**, vt, romaniser
6 **romper**, vt, vi, vp, p.p., ❖, rompre, casser,
    briser ; [les vagues] déferler
72 **roncar**, vi, ronfler
5 **roncear**, vi, vt, lambiner, cajoler ;
    traîner [en longueur]
5 **rondar**, vi, vt, faire une ronde, rôder ;
    tourner (autour de qqch.)
5 **ronquear**, vi, vt, être enroué
5 **ronronear**, vi, ronronner
21 **ronzar**, vt, vi, croquer ;
    faire craquer [sous la dent]
72 **roscar**, vt, fileter
5 **rotar**, vi, rouler, tourner ; fam., roter, éructer
5 **rotular**, vt, étiqueter ; apposer un écriteau
5 **roturar**, vt, défricher
21 **rozar**, vt, vi, vp, ❖, frôler ; effleurer
72 **rubificar**, vt, rougir ; rubéfier
21 **ruborizar**, vt, vp, ❖, faire rougir [de honte] ;
    [le visage] rougir

72 **rubricar**, vt, parapher
5 **rufianear**, vt, vi, servir d'entremetteur
32 **rugir**, vi, imp., rugir ; [le vent] hurler
5 **rumiar**, vt, ruminer ; fam., grommeler,
    renâcler
5 **rumorear**, vt, vi, vp, murmurer
5 **runrunear**, vi, vp, faire courir une rumeur
5 **ruñar**, vt, jabler [les tonneaux]
72 **rusificar**, vt, vp, russifier
5 **rutilar**, vi, rutiler

S

5 **sabanear**, vi, amér., parcourir la savane
    [à la recherche d'un troupeau]
21 **sabatizar**, vi, sabbatiser
71 **saber**, vt, irr., ❖, savoir, connaître ;
    avoir le goût (de qqch.)
5 **sablear**, vi, fam., taper [les gens] ;
    emprunter de l'argent
5 **saborear**, vt, vp, ❖, savourer ; se délecter
5 **sabotear**, vt, saboter
72 **sacar**, vt, vp, ❖, tirer, sortir, retirer ; arracher
72 **sacarificar**, vt, saccharifier
5 **saciar**, vt, vp, ❖, rassasier ; assouvir
21 **sacralizar**, vt, sacraliser
5 **sacramentar**, vt, vp, administrer [un malade] ;
    consacrer [l'hostie]
72 **sacrificar**, vt, vp, ❖, sacrifier
7 **sacudir**, vt, vp, ❖, secouer ; battre
5 **saetear**, vt, percer de flèches
5 **sahornarse**, vp, s'échauffer [par frottement]
15 **sahumar**, vt, vp, fumiger ;
    parfumer [en brûlant des parfums]
12 **sainar**, vt, vi, engraisser [les animaux]
5 **sainetear**, vi, jouer des saynètes
5 **sajar**, vt, couper, inciser
5 **salar**, vt, vp, saler ; assaisonner
5 **salariar**, vt, salarier
5 **salcochar**, vt, cuire à l'eau salée
5 **saldar**, vt, solder
72 **salificar**, vt, salifier
73 **salir**, vi, vp, irr., ❖, sortir, partir ; fuir
5 **salivar**, vi, saliver
5 **salmear**, vi, psalmodier
5 **salmodiar**, vi, vt, psalmodier
72 **salpicar**, vt, vi, vp, ❖, éclabousser ; asperger ;
    parsemer

56 **salpimentar,** vt, irr., assaisonner [saler et poivrer]
5 **salpresar,** vt, 2 p.p., saler à la presse
5 **saltar,** vi, vt, vp, ✧, sauter
5 **saltear,** vt, voler [à main armée]; assaillir;
     cuis., faire sauter
5 **saludar,** vt, vp, ✧, saluer
5 **salvaguardar,** vt, sauvegarder
5 **salvar,** vt, vp, 2 p.p., ✧, sauver; éviter
5 **sanar,** vt, vi, ✧, guérir
5 **sancionar,** vt, sanctionner
5 **sancochar,** vt, blanchir, cuire légèrement;
     faire revenir [la viande]
5 **sanear,** vt, garantir; réparer; assainir
5 **sangrar,** vt, vi, vp, ✧, saigner;
     [un malade] se faire saigner
72 **santificar,** vt, vp, sanctifier
17 **santiguar,** vt, vp, faire le signe de la croix;
     se signer
5 **saquear,** vt, saccager, piller
5 **sargentear,** vt, commander en maître; régenter
21 **satelizar,** vt, satelliser
5 **satinar,** vt, satiner
21 **satirizar,** vi, vt, composer des satires;
     satiriser
74 **satisfacer,** vt, vp, irr., ✧, satisfaire;
     tirer satisfaction
5 **saturar,** vt, vp, ✧, saturer
5 **sazonar,** vt, vp, assaisonner; arriver à maturité
72 **secar,** vt, vp, ✧, sécher; essorer
5 **seccionar,** vt, sectionner
5 **secretar,** vt, sécréter
5 **secretear,** vi, fam., chuchoter;
     faire des messes basses
5 **secuestrar,** vt, séquestrer
21 **secularizar,** vt, vp, séculariser
5 **secundar,** vt, ✧, seconder
5 **sedar,** vt, apaiser, calmer
5 **sedear,** vt, brosser [les bijoux]
5 **sedimentar,** vt, vp, déposer [un sédiment];
     former [un sédiment]
62 **seducir,** vt, irr., séduire
66 **segar,** vt, irr., ✧, moissonner
5 **segmentar,** vt, segmenter
53 **segregar,** vt, ✧, séparer [de la masse];
     sécréter
75 **seguir,** vt, vi, vp, irr., ✧, suivre; continuer;
     s'ensuivre
5 **segundar,** vt, vi, recommencer, renouveler;
     seconder; être en second
5 **seleccionar,** vt, sélectionner

5 **sellar,** vt, sceller; cacheter; timbrer
5 **semblantear,** vt, amér., dévisager
56 **sembrar,** vt, irr., ✧, semer
5 **semejar,** vi, vp, ✧, ressembler
5 **senderear,** vt, vi, acheminer; tracer
     [un sentier]; prendre des chemins
     détournés
21 **sensibilizar,** vt, sensibiliser
56 **sentar,** vt, vi, vp, irr., ✧, asseoir;
     aller [bien/mal], convenir; seoir
5 **sentenciar,** vt, ✧, juger; condamner
76 **sentir,** vt, vp, irr., ✧, sentir; se sentir
5 **señalar,** vt, vp, ✧, marquer; signaler
21 **señalizar,** vt, signaliser
5 **señorear,** vt, vp, ✧, dominer; commander;
     s'emparer
5 **separar,** vt, vp, ✧, séparer
72 **septuplicar,** vt, vp, septupler
5 **sepultar,** vt, vp, 2 p.p., ✧, ensevelir; enterrer
1 **ser,** vi, irr., ✧, être, exister; advenir
5 **serenar,** vt, vi, vp, rasséréner;
     [le temps, la mer] se calmer;
     [liquide] se clarifier
5 **seriar,** vt, sérier
5 **sermonear,** vi, vt, prêcher; fam., sermonner
5 **serpentear,** vi, serpenter
56 **serrar,** vt, irr., scier
5 **serruchar,** vt, amér., scier [à la scie égoïne]
55 **servir,** vi, vt, vp, irr., ✧, servir
5 **sesear,** vi, prononcer le «c» ou le «z»
     comme un «s»
53 **sesgar,** vt, couper en biais
5 **sestear,** vi, faire la sieste
72 **sextuplicar,** vt, vp, sextupler
5 **sigilar,** vt, sceller; taire, cacher
5 **signar,** vt, vp, signer
72 **significar,** vt, vi, vp, ✧, signifier; représenter;
     se distinguer
5 **silabar; silabear,** vi, vt, syllaber;
     décomposer en syllabes
5 **silbar,** vi, vt, siffler
5 **silenciar,** vt, taire; passer sous silence
21 **silogizar,** vi, syllogiser
5 **siluetear,** vt, silhouetter
21 **simbolizar,** vt, symboliser
21 **simpatizar,** vi, ✧, sympathiser
72 **simplificar,** vt, simplifier
5 **simular,** vt, simuler
5 **simultanear,** vt, ✧, faire coïncider,
     mener de front [deux entreprises]

5 **sincerar,** vt, vp, ✧, justifier, disculper

5 **sincopar,** vt, syncoper; abréger

21 **sincopizar,** vt, vp, syncoper; tomber en syncope

21 **sincronizar,** vt, ✧, synchroniser

72 **sindicar,** vt, vp, syndiquer

5 **singlar,** vi, navig., cingler [un navire]

21 **singularizar,** vt, vp, ✧, singulariser

21 **sintetizar,** vt, synthétiser

21 **sintonizar,** vt, ✧, syntoniser

53 **sirgar,** vt, haler [une embarcation]

5 **sisar,** vt, ✧, chaparder; échancrer [un vêtement]

5 **sisear,** vi, vt, siffler, huer; faire psitt

21 **sistematizar,** vt, systématiser

5 **sitiar,** vt, ✧, assiéger

9 **situar,** vt, vp, ✧, situer; assigner [des fonds]

5 **soasar,** vt, saisir, griller légèrement

5 **sobajar,** vt, chiffonner, friper, froisser; tripoter

5 **sobar,** vt, pétrir; tanner [les peaux]; fam., peloter, tripoter

5 **soberanear,** vi, agir en souverain, régner

5 **sobornar,** vt, suborner, soudoyer

5 **sobrar,** vt, vi, surabonder; être de trop

5 **sobrasar,** vt, entourer de braise [la marmite, la cocotte]

5 **sobreabundar,** vi, surabonder

5 **sobrealimentar,** vt, vp, suralimenter

21 **sobrealzar,** vt, surélever, surhausser

7 **sobreañadir,** vt, surajouter

5 **sobreasar,** vt, refaire dorer/rôtir

56 **sobrecalentar,** vt, irr., surchauffer

53 **sobrecargar,** vt, surcharger; rabattre [une couture]

23 **sobrecoger,** vt, vp, saisir; surprendre

7 **sobrecomprimir,** vt, surcomprimer; pressuriser

5 **sobrecurar,** vt, mal cicatriser, soigner superficiellement

72 **sobredimensionar,** vt, surdimensionner

5 **sobredorar,** vt, surdorer, dorer [un métal]

72 **sobreedificar,** vt, surédifier, surélever

29 **sobreentender; sobrentender,** vt, irr., sous-entendre

5 **sobreentrenar,** vt, surentraîner

6 **sobreexceder,** vt, surpasser

5 **sobreexcitar,** vt, vp, surexciter

60 **sobreexponer,** vt, irr., surexposer

5 **sobregirar,** vt, mettre [un compte], tirer à découvert

12 **sobrehilar,** vt, surfiler

7 **sobreimprimir,** vt, 2 p.p., surimprimer

5 **sobrellenar,** vt, remplir abondamment

5 **sobrenadar,** vi, ✧, surnager

5 **sobrepasar,** vt, ✧, surpasser; dépasser

60 **sobreponer,** vt, vp, irr., ✧, superposer; surmonter

5 **sobrepujar,** vt, ✧, surpasser; surenchérir

73 **sobresalir,** vi, irr., ✧, surpasser, dépasser; se distinguer

5 **sobresaltar,** vt, vi, vp, ✧, effrayer, attaquer; surprendre; sursauter

5 **sobresanar,** vi, [une plaie] mal cicatriser; dissimuler [un défaut]

5 **sobresaturar,** vt, sursaturer

26 **sobreseer,** vi, vt, irr., ✧, surseoir à

5 **sobrestimar,** vt, surestimer; surfaire

82 **sobrevenir,** vi, irr., survenir

29 **sobreverterse,** vp, irr., déborder; se répandre abondamment

55 **sobrevestir,** vt, irr., revêtir par-dessus

5 **sobrevirar,** vi, survirer

7 **sobrevivir,** vi, ✧, survivre

38 **sobrevolar,** vt, irr., survoler

6 **sobrexceder,** vt, surpasser

5 **sobrexcitar,** vt, vp, surexciter

5 **socaliñar,** vt, soutirer adroitement

21 **socalzar,** vt, reprendre en sous-œuvre [un édifice]

5 **socarrar,** vt, vp, brûler; griller légèrement

5 **socavar,** vt, excaver, creuser

21 **sociabilizar,** vt, vp, sociabiliser

21 **socializar,** vt, vp, socialiser

6 **socorrer,** vt, ✧, secourir

21 **sodomizar,** vt, sodomiser

72 **sofisticar,** vt, sophistiquer

5 **soflamar,** vt, vp, flamber [une volaille]; duper, tromper; roussir

72 **sofocar,** vt, vp, suffoquer; étouffer

67 **sofreír,** vt, irr., 2 p.p., cuis., faire revenir, faire sauter

53 **sojuzgar,** vt, subjuguer

5 **solapar,** vt, vi, mettre des revers [à un vêtement]; dissimuler

38 **solar,** vt, irr., ressemeler; carreler; parqueter

21 **solazar,** vt, vp, ✧, recréer, distraire

38 **soldar,** vt, vp, irr., souder

5 **solear,** vt, vp, mettre/exposer au soleil

21 **solemnizar,** vt, solenniser

77 **soler,** vi, déf., irr., avoir l'habitude de; être fréquent

5 **solevantar,** vt, vp, soulever (qqch.)

5 **solfear,** vt, solfier, fam., rosser

5 **solicitar,** vt, vi, ✧, solliciter

5 **solidar,** vt, vp, consolider;
appuyer [sur des preuves]

21 **solidarizar,** vt, vp, ✧, solidariser

72 **solidificar,** vt, vp, solidifier

5 **soliloquiar,** vi, fam., monologuer,
parler tout seul

5 **soliviantar,** vt, vp, exciter, soulever,
pousser à la révolte

5 **soliviar,** vt, vp, aider à soulever (qqch.);
se soulever légèrement

5 **sollamar,** vt, vp, flamber

21 **sollozar,** vi, sangloter

38 **soltar,** vt, vp, irr., 2 p.p., ✧, lâcher; détacher

21 **solubilizar,** vt, solubiliser

5 **solucionar,** vt, résoudre, solutionner

5 **solventar,** vt, régler [un compte];
payer [une dette]; résoudre [une difficulté]

21 **somatizar,** vt, somatiser

5 **sombrear,** vt, ombrager;
commencer à faire ombre

6 **someter,** vt, vp, ✧, soumettre

5 **somorgujar; somormujar,** vt, vi, plonger,
enfoncer dans l'eau; nager [sous l'eau]

38 **sonar,** vi, vt, vp, irr., ✧, sonner;
fam. être familier; jouer [d'un instrument];
se moucher

5 **sondar; sondear,** vt, sonder

21 **sonorizar,** vt, sonoriser

67 **sonreír,** vi, vp, irr., ✧, sourire

5 **sonrojar; sonrojear,** vt, vp, faire rougir (qqn);
rougir de honte

5 **sonrosar; sonrosear,** vt, vp, roser, rosir,
teinter de rose

72 **sonsacar,** vt, soutirer; débaucher;
tirer les vers du nez

38 **soñar,** vt, vi, irr., ✧, rêver; songer

5 **sopapear,** vt, fam., gifler, donner une claque

5 **sopar,** vt, tremper [le pain]

5 **sopesar,** vt, ✧, soupeser

5 **sopetear,** vt, saucer; malmener

5 **soplar,** vi, vt, vp, ✧, souffler; gonfler;
fam., s'envoyer, se taper

5 **soplonear,** vt, dénoncer,
fam., moucharder, cafarder

5 **soportar,** vt, supporter

6 **sorber,** vt, humer; gober; absorber

5 **sorocharse,** vp, amér., avoir le mal
des montagnes

6 **sorprender,** vt, vp, ✧, surprendre, étonner

5 **sortear,** vt, tirer au sort; éviter [une difficulté];
esquiver (qqn)

66 **sosegar,** vt, vi, vp, irr., apaiser, calmer

5 **soslayar,** vt, mettre en travers; éviter,
esquiver

5 **sospechar,** vt, vi, ✧, soupçonner; suspecter;
se méfier (de qqn)

4 **sostener,** vt, vp, irr., ✧, soutenir;
entretenir (qqn)

5 **sotanear,** vt, donner une soutane

5 **sotaventarse,** vp, navig., [un bateau]
se mettre sous le vent

56 **soterrar,** vt, irr., enfouir

21 **sovietizar,** vt, soviétiser

21 **suavizar,** vt, adoucir

5 **subalimentar,** vt, sous-alimenter

56 **subarrendar,** vt, irr., sous-louer; sous-bailler

5 **subastar,** vt, mettre/vendre aux enchères

5 **subcontratar,** vt, vi, sous-traiter

53 **subdelegar,** vt, subdéléguer; sous-déléguer

7 **subdividir,** vt, vp, 2 p.p., ✧, subdiviser

5 **subemplear,** vt, sous-employer

29 **subentender,** vt, irr., sous-entendre

5 **subestimar,** vt, sous-estimer

60 **subexponer,** vt, irr., sous-exposer

5 **subintrar,** vi, entrer après (qqn);
méd., chevaucher

7 **subir,** vi, vt, vp, ✧, monter; s'élever

5 **sublevar,** vt, vp, soulever; révolter

5 **sublimar,** vt, vp, exalter; sublimer

5 **subordinar,** vt, vp, ✧, subordonner

5 **subrayar,** vt, souligner

53 **subrogar,** vt, vp, ✧, subroger; substituer

5 **subsanar,** vt, excuser [une faute];
réparer [un oubli]

7 **subscribir,** vt, vp, p.p., ✧, souscrire [un acte];
s'abonner [à un journal]

75 **subseguir,** vi, vp, irr., se succéder;
suivre immédiatement

5 **subsidiar,** vt, subventionner

7 **subsistir,** vi, ✧, subsister

5 **substanciar,** vt, abréger; résumer;
instruire [une affaire]

5 **substantivar; sustantivar,** vt, vp, ling.,
substantiver

45 **substituir,** vt, irr., 2 p.p., ✧, substituer,
remplacer

79 **substraer,** vt, vp, irr., ✧, soustraire; subtiliser

5 **subtitular,** vt, sous-titrer

5 **subvalorar,** vt, vp, sous-évaluer
5 **subvencionar,** vt, subventionner
82 **subvenir,** vi, irr.,✧, subvenir
76 **subvertir,** vt, irr., bouleverser; perturber
85 **subyacer,** vi, irr., être sous-jacent
53 **subyugar,** vt, vp, subjuguer; se soumettre
5 **succionar,** vt, sucer; absorber
6 **suceder,** vi, vp, imp.,✧, succéder; arriver,
   avoir lieu
7 **sucumbir,** vi,✧, succomber; perdre [un procès]
5 **sudar,** vi, vt, suer, transpirer
53 **sufragar,** vt, vi,✧, aider, assister, payer;
   amér., apporter [son suffrage]
7 **sufrir,** vt, vp,✧, souffrir, supporter; se résigner
76 **sugerir,** vt, irr., suggérer
5 **sugestionar,** vt, vp, suggestionner
5 **suicidarse,** vp, se suicider
5 **sujetar,** vt, vp, 2 p.p.,✧, assujettir; attacher;
   fixer; tenir; retenir
5 **sulfatar,** vt, sulfater
5 **sulfurar,** vt, vp, sulfurer; se fâcher
5 **sumar,** vt, vp,✧, additionner; s'élever à;
   s'ajouter
5 **sumariar,** vt, ouvrir une information judiciaire
32 **sumergir,** vt, vp,✧, submerger, plonger
5 **suministrar,** vt, fournir
7 **sumir,** vt, vp,✧, enfoncer,
   enfouir [dans la terre],
   plonger [dans l'eau]; sombrer
5 **supeditar,** vt, vp,✧, asservir, opprimer;
   se soumettre
5 **superabundar,** vi, surabonder
5 **superalimentar,** vt, suralimenter
5 **superar,** vt, surpasser, dépasser
29 **superentender,** vt, irr., inspecter, superviser
5 **superoxidar,** vt, suroxyder
60 **superponer,** vt, vp, irr.,✧, superposer
5 **supersaturar,** vt, sursaturer
5 **supervalorar,** vt, surestimer, surévaluer
82 **supervenir,** vi, irr.✧, survenir
5 **supervisar,** vt, superviser
7 **supervivir,** vi, survivre
5 **suplantar,** vt, supplanter
72 **suplicar,** vt, vi,✧, supplier;
   faire appel [à une sentence]
7 **suplir,** vt,✧, suppléer
60 **suponer,** vt, vi, irr., supposer;
   avoir de l'autorité
7 **suprimir,** vt, 2 p.p., supprimer
5 **supurar,** vi, suppurer

5 **suputar,** vt, supputer
72 **surcar,** vt, sillonner
32 **surgir,** vi,✧, surgir; [l'eau] jaillir, mouiller,
   jeter l'ancre
7 **surtir,** vt, vi, vp,✧, fournir, pourvoir; assortir;
   [l'eau] jaillir; s'approvisionner
5 **suscitar,** vt, susciter
7 **suscribir,** vt, vp, p.p., souscrire; s'abonner
6 **suspender,** vt, vp, 2 p.p.,✧, suspendre;
   ajourner; être suspendu
5 **suspirar,** vi,✧, soupirer
5 **sustanciar,** vt, abréger, résumer
5 **sustentar,** vt, vp,✧, soutenir; nourrir, sustenter
45 **sustituir,** vt, irr., 2 p.p.,✧, substituer,
   remplacer
79 **sustraer,** vt, vp, irr.,✧, soustraire
5 **susurrar,** vi, vp, susurrer, murmurer;
   [une chose] commencer à s'ébruiter
21 **sutilizar,** vt, vi, amincir; subtiliser
5 **suturar,** vt, suturer

T

5 **tabalear,** vt, vi, vp, agiter, balancer;
   tambouriner [avec les doigts]
72 **tabicar,** vt, vp, cloisonner, murer [une porte];
   boucher
5 **tablear,** vt, débiter [en planches],
   niveler [un terrain]
5 **tabletear,** vi, claquer, crépiter
5 **tabular,** vt, tabuler; faire des tabulations
5 **tacañear,** vi, lésiner; être radin
5 **tachar,** vt,✧, rayer, biffer;
   reprocher [des défauts]
5 **tachonar,** vt,✧, galonner, enrubanner;
   orner, parsemer; clouter
5 **taconear,** vi, vt, faire claquer ses talons
   [en marchant];
   faire des claquettes [en danse]
5 **tafiletear,** vt, garnir de maroquin
12 **taimarse,** vp, *amér.,* devenir rusé
5 **tajar,** vt, trancher, couper; tailler
5 **taladrar,** vt, percer, perforer, forer
5 **talar,** vt, couper, abattre [les arbres];
   saccager, dévaster
5 **tallar,** vt, vi,✧, tailler, sculpter
54 **tallecer,** vi, vp, irr., [les rejetons] pousser;
   [les graines] germer

5 **talonar,** vt, talonner [au rugby]

5 **talonear,** vt, vi, fam., presser le pas;
amér., talonner [une monture]

5 **tambalear,** vi, vp, chanceler; tituber; osciller

5 **tamborilear,** vi, vt, jouer du tambourin;
tambouriner [avec les doigts];
vanter (qqn)

21 **tamizar,** vt, tamiser

5 **tanguear,** vi, amér., tituber [un ivrogne];
danser le tango

5 **tantear,** vt, vi, vp, ❖, mesurer;
marquer des points [au jeu]

78 **tañer,** vt, vi, irr., ❖, jouer [d'un instrument
de musique]; sonner [les cloches]

5 **tapar,** vt, vp, ❖, boucher; fermer; couvrir;
s'abriter

5 **tapiar,** vt, entourer de murs;
murer [une porte]

21 **tapizar,** vt, tapisser

5 **taponar,** vt, boucher; tamponner

43 **taquigrafiar,** vt, sténographier

5 **taracear,** vt, marqueter

5 **tarar,** vt, indiquer la tare

5 **tararear,** vt, fredonner

72 **tarascar,** vt, [les chiens, surtout] mordre

5 **tardar,** vi, vp, ❖, tarder; mettre longtemps;
venir tard

54 **tardecer,** vi, imp, irr., [le jour] tomber

5 **tarifar,** vt, vi, ❖, tarifer; fam., se fâcher

5 **tartajear,** vi, bredouiller

5 **tartamudear,** vi, bégayer

5 **tasar,** vt, taxer [une marchandise];
évaluer (qqch.); fixer [le salaire]

72 **tascar,** vt, espader [le chanvre, le lin];
[les bêtes] mâcher bruyamment

5 **tasquear,** vi, faire la tournée des bistrots

9 **tatuar,** vt, vp, tatouer

1 **teatralizar,** vt, théâtraliser

5 **techar,** vt, vp, couvrir [un édifice];
poser la toiture; s'abriter

5 **teclear,** vi, vt, frapper, taper [au clavier];
fam., pianoter; tapoter

72 **tecnificar,** vt, vp, techniciser

5 **tediar,** vt, haïr, détester [une chose]

5 **tejar,** vt, couvrir de tuiles

6 **tejer,** vt, ❖, tisser; tresser; ourdir, tramer

32 **teledirigir,** vt, téléguider, télécommander

5 **telefonear,** vt, téléphoner

43 **telegrafiar,** vt, télégraphier

43 **teleguiar,** vt, téléguider

5 **teleprocesar,** vt, traiter; gérer à distance

5 **televisar,** vt, ❖, téléviser

56 **temblar,** vi, vt, irr., ❖, trembler; faire trembler

5 **temblequear; tembletear,** vi, fam. trembloter

6 **temer,** vt, vi, ❖, craindre; avoir peur

5 **temperar,** vt, vi, vp, tempérer;
amér., changer d'air; se modérer

5 **templar,** vt, vi, vp, ❖, tempérer; s'adoucir;
se réchauffer

21 **temporalizar,** vt, rendre temporel

21 **temporizar,** vi, temporiser

29 **tender,** vt, vi, vp, irr., ❖, tendre, étendre;
s'allonger

4 **tener,** vt, vi, vp, irr., ❖, avoir; posséder

5 **tensar,** vt, tendre [un câble]

56 **tentar,** vt, vp, irr., ❖, tâter; tenter

68 **teñir,** vt, vp, irr., 2 p.p., ❖, teindre, teinter

21 **teologizar,** vi, théologiser

21 **teorizar,** vt, vi, théoriser

5 **terciar,** vt, vi, vp, ❖, mettre en travers;
s'interposer; [une possibilité] se présenter

5 **tergiversar,** vt, altérer [les faits]; tergiverser

5 **terminar,** vt, vi, vp, ❖, terminer; prendre fin

5 **terraplenar,** vt, remblayer; terrasser

5 **tersar,** vt, polir

5 **tertuliar,** vi, amér., bavarder,
causer [entre amis]

5 **testar,** vi, vt, tester, faire son testament

72 **testificar,** vt, témoigner, attester

5 **testimoniar,** vt, ❖, témoigner; servir de témoin

5 **tildar,** vt, ❖, mettre le tilde [sur une lettre];
biffer, raturer; accuser, taxer

5 **tillar,** vt, parqueter; planchéier

5 **timar,** vt, vp, ❖, escroquer; filouter;
fam., faire de l'œil

5 **timbrar,** vt, timbrer

5 **timonear,** vi, gouverner, diriger [un bateau]

5 **tintar,** vt, teindre

5 **tintinear,** vi, tintinnabuler; tinter

72 **tipificar,** vt, standardiser; normaliser; typifier

43 **tipografiar,** vt, typographier

5 **tiramollar,** vi, affaler [un cordage]

21 **tiranizar,** vt, tyranniser

5 **tirar,** vt, vi, vp, ❖, jeter, lancer; tirer, traîner;
s'étendre, s'allonger

5 **tiritar,** vi, ❖, grelotter, trembler de froid

5 **tironear,** vt, tirailler

5 **tirotear,** vt, vp, ❖, tirailler;
échanger des coups de feu

5 **titilar,** vi, titiller; [un astre] scintiller

5 **titiritar,** vi, grelotter; trembler [de froid ou de peur]

5 **titubear,** vi, ❖, tituber, chanceler; hésiter

5 **titular,** vt, vi, intituler; titrer; obtenir un titre [de noblesse]

21 **titularizar,** vt, titulariser

5 **tiznar,** vt, vp, noircir; charbonner; se tacher [de noir]

5 **tizonear,** vi, tisonner

5 **toar,** vt, touer, remorquer [un bateau]

72 **tocar,** vt, vi, vp, ❖, toucher; jouer [d'un instrument]; être parent (avec qqn); frapper [à une porte]; gagner [un gros lot]

5 **toldar,** vt, bâcher

5 **tolerar,** vt, tolérer

5 **tomar,** vt, vi, vp, ❖, prendre, saisir; suivre une direction; [un métal] s'oxyder

38 **tonar,** vi, irr., tonner [en poétique]

72 **tonificar,** vt, tonifier

5 **tonsurar,** vt, tondre, tonsurer

5 **tontear,** vi, dire/faire des bêtises

5 **topar,** vt, vi, vp, ❖, heurter; rencontrer [par hasard]; se trouver nez à nez

5 **topetar,** vt, vi, [les béliers] cosser; donner des coups de tête; se heurter

5 **toquetear,** vt, toucher, tripoter

22 **torcer,** vt, vi, vp, irr., 2 p.p., ❖, tordre [des fils, une corde]; tourner

5 **torear,** vi, vt, toréer; bercer de vaines promesses (qqn)

5 **tornar,** vt, vi, vp, ❖, rendre, revenir, retourner; devenir

5 **tornasolar,** vt, vp, rendre chatoyant; chatoyer; moirer

5 **tornear,** vt, vi, tourner, façonner au tour; combattre [dans un tournoi]

5 **torpedear,** vt, torpiller

5 **torrar,** vt, griller

5 **torrear,** vt, garnir de tours [une place forte]

5 **torrefactar,** vt, 2 p.p., torréfier

5 **torturar,** vt, vp, torturer

6 **toser,** vi, tousser

5 **tosiquear,** vi, toussoter

38 **tostar,** vt, vp, irr., ❖, griller, rôtir; torréfier; hâler; bronzer

21 **totalizar,** vt, totaliser

5 **trabajar,** vi, vt, vp, ❖, travailler; façonner; s'appliquer

5 **trabar,** vt, vi, vp, ❖, lier, joindre [une chose]; entraver, empêtrer; saisir

72 **trabucar,** vt, vp, ❖, renverser, mettre sens dessus dessous; s'embrouiller

62 **traducir,** vt, irr., ❖, traduire

79 **traer,** vt, vp, irr., ❖, apporter, amener; manigancer

72 **traficar,** vi, ❖, trafiquer, faire du commerce; voyager

53 **tragar,** vt, vp, ❖, avaler; engloutir

5 **traicionar,** vt, trahir

12 **traillar,** vt, aplanir, niveler [le sol, après labour]

5 **trajear,** vt, vp, habiller, pourvoir d'habits

5 **trajinar,** vt, vi, transporter; aller et venir; s'affairer; trimer

5 **tramar,** vt, vi, tramer; [les oliviers] fleurir

5 **tramitar,** vt, ❖, faire suivre son cours [à une affaire]

5 **tramontar,** vi, vt, vp, franchir une montagne; sauver (qqn) d'un danger

5 **trampear,** vi, vt, tricher [au jeu]; vivre d'expédients, vivoter; *fam.,* tromper (qqn)

72 **trancar,** vt, vi, vp, barrer, barricader [une porte]

21 **tranquilizar,** vt, vp, tranquilliser

5 **transbordar; trasbordar,** vt, vp, ❖, transborder

29 **transcender; trascender,** vi, irr., transcender

7 **transcribir; trascribir,** vt, p.p., transcrire

7 **transcurrir; trascurrir,** vi, [le temps] s'écouler, passer

76 **transferir; trasferir,** vt, irr., ❖, transférer

5 **transfigurar; trasfigurar,** vt, vp, ❖, transfigurer

5 **transformar; trasformar,** vt, vp, ❖, transformer

7 **transfundir; trasfundir,** vt, vp, transfuser; propager

8 **transgredir; trasgredir,** vt, déf., irr., transgresser

32 **transigir,** vi, vt, transiger

5 **transitar,** vi, ❖, transiter, passer [sur la voie publique]

5 **translimitar,** vt, outrepasser [les limites]; franchir [une frontière]

5 **transmigrar; trasmigrar,** vi, transmigrer

7 **transmitir; trasmitir,** vt, transmettre

5 **transmudar; trasmudar,** vt, vp, transporter; transférer; transformer, transmuer

5 **transmutar; trasmutar,** vt, vp, ❖, transmuer, transmuter

5 **transparentar; trasparentar,** vt, vi, vp, transparaître; être transparent

5 **transpirar; traspirar,** vi, vp, ⬦, transpirer;
 suinter

5 **transplantar; trasplantar,** vt, ⬦, transplanter;
 greffer

60 **transponer; trasponer,** vt, vp, irr., déplacer
 (qqn, qqch.); transposer; s'assoupir

5 **transportar; trasportar,** vt, vp, ⬦, transporter;
 être transporté

5 **transvasar; trasvasar,** vt, transvaser

21 **tranzar,** vt, couper, trancher

5 **trapacear,** vi, frauder [dans une vente];
 chicaner

5 **trapalear,** vi, marcher [bruyamment];
 fam., bavarder, mentir

5 **trapear,** vi, imp., nettoyer [avec la toile
 à laver]; fam., neiger

5 **trapichear,** vi, fam., s'ingénier;
 se livrer à des petits trafics

5 **trapisondear,** vi, fam., chahuter,
 faire du tapage

5 **traquetear,** vi, vt, pétarader; ballotter;
 secouer, cahoter

38 **trascolar,** vt, vp, irr., filtrer, passer [au tamis];
 franchir [un obstacle]

5 **trasdosear,** vt, renforcer [un édifice]

66 **trasegar,** vt, irr., ⬦, déranger,
 mettre en désordre; transvaser [du vin]

5 **trashumar,** vi, transhumer

5 **trasladar,** vt, vp, ⬦, déplacer; transférer,
 différer, reporter [une réunion]

48 **traslucir; translucir,** vi, vp, irr., transparaître;
 se laisser deviner; être translucide

5 **traslumbrar,** vt, vp, éblouir; être ébloui

5 **trasminar,** vt, vp, ouvrir [une galerie
 de mine]; pénétrer, filtrer [une odeur,
 un liquide]

5 **trasmochar,** vt, écimer, étêter [un arbre]

5 **trasnochar,** vi, vt, passer une nuit blanche;
 découcher

38 **trasoñar,** vt, irr., rêver tout éveillé

5 **traspalar,** vt, pelleter; remuer à la pelle,
 changer de place

5 **traspapelar,** vt, vp, égarer [un papier]

54 **trasparecer,** vi, irr., transparaître

5 **traspasar,** vt, vp, ⬦, traverser, transpercer;
 transférer [un commerce]; enfreindre

5 **traspeinar,** vt, repeigner, donner un dernier
 coup de peigne

5 **trasquilar,** vt, vp, tondre; mal couper
 [les cheveux]; fam., rogner

5 **trastabillar,** vi, trébucher, tituber; bégayer

5 **trastear,** vt, vi, fouiller; mettre sens dessus
 dessous; faire des passes [au taureau]

5 **trastejar,** vt, recouvrir, réparer [un toit]

5 **trastornar,** vt, vp, déranger; troubler;
 renverser; être bouleversé, perdre la tête

80 **trastrocar,** vt, vp, irr., transformer; échanger

5 **trasudar,** vt, vi, transpirer, transsuder

5 **trasuntar,** vt, copier; résumer

5 **trasvenarse,** vp, s'extravaser; se répandre

83 **trasver,** vt, irr., apercevoir;
 voir à travers (de qqch.)

29 **trasverter,** vi, irr., déborder

5 **trasvinarse,** vp, suinter [le vin, d'un récipient];
 fam., transpirer

38 **trasvolar,** vt, irr., traverser en volant; survoler

5 **tratar,** vt, vi, vp, ⬦, traiter [une affaire];
 soigner [une maladie]; se fréquenter;
 avoir des relations

21 **traumatizar,** vt, vp, traumatiser

5 **travesear,** vi, ⬦, folâtrer; faire des espiègleries;
 polissonner

55 **travestir,** vt, vp, irr., travestir

21 **trazar,** vt, tracer [des lettres];
 tirer [des plans, des projets]

5 **trefilar,** vt, tréfiler [un métal]

5 **tremolar,** vt, arborer [un étendard], déployer;
 ondoyer, flotter

5 **trencillar,** vt, soutacher, galonner

21 **trenzar,** vt, vi, vp, tresser; natter;
 [le danseur] faire des entrechats;
 [le cheval] piaffer

5 **trepanar,** vt, méd., trépaner

5 **trepar,** vi, vt, ⬦, grimper; escalader;
 border [un vêtement];
 se renverser [en arrière]

5 **trepidar,** vi, trépider; trembler

5 **tresdoblar,** vt, tripler; plier en trois

43 **triar,** vt, vi, vp, trier; s'activer,
 [les abeilles] s'affairer;
 [un tissu] être transparent

5 **tributar,** vt, payer un impôt ou un tribut;
 témoigner [du respect]; rendre hommage

5 **tricotar,** vt, tricoter

5 **trillar,** vt, dépiquer; battre

5 **trinar,** vi, [un oiseau] faire roulades;
 mus., faire des trilles;
 fam., enrager

72 **trincar,** vt, vi, vp, attacher; fam., attraper;
 serrer les amarres [un bateau]

72 **triplicar**, vt, vp, tripler;
   faire trois fois [la même chose]

5 **tripular**, vt, former l'équipage [d'un navire,
   d'un avion]; piloter

5 **trisar**, vi, vt, [l'hirondelle] trisser

72 **triscar**, vi, vt, vp, trépigner; folâtrer;
   mêler, emmêler

72 **trisecar**, vt, triséquer, diviser en trois

5 **triturar**, vt, triturer, broyer; malmener; pulvériser

5 **triunfar**, vi, ❖, triompher, vaincre;
   jouer atout [aux cartes];
   réussir [avoir du succès]

21 **trivializar**, vt, banaliser

21 **trizar**, vt, mettre en morceaux,
   réduire en miettes

80 **trocar**, vt, vp, irr., ❖, troquer; échanger;
   changer d'humeur; se tromper

5 **trocear**, vt, couper en morceaux

5 **trompetear**, vi, fam., trompeter, claironner

72 **trompicar**, vt, vi, faire trébucher; trébucher

38 **tronar**, vi, imp, irr., ❖, tonner;
   tonner [le canon]; retentir; fulminer

5 **troncar**, vt, tronquer

5 **tronchar**, vt, vp, ❖, briser, casser;
   fam., se tordre de rire, se fendre la poire

21 **tronzar**, vt, vp, briser; tronçonner;
   froncer [un vêtement]; éreinter

37 **tropezar**, vi, vp, irr., ❖, trébucher; se heurter;
   fam. se trouver nez à nez (avec qqn)

5 **troquelar**, vt, frapper, estamper [des monnaies]

5 **trotar**, vi, trotter; trottiner

5 **trovar**, vi, rimer, faire des vers,
   composer des poèmes

21 **trozar**, vt, briser, mettre en pièces;
   débiter en billes [un arbre]

72 **trucar**, vi, bloquer [au billard]; faire le premier
   envi [jeu de cartes]; truquer

5 **trufar**, vt, vi, cuis., truffer; mentir, blaguer

5 **truhanear**, vi, truander; blaguer, bouffonner

72 **truncar**, vt, tronquer, mutiler

21 **tuberculinizar**, vt, tuberculiniser

21 **tuberculizar**, vt, tuberculiser

18 **tullir**, vi, vt, vp, irr., [les oiseaux] émeutir,
   fienter; paralyser; être paralysé

5 **tumbar**, vt, vi, vp, ❖, renverser;
   tomber à terre; s'allonger

5 **tunantear**, vi, friponner

5 **tunear**, vi, friponner

7 **tupir**, vt, vp, comprimer; resserrer

5 **turbar**, vt, vp, ❖, troubler

72 **turificar**, vt, encenser

5 **turnar**, vi, vp, alterner; se succéder; se relayer

5 **turrar**, vt, griller sur la braise

5 **tutear**, vt, vp, tutoyer

5 **tutorar**, vt, mettre des tuteurs

U

72 **ubicar**, vi, vt, vp, se trouver; être situé

5 **ufanarse**, vp, ❖, se rengorger; se vanter

5 **ulcerar**, vt, vp, ulcérer

5 **ultimar**, vt, terminer, achever, conclure

5 **ultrajar**, vt, ❖, outrager

5 **ultrapasar**, vt, outrepasser

5 **ulular**, vi, crier, hurler; ululer

86 **uncir**, vt, ❖, atteler [les bœufs]

32 **ungir**, vt, ❖, oindre; sacrer [un roi, un évêque]

72 **unificar**, vt, vp, unifier

5 **uniformar**, vt, vp, ❖, uniformiser;
   revêtir un uniforme

21 **uniformizar**, vt, uniformiser

7 **unir**, vt, vp, ❖, unir; rattacher; joindre

38 **unisonar**, vi, irr., chanter/jouer à l'unisson

21 **universalizar**, vt, universaliser

5 **untar**, vt, vp, ❖, graisser; enduire; oindre;
   se tacher

5 **upar**, vt, lever; hisser

21 **urbanizar**, vt, vp, urbaniser, civiliser;
   aménager terrain; devenir sociable

7 **urdir**, vt, ourdir [tissage]; ourdir [comploter]

32 **urgir**, vi, vt, être urgent, [loi, règlement]
   s'appliquer d'urgence

5 **usar**, vt, vi, vp, ❖, user de, utiliser, employer;
   avoir l'habitude; être en usage

7 **usucapir**, vt, déf., dr., acquérir par usucapion

9 **usufructuar**, vt, vi, avoir l'usufruit;
   produire, rapporter

5 **usurear**, vi, prêter ou emprunter à usure

5 **usurpar**, vt, usurper

21 **utilizar**, vt, vp, ❖, utiliser; servir, être utilisé

V

72 **vacar**, vi, ❖, vaquer; cesser de travailler

43 **vaciar**, vt, vi, vp, ❖, vider;
   [une rivière] se jeter; s'épancher

5 **vacilar,** vi, ❖, vaciller, chanceler ; hésiter ;
   fam., se payer la tête (de qqn)
5 **vacunar,** vt, vp, vacciner
5 **vadear,** vi, vp, guéer, passer à gué
5 **vagabundear,** vi, ❖, vagabonder
53 **vagar,** vi, ❖, errer, vaguer ;
   disposer du temps nécessaire
5 **vaguear,** vi, errer au hasard ;
   vagabonder, fainéanter
5 **vahear,** vi, fumer, exhaler de la vapeur
   ou de la fumée
81 **valer,** vt, vi, vp, irr., ❖, protéger, équivaloir ;
   avoir de la valeur ; se servir (de qqch.)
5 **validar,** vt, valider
5 **vallar,** vt, palissader, clôturer
5 **valorar,** vt, évaluer, estimer
21 **valorizar,** vt, évaluer, estimer
5 **valsar,** vi, valser
9 **valuar,** vt, évaluer, estimer
5 **vanagloriarse,** vp, ❖, se glorifier, s'enorgueillir
21 **vaporizar,** vt, vp, vaporiser
5 **vapulear,** vt, vp, flageller, fouetter
5 **varar,** vt, vi, vp, ❖, lancer [un navire] ;
   échouer ; *amér.,* tomber en panne
5 **varear,** vt ; vp, gauler [les fruits] ; bâtonner ;
   piquer [le taureau] ; se dessécher
43 **variar,** vt, vi, ❖, varier ; changer
5 **vaticinar,** vt, vaticiner, prédire, prophétiser
5 **vedar,** vt, prohiber, interdire ; empêcher,
   barrer [le passage]
5 **vegetar,** vi, vp, végéter
5 **vejar,** vt, ❖, vexer ; brimer
5 **velar,** vi, vt, vp, ❖, veiller ; voiler ;
   [une photographie] se voiler
72 **velicar,** vt, *méd.,* ponctionner
49 **vencer,** vt, vi, vp, ❖, vaincre ;
   [un délai] expirer ; se maîtriser
5 **vendar,** vt, vp, bander [avec une bande] ;
   avoir un bandeau [sur les yeux] ;
   être aveugle
6 **vender,** vt, vp, ❖, vendre ; trahir ; se vendre
5 **vendimiar,** vt, vendanger
5 **venerar,** vt, ❖, vénérer
53 **vengar,** vt, vp, ❖, venger
82 **venir,** vi, vp, irr., ❖, venir ; arriver ; s'écrouler
56 **ventar,** vt, imp., irr., flairer ; venter
5 **ventear,** vt, vp, imp., venter, faire du vent ;
   éventer ; se boursoufler ; *fam.,* vesser
5 **ventilar,** vt, vp, ventiler ; aérer
72 **ventiscar,** vi, imp., neiger avec grand vent

5 **ventisquear,** vi, imp., neiger avec grand vent
5 **ventosear,** vi, vp, *fam.,* lâcher des vents
83 **ver,** vt, vp, irr., ❖, voir ; regarder ;
   se fréquenter, se revoir
5 **veranear,** vi, ❖, passer l'été, villégiaturer
21 **verbalizar,** vt, verbaliser ; donner une forme
   verbale
5 **verdear,** vi, verdoyer, verdir
54 **verdecer,** vi, irr., [la terre, les arbres] verdir,
   reverdir
5 **verguear,** vt, gauler [un arbre], battre,
   secouer [avec une baguette]
72 **verificar,** vt, vp, vérifier ; réaliser, effectuer ;
   avoir lieu
5 **verraquear,** vi, *fam.,* grogner [en signe
   de mécontentement] ;
   [un enfant] brailler, pleurer
5 **versar,** vi, ❖, tourner autour ; porter [sur],
   traiter [de]
72 **versificar,** vi, vt, versifier
5 **vertebrar,** vt, structurer
29 **verter,** vt, vi, vp, irr., ❖, verser, renverser ;
   couler [sur une pente] ; se répandre
55 **vestir,** vt, vi, vp, irr., ❖, vêtir, habiller ;
   s'habiller
5 **vetar,** vt, mettre son veto
5 **vetear,** vt, veiner
5 **viajar,** vi, ❖, voyager
72 **viaticar,** vt, vp, administrer un viatique
   [à un malade] ; recevoir le viatique
5 **vibrar,** vt, vi, vibrer ; brandir [une épée]
5 **viciar,** vt, vp, ❖, vicier ; gâter ; corrompre
5 **victimar,** vt, sacrifier ; *fam.,* tuer, descendre
5 **victorear,** vt, acclamer
5 **vidriar,** vt, vp, vernisser, vernir [une poterie] ;
   se vitrifier, devenir vitreux
5 **vigilar,** vi, vt, ❖, surveiller ; veiller
5 **vigorar,** vt, vp, donner de la vigueur,
   rendre vigoureux
21 **vigorizar,** vt, vp, fortifier
5 **vilipendiar,** vt, vilipender ; dénigrer ; honnir
5 **vincular,** vt, vp, ❖, lier, attacher ;
   rendre inaliénable ; perpétuer
72 **vindicar,** vt, vp, ❖, venger, défendre ;
   revendiquer
5 **violar,** vt, violer ; profaner ; ternir, souiller
5 **violentar,** vt, vp, ❖, violenter ;
   se faire violence
5 **virar,** vt, vi, ❖, *photogr.,* virer ; tourner,
   retourner ; [un bateau] virer de bord

21 **virilizarse,** vp, [une femme] se masculiniser,
se viriliser

5 **visar,** vt, viser [un acte, un passeport]

21 **visibilizar,** vt, rendre visible [artificiellement]

5 **visionar,** vt, visionner

5 **visitar,** vt, vp, visiter ; rendre visite

5 **vislumbrar,** vt, apercevoir, entrevoir

21 **visualizar,** vt, visualiser

21 **vitalizar,** vt, vitaliser

5 **vitorear,** vt, acclamer

72 **vitrificar,** vt, vp, vitrifier

5 **vitriolar,** vt, vitrioler

5 **vituallar,** vt, ravitailler

5 **vituperar,** vt, blâmer, vitupérer

5 **vivaquear,** vi, bivouaquer

72 **vivificar,** vt, vivifier ; animer ; donner de la vie

7 **vivir,** vi, vt, ❖, vivre ; habiter

21 **vocalizar,** vi, vt, vocaliser

5 **vocear,** vi, vt, crier, pousser des cris ;
proclamer, acclamer ; *fam.,* claironner

5 **vociferar,** vt, vi, vociférer

38 **volar,** vi, vt, vp, irr., ❖, [les oiseaux,
les avions] voler ; faire sauter ; s'envoler

21 **volatilizar,** vt, vp, volatiliser

21 **volcanizar,** vt, vulcaniser

80 **volcar,** vt, vi, vp, irr., ❖, renverser, retourner ;
capoter, verser

5 **volear,** vt, rattraper à la volée [une volée] ;
semer à la volée

5 **voltear,** vt, vi, vp, faire tourner ; voltiger, culbuter ;
amér., changer d'avis, retourner sa veste

5 **voltejear,** vt, faire tourner, retourner ;
[une embarcation] louvoyer

84 **volver,** vt, vi, vp, irr., ❖, tourner ; retourner ;
revenir

5 **vomitar,** vt, vomir, rendre

5 **vosear,** vt, vouvoyer (qqn) ; *amér.,* tutoyer
(qqn), lui dire **vos**

5 **votar,** vi, vt, ❖, voter ; vouer
[à Dieu, à un saint] ; jurer, pester

21 **vulcanizar,** vt, vulcaniser

21 **vulgarizar,** vt, vp, vulgariser ; s'encanailler

5 **vulnerar,** vt, blesser ; nuire, porter atteinte

X

5 **xerocopiar,** vt, xérocopier

43 **xerografiar,** vt, xérographier

Y

85 **yacer,** vi, irr., ❖, gésir [dans une sépulture] ;
être couché/allongé

5 **yerbear,** vi, *amér.,* boire du maté

5 **yermar,** vt, dépeupler

5 **yodar,** vt, ioder

5 **yodurar,** vt, iodurer

5 **yugular,** vt, juguler ; égorger

60 **yuxtaponer,** vt, vp, irr., juxtaposer

Z

5 **zabordar,** vi, *navig.,* [un navire] échouer

5 **zafar,** vt, vp, ❖, orner, parer ; couvrir ;
affranchir [une ancre]

76 **zaherir,** vt, irr., ❖, critiquer, blâmer ; railler ;
blesser, mortifier

5 **zahondar,** vt, vi, creuser, fouiller [le sol] ;
enfoncer

5 **zalear,** vt, secouer

5 **zamarrear,** vt, secouer [une proie dans
sa gueule, un loup] ; *fam.,* malmener

18 **zambullir,** vt, vp, irr., ❖, plonger ; se baigner,
faire trempette ; se cacher

5 **zampar,** vt, vp, ❖, fourrer ;
fam., avaler, engloutir, engouffrer

5 **zampear,** vt, palifier, piloter [un terrain]

21 **zampuzar,** vt, ❖, plonger ; se baigner,
faire trempette

5 **zancadillear,** vt, faire un croc-en-jambe

5 **zancajear,** vi, trotter, courir de tous côtés ;
se démener

5 **zanganear,** vi, *fam.,* fainéanter, vagabonder

5 **zangolotear,** vt, vi, vp, *fam.,* agiter, secouer ;
se démener ; [une porte] branler

5 **zanjar,** vt, creuser un fossé ; aplanir,
trancher [une difficulté]

5 **zanquear,** vi, se tordre les jambes
en marchant ; marcher beaucoup et vite

5 **zapar,** vi, vt, travailler avec la sape [pelle] ;
saper

5 **zapatear,** vt, vi, vp, frapper avec un soulier ;
claquer des pieds [en dansant]

5 **zapear,** vt, mettre en fuite [un chat]
en criant « ouste ! » ; changer de chaîne
[de télévision], zapper

5 **zaracear,** vi, imp, *neiger [légèrement]*
et bruiner [avec du vent]

5 **zarandear,** vt, vp, *cribler; secouer, agiter;*
amér., se dandiner

5 **zarcear,** vt, vi, *nettoyer [les canalisations];*
battre les buissons [pour lever le gibier]

5 **zarpar,** vt, vi, ✧, *[un bateau] lever l'ancre*

5 **zascandilear,** vi, *fam., fouiner, se mêler de tout*

5 **zigzaguear,** vi, *zigzaguer*

5 **zollipar,** vi, *fam., sangloter, hoqueter*

72 **zoncear,** vi, *amér., faire l'idiot*

72 **zonificar,** vi, *diviser [un terrain] en zones*

5 **zorrear,** vi, *ruser; [une femme] se prostituer;*
mener une vie de débauche

5 **zozobrar,** vi, vt, ✧, *[un bateau] chavirer;*
couler, sombrer; mettre en péril

72 **zulacar,** vt, *luter*

5 **zullarse,** vp, *fam., chier*

5 **zumbar,** vi, vt, vp, *bourdonner, vrombir;*
fam., flanquer un coup

5 **zunchar,** vt, *fretter, cercler [de fer]*

86 **zurcir,** vt, ✧, *raccommoder, repriser;*
rentraire [un tapis]

5 **zurear,** vi, *[les pigeons] roucouler*

5 **zurrar,** vt, *drayer, corroyer, tanner [le cuir];*
fam., flanquer une raclée

53 **zurriagar,** vt, *fouetter, fustiger*

7 **zurrir,** vi, *produire un bruit désagréable;*
grincer

72 **zurruscarse,** vp, *fam., se souiller,*
faire dans sa culotte

Achevé d'imprimer par Maury à Malesherbes - FRANCE
Dépôt légal N° 101944 - Novembre 2008.